Aigner Patrizia 2 HW

TRAUNER VERLAG
BILDUNG

Bildung, die begeistert!

Ihr interaktives E-Book *plus* in der TRAUNER-DigiBox

Das Plus zum gedruckten Buch

+ Angereichertes E-Book
+ Multimediale Inhalte
+ Vielfältige Zusatzmaterialien auf einen Blick
+ Einfache Navigation
+ Für verschiedene Endgeräte (PC, Mac, Tablet, Smartphone)

Spannendes Lernen an jedem Ort.

Impressum

Zauner u. a., Angewandtes Informationsmanagement II HLW, Office 365

+ TRAUNER-DigiBox

4. Auflage 2021
Schulbuch-Nr. 180.847
Schulbuch-Nr. Kombi E-Book 180.938
TRAUNER Verlag, Linz

Die Autorinnen und Autoren

Doris Zauner MEd MSc
Höhere Bundeslehranstalt für wirtschaftliche Berufe Steyr

Dipl.-Päd. Andrea Heitzeneder
Bundeshandelsakademie und Bundeshandelsschule Traun

Elke Kepplinger BEd
Höhere Bundeslehranstalt für wirtschaftliche Berufe und Hotelfachschule Weyer

Claudia Malli-Voglhuber BEd MA
Vortragende an der Pädagogischen Hochschule OÖ

Eva Christina Pöttschacher BEd MSc
Höhere Bundeslehranstalt für wirtschaftliche Berufe und Hotelfachschule Weyer

Dir. MMag. Hubert Wiesinger
Bundeshandelsakademie und Bundeshandelsschule Ried

Approbiert für den Unterrichtsgebrauch an Höheren Lehranstalten für wirtschaftliche Berufe für den zweiten Jahrgang im Unterrichtsgegenstand Angewandtes Informationsmanagement.
Bundesministerium für Bildung BMBF-5.048/0041-IT/3/2016 vom 2. Jänner 2017.

Liebe Schülerin, lieber Schüler,
Sie bekommen dieses Schulbuch von der Republik Österreich für Ihre Ausbildung. Bücher helfen nicht nur beim Lernen, sondern sind auch Freunde fürs Leben.

Die Inhalte entsprechen dem vorgeschriebenen Kompetenzraster laut Bildungsstandards und sind laut Lehrplan zu vermitteln. Eine Auswahl bzw. Gewichtung ist nur innerhalb einzelner Kapitel (Beispiele bzw. Vertiefungsangebote) gewährleistet, nicht jedoch dürfen lt. Ministerium einzelne Kapitel oder Kompetenzbereiche ausgelassen werden.

Wichtiger Hinweis zu OFFICE 365
Bei OFFICE 365 kann es durch Unterschiede in der Installationsumgebung zu einem leicht veränderten Erscheinungsbild der Programm-Oberflächen kommen. Zusätzlich gibt es Unterschiede, je nachdem, ob mit einem mobilen Endgerät oder einem Desktop-PC gearbeitet wird. OFFICE 365 wird von MICROSOFT laufend mit Updates versorgt, es können daher gegebenenfalls neue oder veränderte Funktionen im vorliegenden Schulbuch noch nicht berücksichtigt sein. Die Designs können sich ebenfalls unterscheiden. Die in den Übungen verwendeten Designs stellen daher nur einen Vorschlag dar.

Lektorat/Produktmanagement:
Mag. Magdalena Rose
Korrektorat: Johann Schlapschi
Mag. Silvia Wiedermann
Titelgestaltung: Mag. Wolfgang Kraml
Grafik und Gestaltung:
Michael Wenigwieser
Schulbuchvergütung/Bildrechte:
© Bildrecht GmbH/Wien
Gesamtherstellung:
Johann Sandler GesmbH & Co KG
Druckereiweg 1, 3671 Marbach

ISBN 978-3-99113-020-8
Schulbuch-Nr. 180.847

ISBN 978-3-99113-073-4
Schulbuch-Nr. Kombi E-Book 180.938

www.trauner.at

Einleitung

Den Schülerinnen und Schülern Kompetenzen und Werkzeuge mitzugeben, um lebendige Wirtschaftspraxis zu meistern, ist das Ziel der Reihe **„Angewandtes Informationsmanagement“.**

Anhand lebendiger Alltagssituationen werden die **Bedeutung** sowie der **Einsatzbereich** der Inhalte für die Lernenden aufgezeigt. Aktiv bleibt die Rolle der Schülerinnen und Schüler auch, wenn es darum geht, erworbenes Wissen mithilfe zahlreicher Übungs- und Anwendungsmöglichkeiten zu trainieren. Dies ermöglicht nicht nur **systematisches Lernen,** sondern **nachhaltigen Kompetenzerwerb.**

Wesentliche Elemente und verwendete Symbole

Die angeführten **Ziele** kennzeichnen, über welches **Wissen** bzw. über welche **Kompetenzen** die Schülerinnen und Schüler nach Durcharbeiten des Kapitels verfügen. Sie entsprechen den **Bildungs- und Lehraufgaben** des Lehrplans. Aus didaktischen Gründen wurden die Ziele zum Teil detaillierter und in der Sprache der Schüler/innen formuliert. Die Ziele sind farblich nach der **Kompetenzstufe** gekennzeichnet.

Meine Ziele

KOMPETENZ-ERWERB

Nach Bearbeitung dieses Kapitels kann ich
- Blau (wiedergeben, verstehen);
- Rot (anwenden);
- Schwarz (analysieren und entwickeln).

WissensChecks, Übungen, Ziele erreicht?

Zur Erarbeitung der Kenntnisse und Fertigkeiten sowie zur Kontrolle des Lernerfolgs stehen den Lernenden WissensChecks, Übungen und umfassende Arbeitsaufträge („Ziele erreicht?“) zur Verfügung. Die Übungen und „Ziele erreicht?“-Aufgaben sind ebenfalls nach dem Kompetenzmodell mit den Farben Blau, Rot, Schwarz gekennzeichnet. Es wird unterschieden zwischen Aufgaben, bei denen die Schüler/innen
- die gelernten Fachinhalte wiedergeben und verstehen;
- erworbenes Wissen anwenden können;
- eigenständig Probleme analysieren und Lösungen entwickeln.

Kompetenzen erworben?
Kreuzen Sie aufgrund der durchgeführten Ziele erreicht?-Aufgaben an, ob Sie die Kompetenzen
☺ **zur Gänze**
😐 **überwiegend** oder
☹ **(noch) nicht ausreichend**
erworben haben. Wiederholen Sie den jeweiligen Lehrstoff im Buch, falls Sie einzelne Ziele noch nicht erreicht haben.

Viel Freude und Erfolg wünschen die Autorinnen und Autoren!

- Business Cases
- WissensCheck
- Arbeitsaufträge und persönliche Notizen
- Übungen und Rechercheaufträge
- „Ziele erreicht?“
- Verweise zu Gesetzen
- Diskussionsaufgaben
- Ausgangsdateien in der TRAUNER-DigiBox
- Bitte speichern!
- Wissenswertes und Tipps
- Beachten Sie!
- Verknüpfungen zu Gegenständen, Kapiteln oder Internetlinks
- Programmschritte
- für Videos, die mittels QR-Code bzw. Link aufgerufen werden können
- für Downloads aus der TRAUNER-DigiBox (www.trauner-digibox.com)

STARTEN SIE IHR DIGITALES ZUSATZPAKET ZUM BUCH!

In der TRAUNER-DigiBox (www.trauner-digibox.com) finden Sie Ihr persönliches E-Book und die Zusatzmaterialien zum Buch:
- www.trauner-digibox.com aufrufen
- Einmal kostenlos registrieren
- Ihr digitales Zusatzpaket mit **Lizenz-Key** auf der Rückseite des Buches freischalten.

Inhaltsverzeichnis

3. SEMESTER

Publikation und Kommunikation

I Gestaltung von Schriftstücken

Manche Textpassagen in Briefen werden je nach Inhalt und Wichtigkeit nicht nur mit einfachen Hervorhebungen formatiert, sondern können auch mit Stichwörtern, Aufstellungen, Zahlenkolonnen und Tabellen gestaltet werden. In diesem Kapitel erfahren Sie außerdem, wie Sie Massensendungen, Briefe mit Schnellbausteinen und Briefe mit Fortsetzungsblättern schreiben. Die formale Gestaltung von englischen und amerikanischen Geschäftsbriefen wird ebenfalls erläutert. Zusätzlich zur formalen Briefgestaltung, wird in diesem Kapitel auch auf die Formulierung von Brieftexten und E-Mails eingegangen.

1 Formale Briefgestaltung

Haben Sie schon einmal einen zwei- oder mehrseitigen Brief erhalten? Wenn ja, sind Ihnen dabei Unterschiede zu einseitigen Briefen aufgefallen?

Ali wird von seinem Vorgesetzten aufgefordert, einen optisch ansprechenden Brief zu schreiben. Er formatiert schon sehr gut. Während des Schreibens merkt er, dass sich das Schriftstück nicht auf einer Seite ausgeht. Ali benötigt ein Fortsetzungsblatt. Die Beschriftung der ersten und der folgenden Seiten ist ihm aus dem Unterricht bereits bekannt.

KOMPETENZ-ERWERB

Meine Ziele

Nach Bearbeitung dieses Kapitels kann ich

- Bezugszeichen normgerecht gestalten;
- Geschäftsbriefe korrekt schreiben;
- Brieftexte selbstständig formulieren und eigenständig gestalten;
- Briefbestandteile optisch ansprechend und korrekt gestalten;
- englische und amerikanische Geschäftsbriefe korrekt schreiben.

Im letzten Jahr haben Sie gelernt, wie Privatbriefe gestaltet werden. Nun werden Sie sich mit den Richtlinien für die geschäftliche Korrespondenz beschäftigen.

1.1 Grundlagen der Geschäftskorrespondenz

Unternehmen müssen die **Firmenbuchnummer** (FN, 6-stellige Zahl und Kleinbuchstabe) und das **Firmenbuchgericht** angeben.

Geschäftsbriefe werden in erster Linie für den Schriftverkehr zwischen Unternehmen verwendet. Bei Geschäftsbriefen ist ein Abstand von 25 mm vom linken Blattrand empfohlen. Bei Vordrucken sind die Grenzen des Schreibraumes entsprechend anzupassen.

Auf Geschäftsbriefen sind vorgedruckt:

- Absender (Firmenlogo) – zentriert, links- oder rechtsbündig;
- Rücksendeangaben – in kleinerem Schriftgrad, ca. 8 Punkt;
- Bezugszeichen – ohne Leitwörter, Bezugszeichenblock mit Leitwörtern, Bezugszeichenzeile mit Leitwörtern
- In der Fußzeile stehen die weiteren Angaben, wie z. B. Bankverbindung (IBAN und BIC), Telefonnummer, Faxnummer, E-Mail- und Internetadresse, Öffnungszeiten;
- UID-Nr. (Umsatzsteueridentifikationsnummer, ATU + 8-stellig);
- ARA-Lizenznummer (4-stellig) Altstoff Recycling Austria; Unternehmer schließen einen Servicevertrag mit der ARA ab, um Verpackungen ordnungsgemäß zu entsorgen;
- DG-Nummer: Dienstgebernummer (9-stellig), wird im Zusammenhang mit der Auftraggeberhaftung – besonders im Baugewerbe – benötigt;
- ZVR: Zentrales Vereinsregister. Vereine erhalten eine ZVR-Zahl und werden im zentralen Vereinsregister eingetragen.

IBAN (**I**nternational **B**ank **A**ccount **N**umber) = AT + 2-stellige Zahl + BLZ + 11 Stellen für Kto.-Nr.

	Prüfziffer	BLZ	Kontonummer
AT	61	76013	00035746811
Länder-Kennzeichnen			

Aufgrund der Länge der Zahl wird für die Lesbarkeit eine Unterteilung in Vierergruppen vorgenommen – beim E-Banking erfolgt die Eingabe der Zahl aber ohne Leerzeichen.

BIC (**B**ank **I**dentifier **C**ode – auch als SWIFT-Adresse bekannt), weltweit eindeutiger Code zur Identifizierung von Kreditinstituten.

Bei der Briefgestaltung ist Folgendes zu beachten:

- Verfassen Sie die Schriftstücke in einer gut lesbaren Schriftart, z. B. Calibri.
- Wählen Sie eine Schriftgröße zwischen 10 Punkt und 12 Punkt. Der durch die Standard-Schnellformatvorlage eingestellte Zeilenabstand kann bei Bedarf verringert bzw. bei kurzen Texten auch erhöht werden.
- Vergessen Sie nicht, vor dem Ausdruck die automatische Silbentrennung zu aktivieren und den Text in der Seitenansicht zu kontrollieren.

Geschlechtergerechtes Formulieren ist in Österreich gesetzlich vereinbart. Die Grundregeln müssen Sie daher auch im Schriftverkehr beachten. Ein Informationsblatt dazu finden Sie in der TRAUNER-DigiBox.

Briefteile

Die Lage und Maße der einzelnen Briefteile richtet sich nach der Papiergröße DIN A4 und der Positionierung eines eventuellen Fensters in Fensterkuverts.

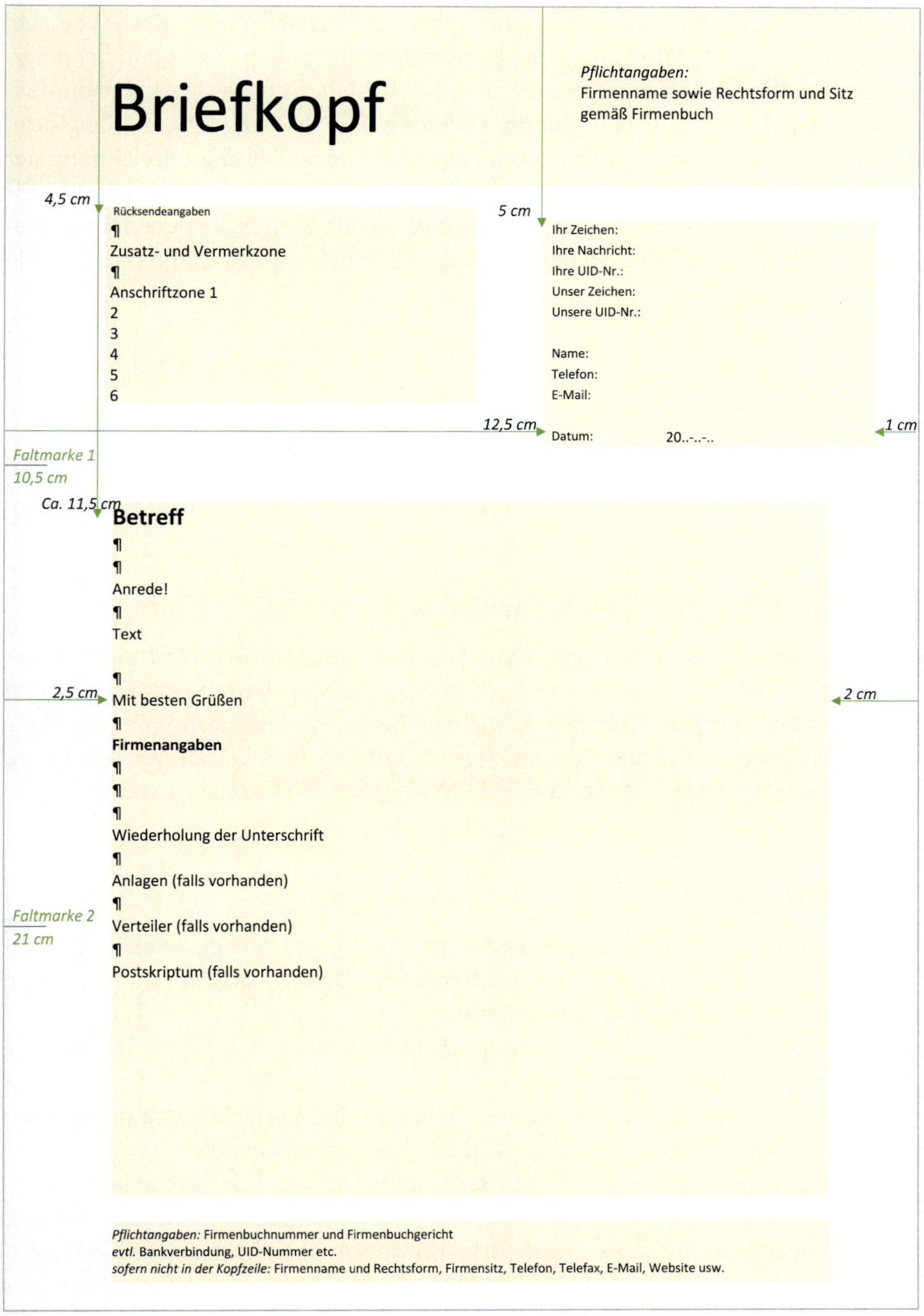

Die verwendeten Bezugszeichen können variieren. Die Reihenfolge ist jedoch einzuhalten.

Pflichtangaben

Die **Pflichtangaben für Geschäftskorrespondenz** sind im **Unternehmensgesetzbuch** und in der **Gewerbeordnung** geregelt und werden in der Regel in der Kopfzeile bzw. im Feld für die Geschäftsangaben in der Fußzeile angeführt. Welche Angaben konkret anzuführen sind, hängt von der Rechtsform des Unternehmens sowie von der Art des Geschäftspapiers und von der Form der Übermittlung ab. Zu den üblichen Pflichtangaben zählen neben dem **Firmennamen** sowie der **Rechtsform** der **Sitz gemäß Firmenbuch,** die **Firmenbuchnummer** und das **Firmenbuchgericht.** (Auf Unternehmen in Liquidation ist hinzuweisen!) **Bankverbindungen** können, müssen aber nicht angegeben werden.

Bei **Rechnungen** gelten (über die Angabe des Absenders und Empfängers hinaus) zusätzliche Pflichtangaben: eine einmalige **fortlaufende Nummer,** die **Umsatzsteueridentifikationsnummer** (UID-Nummer) des Ausstellers der Rechnung, bei Rechnungen über 10.000 Euro sowie bei Reverse-Charge-Umsätzen und bei innergemeinschaftlichen Lieferungen zusätzlich die UID-Nummer des Leistungsempfängers. Weiters sind anzugeben: **Tag der Lieferung** oder Leistung bzw. der Zeitraum, über den sich die Leistung erstreckt, **Menge** und **handelsübliche Bezeichnung der Ware** oder **Art und Umfang der Leistung,** das **Entgelt** – das ist der Nettobetrag – für die Lieferung oder Leistung sowie der **anzuwendende Steuersatz** oder, falls zutreffend, ein Hinweis auf eine Steuerbefreiung sowie der auf das Entgelt entfallende Steuerbetrag.

Achten Sie künftig bei Geschäftsbriefen, die Sie oder Ihre Familienmitglieder bekommen, darauf, ob alle Pflichtangaben vorhanden sind.

Seitenränder

Der linke Rand muss auf 2,5 cm, der rechte Rand darf auch auf 2 cm eingestellt werden. Für die Gestaltung des Briefkopfes (= Absender) empfiehlt es sich, die Kopfzeile auf 4,5 cm einzustellen. In der Fußzeile sollen die Pflichtangaben Platz finden.

1.1.1 Gestaltung der Absenderangabe

Die Absenderangabe ist bis maximal 4,5 cm vom oberen Blattrand entfernt anzuführen. In der Praxis ist sie in einem entsprechenden Layout vorgedruckt und enthält weitere Angaben wie den Branchenhinweis, die Hauptnummer des Telefonanschlusses, die Faxnummer, die Internet- und/oder die E-Mail-Adresse. Im internationalen Schriftverkehr sollte ÖSTERREICH/AUSTRIA angefügt werden.

Wiederholen Sie, wenn nötig, die Richtlinien für die Gestaltung von Empfängeranschriften aus dem Vorjahr.

1.1.2 Bezugszeichen

Bezugszeichen sind Informationen und Angaben, die sich auf den aktuellen Schriftwechsel beziehen. Dazu zählen Geschäftszeichen, Datum, Telefonnummer, Name des Sachbearbeiters/der Sachbearbeiterin.

- Bezugszeichen und ihre Leitwörter können in einer kleineren Schriftgröße (9 Punkt) formatiert werden.
- Als Trennzeichen für die Angabe von mehreren Bezugszeichen, die unmittelbar hintereinander angeführt werden, wird das Komma verwendet.
- Der Sachbearbeiter/die Sachbearbeiterin sollte mit Vor- und Nachnamen angeführt werden, der Nachname kann auch in Großbuchstaben geschrieben werden.
- Die Erreichbarkeit der Ansprechpartnerin/des Ansprechpartners sollte durch eine **komplette Telefonnummernangabe** (einschließlich der Nebenstellennummer) gewährleistet sein.

Die Angabe der kompletten Telefonnummer erleichtert die Erreichbarkeit der Ansprechpartnerin/des Ansprechpartners.

Bezugszeichen ohne Leitwörter

- **Eigene** Bezugszeichen werden rechtsbündig unter der Datumsangabe angeordnet.
- **Fremde** Bezugszeichen stehen eine Zeile unter der Betreffangabe.

Beispiel

25. Oktober ....
Manuela Pertl

Wartungsangebot
M/U, Ihre Anfrage vom 24. Oktober d. J. (9 Punkt)

Bezugszeichen- bzw. Infoblock mit Leitwörtern

- Der Bezugszeichenblock beginnt bei 5 cm von der oberen Blattkante und 12,5 cm vom linken Blattrand entfernt. Er ist maximal 7,5 cm breit.
- Die Leitwörter stehen untereinander und beginnen bei 12,5 cm im Zeilenlineal, Schriftgröße ca. 8 Punkt.
- Nach den Leitwörtern wird ein Doppelpunkt angefügt.
- Die **Reihenfolge der Leitwörter** „Ihr Zeichen", „Ihre Nachricht vom", „Unser Zeichen", „Unsere Nachricht vom", „Name", „Telefon", „Telefax", „E-Mail" und „Datum" ist einzuhalten.
- Grundsätzlich dürfen Leitwörter ergänzt, weggelassen oder verändert werden. Die **Angaben** sind **mit Leerzeilen zu gruppieren.** So ist vor den Leitwörtern „Name" und „Datum" jeweils eine Leerzeile vorgesehen.

⚠ Fremde Bezugszeichen werden als zweite Zeile in den Betreff aufgenommen und in einer kleineren Schriftgröße formatiert.

Obertrummer GmbH, 1200 Wien, Hauptstraße 5-9

← 12,5 cm vom Blattrand → ← 7,5 cm →

Einschreiben	Ihr Zeichen:	ab-cd
Persönlich	Ihre Nachricht:	....-01-10
	Unser Zeichen:	zu-xy
Herr		
Herbert Herbst	Name:	Franz Zunder
Lindenweg 4	Telefon:	01 123 45 68-41
Brückl	E-Mail:	franz.zunder@obertrummer.at
9102 Völkermarkt		
	Datum:	....-01-14

- Ist die **UID-Nummer** anzuführen – siehe Pflichtangaben, Seite 258, kann diese in den Bezugszeichen- bzw. Infoblock integriert werden.

Obertrummer GmbH, 1200 Wien, Hauptstraße 5-9

Einschreiben	Ihr Zeichen:	ab-cd
Persönlich	Ihre Nachricht:	....-01-10
	Ihre UID-Nr.:	ATU12345678
Herr	Unser Zeichen:	zu-xy
Herbert Herbst	Unsere UID-Nr.:	ATU87654321
Lindenweg 4		
Brückl	Name:	Franz Zunder
9102 Völkermarkt	Telefon:	01 123 45 68-41
	E-Mail:	franz.zunder@obertrummer.at
	Datum:	....-01-14

Bezugszeichen- bzw. Infozeile

Vor allem **im öffentlichen Dienst** ist die Bezugszeichen- bzw. Infozeile noch in Vordrucken vorhanden. In der Wirtschaft hat sich der flexible Bezugszeichen- bzw. Infoblock durchgesetzt. Die Leitwörter sind so zu setzen, dass ihre **Zeilenoberkante mindestens 8,46 cm** (= 24 Pt. oder 2 Zeilen) **unterhalb** des **Anschriftenfeldes** steht.

Die typischen **Leitwörter** (nicht benötigte Leitwörter dürfen entfallen) sind im Abstand von 5 cm, meist in **Schriftgröße 6 bis 8 Pt.** vorgedruckt, die dazugehörigen Angaben stehen in der jeweils gewählten Schriftgröße darunter.

Beispiel

Ihr Zeichen/Ihre Nachricht vom	Unser Zeichen/Unsere Nachricht vom	Telefon/Name	Datum
ab-cd/....-01-10	zu-xy/....-12-21	41/Franz Zunder	....-01-14

Kommunikationszeile

Die Kommunikationszeile ist eine **Ergänzung der Bezugszeichen- bzw. Infozeile im Briefkopf.** Damit können weitere Angaben wie beispielsweise „Telefax" oder „E-Mail" angeführt werden. Die Leitwörter sind rechts neben das Feld der Empfängeranschrift zu setzen, wobei die zugehörigen Angaben schreibzeilengerecht in Höhe der letzten Zeile des Empfängeranschriftenfeldes stehen. Die Kommunikationszeile **beginnt bei 12,5 cm von links** und damit **in Flucht mit dem dritten Leitwort** der Bezugszeichenzeile.

Beispiel

4020 Linz E-Mail: franz.zunder@obertrummer.at

Ihr Zeichen/Ihre Nachricht vom	Unser Zeichen/Unsere Nachricht vom	Telefon/Name	Datum
ab-cd/....-01-10	zu-xy/....-12-21	41/Franz Zunder	....-01-14

Halten Sie den Betreff kurz!

1.1.3 Betreff

Wie Sie den Betreff korrekt gestalten, haben Sie bereits im Vorjahr gelernt. Die folgenden Punkte sollten Sie sich wieder ins Gedächtnis rufen:

- Der Betreff steht zwei Leerzeilen unter dem Bezugszeichen- bzw. Informationsblock, beginnt jedenfalls auf Position 11,5 cm vom oberen Blattrand.
- Er kann hervorgehoben werden und sollte knapp und aussagekräftig sein.
- Nach der Betreffangabe folgen zwei Leerzeilen als Zwischenraum.

Beispiele

Angebot
Ihr E-Mail vom 3. d. M.

Bewerbung als Ferialpraktikantin

Zahlungserinnerung
Auftragsnummer: RX-10121-50

Reservierungsanfrage Doppelzimmer

Übung

- **Bezugszeichen gestalten**

a) Erstellen Sie ein neues Dokument und speichern Sie es unter **Bezugszeichen1.docx.**
b) Gestalten Sie mit folgenden Angaben Bezugszeichenblöcke und/oder Bezugszeichenzeilen mit Betreffangaben:

Empfänger: Farbencenter Holzer, Herrn Mag. Walter Berghammer, Halleiner Landesstraße 20, 5400 Hallein
Ihr Zeichen: wb-kg, Ihre Nachricht: ....-04-05, Unser Zeichen: kor-wa, Name: Frau Else Korab,
Telefon: +43 7736 567 14-268, E-Mail: korab@rogner.at, Datum: ....-04-07,
Betreff: Ihr Wellnessaufenthalt

Empfänger: Weinshop Wagram, Frau Gertrude Vordermayr, Marktplatz 44, 3470 Kirchberg
Unser Zeichen: Dr. W/K, Name: Dr. Gerd Weber, Telefon: +43 7279 297 98-134, Telefax: +43 7279 297 98-135,
E-Mail: g.weber@wagram.at, Datum: ....-09-12,
Betreff: Region Wagram - Gebietsvinothek

Empfänger: Dolenz Rauch Sonnenschutz GmbH, Herr Mag. Paul Obinger MBA,
Conrad-von-Hötzendorf-Straße 116, 8010 Graz
Ihr Zeichen: KO/Pm, Ihre Nachricht: ....-11-12, Ihre UID-Nr.: ATU45789901,
Unser Zeichen: GA/ML, Unsere UID-Nr.: ATU98127763, Name: Ing. Max Gartner,
Telefon: +43 664 122 33 44, E-Mail: mgartner@klotzner.at, Datum: ....-11-13,
Betreff: Ihr Sonnenschutz

Überlegen Sie sich, welche Zeichen Sie selber verwenden können.

c) Speichern nicht vergessen!

1.1.4 Beilagenvermerke

Am Ende Ihres Briefes müssen Sie auf die mitgeschickten Beilagen hinweisen.

- Beilagenvermerke beginnen vorzugsweise an der Fluchtlinie.
- Platzieren Sie sie in einem angemessenen Abstand zum Unterschriftenblock.

Bei Platzmangel kann der Beilagenvermerk in den freien Raum neben der handschriftlichen Unterschrift gesetzt werden.

1.1.5 Verteilervermerke

Im Verteilervermerk werden alle Personen und Abteilungen aufgeführt, die eine Kopie des Briefes erhalten.

- Sind sowohl Beilagen- als auch Verteilervermerke zu schreiben, folgt der Verteilervermerk eine Leerzeile nach der letzten Zeile des Beilagenvermerks.
- Eine kleinere Schriftgröße ist möglich.

Verteilervermerke sind wie Beilagenvermerke zu behandeln.

Beispiele

Verteiler:
Rechtsanwalt Dr. Peter Seiler
Rechtsanwalt DDr. Konrad Klimesch

Kopie: Mag. Petra Steiner, Salesmanagerin

Aha!
Ist unterhalb des Brieftextes zu wenig Platz, kann der Anlage- und/oder Verteilervermerk auch rechts neben dem Unterschriftblock (12,5 cm vom linken Blattrand entfernt) platziert werden.

1.1.6 Briefabschlüsse

Je nach Verwenden der Standardeinstellungen von WORD sind in den Briefabschlüssen die entsprechenden Leerzeilen zu schalten.

Linksbündig

Auf Ihren Anruf freuen wir uns.
¶
Mit freundlichen Grüßen
¶
KÖCK & POSCH OG
¶
¶ **Leerzeilen ohne Abstand mindestens 3 Leerzeilen**
¶
Dr. Petra Maggauer
¶
Angebot

Auf Ihren Anruf freuen wir uns.

Mit freundlichen Grüßen

KÖCK & POSCH OG

Leerzeilen inkl. ABSTAND NACH 10 Punkt

Dr. Petra Maggauer

Angebot

Rechte Schreibraumhälfte – eingerückter Briefabschluss

Wir stehen Ihnen für weitere Auskünfte gerne zur Verfügung.

Freundlicher Gruß

Dipl.-Ing. Huber KG
Hoch- und Tiefbau
} kann entfallen

i. A. Walter Langer
Leiter Tiefbau

Beilagen:
2 Rechnungskopien
1 Kontoauszug

Kopie: Dr. Müller

Die Angabe „i. A." kann auch dazwischen, in Höhe der handschriftlichen Unterschrift angeführt werden.

Zentriert

Bitte merken Sie die Reservierung vor.

Mit besten Grüßen

SPORTHOTEL ELLMAU

Dr. Manfred Berger
Geschäftsführer

ppa. Walter Schreber
Empfangschef

Verteiler:
Abt. Buchhaltung

Übung

- **Briefabschlüsse gestalten**

a) Erstellen Sie ein neues Dokument und speichern Sie es unter **Briefabschluss1.docx.**
b) Gestalten Sie aufgrund folgender Angaben Briefabschlüsse in schönem Layout:

1. Grußformel: Mit freundlichen Grüßen
   Absender: Hess, Bauspenglerei und Dachdeckerei GmbH
   Unterschrift: Martin Hess, Geschäftsführer
   Beilagen: 1 Angebot
   Verteiler: –
2. Grußformel: Mit kollegialen Grüßen
   Absender: Dr. Wolfgang Lenz & Dr. Ernst Wittmann, Notarpartnerschaft
   Unterschrift: i. A. Susanne Fellner
   Beilagen: Vertrag
   Verteiler: Mag. Peter Kastner
3. Grußformel: Mit modischen Grüßen
   Absender: Carl TLAPA, Kleidermoden GmbH
   Unterschrift: i. V. Clarissa Rubens
   Beilagen: 1 Entwurf, 1 Angebot
   Verteiler: –
4. Grußformel: Freundlicher Gruß
   Absender: Kromberg & Schubert Austria GmbH u. Co KG
   Unterschrift: ppa. DI Martin Czepl, Mag. Margot Bauer
   Beilagen: –
   Verteiler: –
5. Grußformel: Freundliche Grüße
   Absender: Georg Pappas Automobil AG
   Unterschrift: Eberhard Kowatsch
   Beilagen: Buchhaltung
   Verteiler: –

c) Speichern nicht vergessen!

Eine weitere Übung zum Kapitel „Briefabschlüsse" finden Sie finden Sie in der TRAUNER-DigiBox.

Post

1.1.7 Massensendungen – Info.Mail

Info.Mail-Sendungen sind von Format und Gewicht idente Sendungen mit werblichem Inhalt und ausschließlich gedruckter Anschrift, von denen mindestens 400 Stück gleichzeitig aufgegeben werden. Die Post bietet dieses Service zu einem vergünstigen Porto an.

Die Sendungen müssen folgende Merkmale aufweisen
- gleiche Absenderin/gleicher Absender
- gleiches Format und Gewicht
- gleiches Basisprodukt (Serienbriefe mit variablen Textteilen)

Maß- und Gewichtsgrenzen
- Mindestmaße: 140 mm x 90 mm
- Höchstmaße: 324 mm x 229 mm
- Höchstgewicht: 2 000 g
- Max. Stärke: 24 mm

Nicht als Info.Mail gelten Rechnungen, Mahnungen, Kontoauszüge, Zahlscheine.

Jede Info.Mail-Sendung muss auf der Außenseite der Sendung bzw. auf der Verpackung einen deutlich sichtbaren zweizeiligen Vermerk tragen:

Österreichische Post AG
Info.Mail Entgelt bezahlt

Bei Sendungen in Fensterkuverts oder bei der Verwendung von Adressetiketten kann der Freimachungsvermerk einzeilig oberhalb der Anschrift und deutlich abgesetzt von ihr gedruckt werden.

Beispiel im Fensterkuvert

ca. 5,5 cm → Österreichische Post AG Info.Mail Entgelt bezahlt

ca. 6,5 cm → Friseurbedarf
Jacqueline Sommerer
Grünwaldstraße 4
6020 Innsbruck

1.1.8 Musterbriefe und Übungsbeispiele

Hinweise für die Briefgestaltung

Bei der Gestaltung folgender Schriftstücke sind wichtige Regeln zu beachten:
- Achten Sie auf **gute Lesbarkeit** der Schriftart.
- Verwenden Sie **maximal zwei verschiedene Schriftarten pro Dokument.**
- Wählen Sie Schriftgrößen zwischen **mindestens 10 Punkt und höchstens 12 Punkt.**
- Verwenden Sie vorzugsweise das A4-Format für die Briefgestaltung.
- Vermeiden Sie Unterstreichen – **bevorzugen Sie fette oder andere Schrifteffekte.**
- Verwenden Sie **Papier mit einer Stärke von 70 bis 90 g (Hartpost).**
- Aktivieren Sie die **Silbentrennung** und sehen Sie sich das Schriftstück vor dem Ausdruck **unbedingt** in der **Seitenansicht** an.
- Um die verlangte(n) Leerzeile(n) zu erhalten, verwenden Sie entweder den in der STANDARD-Schnellformatvorlage eingestellten Abstand (10 Punkt nach) oder betätigen Sie entsprechend oft die ↵-Taste (Absatzmarke = 1 Leerzeile).

Die Zentimeterangaben (Position der Einfügemarke) finden Sie in der Statuszeile.

Lineal einblenden
ANSICHT – ANZEIGEN – LINEAL – Häkchen aktivieren

Übung

- Gestalten Sie den **Geschäftsbrief mit Absätzen** (Design Berlin, Textkörper 10 und 8 Punkt, Vorlage **Solarenergy_v.dotx).** Speichern Sie das Dokument unter **Solarenergy1.docx.**

Solarenergy

St.-Magdalener-Straße 37
9500 VILLACH, ÖSTERREICH/AUSTRIA

Tel. +43 4242 15 92 37-0
Fax +43 4242 15 92 37-15

www.solarenergy.at

office@solarenergy.at

Solarenergy, 9500 Villach, St.-Magdalener-Straße 37, AUSTRIA

EMS
Wichtig
¶
Frau
Yasemin Habibi
Klebensteiner Weg 20
9551 Unterberg

Ihre Nachricht:	....-05-12
Unser Zeichen:	sie-mat
Name:	Werner Mathis
Telefon:	+43 4242 15 92 37-22
E-Mail:	w.mathis@solarenergy.at
Datum:	....-05-13

¶
¶
¶
¶
¶
¶
¶
¶
Besichtigungstermin – Sachverständiger
¶
¶
Sehr geehrte Frau Habibi,
¶
danke für Ihre Anfrage und die Bilder der derzeit auf Ihrem Wohnhaus montierten Solarmodule. Unser technischer Leiter für Kärnten, Herr **Wilhelm Falkensamer**, ist beeideter Sachverständiger für alternative Energietechnik. Gerne steht er in dieser Funktion als unabhängiger Berater bei einem gemeinsamen Besichtigungstermin Ihres Wohnhauses mit dem Monteur und dem Solarmodulhersteller zur Verfügung.
¶
Die Ergebnisse dieses Besichtigungstermins bilden die Basis für mögliche Schadenersatzansprüche.
¶
Er wird Sie in den nächsten Tagen kontaktieren und mit Ihnen diesen Besichtigungstermin vereinbaren. Sie können ihn unter der **Telefonnummer +43 660 25 36 87 14** jederzeit erreichen. Ein Informationsblatt über Honorarsätze liegt dem Brief bei.
¶
Wir freuen uns darauf, Sie in diesem Fall beraten zu dürfen und danken nochmals für Ihr Interesse an unseren Dienstleistungen.
¶
Freundliche Grüße
¶
Solarenergy
¶
¶
¶
Werner Mathis
Service Leitung Kärnten
¶
Beilage:
Prospekt
¶
Verteiler:
Wilhelm Falkensamer, Technische Leitung Kärnten

Absatzmarken ohne Verwendung der STANDARD-Schnellformatvorlage mit eingestelltem Abstand 8 Punkt nach.

Firmenbuchgericht: Villach
Firmenbuch-Nr.: FN 123456 b

IBAN: AT25 3258 9000 5843 6805

UID-Nr.: ATU 23569874
BIC: OBWATL2E

Übung

- Gestalten Sie den **Geschäftsbrief mit Aufzählung und Zentrierung** (Design Larissa, Schriftart Garamond, Absenderangabe und Logo: Bernhard MT Condensed, Ellipsen und Kreise einfügen, Vorlage **Post_v.dotx).** Speichern Sie das Dokument unter **Post1.docx.**

HOTEL POST****

6534 SERFAUS | Schönegg 8 | ÖSTERREICH/AUSTRIA
Tel. +43 5476 265 36-0 | E-Mail office@hotel-post.at | www.hotel-post.com

Hotel Post****, 6534 Servaus, Schönegg 8, AUSTRIA

Herr
6,5 cm → Mag. Ferdinand Zugar
Seeblick 53
7443 Rattersdorf

Ihre Nachricht:	....-03-06
Name:	Elke Herzog
Telefon:	+43 5476 265 36-0
E-Mail:	office@hotel-post.
Datum:	....-03-10

Angebot

Sehr geehrter Herr Mag. Zugar,

vielen Dank für Ihr Interesse an unserem Deluxe Doppelzimmer. Gerne informieren wir Sie über die aktuellen Konditionen:

Deluxe Doppelzimmer zum Preis von **€ 180,00/Zimmer,**
inklusive Halbpension

Zimmerausstattung:

- Bad mit WC/Dusche
- Bademäntel für die Dauer Ihres Aufenthalts
- kostenfreie Pflegeprodukte
- Telefon
- DVD-Player
- kostenloses WLAN

Für einen entspannten Aufenthalt sorgt unser hoteleigener Wellness- und Fitnessbereich. Informieren Sie sich im beiliegenden Prospekt über unser vielfältiges Angebot.

Sie haben noch weitere Fragen? Gerne beraten wir Sie unter der Nummer +43 5476 265 36-0.

Mit freundlichen Grüßen

Hotel Post

Elke Herzog
Elke Herzog

Beilage → Prospektmaterial

Bankverbindung: Volksbank Landeck: IBAN: AT02 4585 0005 4002 4430 BIC: VBOEATWWLA
UID-Nr. ATU369522478 Firmenbuchgericht Landeck FN 226955 a

Übung

- Gestalten Sie den **Geschäftsbrief mit Einzug** (Design Organisch, Textkörper 11 und 9 Punkt, Vorlage **Waldviertel_v.dotx**). Speichern Sie das Dokument unter **Waldviertel1.docx.**

WALD VIERTEL

Waldviertel Tourismus

Destination Waldviertel GmbH, 3910 Zwettl, Sparkassenplatz 4, AUSTRIA

6,5
Familie
Anja und Fabian Hessenberger
Steinerhofstraße 25
5310 Mondsee

9,5
Ihre Nachricht: ....-01-06

Name: Evelyn Hamberger
Telefon: +43 2822 541 09
E-Mail: info@waldviertel.at

Datum: ....-01-07

11,5 „Auszeit“ im Waldviertel

Sehr geehrte Familie Hessenberger,

ein herzliches „Grüß Gott“ aus dem Waldviertel!

Es freut uns sehr, dass Sie Interesse an unserer Region haben.

Einzug … Ruhe spüren, Kraft tanken, Energie sammeln, Freizeitspaß erleben und sich einfach erholen – das ist das Waldviertel.

Ein herrliches Fleckchen zum Urlaub machen – weit weg von Stress, Lärm und Trubel. Wählen Sie aus den besten Urlaubsangeboten im Norden Niederösterreichs Ihren ganz persönlichen Urlaub aus und verbringen Sie etwas Zeit bei uns.

Um detaillierte Informationen zu erhalten, kontaktieren Sie uns bitte einfach unter der

Einzug Telefonnummer 0800 30 03 50 (gebührenfrei in Österreich).

Wir wünschen Ihnen schon jetzt einen schönen und erholsamen Aufenthalt im Waldviertel!

Herzliche Grüße

Waldviertel Tourismus

Evelyn Hamberger

Evelyn Hamberger

1 Prospekt

Destination Waldviertel GmbH ◆ Sparkassenplatz 4 ◆ 3910 ZWETTL ◆ ÖSTERREICH/AUSTRIA
Tel. +43 2822 541 09 ◆ Fax +43 2822 541 09-36 ◆ E-Mail info@waldviertel.at ◆ Web www.waldviertel.at

Landesgericht St. Pölten | FN 136789 P | UID-Nr. ATU 12345678
IBAN AT20272154325 | BIC SPZWAT21

Übung

- Gestalten Sie den **Geschäftsbrief mit Bezugszeichenzeile und Gliederung in Absätze** (Design Metropolitan, Farben Rotorange, Tabellenformatvorlage Mittleres Raster 3 und Schattierung Akzent 6, Textkörper 14 Punkt, 10 und 8 Punkt, Absatzabstand vor und nach anpassen, Vorlage **Rankl_v.dotx).** Speichern Sie das Dokument unter **Rankl1.docx.**

RANKL-Bau GmbH

Bauunternehmung

5020 SALZBURG | Mühldorfer Straße 7 | ÖSTERREICH/AUSTRIA

Tel.: +43 662 230 30-0 | Fax: +43 662 230 31 | E-Mail: bestellung@rankl.at

RANKL-Bau GmbH, 5020 Salzburg, Mühldorfer Straße 7

Glasbau
Egon Ostermann
Herrn Ing. Manfred Fellinger
Fichtenstraße 7
4020 Linz

Ihr Zeichen/Ihre Nachricht vom	Unser Zeichen/Unsere Nachricht vom	Telefon/Name	Datum
fe-ka; ....-07-14	ra-we/-	166/Frau Weber	....-..-..

ZAHLUNGSERINNERUNG

Sehr geehrter Herr Ing. Fellinger,

vielen Dank, dass Sie uns die Sanierung Ihrer Außenfassade anvertraut haben. Die entsprechenden Arbeiten wurden von uns termingerecht durchgeführt und abgeschlossen.

Unsere Rechnung Nr. 2254 vom 2. d. M. ist allerdings noch offen. Der Betrag in Höhe von 20.400,00 € ist bereits seit zwei Wochen fällig. Wir übersenden Ihnen diese Rechnung nochmals als Kopie.

Falls Sie den Rechnungsbetrag bereits überwiesen haben, betrachten Sie dieses Schreiben bitte als gegenstandslos.

Freundliche Grüße

RANKL-Bau GmbH
Bauunternehmung

i. A. Elisabeth Weber
Elisabeth Weber

1 Rechnungskopie

Firmenbuchgericht: Salzburg | Firmenbuch-Nr.: FN 123456 d

UID-Nr.: ATU 13456258 | DG-Nr.: 535587644

IBAN: AT782015100660770880 | BIC: BKAUATWW

Übungen

1. Einladung

a) Erstellen Sie einen Geschäftsbrief in einem neuen Dokument im Design Metropolitan oder verwenden Sie die Vorlage **Mode_v.dotx.** Speichern Sie den Brief unter **Mode2.docx.**
b) Logo Absendergestaltung: Logo **Mode1.png** einfügen.
c) Textgestaltung: Zentrierung.

Absenderangabe:	GIOIA DONNA UOMO MODA Fischer-von-Erlach-Gasse 1 8010 GRAZ ÖSTERREICH/AUSTRIA Tel. +43 316 83 99 50 Mail office@gioia-moda.at http://www.gioia-moda.at
Empfängerangabe:	Dr. Bernadette Lichtenegger, MSc, Sonnenweg 14, 8600 Bruck an der Mur
Bezugszeichen:	10. April ...., Sybille Bacher
Betreff:	Einladung
Beilage:	Siehe Briefinhalt
Weitere Firmen-informationen:	Passende Informationen einfügen

Briefinhalt:
Passende Anrede, es freut uns sehr, Sie zu unserer *(Beginn Zentrierung, Schriftgröße 14, Rot)* Hausmodenschau am 5. Mai .... *(neue Zeile)* um 19 Uhr *(Ende Zentrierung)* einladen zu dürfen. / Erleben Sie mit uns die neue Kollektion .... verschiedener Modelabels. / Wir haben ein abwechslungsreiches Programm für Sie zusammengestellt, das Sie bei Sekt und Brötchen genießen können. / Bitte melden Sie sich mit der beiliegenden Antwortkarte an, damit wir dieses Event besser planen können. Wir freuen uns auf Sie! / Grußformel

d) Speichern nicht vergessen!

2. Lieferverzug

a) Erstellen Sie einen Geschäftsbrief in einem neuen Dokument in den Schriftfarben Grüngelb, Schriftarten Franklin Gothic oder verwenden Sie die Vorlage **AI Tech_v.dotx.** Speichern Sie den Brief unter **AI Tech1.docx.**
b) Logo Absenderangabe: Arial 36 und 24 Punkt
c) Textgestaltung: Absätze
d) Speichern nicht vergessen!

Absenderangabe:	AI Tech e. U. 4222 LUFTENBERG | Stelzhamerstraße 12 | ÖSTERREICH/AUSTRIA Tel. +43 676 746 00 05 | E-Mail office@aitech.co.at | Web www.aitech.co.at
Empfängerangabe:	Taschner Elektrotechnik e. U., Mag. Ewald BERNHARDT, Höttinger Gasse 15, 6020 Innsbruck
Bezugszeichen:	....-06-06, lä, Manfred Lämmermann, +43 664 242 61 9, office@aitech.co.at
Betreff:	Lieferverzug – Auftrag Nr. 2566/..
Beilage:	Siehe Briefinhalt

Briefinhalt:
Passende Anrede, Leider können wir Ihren Auftrag Nr. 2566/.. nicht zum vereinbarten Termin am 13. d. M. liefern. Ein Zulieferer ist aufgrund eines technischen Gebrechens bei einer seiner Produktionsmaschinen in Lieferrückstand gekommen. / Die Reparatur wird noch in dieser Woche durchgeführt. Die Lieferung der uns fehlenden Produkte Anfang nächster Woche wurde uns garantiert. Der Produktion Mitte der kommenden Woche steht unsererseits nichts im Wege. / Wir sichern Ihnen die Auslieferung in KW 25 zu. Den exakten Liefertermin werden wir Ihnen so bald als möglich mitteilen. / Bitte nehmen Sie unsere Entschuldigung an – wir bedanken uns schon im Voraus für Ihr Verständnis. / Grußformel

3. Lieferverzug Werkle

a) Erstellen Sie einen Geschäftsbrief in einem neuen Dokument im Design Verbund, Farben Gelb oder verwenden Sie die Vorlage **Werkle_v.dotx** für den Geschäftsbrief. Speichern Sie das Dokument unter **Werkle1.docx.**
b) Logo Absender: Formatvorlage Titel in einer Tabelle mit Rahmenlinien und passendem Onlinebild.
c) Textgestaltung: Schriftgrößen 11 Punkt, 9 Punkt und 6 Punkt, Formatvorlage Intensive Hervorhebung.

Absenderangabe:	 Udo Werkle Schul- und Bürobedarf 8020 GRAZ – Theaterstraße 24 – ÖSTERREICH/AUSTRIA Telefon +43 3816 33 66 11-0 – Fax +43 3816 33 66 11-17 www.werkle.at 
Beförderungsvermerk:	Einschreiben
Empfängerangabe:	Han-Bürogeräte GmbH & Co, Büroartikel-Großhandel, Daimlerstraße 2, 8190 Birkfeld
Bezugszeichen:	....-09-03, we-ru, Peter Rubens, +43 316 33 66 11-12, +43 316 33 66 11-17, peter.rubens@werkle.at
Betreff:	Nachfrist – Laminiergeräte
Beilage:	–
Weitere Firmeninformationen:	Handelsgericht Salzburg, FN 256411 z, UID-Nr. ATU61297378, ARA-Nr. 6899 Bankverbindung Österreich, IBAN AT32 3511 6000 010 10040, BIC RVSAAT2S036 Bankverbindung Deutschland, IBAN DE92 7013 0600 1100 0868 18, BIC RVSADEMY

Briefinhalt:
Passende Anrede, Sie haben die bestellten **50 Stk. Laminiergeräte Seal Enjoy 330** nicht zum vereinbarten Liefertermin am 1. September d. J. geliefert. / Wie telefonisch besprochen, setzen wir Ihnen eine / **Nachfrist bis zum 14. September d. J.** / Falls Sie bis dahin die Laminiergeräte nicht liefern können, werden wir von unserem Auftrag zurücktreten und uns Schadenersatzansprüche vorbehalten. Freundliche Grüße, Unterzeichner: Mag. Anton Mair, Peter Rubens

d) Speichern nicht vergessen!

4. Information Versicherung

a) Erstellen Sie einen Brief in einem neuen Dokument in den Farben Grün, Schriftarten Trebuchet MS oder verwenden Sie die Vorlage **Versicherung_v.dotx.** Speichern Sie den Brief unter **Versicherung1.docx.**
b) Logo Absendergestaltung: Abgerundetes Rechteck, Schriftart Broadway, Schriftgröße 22
c) Textgestaltung: Aufzählung
d) Speichern nicht vergessen!

Absenderangabe:	ZA VERSICHERUNG Obere Fischbachgasse 7 ■ 6293 TUX ■ ÖSTERREICH/AUSTRIA Tel. +43 5287 332 44-0 ■ E-Mail office@za-versicherung.at ■ www.za-versicherung.at
Empfängerangabe:	Edith Burtscher, Brunnenfeldstraße 25, 6215 Achenkirch
Bezugszeichen:	....-05-07, sa/ma, Jutta Mark, +43 5287 332 44-11, mark@za-versicherung.at
Betreff:	Ihre Polizze C6-X804.502-3
Beilage:	Siehe Briefinhalt
Weitere Firmeninformationen:	Passende Informationen einfügen

Briefinhalt:
Passende Anrede, danke für Ihr Vertrauen in die ZA-Versicherung. Sie haben sich für bestmöglichen Service und optimalen Versicherungsschutz entschieden: Das versichern wir Ihnen. / Wir haben unser Angebot erweitert und können Ihnen nun zusätzlich eine Lenkerunfallversicherung anbieten. Diese beinhaltet: *(Beginn Aufzählung)* Schmerzensgeld / Verdienstentgang / Haushaltshilfe / Sachschäden an der getragenen Kleidung *(Ende Aufzählung)* Haben Sie Fragen zu Ihrem Versicherungsvertrag oder im Schadensfall? Wenden Sie sich bitte direkt an Ihren Betreuer, Herrn Fabian Sauerwein, Tel. +43 5287 332 44-15 bzw. an unsere Hotline unter +43 50 26 22 22. / Grußformel

5. Anfrage Posthof

a) Erstellen Sie einen Geschäftsbrief in einem neuen Dokument im Design Zitierfähig, Farben Rot, Seitenfarbe Akzent 3, heller 80 % oder verwenden Sie die Vorlage **Posthof_v.dotx.** Speichern Sie das Dokument unter **Posthof3.docx.**

b) Logo Absender: **Posthof1.jpg** und **Posthof2.jpg,** Bildtools: Farbe – Neu einfärben – Sepia, Form mit Fülleffekt Akzent 2, dunkler 25 % und geänderte Textrichtung.

c) Textgestaltung: Schriftgrößen 11 Punkt und 9 Punkt.

Absenderangabe:	ZEITKULTUR AM HAFEN POSTHOF 4020 LINZ | Posthofstraße 43 ÖSTERREICH/AUSTRIA Tel. + 43 732 55 44 85-0 Fax +43 732 55 44 85-140 E-Mail: office@pospost.at Web: www.posthof.at
Empfängerangabe:	Trauner Druck GmbH & Co KG, Köglstraße 14, 4020 Linz
Bezugszeichen:	....-03-17, pk, Paul Kastner, +43 732 55 44 85-120, p.kastner@posthof.at
Betreff:	Bitte um Preisauskunft
Beilage:	Siehe Briefinhalt
Weitere Firmeninformationen:	Landesgericht Linz, FN 83520 z, UID-Nr. ATU23131803, IBAN AT401500000417070000, BIC OBKLAT2L IBAN AT463400000001127356, BIC RZOOAT2L

Briefinhalt:
Passende Anrede, für die kommende Saison ..../.... ersuche ich um Ihre unverbindliche Preisauskunft bezüglich folgender Punkte und lt. beiliegender Aufstellung: / 1. Druck Posthof-Magazin / 2. Adressierung + Versand Posthof-Magazin / 3. Druck Folder Monatsprogramme / 4. Druck Flyer / 5. Druck A1-Plakate / Für Rückfragen stehe ich sehr gern unter der Telefonnummer +43 732 55 44 85-120 zur Verfügung. Ich bitte um Ihre **Preisauskunft** bis **Donnerstag, 24. März d. J.,** an meine Mailadresse – danke! Freundliche Grüße

d) Speichern nicht vergessen!

1.2 Geschäftskorrespondenz per E-Mail

E-Mails sind aus der modernen Geschäftskorrespondenz nicht mehr wegzudenken.

In der modernen Geschäftskorrespondenz werden vermehrt E-Mails anstelle von Briefen geschrieben. Grundsätzlich gelten **dieselben Regelungen wie bei Geschäftsbriefen.** Dies gilt ebenso für die Pflichtangaben. Beim Übermitteln von E-Mails ist auf die technischen Gegebenheiten der Empfängerin bzw. des Empfängers Rücksicht zu nehmen, vor allem was das Nachrichtenformat in Bezug auf Codierung, Verschlüsselung, verwendete Schriftarten und die Dateiformate von Anhängen betrifft.

Vor allem beim Versand von E-Mails sind die **Bestimmungen der DSGVO** zu beachten! E-Mails an mehr als 50 Empfängerinnen/Empfänger oder Werbe-E-Mails bedürfen grundsätzlich der vorherigen Zustimmung der Empfängerin bzw. des Empfängers. Bei Newslettern oder E-Mails, die mindestens viermal jährlich in ähnlicher Ausführung versandt werden, ist ein Impressum anzuführen; darüber hinaus sind Offenlegungsvorschriften zu beachten.

Anschrift

Die international standardisierte Adresse aus dem Empfängernamen und dem Zeichen @ sowie der organisatorischen oder geografischen Kennzeichnung des Rechnerstandortes ist einzuhalten. Leerzeichen dürfen nicht gesetzt werden. Punkt, Bindestrich oder Unterstreichungsstrich dienen als Trennzeichen. Umlaute und Scharfes-S werden wie folgt dargestellt: ä = ae, ö = oe, ü = ue, ß = ss.

Private E-Mail-Adressen sollten den **Vor- und Nachnamen** enthalten, z. B. monika.berger@gmx.at.
Besonders wichtig ist eine **seriöse Adresse bei Bewerbungsschreiben.**
Nicht empfehlenswert: mausi@gmx.at

Beispiele für E-Mail-Adressen
E-Mail-Adresse der OÖ Nachrichten: redaktion@oon.at
Ihre Anfragen zum Schulbuch richten Sie bitte an: buchservice@trauner.at

Eine E-Mail darf im Adressfeld auch an mehrere gleichberechtigte Empfängerinnen und/oder Empfänger adressiert sein.

Verteiler

Je nachdem, ob die Adressen im Verteiler für die einzelnen Empfängerinnen bzw. Empfänger **sichtbar (CC)** oder **unsichtbar (BCC)** sein sollen, sind diese im entsprechenden Verteilerfeld einzutragen. Offene Verteiler (CC) sollten jedoch – auch aus datenschutzrechtlichen Gründen – mit Bedacht verwendet werden, damit nicht unbeabsichtigt persönliche Daten weitergegeben werden.

Betreff

Der Betreff wird bei E-Mails im entsprechenden Feld angeführt. Antwortet man auf eine E-Mail per Antwortfunktion, wird automatisch „AW:“ (Antwort) oder „Re:“ (Zurück) vorangestellt. So ist ersichtlich, dass die Mail Teil eines bereits begonnenen Dialogs ist. Bei mehrmaligem Schriftwechsel ist jedoch die Formulierung eines neuen Betreffs anzuraten.

Anrede

Die Anrede ist fester Bestandteil einer geschäftlichen E-Mail und ist genau wie in einem Geschäftsbrief auszuführen. Sie ist die erste Zeile im Textfeld, beginnt an der Fluchtlinie und wird durch eine Leerzeile vom nachfolgenden Text getrennt.

Text

Der Text ist als Fließtext ohne Worttrennungen zu erfassen, da der Umbruch durch die Software des Empfängergeräts, abhängig von der Fenster- und Bildschirmgröße, erfolgt.

Für die Gestaltung und Formatierung des E-Mail-Textes gelten dieselben Vorschriften wie in Geschäftsbriefen.

Abschluss (Signatur)

Für den Abschluss einer E-Mail gelten dieselben Regelungen wie für Geschäftsbriefe. Daher sind die Pflichtangaben meist im Mail-Abschluss zusammengefasst, in der Regel wird ein Textbaustein in Form einer Signatur verwendet.

Beispiel

Mit besten Grüßen

Obertrummer GmbH

i. V. Franz Zunder

E-Mail:	franz.zunder@obertrummer.at
Internet:	www.obertrummer.at
Telefon:	+43 1 568 34 45-41
Postanschrift:	Hauptstraße 5-9, 1200 Wien
	Gesellschaft mit beschränkter Haftung
Gesellschafter:	Max Obertrummer (50 %); Moritz Obertrummer (50 %)
	IT-Consulting
UID-Nr.:	ATU81457123
FN 457021 s	Firmenbuchgericht: Handelsgericht Wien
SWIFT-Code:	GIBAATWWXXX
IBAN:	AT34 5901 5872 0003

Elektronische Signatur bzw. Verschlüsselung

Müssen E-Mails höheren rechtlichen Ansprüchen genügen, ist eine **qualifizierte elektronische Signatur** notwendig. Dies ist z. B. bei rechtsverbindlichen Mitteilungen zur Prüfung der Identität der Absenderin/des Absenders und der Integrität der Nachricht der Fall. In Österreich wird zwischen der **einfachen** (als Beweismittel zugelassen und unterliegt der richterlichen Beweiswürdigung) und der **qualifizierten** (erfüllt die rechtlichen Anforderungen an eine eigenhändige Unterschrift) elektronischen Signatur unterschieden.

Bei der Verschlüsselung von E-Mails wird diese bei der Übertragung vor unberechtigtem Lesen geschützt.

1.3 Weitere Gestaltungsmöglichkeiten von Brieftexten

Vor und nach diesen Hervorhebungen sind die gleichen Abstände einzuhalten.

Je nach Inhalt und Wichtigkeit sind Textpassagen entsprechend hervorzuheben. Neben den bereits bekannten Hervorhebungen wie Zentrierung, Freistellung und Einzug bieten sich folgende Möglichkeiten an:

- Stichwörter
- Aufstellung
- Zahlenkolonne
- zwei Zahlenkolonnen
- Tabelle
- Spalten

Stichwörter
- sollen möglichst kurz sein,
- an der Fluchtlinie beginnen,
- dürfen hervorgehoben werden,
- Text richtet sich nach dem längsten Stichwort aus – in angemessenem Abstand.

1.3.1 Briefgestaltung mit Stichwörtern

Schriftstücke, in denen Textteile mit Stichwörtern gegliedert werden, ermöglichen es der Leserin/dem Leser, sich rasch und übersichtlich über den Briefinhalt zu informieren.

Übungen

1. Angebot

a) Erstellen Sie einen Geschäftsbrief in einem neuen Dokument im Design Office oder verwenden Sie die Vorlage **Bosch_v.dotx** für den Geschäftsbrief.

b) Speichern Sie das Dokument unter **Bosch1.docx.**

c) Logo Absenderangabe: Linien, Textkörperschrift, Schriftgrößen 18 und 9 Punkt.

d) Sammeln Sie in der Klasse Argumente, die dafür oder dagegen sprechen, diesen Text als E-Mail zu versenden.

e) Speichern nicht vergessen!

Tipp!
Die Gestaltung der Stichwörter ist mithilfe der Tabellenfunktionen bzw. des hängenden Einzugs möglich.

Egon Bosch Haustechnik

Völkermarkter Straße 24 | 9020 Klagenfurt am Wörtersee | ÖSTERREICH/AUSTRIA | +43 463 548 69-0 | www.egon.bosch.at

Egon Bosch Haustechnik, 9020 Klagenfurt, Völkermarkter Straße 24, AUSTRIA

Anton Weissengruber KG
Herrn DI Werner Platzer
Schillerplatz 45
9620 Hermagor

Ihr Zeichen:	pla-we
Ihre Nachricht:	20..-04-15
Unser Zeichen:	ge-be
Unsere UID-Nr.:	ATU 38291876
Name:	Reinhard Berger
Telefon:	+43 463 548 69-15
E-Mail:	berger@egon.bosch.at
Datum:	20..-04-18

Angebot

Sehr geehrter Herr DI Platzer,

wir danken für Ihre Anfrage und wünschen Ihnen vorerst alles Gute für Ihr neues Geschäft.

Unseren Waschbeckenkatalog inkl. Preisliste haben wir diesem Schreiben beigefügt. Zusätzlich erhalten Sie unser aktuelles Flugblatt mit den derzeitigen Sonderaktionen.

Für alle Waschbecken aus unserem Katalog gelten folgende Verkaufsbedingungen:

Lieferzeit:	innerhalb 8 Tagen nach Erhalt der Bestellung
Zahlung:	innerhalb 10 Tagen ab Rechnungslegung 2 % Skonto, 30 Tage netto Kassa
Preise:	ab Werk, inkl. Umsatzsteuer

Wir hoffen, dass Ihnen unsere Produkte gefallen, und freuen uns auf Ihre Aufträge.

Freundliche Grüße

EGON BOSCH
Haustechnik

Reinhard Berger
i. A. Reinhard Berger

Katalog
Preisliste
Flugblatt

Handelsgericht Klagenfurt
BIC SPWAT5B
FN 254666 b
IBAN AT752040002504526789
UID-Nr. ATU38291876

2. Information Hotel Goldenes Kreuz

a) Erstellen Sie einen Brief in einem neuen Dokument im Design Parallax oder verwenden Sie die Vorlage **Hotel Kreuz_v.dotx.** Speichern Sie den Brief unter **Hotel Kreuz1.docx.**
b) Absenderangabe: Calibri 14 bzw. 10 Punkt, Pfeil einfügen, erweiterter Zeichenabstand 6 Punkt.
c) Textgestaltung: Stichwörter.

Absenderangabe:	HOTEL GOLDENES KREUZ * * * * Rheintaler Straße 5, 6840 GÖTZIS, ÖSTERREICH/AUSTRIA Tel.: +43 5523 59 88-0, Fax: +43 5523 59 88-15 E-Mail: office@kreuz.at, Web: www.kreuz.at
Empfängerangabe:	Bergmann & Co, DI Egon Zimmerer, Hauptstraße 28, 2540 Vöslau
Bezugszeichen:	....-02-20, am, Frau Madlener, +43 5523 59 88-11, a.madlener@kreuz.at
Betreff:	Wählen Sie Götzis für Ihre Konferenz
Beilage:	Siehe Briefinhalt
Weitere Firmeninformationen:	Passende Informationen einfügen

Briefinhalt: Passende Anrede, Sie wollen Ihre nächste Fachtagung in Vorarlberg durchführen? Gerne machen wir Sie auf das interessante Konferenzprogramm in unserem Haus aufmerksam. *(Beginn Stichwörter)* Unterbringung: 20 exklusive Zimmer, begehbarer Kleiderschrank, Kabel-TV, Sitzecke, kostenloses WLAN im Hotelzimmer / Konferenzraum: 50 m² Tagungsraum mit Tageslicht für bis zu 40 Personen, technisch bestens ausgestattet / Verpflegung: Reichhaltiges Frühstücksbuffet, Kaffeepause vormittags mit kleinen Snacks und frischem Obst, vielfältiges Lunchbuffet, Kaffeepause nachmittags mit süßen Köstlichkeiten *(Ende Stichwörter)* Die Preise für die Tagespauschale entnehmen Sie bitte dem beigelegten Folder. Ich freue mich, wenn unser Angebot für Sie interessant ist und wir Sie bald in unserem Hause begrüßen dürfen. Grußformel

d) Erstellen Sie mit demselben Sachverhalt einen Text, den Sie als E-Mail samt Signatur an e.zimmerer@bergmann.at verschicken könnten und speichern Sie das Dokument unter **Hotel Kreuz_Mail1.docx.**

3. Auftragsbestätigung Handy

a) Erstellen Sie einen Brief in einem neuen Dokument in den Farben Warmes Blau, Schriftarten Candara oder verwenden Sie die Vorlage **Handy_v.dotx.** Speichern Sie den Brief unter unter **Handy1.docx.**
b) Logo Absendergestaltung: Firmenname Bernard MT Condensed 36 Punkt.

Absenderangabe:	Handy & Co Ihr Top-Handyanbieter im Internet www.handy-co.at 6300 Wörgl, Industriezone 22 +43 660 555 59 22 office@handy-co.at
Kurzabsenderangabe:	passend
Empfängerangabe:	Martin Huemer, Josef-Speckbacher-Straße 27, 6300 Wörgl
Bezugszeichen:	25. April ...., Fran Kesinovic, kesinovic@handy-co.at
Betreff:	Auftragsbestätigung – geänderte Angebotsbedingungen
Beilage:	Siehe Briefinhalt
Weitere Firmeninformationen:	Passende Informationen einfügen

Briefinhalt: Passende Anrede, wir danken für Ihre Online-Bestellung und bestätigen Ihnen diese noch einmal schriftlich. Ihr Handy wird Ihnen innerhalb von zwei Tagen nach Eingang der Zahlung übersendet. / Bitte nehmen Sie die geringfügigen Änderungen unserer Angebotsbedingungen zur Kenntnis: *(Beginn Stichwörter)* **Ihre Vorteile:** Es gibt sieben Tarifgruppen. Sie werden einer dieser Tarifgruppen zugeordnet und erhalten Produkte und Dienstleistungen aus unserem Sortiment zu den jeweils gültigen Bedingungen. / **Gültigkeit:** Läuft Ihr Mobilfunkvertrag ab, können Sie noch eine Woche lang die Produkte und Dienstleistungen zu den jeweils gültigen Bedingungen erwerben. / **Sonstiges:** Diese Bedingungen gelten bis einschließlich 31. Dezember .... *(Ende Stichwörter)* Sollten Sie mit den Änderungen nicht einverstanden sein, können Sie innerhalb von zehn Tagen vom Auftrag zurücktreten. / Wir danken für Ihr Vertrauen und stehen bei Fragen unter der Telefonnummer +43 660 555 59 22 jederzeit zur Verfügung.

d) Erstellen Sie mit demselben Sachverhalt einen Text, den Sie als E-Mail samt Signatur an martin.huemer@gmx.at verschicken könnten und speichern Sie das Dokument unter **Handy_Mail1.docx.**

Vor und nach einer Aufstellung sind entsprechende Abstände zu setzen.

Wiederholungszeichen sind zu vermeiden – gleichartige Textteile sind auszuschreiben. Die Einteilung richtet sich nach dem längsten Wort bzw. dem stellenwertmäßig größten Betrag.

1.3.2 Briefgestaltung mit Aufstellung

Bei Schriftstücken mit **Aufstellungen** werden gleichartige Textteile in Form von Kolonnen untereinandergeschrieben.

Der Einsatz von Wiederholungszeichen ist schreibtechnisch zu aufwendig, daher ist es einfacher und übersichtlicher, die **gleichartigen Textteile auszuschreiben.** Die Einteilung richtet sich immer nach dem längsten Wort bzw. dem stellenwertmäßig größten Betrag.

Übung

- **Auftragsbestätigung**
  - a) Erstellen Sie einen Geschäftsbrief in einem neuen Dokument im Design Metropolitan, Schriftart Arial oder verwenden Sie die Vorlage **Gilles_v.dotx** für den Geschäftsbrief.
  - b) Speichern Sie das Dokument unter **Gilles2.docx.**
  - c) Logo Absenderangabe: **Gilles1.png** einfügen.

GILLES
BIOMASSEHEIZUNGEN

Gilles GmbH & Co KG, 4810 GMUNDEN, Koaserbauerstraße 16, AUSTRIA

Unsere UID-Nr.: ATU64471609

Datum: 20..-08-23

Familie
Ursula und Alfred Ebersberger
Gärtnerstraße 23
4600 Wels

Erinnerung: Jahresservice 20..

Sehr geehrte Familie Ebersberger,

die neue Heizsaison 20../20.. steht vor der Tür: Daher erinnern wir Sie an das Jahresservice Ihrer Heizungsanlage. Denn eine gut funktionierende Heizung ist die Voraussetzung für Wärme durch sparsamen Energieverbrauch und damit niedrige Kosten für Sie.

Diesen Service bieten wir Ihnen heuer zu folgenden Konditionen an:

HPK-RA, PSK, Compact, HSK-Heizungen	5 bis 49 kW	€	198,00
HPK-RA, PSK, Compact, HSK-Heizungen	60 bis 160 kW	€	249,00
HPKI	150 bis 240 kW	€	650,00
HPKI	300 bis 360 kW	€	770,00
HPKI	450 bis 550 kW	€	830,00

Vereinbaren Sie Ihren Service-Termin: für eine sichere, komfortable Heizperiode 20../20..!

Achtung: Holen Sie sich 25,00 EUR Rabatt!
Im Zuge des Jahresservice erhalten Sie bei Montage einer GILLES-Werbeplakette einen Rabatt von 25,00 EUR.

Bitte retournieren Sie die beiliegende Anmeldekarte per Post.

Mit freundlichen Grüßen

Gilles GmbH & Co KG

Wolfgang Krämer
Geschäftsführer

Anmeldekarte

GILLES Energie- und Umwelttechnik GmbH & Co KG
Geschäftsführer: Wolfgang Krämer und Helmut Höllhuber | Koaserbauerstraße 16 | 4810 Gmunden
Handelsgericht: 4810 Gmunden | FN317217 x | Telefon: +43 7612 737 60-0 | www.gilles.at

Übungen

1. Reiseangebote Fremdenverkehr

a) Erstellen Sie einen Brief in einem neuen Dokument in den Farben Rotviolett, Schriftarten Arial oder verwenden Sie die Vorlage **Fremdenverkehr_v.dotx.** Speichern Sie den Brief unter **Fremdenverkehr1.docx.**
b) Logo Absenderangabe: Arial 18 Punkt, Schattierung Akzent6, Schriftfarbe Weiß
c) Textgestaltung: Aufstellung mit passenden Tabulatoren

Absenderangabe:	Fremdenverkehrs- und Informationsbüro 4020 LINZ, ÖSTERREICH • Kaplanhofstraße 20 • Tel. +43 732 11 22 33 • E-Mail: office@verkehrsbuero.at
Empfängerangabe:	Kerschner Reisen GmbH, Schulstraße 19, 3240 Mank
Bezugszeichen:	21. Mai ...., wi, Evelyn Wimmer, wimmer@verkehrsbuero.at
Betreff:	Reiseangebote Spätsommer/Frühherbst
Beilage:	Siehe Briefinhalt
Weitere Firmeninformationen:	Passende Informationen einfügen

Briefinhalt: Passende Anrede, durch ein Übereinkommen mit zwei weiteren Fluggesellschaften können wir Ihnen besonders preisgünstige Arrangements vermitteln. / Dadurch sparen Sie zum Beispiel bei Flügen der Strecke Wien–Rom–Wien 120,00 EUR. / Hier finden Sie einen Überblick über die aktuellsten Reisen aus unserem großen Urlaubskatalog: *(Es folgt eine Aufstellung)*

Mallorca	8 Tage	Frühstück	3*-Hotel	€ 584,00
Mallorca	14 Tage	Halbpension	4*-Hotel	€ 1.070,00
Ibiza	14 Tage	Halbpension	3*-Hotel	€ 1.040,00
Santorin	14 Tage	Frühstück	4*-Hotel	€ 1.119,00

(Ende Aufstellung) Für weitere Auskünfte, Prospekte und Buchungen stehen Ihnen die Mitarbeiterinnen und Mitarbeiter unseres Informationsbüros gerne zur Verfügung. / Einer traumhaften Reise mit Flug und Hotel steht nichts mehr im Wege. / Grußformel

d) Erstellen Sie mit demselben Sachverhalt einen Text, den Sie als E-Mail samt Signatur an office@kerschner-reisen.at verschicken könnten und speichern Sie das Dokument unter **Fremdenverkehr_Mail1.docx.**

2. Angebot Retimex

a) Erstellen Sie einen Geschäftsbrief in einem neuen Dokument im Design Office oder verwenden Sie die Vorlage **Retimex_v.dotx** für den Geschäftsbrief. Speichern Sie den Brief unter **Retimex1.docx.**
b) Logo Absenderangabe: Textfelder, Schriftgrößen 36 Punkt, Baskerville Old Face, Textkörperschrift 16 und 11 Punkt, Farben Blau, Akzent 1.
c) Textgestaltung: Aufstellung mit passenden Tabulatoren.

Absenderangabe:	R Retimex Großhandel GmbH Bergstraße 48, 5204 Straßwalchen ÖSTERREICH/AUSTRIA Tel. +43 6215 92 85-0, Fax +43 6215 92 95-16 Web www.retimex.at, E-Mail office@retimex.at
Empfängerangabe:	Löwen-Apotheke, Mag. Ingrid Schiefer, Seebachstraße 2, 5020 Salzburg
Bezugszeichen:	....-06-23, he-mü, Frau Herber, +43 6215 92 85-22, herber@retimex.at
Betreff:	**Medizinische Messgeräte**
Beilage:	Siehe Briefinhalt
Weitere Firmeninformationen:	Passende Informationen einfügen.

Briefinhalt: Passende Anrede! Vielen Dank für Ihre Anfrage. Dass Sie sich entschlossen haben, Ihr Sortiment durch die Aufnahme medizinischer Geräte zu erweitern, freut uns sehr. / Aus dem beiliegenden neuen Katalog empfehlen wir Ihnen besonders: / *(Es folgt eine Aufstellung)* Blutdruckmessgerät Modell Kunz Best.-Nr. 22394 € 50,00, Digital-Blutdruckmesser, Modell Rau Best.-Nr. 11392 € 60,00, Fieberthermometer Modell Sona Best.-Nr. 1520 € 12,00 *(Ende Aufstellung)* / Sollten Sie noch Fragen haben, steht Ihnen unser Fachberater, Herr Ing. Jakob Mayr (DW 12), jederzeit gerne zur Verfügung. Auf Ihren Auftrag freuen wir uns. / Grußformel

d) Erstellen Sie mit demselben Sachverhalt einen Text, den Sie als E-Mail samt Signatur an ingrid.schiefer@loewen-apo.at verschicken könnten und speichern Sie das Dokument unter **Retimex_Mail1.docx.**

Eine weitere Übung zu Geschäftsbriefen mit Aufstellung finden Sie in der TRAUNER-DigiBox.

1.3.3 Briefgestaltung mit Zahlenkolonne

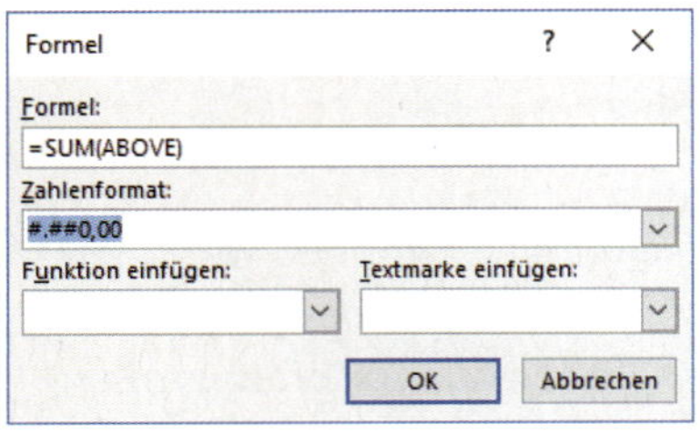

Werden in einem Schriftstück mehrere Beträge angeführt, so sind sie übersichtlich untereinanderzuschreiben.

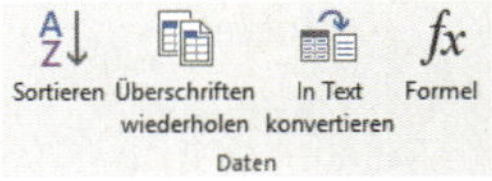

Auch bei diesen Schriftstücken ist die Tabellenfunktion von Vorteil.

Die Beträge werden in eine eigene Spalte geschrieben und bei allen Zahlenangaben ist eine Einheitenbezeichnung anzuführen. Die Berechnung der Summe erfolgt über

- EINFÜGEN – TABELLE – LAYOUT
- DATEN – FORMEL
- Einfügemarke in Ergebniszelle positionieren
- ZAHLENFORMAT auswählen
- Abstände bzw. Spaltenbreiten einstellen
- Summe formatieren (Fett oder Doppellinie)

Bei komplexeren Rechnungen bietet WORD die Möglichkeit, direkt auf die Arbeitsoberfläche von EXCEL zuzugreifen.

- EINFÜGEN – TABELLE – EXCEL-KALKULATIONSTABELLE
- Multifunktionsleiste ändert sich auf EXCEL
- Eingabe der Texte in Spalte A, Eingabe der unformatierten Zahlen in Spalte B
- Berechnungen durchführen, z. B. START – BEARBEITEN – AUTOSUMME oder Formel eingeben
- Formatieren der Beträge mit Format Buchhaltung START – ZAHL – ZAHLENFORMAT – BUCHHALTUNG
- Betrag vor der Endsumme unterstreichen
- Endsumme fett formatieren
- Verkleinern der Arbeitsumgebung durch Ziehen des rechten und des unteren Anfassers
- Deaktivieren der Gitternetzlinien unter ANSICHT – Gitternetzlinien

Eine Breite der Betragsspalte von 3 cm reicht z. B. für 1 000er-Beträge aus.

Bei nachträglichen Änderungen müssen Sie die Summe manuell aktualisieren. Verwenden Sie dafür die Taste F9.

Übungen

1. Zahlenkolonne mit EXCEL- und WORD-Berechnung gestalten

a) Gestalten Sie nachfolgende Kalkulation sowohl mit EXCEL als auch mit WORD.
b) Formatieren Sie die Endsumme und setzen Sie entsprechende Summenstriche.
c) Speichern Sie das Dokument unter **Summe1.docx.**

Hometronic Heizungsregelung	
Schaltmodul HS 30	€ 135,00
Heizkörperregler HR	€ 124,50
Funkfernbedienung mit Raumfühler	€ 98,80
Gesamtpreis exkl. 20 % USt	**€ 358,30**

	A	B
1	**Hometronic Heizungsregelung**	
2		
3	Schaltmodul HS 30	€ 135,00
4	Heizkörperregler HR	€ 124,50
5	Funkfernbedienung mit Raumfühler	€ 98,80
6	Gesamtpreis exkl. 20 % USt	**€ 358,30**

Tabelle1

Achten Sie darauf, dass Sie in EXCEL und in WORD das gleiche Design verwenden.

2. Auftragsbestätigung Sturmberger

a) Erstellen Sie einen Geschäftsbrief in einem neuen Dokument oder verwenden Sie die Vorlage **Sturmberger_v.dotx.** Speichern Sie das Dokument unter **Sturmberger2.docx.**

b) Logo Absenderangabe: Logo **Sturmberger1.png** einfügen, Linien Grün ¾ Punkt, Schriftgröße 9 Punkt.

c) Textgestaltung: Zahlenkolonne, Schriftgröße 11 und 9 Punkt.

Absenderangabe:	Sturmberger HACKSCHNITZEL PELLETS RINDENMULCH... Diepersdorf 68, 4552 WARTBERG, ÖSTERREICH/AUSTRIA Tel. +43 7587 74 80-0, Fax +43 7587 74 80-14 E-Mail office@sturmberger.co.at, Web www.sturmberger.co.at
Empfängerangabe:	Herrn August Göckler, Bahnhofstraße 5, 4050 Traun
Bezugszeichen:	....-09-17, cd, Frau Danner, +43 7587 74 80-11, c.danner@sturmberger.co.at
Betreff:	**Auftragsbestätigung**
Fremde Bezugszeichen:	Siehe Briefinhalt
Beilage:	Siehe Briefinhalt
Weitere Firmeninformationen:	Passende Informationen einfügen.

Briefinhalt: Passende Anrede, danke für Ihren Auftrag vom 16. d. M. Gerne bestätigen wir Ihre Bestellung über / *(Beginn Zahlenkolonne)* 6,5 t PVA-Pellets, lose eingeblasen, zugestellt € 1.066,00 / Füllpauschale € 24,00 *(Zwischensumme berechnen)* + 10 % USt *(Umsatzsteuer und Endsumme berechnen)* / Zahlungsbedingungen: 10 Tage netto Kassa / Die Lieferung erfolgt in KW 39 nach telefonischer Rücksprache. / Grußformel

d) Speichern nicht vergessen!

3. Angebot Knox

a) Erstellen Sie einen Brief in einem neuen Dokument im Design Office oder verwenden Sie die Vorlage **Knox_v.dotx.** Speichern Sie den Brief unter **Knox2.docx.**

b) Logo Absenderangabe: Logo **Knox1.gif** einfügen.

c) Textgestaltung: eine Zahlenkolonne.

Absenderangabe:	KNOX ELECTRONICS & SECURITY Triester Straße 85/2/R1 1100 Wien Telefon +43 1 905 37 20-100 Mail office@knox-sc.at Web www.knox-sc.at
Empfängerangabe:	Elektro Wieland e. U., Herrn Egon Wieland, Ignaz-Köck-Straße 15, 1210 Wien
Bezugszeichen:	3. Jänner ...., ma, Moritz ALBRECHT
Betreff:	Angebot ....-AKNX3
Beilage:	Siehe Briefinhalt
Weitere Firmeninformationen:	Passende Informationen einfügen.

Briefinhalt: Passende Anrede, herzlichen Dank für Ihr Interesse an unseren Produkten und Dienstleistungen. Wir bieten Ihnen folgende Produkte an: / *(Beginn Zahlenkolonne)* **BALTER-7"-LCD** *(neue Zeile)* Videostation (Farbe), 4-Draht-Technik, Freisprechfunktion, Bildspeicher für 80 Bilder, erweiterbar bis zu 2 Türstationen € 432,00 / **BALTER-Unterputz-Türstation mit Nachtsicht, IP4** *(neue Zeile)* 1/3"-CCD-Farbkamera, Erfassungsbereich 120°, spritzwasserdichte Ruftastenabdeckung, Türöffnerrelais integriert € 192,00 / *(Zwischensumme berechnen)* + 20 % USt *(Umsatzsteuer und Endsumme berechnen) (Ende Zahlenkolonne)* / Dieses Angebot ist 14 Tage gültig. Danke für Ihr Vertrauen. Wir hoffen, dass dieses Angebot für Sie interessant ist.

d) Erstellen Sie mit demselben Sachverhalt einen Text, den Sie als E-Mail samt Signatur an egon@wieland.at verschicken könnten. Erstellen Sie die EXCEL-Kalkulationstabelle direkt in OUTLOOK und fertigen Sie einen Screenshot von der versandfertigen Mail an (zwischenspeichern unter **Knox_Mail1.png**), den Sie dann in ein Word-Dokument einfügen. Speichern Sie das Dokument im Anschluss unter **Knox_Mail2.docx.**

Eine weitere Übung zu Geschäftsbriefen mit einer Zahlenkolonne finden Sie in der TRAUNER-DigiBox.

1.3.4 Briefgestaltung mit zwei Zahlenkolonnen

Die Berechnungen können auch in WORD-Tabellen durchgeführt werden.

EINFÜGEN – TABELLE – EXCEL-KALKULATIONSTABELLE
- Spalte A: Textspalte
- Spalte B: Vorkolonne (Einzelbeträge – Format Buchhaltung)
- Spalte C: Hauptkolonne (Zwischensummen und Endsumme – Format Buchhaltung)
- Die Zwischensumme steht auf der Höhe des letzten Betrages
- Der jeweils letzte Betrag vor einer Summe wird unterstrichen

Für die Summenstriche gibt es zwei Möglichkeiten:
- Unterstreichung
- Rahmenlinie unten (Wichtig: Spaltenbreite optimieren, evtl. Leerspalte zwischen den Kolonnen)

Übungen

1. Zwei Zahlenkolonnen mit EXCEL-Berechnung gestalten

a) Fügen Sie in einem neuen Dokument eine EXCEL-Kalkulationstabelle ein.
b) Geben Sie zunächst alle Beträge unformatiert ein. Wählen Sie Format Buchhaltung.
c) Bilden Sie in den entsprechenden Zellen Summen, berechnen Sie die Umsatzsteuer.
d) Formatierens Sie die Tabelle und entfernen Sie die Gitternetzlinien.
e) Versuchen Sie die gleiche Berechnung auch in WORD.
f) Speichern Sie das Dokument unter **Zwei Zahlenkolonnen1.docx.**

	A	B	C
1	**Zählerkasten**		
2	Zählerverteiler UP B800 H1250 3ZP	695	
3	Beschriftung	39	
4	Einbausicherung RE D02 3A 3pol	23,8	=SUMME(B2:B4)
5			
6	**Elektroinstallation**		
7	LG 26 Wechselschaltereinsätze (35 Stk.)	73,9	
8	LG 26 Steckdoseneinsatz 1-fach (55 Stk.)	74,9	=SUMME(B7:B8)
9			
10	**Montage**		189
11			=SUMME(C4:C10)
12	+ 20 % USt		=C11*0,2
13			**=SUMME(C11:C12)**

Tabelle1

	A	B	C
1	**Zählerkasten**		
2	Zählerverteiler UP B800 H1250 3ZP	€ 695,00	
3	Beschriftung	€ 39,00	
4	Einbausicherung RE D02 3A 3pol	€ 23,80	€ 757,80
5			
6	**Elektroinstallation**		
7	LG 26 Wechselschaltereinsätze (35 Stk.)	€ 73,90	
8	LG 26 Steckdoseneinsatz 1-fach (55 Stk.)	€ 74,90	€ 148,80
9			
10	**Montage**		€ 189,00
11			€ 1.095,60
12	+ 20 % USt		€ 219,12
13			**€ 1.314,72**

Tabelle1

2. Angebot Hausmann

a) Erstellen Sie einen Geschäftsbrief in einem neuen Dokument im Design Metropolitan, Farben Rotorange oder verwenden Sie die Vorlage **Hausmann_v.dotx.** Speichern Sie das Dokument unter **Hausmann2.docx.**
b) Logo Absenderangabe: Logo **Hausmann1.gif** einfügen, Bildhöhe 2 cm, Bildeffekt Schatten Außen Offset Mitte, Schriftgröße 14 und 9 Punkt.
c) Textgestaltung: Schriftgrößen 10 und 8 Punkt, zwei Kolonnen (EXCEL-Kalkulationstabelle).

Absenderangabe:	HAUSMANN GROSS- u. EINZELHANDEL GMBH Kriemhildplatz 4-6 · 1150 WIEN ÖSTERREICH/AUSTRIA Tel. +43 1 25 65 98-0 · Fax+43 1 25 65 98-11 E-Mail office@hausmann.net · Web www.hausmann.net
Empfängerangabe:	Frau Sonja Leithinger, Brunnengasse 14, 1020 Wien
Bezugszeichen:	....08-12, bi-pa, Parzer, +43 1 25 65 98-12, parzer@hausmann.net
Betreff:	**Sonderangebot**
Beilage:	Siehe Briefinhalt
Weitere Firmeninformationen:	Passende Informationen einfügen.

Briefinhalt: Passende Anrede, es freut uns ganz besonders, Ihnen heute ein außerordentlich günstiges Angebot vorlegen zu können, in dessen Genuss nur unsere langjährigen Stammkundinnen und Stammkunden kommen. Bedingt durch eine Sortimentsumstellung, bieten wir Ihnen die Serie „Schönbrunn" zu einem unglaublichen Preis an: / **a) Speiseservice** 6 Suppenteller € 30,00, 6 Fleischteller € 36,00, 6 Salatschüsserln € 24,00 *(Zwischensumme)* **b) Kaffeeservice** 6 Tassen mit Untertassen € 60,00, 1 Zuckerdose € 15,00, 1 Milchkännchen € 12,00 **c) Besteckset** WMF Miami (24-teilig) € 80,00 *(Zwischen- und Endsumme berechnen)* / Bitte entscheiden Sie sich rasch – wir haben nur mehr wenige Service auf Lager. Wir freuen uns auf Ihren Besuch. / Grußformel

d) Speichern nicht vergessen!

Eine weitere Übung zu Geschäftsbriefen mit zwei Kolonnen finden Sie in der TRAUNER-DigiBox.

1.3.5 Briefgestaltung mit Tabelle

Mit Tabellen können Daten gut strukturiert und geordnet dargestellt werden. Tabellenformatvorlagen bieten eine einfache Möglichkeit, optisch ansprechende Formatierungen der Tabelle zuzuweisen.

Übungen

1. Angebot

a) Erstellen Sie einen Geschäftsbrief in einem neuen Dokument im Design Holzart oder verwenden Sie die Vorlage **Brenner_v.dotx.** Speichern Sie den Brief unter **Brenner1.docx.**

b) Logo Absendergestaltung: Textfelder, Fülleffekt Struktur Walnuss.

c) Textgestaltung: Tabelle.

Absenderangabe:	BRENNER HOLZ im GARTEN Studentengasse 12-14 5400 HALLEIN ÖSTERREICH/AUSTRIA Tel: +43 6245 877 45-0 www.brennerholz.at
Empfängerangabe:	Familie Wilfried und Marianne Zauner, Markt 125, 5441 Abtenau
Bezugszeichen:	22. Mai ...., mo-ka, Karl Angerlehner, angerlehner@brennerholz.at, DW 21
Betreff:	Angebot – Gartenzaun
Fremde Bezugszeichen:	Ihre tel. Anfrage vom 20. d. M.

Beilage:	Siehe Briefinhalt
Weitere Firmeninformationen:	Passende Informationen einfügen

Briefinhalt: Passende Anrede, danke für Ihre Anfrage. Wir bieten Ihnen folgende Artikel an: *(Beginn Tabelle)*

Art	Zaunhöhe bis	Länge	Preis/lfm
Waagrechtzaun	125,5 cm	150 lfm	€ 64,00
Lattenzaun	120,0 cm	150 lfm	€ 74,00
Bretterzaun	120,0 cm	150 lfm	€ 77,00

(Ende Tabelle) Die Preise beinhalten die dazugehörigen Steher und die Bodenbefestigung zum Schrauben bzw. Einbetonieren. Es gelten die beiliegenden Liefer- und Zahlungsbedingungen. / Das entsprechende Prospektmaterial liegt diesem Angebot bei. / Wir freuen uns auf Ihre Bestellung und sichern Ihnen sorgfältige Ausführung zu. / Grußformel

d) Speichern nicht vergessen!

2. Kurstermine Fichtenbauer

a) Erstellen Sie einen Brief in einem neuen Dokument im Design Kondesstreifen, Farben Blau oder verwenden Sie die Vorlage **Fichtenbauer_v.dotx.** Speichern Sie den Brief unter **Fichtenbauer1.docx.**
b) Absenderangabe: Century Gothic 24 bzw. 9 Punkt.
c) Textgestaltung: Tabelle und Zentrierung.

Absenderangabe:	Motorbootschule Martin Fichtenbauer Motorbootschule Martin Fichtenbauer | Niederschrems 179 | 3943 SCHREMS | ÖSTERREICH/AUSTRIA E-Mail: martin@motorbootschule.at | Internet: www.motorbootschule.at | Mobil-Tel.: 0664 111 81 76
Empfängerangabe:	DI Michael Petzold, Badgasse 34, 4142 Hofkirchen im Mühlkreis
Bezugszeichen:	25. Februar ...., Beate Fichtenbauer, beate@motorbootschule.at; Sie antworten auf eine E-Mail-Anfrage vom selben Tag.
Betreff:	Kurstermine – Donaupatent
Beilage:	Siehe Briefinhalt
Weitere Firmeninformationen:	Passende Informationen einfügen.

Briefinhalt: Passende Anrede, über Ihr Interesse an unseren Kursen freuen wir uns und übermitteln Ihnen die gewünschten Kurstermine für das kommende Jahr:

Donaupatent	Tulln	Linz	Schlögen	Prüfungstermine
	22. März	29. März	11. April	16. April
	26. April	3. Mai	10. Mai	20. Mai
	24. Mai		30. Mai	12. Juni
	21. Juni	28. Juni	9. Juli	16. Juli
	16. August	23. August	30. August	9. September
	20. September		27. September	8. Oktober
	11. Oktober	18. Oktober	25. Oktober	5. November

Inhalte und genauere Informationen zum Donaupatent finden Sie auf unserer Website / www.motorbootschule.at. / Gerne begrüßen wir Sie bei einem unserer nächsten Kurse. / Grußformel

d) Erstellen Sie mit demselben Sachverhalt einen Text, den Sie als E-Mail samt Signatur an mipa@gmail.com versenden könnten. Speichern Sie das Dokument im Anschluss unter **Fichtenbauer_Mail1.docx.**

1.3.6 Gestaltung von mehrseitigen Briefen

- Geschäftsbriefe sollten nach Möglichkeit nur einseitig beschriftet werden.
- Formulieren Sie den Brieftext in kurzen Sätzen klar und verständlich.
- Wenn Sie für den Brieftext dennoch ein Fortsetzungsblatt benötigen, so sollte mindestens der letzte Absatz mit der Grußformel auf der nächsten Seite stehen.

Sobald das untere Ende einer Seite eines Schriftstückes erreicht ist, führt WORD automatisch einen Seitenumbruch durch. Der automatische Seitenumbruch passt sich jeder Änderung durch Einfügen oder Löschen von Texten an.

Sollte der Brieftext lediglich um einige Zeilen zu lang sein und auf die nächste Seite umbrechen, haben Sie die Möglichkeit, die Absatzabstände und/oder die Schriftart zu verringern, bevor Sie mit einer zweiten Seite beginnen. Der Befehl UM EINE SEITE VERKLEINERN kann hier hilfreich sein.

Den **Seitenumbruch** können Sie an jeder beliebigen Stelle eines Schriftstückes mit der Tastenkombination Strg + ↵ **manuell durchführen bzw. erzwingen.**

Hinweis auf das Fortsetzungsblatt

Im Fußzeilenbereich kann auf Folgeseiten hingewiesen werden. Entsprechende Angaben (☞ ✍ ➢ ⇨ ./2 Seite 1 von 2) sollten etwa zwei Zeilen nach der letzten Textzeile mittig oder am rechten Schreibrand gesetzt werden.

Beispiel
Plattform der Zukunftsthemen: Das breite Rahmenprogramm zeigt die Trends der Bau- und Haustechnikinnovationen und schafft dadurch zusätzliche Frequenz.

./2 oder ./2

Beschriftung des Fortsetzungsblattes

Folgeblätter sollten enthalten:

- Hinweis auf die Absenderin/den Absender (Logo und/oder Firmenanschrift und -daten),
- Hinweis auf die Empfängerin/den Empfänger in Kurzform,
- Datum des Briefes,
- Seitennummerierung (Seite X von Y),
- eventuell Wiederholung wichtiger Daten, z. B. Rechnungsnummer.

Die Beschriftung des Fortsetzungsblattes in der Kopfzeile hat sich in der Praxis bewährt. Für die unterschiedliche Gestaltung der ersten Seite, wählen Sie ERSTE SEITE ANDERS.

Aktivieren Sie

- EINFÜGEN – KOPFZEILE – KOPFZEILE BEARBEITEN
- KOPF- UND FUSSZEILENTOOLS – OPTIONEN – ERSTE SEITE ANDERS

Erstellen Sie ab dem zweiten Blatt folgende Kopfzeile:

Beispiel

	L bei ca. 11 cm	L bei ca. 14 cm
Empfänger	Datum	Blatt
Kärntner Heizlösung, St. Veit	....-10-14	Seite 2 von 2

Fügen Sie die Blattnummer über die KOPF- UND FUSSZEILENTOOLS – SEITENZAHL ein.

Übungen

1. Informationsschreiben

a) Erstellen Sie einen Geschäftsbrief in einem neuen Dokument. Verwenden Sie die Vorlage **Museum_v.dotx.**
b) Logo Absendergestaltung **Museum1.jpg** einfügen.
c) Speichern Sie das Dokument unter **Museum2.docx.**

MUSEUM
IM LAVANTHAUS

St.-Michaeler-Straße 2 ○ 9400 Wolfsberg
Tel. +43 4352 537-333 ○ Fax +43 4352 537-90333
museum@wolfsberg.at ○ www.museum-lavanthaus.at

Museum im Lavanthaus, A-9400 Wolfsberg, St.-Michaeler-Straße 2

Volksschule Schiltern
Gartendorfschule
Schulgasse 8
3553 Schiltern

20..-02-18

Eine spannende Reise durch den Kosmos Lavanttal

Sehr geehrte Damen und Herren,

Geschichte hautnah erleben, eine Zeitreise mit multimedialer Unterstützung – gerade Kinder und Schulklassen lädt unser Museum zu einer spannenden Spurensuche ein.

Einblicke und Erlebnisse

Der Erlebnisraum Museum im Lavanthaus lädt zu einer Expedition durch die Vielfalt des Lavanttales. Entdecken und erleben Sie eine Region und ihre Menschen, ihre Kulturgeschichte, ihre Natur und ihre Einzigartigkeit. Ein vielfältiger Mix aus multimedial und interaktiv aufbereiteten Themen, Exponate der volkskundlichen Sammlungen sowie die berühmten Lavanttal-Panoramen des großen Landschaftsmalers Markus Pernhart schaffen Einblicke und Erlebnisse.

Urzeiten erleben und Geschichte entdecken

Einzigartige und erstmals öffentlich präsentierte Objekte aus zahlreichen privaten Sammlungen erzählen von Urzeiten und Bergschätzen. Der Weg durch das Museum öffnet Fenster in die Geschichte der Stadt Wolfsberg und des Tales, lädt ein zur Begegnung mit Literatur- und Filmgrößen wie Christine Lavant, Maria und Maximilian Schell und offenbart einen facettenreichen und pulsierenden Kulturraum.

Multimediale und interaktive Stationen

Ein farbenfrohes digitales Blumenbuch, ein virtuelles Panorama der Region oder Blicke auf bedeutende Lavanttaler/innen verleihen dem Museum im Lavanthaus eine zeitgemäße Qualität; typische Ausformungen der Tracht, unverwechselbare Hörbeispiele talspezifischer Mundart – durchaus humorvoll dargestellt – erwecken die Neugier.

WOLFSBERG die kulturstadt | MUSEUM IM LAVANTHAUS

Seite 1 von 2

MUSEUM
IM LAVANTHAUS

Empfänger	Datum	Blatt
Volksschule Schiltern, 3553 Schiltern	20..-02-18	2

Hier eine Übersicht der **Themenbereiche** unseres Museums:

- Tracht und Dialekt
- Schwarzhafner-Keramik
- Literatur
- Markus-Pernhart-Panoramen
- Chronik und Wissen
- Zeitspuren
- Urzeiten
- Hören und nicht stören
- Kino und Film
- Das Lavant
- Stadtspuren
- Lebensraum
- Bergschätze

Vermittlung – Wir freuen uns auf Ihren Besuch!

Ein fachkundiges und engagiertes Team vermittelt Ihnen gerne den „Kosmos Lavanttal" – mit vielen zusätzlichen Informationen, unterhaltsamen Erzählungen und Gesprächen. Wir freuen uns darauf, Sie zu begleiten.

Öffnungszeiten

Mitte April bis Ende Oktober:	Di – So 10 – 17 Uhr
Mitte November bis Mitte April:	Di – Do 10 – 16 Uhr, Fr 10 – 13 Uhr, feiertags geschlossen

Führungen sind bei Voranmeldung während der Öffnungszeiten jederzeit möglich; Führungen außerhalb der Öffnungszeiten bieten wir auf Anfrage.

Preise

Schüler/innen-Gruppen	€ 1,50/Schüler/in
Führung (ab 8 Personen)	€ 1,00/Person

Wir hoffen, Sie bald in unserem Museum begrüßen zu dürfen und freuen uns auf Ihre telefonische Voranmeldung.

Liebe Grüße

Museum im Lavanthaus

Mag. Igor Prucker
Direktion

WOLFSBERG die kulturstadt | MUSEUM IM LAVANTHAUS

d) Erstellen Sie mit demselben Sachverhalt einen Text, den Sie als E-Mail samt Signatur an pvs.schiltern@noeschule.at versenden könnten. Speichern Sie das Dokument im Anschluss unter **Museum_Mail1.docx.**

2. Spezial-Angebot

a) Erstellen Sie einen Brief in einem neuen Dokument im Design Himmel, Farben Gelb oder verwenden Sie die Vorlage **Zotter_v.dotx,** Seitenfarbe Akzent 1, heller 80 %. Speichern Sie den Brief unter **Zotter2.docx.**

b) Logo Absendergestaltung: **Zotter1.jpg** einfügen.

c) Textgestaltung: passende Formatvorlagen für Teilüberschriften, Absätze und Aufstellung.

Absenderangabe:	z o t t e r SCHOKOLADE zotter-Schokoladen Manufaktur GmbH / 8333 RIEGERSBURG, Bergl 56 ÖSTERREICH/AUSTRIA
Empfängerangabe:	Ortsmusikkapelle St. Konrad, Klaus Baumgartner, Ort 7, 4817 St. Konrad
Bezugszeichen:	....-02-02, fm, Franz Müller, +43 3152 55 54-18, shop@zotter.at
Betreff:	Spezial-Touren für Gruppen und Firmen
Beilage:	Siehe Briefinhalt
Weitere Firmeninformationen:	Passende Informationen einfügen

Briefinhalt: Passende Anrede, wir danken für Ihr Interesse an unserem Unternehmen. Für Ihren Zotter-Besuch haben wir drei spezielle Gruppenangebote zur Auswahl: /

Zotter „Genussabenteuer mit Aperitif"
Für Gruppen ab 10 Personen

Preis pro Person:
Erwachsene (ab 18 J.) € 29,00
Jugendliche (11–17 J.) € 22,50
Kinder (6–10 J.) € 18,50
Immer buchbar, außer samstags.

Zotter „Flying Chocolate & Öko-Essbar"
Für Gruppen ab 10 Personen, max. 20 Teilnehmer/innen

Preis pro Person:
Erwachsene (ab 18 J.) € 59,00
Jugendliche (11–17 J.) € 45,00
Kinder (6–10 J.) € 35,00
Dauer: ca. 3–4 Stunden
Buchbar von März bis Oktober (entsprechend den Öffnungszeiten der Öko-Essbar), außer samstags.

Zotter „Schoko & Wein"
Für Gruppen ab 10 Personen, max. 22 Teilnehmer/innen

Preis pro Person:
Erwachsene (ab 18 J.) € 49,00
Dauer: ca. 3–4 Stunden
Termin nach Vereinbarung, außer samstags.

Die Inhalte dieser drei Angebote sind sehr unterschiedlich. Informieren Sie sich bitte über die Details entweder auf unserer Homepage www.zotter.at oder blättern Sie in unserem beiliegenden Folder. / Auf der spannenden Verkostungstour durch das Schoko-Laden-Theater erleben Sie live mit, wie Schokolade entsteht. Sie sehen durch die gläserne Architektur in unsere Produktion und können gleichzeitig an Naschstationen austesten, wie sich die Kakaobohne in Schokolade verwandelt: Von der Bohne bis zur Schokolade. / An vielen kreativ inszenierten Naschstationen präsentiert Zotter ein einmaliges Geschmacksspektrum: Alles von Zotter – ausgefallene Geschmacksrichtungen und unglaubliche Kompositionen. Lassen Sie sich überraschen und tauchen Sie ein in die Welt der Schokolade. / Wir freuen uns auf Ihren Anruf, um für Sie den passenden Termin und das passende Angebot zu vereinbaren. / Grußformel

1.3.7 Schriftstücke mit Schnellbausteinen

Programmtechnisch werden Schnellbausteine in der Vorlage **Building Blocks.dotx** gespeichert. Zur besseren Übersicht empfiehlt es sich, eine eigene Kategorie (z. B. Schulung, Reklamation) zu erstellen und die Schnellbausteine im Katalog AutoTexte abzuspeichern.

Übung

- **Anfrage**

a) Legen Sie folgende Schnellbausteine in der Kategorie »Anfrage« an.

Text	Schnellbaustein
Anfrage	anf0
Durch Ihre Anzeige im .... sind wir auf Ihr Unternehmen aufmerksam geworden.	anf1
Bei unserem Besuch der ... Messe wurden wir auf Ihre Produkte aufmerksam.	anf2
Wir möchten unser Sortiment erweitern und sind am Kauf von ... interessiert.	anf3
Wir bitten um ein Angebot über ...:	anf4
Aufgrund der steigenden Nachfrage suchen wir einen Lieferanten für das Produkt ...	anf5
Bitte übersenden Sie uns den Katalog und die Preisliste inklusive Ihrer Liefer- und Zahlungsbedingungen.	anf6
Geben Sie uns bitte Ihre Lieferzeit und Ihre Zahlungsbedingungen an.	anf7
Bitte senden Sie uns Ihr Angebot bis zum ...	anf8
Wir legen großen Wert auf einwandfreie Qualität und pünktliche Lieferung.	anf9
Bitte erstellen Sie uns ein kostenloses und unverbindliches Angebot bis zum ...	anf10
Vielen Dank im Voraus.	anf11
Wir freuen uns auf Ihre baldige Antwort.	anf12

b) Verwenden Sie die Vorlage **Blaha_v.dotx** und schreiben Sie zwei Anfragen.
c) Speichern Sie die Anfragen unter **Anfrage Blaha1.docx** bzw. **Anfrage Blaha2.docx.**
d) Die variablen Textstellen sind an passender Stelle einzufügen.

Empfänger	
Sieger GmbH, Landstraße 14, Postfach 60, 77839 Lichtenau, Deutschland	
Schnellbaustein	**Variable**
anf0	
anf2	Deutschen Gartenbau-
anf3	Gartenmöbeln der Serie BODEGA
anf6	
anf11	

Empfänger	
Gartenmöbel Thomas, Korbiniansweg 2, 84544 Aschau am Inn, Deutschland	
Schnellbaustein	**Variable**
anf0	
anf2	Deutschen Gartenbau-
anf3	Sonnensegeln
anf6	
anf11	

e) Speichern nicht vergessen!

1.3.8 Englische und amerikanische Geschäftsbriefe

Die Gestaltung englischer Geschäftsbriefe erfolgt meist in Fullblockform (alle Angaben stehen linksbündig), bei der Squareblockform werden Datum und Bezugszeichen rechtsbündig angeordnet.

Englischer Geschäftsbrief

- Sämtliche Textzeilen beginnen am linken Rand.
- Es müssen keine Satzzeichen in der Anschrift, nach der Briefanrede und nach der Grußformel verwendet werden. Werden Satzzeichen gesetzt, dann nur gemeinsam nach der Briefanrede und der Grußformel.
- Nach der Briefanrede folgt der Betreff. Er kann in Versalien geschrieben werden.

Saunders & Co
Communication Ltd.
41 Frederick Street
Edinburgh, EH2 1EP

6 December ....
Our ref: ECI

J.P. Brimlow
696 Wilmslow Road
Didsbury
Manchester, M20 2DN

Dear Sir or Madam

MR BARLOW'S VISIT

We refer to our letter of 3 December concerning the proposed visit of Mr John Barlow.

Mr Barlow will arrive in Edinburgh on Monday, 15 December so that we could call on you for a brief discussion on Tuesday, 16 December, or Wednesday, 17 December. Please let us know which of these days you would prefer.

Yours faithfully

Evelyn Clark
Personal Assistant

Amerikanischer Geschäftsbrief

- Formatierungen wie beim englischen Geschäftsbrief
- Unterschied: Doppelpunkt nach der Anrede

US AG 24 Inc.
3001 N. Rocky Point Drive East
Tampa, FL 33607
U.S.A.

March 15, ...

John Hutchinson
Director
Norpak Plastics Inc.
12587 Whitehurst Ave.
New York, NY 10022
U.S.A.

Re: Your letter of March 10, ...

Dear Mr Hutchinson:

Thank you for your letter in connection with your impending visit to Tampa.

When do you plan to arrive? Do you want me to reserve a room for you in Tampa?

Do you think you could arrange to come to Washington on April 5 to meet the other members and then spend the weekend as my guest at my home? We could then fly to Tampa together.

I do not know, of course, whether you have already made other arrangements. I will do my best to adjust my schedule to fit in with yours.

Sincerely,

Frank Miller
Vice-President

Ziele erreicht? – „Formale Briefgestaltung“

KOMPETENZ-ERWERB

1. Information Chaletdorf – 45 min

a) Erstellen Sie einen Brief in einem neuen Dokument oder verwenden Sie die Vorlage **Chaletdorf_v.dotx.** Speichern Sie den Brief unter **Chaletdorf2.docx.**

b) Logo Absenderangabe: Logo **Chaletdorf1.jpg** einfügen.

c) Textgestaltung: Tabelle und Stichwörter.

Absenderangabe:	INNsHOLZ NATUR- & VITALHOTEL **** CHALETDORF BÖHMERWALD	**Gruber Hotel GmbH** 4161 ULRICHSBERG | Schöneben 10 ÖSTERREICH/AUSTRIA Tel. +43 7288 706 00 | info@innsholz.at
Empfängerangabe:	Frau Martina Berger, Sonnensteinstraße 40, 4040 Linz	
Bezugszeichen:	Schöneben, 20. Februar ...., Nicole Ganser	
Betreff:	Pauschalangebote Frühling/Sommer	
Beilage:	Siehe Briefinhalt	
Weitere Firmeninformationen:	Passende Informationen einfügen	

Briefinhalt: Passende Anrede, „Privat sein“ ist ein Luxus geworden, auf den wir oft verzichten müssen. Genießen Sie deshalb die Stille und Klarheit des Böhmerwaldes – des größten Waldgebietes Mitteleuropas. Mit 27 Zimmern bietet das Hotel INNsHOLZ eine kleine, aber feine Wohnmöglichkeit für Familien, Sportler, Gruppen und Abenteurer – das Chaletdorf Böhmerwald versprüht mit seinen elf Rückzugsoasen ländlichen Charme.

Besonders dürfen wir Ihnen unsere Familienvorteilswochen ans Herz legen. Hier ein für Sie passendes Angebot:

Doppelzimmer (pro Person)	Dauer	Preis
Moldaublick	4 Tage/3 Nächte	€ 399,00
Alpenblick	4 Tage/3 Nächte	€ 399,00
Moldaublick	5 Tage/4 Nächte	€ 452,00
Alpenblick	5 Tage/4 Nächte	€ 532,00

(Stichwort Fettschrift) Inklusive: 1 x gratis Kletter- und Kraxlerlebnis im angrenzenden Hochseilpark *(Zeile)* Kinder bis 9 Jahre im Zimmer der Eltern frei, von 10 bis 15 Jahre € 25,00/Nacht *(Zeile)* familienfreundliche 3- oder 4-Bett-Zimmer *(Zeile)* für Kinder sind alkoholfreie Getränke und Eis inklusive *(Ende Stichwort)*
Nehmen Sie sich kurz Zeit und werfen Sie einen Blick in die beigelegten Prospekte, um eine Übersicht über unsere Angebote und Leistungen zu gewinnen. / Grußformel

d) Erstellen Sie mit demselben Sachverhalt einen Text, den Sie als E-Mail samt Signatur an martina.berger@icloud.com versenden könnten. Speichern Sie das Dokument im Anschluss unter **Chaletdorf_Mail1.docx.**

e) Erstellen Sie einen weiteren Brief zum folgenden Sachverhalt: Für das Housekeeping im Hotel INNsHOLZ wurden Putzmittel und Reinigungsutensilien bestellt. Allerdings sind Sie mit der Qualität der Lieferung der Sauber GmbH & Co KG, Gruberstraße 120, 4020 Linz unzufrieden. Schreiben Sie eine entsprechende Reklamation mit passendem Behandlungsvermerk, Betreff, Anrede und Grußformel. Wichtige Textpassagen sind entsprechend hervorzuheben.

f) Speichern Sie den Brief unter **Chaletdorf3.docx.**

g) Textvorschlag: Mit Ihrer Lieferung vom 15. April, Lieferschein-Nr. 22389 sind wir nicht zufrieden. Der Grund: Die Qualität entspricht nicht der Warenprobe, die Grundlage unseres Auftrages war. Bitte liefern Sie die vereinbarte Ware bis spätestens 20. April. Sollten Sie den Termin nicht einhalten können, bitten wir um rechtzeitige Mitteilung. Zusätzliche Kosten müssten wir Ihnen dann in Rechnung stellen.

h) Erstellen Sie mit demselben Sachverhalt einen Text, den Sie als E-Mail samt Signatur verschicken würden und speichern Sie das Dokument unter **Chaletdorf_Mail2.docx.**

2. Fallbeispiel Bestellung Feriendorf

a) Erstellen Sie einen Geschäftsbrief in einem neuen Dokument im Design Schaltkreis oder verwenden Sie die Vorlage **Feriendorf_v.dotx.** Speichern Sie das Dokument unter **Feriendorf2.docx.**

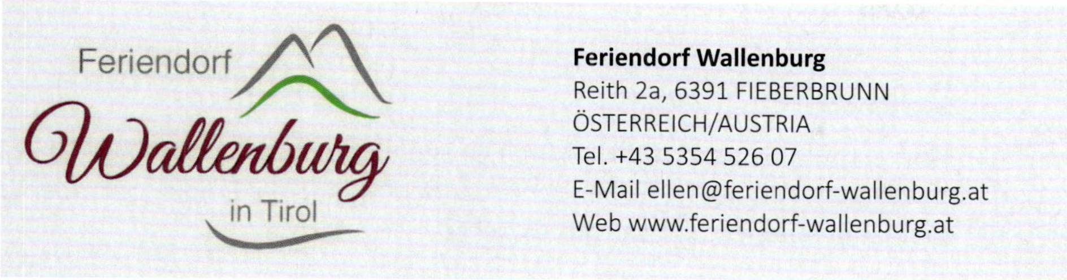

b) Logo Absenderangabe: **Feriendorf1.png,** Schriftgröße 9 Punkt.
c) Textgestaltung: Textkörperschrift, Standard-Formatvorlage, passende Aufzählungszeichen.
d) Sachverhalt: Sie sind zuständig für den Einkauf im Feriendorf Wallenburg, Reith 2a, 6391 FIEBERBRUNN, ÖSTERREICH/AUSTRIA, Tel. +43 5354 526 07, E-Mail ellen@feriendorf-wallenburg.at, Web www.feriendorf-wallenburg.at und haben vorgestern ein Angebot des Elektrogroßhandels Anton Gruber OG, Rheinstraße 40, 6850 Dornbirn erhalten.
e) Schreiben Sie eine Bestellung über 5 Stk. Mikrowellenherde Whirlpool, MAX24, 8 Stk. Handstaubsauger Hoover, Acenta und 2 Stk. Luftbefeuchter Bosch, PAD10000. Bitten Sie um die Lieferung noch in dieser Woche.
f) Drucken Sie den Brief aus und falten Sie ihn mittels Leporellofaltung passend für ein DL-Kuvert.
g) Erstellen Sie mit demselben Sachverhalt einen Text, den Sie als E-Mail samt Signatur verschicken würden und speichern Sie das Dokument unter **Feriendorf_Mail1.docx.**

Einen interaktiven **Safety-Check** finden Sie in der TRAUNER-DigiBox.

2 Inhaltliche Briefgestaltung

Sarah weiß bereits, worauf sie bei der formalen Gestaltung von Schriftstücken achten muss. Formschöne Briefe verfasst sie ohne Probleme. Schwierigkeiten bereitet Sarah jedoch die inhaltliche Briefgestaltung. Welche Formulierungen sind gut und passend und wovon sollte man in einem geschäftlichen Schriftstück lieber Abstand nehmen?

Was denken Sie, ist in der geschäftlichen Korrespondenz im Vergleich zur privaten unangebracht?

Meine Ziele

KOMPETENZERWERB

Nach Bearbeitung dieses Kapitels kann ich

- die Kommunikationsebenen im Schriftverkehr und die Briefbestandteile aufzählen;
- die Regeln für den Brief-/E-Mail-Stil anwenden.

2.1 Kommunikationsebenen im Schriftverkehr

Wie bei der mündlichen Kommunikation müssen Sie auch beim Schriftverkehr die Kommunikationsebenen zwischen Sender/in und Empfänger/in berücksichtigen.

Die Empfängerin/der Empfänger soll die Nachricht so verstehen, wie sie gemeint ist!

Sachebene

Missverständnisse entstehen durch Unsachlichkeit und Unverständlichkeit. Ist klar, in welchem Verhältnis die Senderin/der Sender und die Empfängerin/der Empfänger zueinander stehen und worum es geht?

Beispiel: Sachebene
Um Ihre Anfrage bearbeiten zu können, benötigen wir folgende Unterlagen ...

Beziehungsebene

Betonen Sie das partnerschaftliche Verhältnis und die Gemeinsamkeiten (vor allem beim Beantworten von Beschwerden).

Beispiel: Beziehungsebene
Wir werden auch in diesem Fall eine Lösung finden.

Selbstoffenbarungsebene

Nicht die Senderin/der Sender, sondern die Empfängerin/der Empfänger soll im Mittelpunkt stehen.

Beispiel: Selbstoffenbarungsebene
Sie erhalten einen Sonderrabatt von 20 % (Nicht: Wir gewähren ...)

Welche Sender- und Empfängerpaare kennen Sie außer Arbeitgeber/in – Bewerber/in, Kundin/Kunde – Lieferant/in im Schriftverkehr?

Eine interaktive Übung zu den Kommunikationsebenen finden Sie in der TRAUNER-DigiBox.

Appellebene

Appelle informieren und geben der Empfängerin/dem Empfänger wichtige Hinweise. Sie stehen am Briefschluss.

Beispiel: Appellebene
Bitte melden Sie sich bis 20. d. M., damit wir das von Ihnen gewünschte Zimmer reservieren können.

2.2 Briefaufbau

Der Brief besteht üblicherweise aus	
Briefeinstieg	Der Briefeinstieg beginnt mit der Anrede. Sie dient demselben Zweck wie die Begrüßung im persönlichen Gespräch. Nach der Anrede beginnen Sie gleich mit dem eigentlichen Thema.
Informationsblock bzw. Hauptteil	Im Hauptteil des Briefes steht die Information, die Sie weitergeben wollen oder müssen. Heben Sie wichtige Aussagen hervor.
Briefausstieg bzw. Schluss	Am Briefschluss stehen sachliche Hinweise darauf, was erwartet wird, Zusammenfassungen, Aufforderungen oder eine positiv formulierte Anmerkung.

Beispiele: Briefeinstieg
- Sehr geehrte Frau ...,
  Ihr Konto weist einen fälligen Saldo von 298,00 EUR auf.
- Mit diesem Brief erhalten Sie – wie telefonisch vereinbart – die Unterlagen für ...
- Sie suchen in Ihrem Inserat vom ... eine Sekretärin mit guten Officekenntnissen ...

Beispiele: Informationsblock bzw. Hauptteil
- Bitte überweisen Sie den fälligen Betrag bis spätestens ...
- Senden Sie mir bitte detaillierte Unterlagen über ...
- Wir haben bis heute nichts von Ihnen gehört.

Beispiele: Briefausstieg
- Bitte haben Sie Verständnis, dass wir Ihnen keinen Rabatt gewähren können.
- Ihre Stellungnahme erwarten wir bis spätestens ...
- Bitte merken Sie sich diesen Termin vor.
- Wir hoffen, dass wir mit der Terminverschiebung keine Unannehmlichkeiten verursacht haben.
- Ihr Angebot erwarte ich mit Interesse.

Übungen

1. Kommunikationsebenen

a) Zählen Sie die Kommunikationsebenen im Schriftverkehr auf.

b) Ordnen Sie folgende Beispiele einer Kommunikationsebene zu und begründen Sie Ihre Wahl (Mehrfachnennungen sind möglich):

Beispiel	Kommunikationsebene
Ihren Gutschein haben wir in der Abrechnung berücksichtigt.	
Bitte bestätigen Sie die Reservierung bis 20. Mai	
Um Ihre Schadensmeldung zu bearbeiten, vereinbaren Sie bitte einen Besichtigungstermin ...	

2. Briefaufbau

Zählen Sie die Briefbestandteile auf und nennen Sie je ein Beispiel.

2.3 Briefstil

Die Formulierungsregeln für alle Formen der betrieblichen Kommunikation weichen aufgrund der verschiedenen Übertragungsarten (E-Mail, Brief, SMS etc.) voneinander ab. Grundsätzlich wird jede schriftliche Information nach folgenden Regeln formuliert:

- klar
- übersichtlich
- kurz und bündig
- sprachlich korrekt
- eindeutig
- fachgerecht

⚠ Schreiben Sie so, wie Sie sprechen.

Voraussetzung ist, dass Sie sich gut vorbereitet haben, die gehobene Umgangssprache verwenden und allgemeine Höflichkeitsregeln befolgen.

Kein Amtsdeutsch, keine veralteten Floskeln und Redewendungen, aber auch keinen SMS- oder Chat-Stil und keine Dialektausdrücke benutzen!

Verwenden Sie nur Fachausdrücke und Fremdwörter, wenn:

- kein entsprechender deutscher Ausdruck zur Verfügung steht,
- das Fremdwort bereits zum Alltagswortschatz gehört,
- Sie sicher sein können, dass die Empfängerin/der Empfänger den Begriff versteht,
- Sie sicher sind, dass Sie selbst diesen Ausdruck verstehen.

FILM AB!

Beispiele für gute und schlechte Formulierungen finden Sie im Video unter www.trauner.at/aim_v5.aspx.

Warum soll der SMS-Stil in Briefen vermieden werden?

Briefstil-Regeln

1. Informieren, nicht belehren!
2. Zuerst denken, dann schreiben bzw. diktieren!
3. Individuell und einfach formulieren! Überflüssige Wörter streichen!
4. Aktuelle, moderne Formulierungen verwenden!
5. Kundenorientiert, partnerschaftlich formulieren! Die Adressatin bzw. den Adressaten in das Zentrum der Anrede stellen (Sie-Stil)!
6. Sagen Sie kurz, aber höflich das Wesentliche! Vermeiden Sie Wiederholungen!
7. Kein Passiv (Leideform), keine Nennformkonstruktionen, keine Mittelwörter der Gegenwart verwenden!
8. Viele treffende Zeitwörter benützen – aber nicht immer dieselben!
9. Fachchinesisch vermeiden!
10. Setzen Sie am Briefschluss ein Satzzeichen!

Informieren, nicht belehren!

- Niemand will von oben herab behandelt werden.
- Lassen Sie nie den Eindruck entstehen, dass ein Besserwisser/eine Besserwisserin am Werk ist.

Schlecht	Besser
Wir weisen ausdrücklich darauf hin, dass eine Teilnahme nur nach vorheriger Anmeldung möglich ist.	Bitte melden Sie sich unbedingt an! Ihre Anmeldung ist unbedingt erforderlich!
Konnten Sie sich schon mit unserem Vorschlag befassen?	Wie gefällt Ihnen unser Vorschlag?

Zuerst denken, dann schreiben bzw. diktieren!

- Denken Sie jeden Satz in Ihrem Kopf zu Ende, bevor Sie ihn schreiben oder diktieren.
- Vermeiden Sie Satzstellungsfehler und formulieren Sie in grammatikalisch und orthografisch korrekten Sätzen, nicht im SMS- oder Chat-Stil.

Schlecht	Besser
Aktuelle Rechnung abrufbar unter ...	Ihre aktuelle Rechnung können Sie jetzt unter .... abrufen.

Individuell und einfach formulieren! Überflüssige Wörter streichen!

- Entwerfen Sie den Text mit Konzentration auf die Empfängerin/den Empfänger.
- Sprechen Sie sie/ihn mit einem individuell gestalteten Brief an.
- Ein großer Wortschatz ist hilfreich.
- Sammeln und speichern Sie Bausteine, Redewendungen und Wortvarianten für die verschiedenen Arten der Geschäftskorrespondenz.
- Verwenden Sie die Thesaurusfunktion von WORD oder entsprechende Fachlexika (Synonymlexikon oder „Sag es treffender!").
- Streichen Sie überflüssige Wörter.

Formulieren Sie vor allem Bewerbungen individuell!

Es ist überflüssig, in einem Brief die Floskel: „Wir teilen Ihnen mit" zu schreiben, denn das tun Sie ohnehin.

Schlecht	Besser
Für Rückfragen stehen wir Ihnen jederzeit gerne zur Verfügung.	Wenn Sie Fragen haben, rufen Sie bitte Frau Maier, Telefon ..., an.
Hiermit bestätigen wir den Eingang Ihrer Abmeldung.	Wir haben Ihre Abmeldung erhalten.
Genaue Einzelheiten haben wir für Sie im Anhang beschrieben.	Details finden Sie im Anhang.

Aktuelle, moderne Formulierungen verwenden!

- Amtsdeutsch, veraltete Formulierungen und Redewendungen wirken autoritär, wirbezogen und nicht kundenorientiert.
- SMS- und Chat-Stil wirken in Briefen unhöflich.

Vermeiden Sie Wörter wie anbei, wollen, Durchschläge, geschätzt, bezugnehmend etc.

Schlecht	Besser
Vielen Dank für die Zusendung Ihres Briefes.	Danke für Ihren Brief.
Die Generaldirektion beehrt sich, Ihnen für Ihre Unterstützung zu danken.	Besten Dank für Ihre Unterstützung.
Wir senden Ihnen beigefügt die erforderlichen Unterlagen mit der Bitte um eingehende Prüfung.	Bitte prüfen Sie die beigelegten Unterlagen.

Kundenorientiert, partnerschaftlich formulieren! Den Adressaten in das Zentrum der Botschaft stellen (Sie-Stil)!

- Sprechen Sie Ihre Briefpartner/innen direkt und persönlich an.
- Beginnen Sie den Brief nicht mit „wir" oder „ich".

Im späteren Textverlauf ist „wir" oder „ich" am Satzanfang erlaubt. „Wir" oder „ich" sollten sparsam eingesetzt werden.

Schlecht	Besser
Wir weisen darauf hin, dass ...	Bitte beachten Sie, dass ...
Wir hoffen, Ihnen mit unserem Angebot gedient zu haben, und verbleiben ...	Wir freuen uns auf Ihren Auftrag. Bei Fragen zu unserem Angebot, rufen Sie bitte ...

Sagen Sie kurz, aber höflich das Wesentliche! Vermeiden Sie Wiederholungen!

- Geschriebene Sätze sollten in Briefen nicht länger sein als gesprochene.
- Durch unnötige Wiederholungen wirkt ein Brief langatmig.
- Informationen im Betreff oder Bezugszeichenblock müssen nicht wiederholt werden.

⚠ Wann sind Schriftstücke leicht lesbar?
- Höchstens 14 Wörter pro Satz
- Maximal sechs Zeilen pro Absatz
- Aufzählungen für komplizierte Sachverhalte verwenden

„Beiliegend sende ich Ihnen …" bedeutet eigentlich, dass Sie beiliegen und etwas senden. Schreiben Sie besser: Mit diesem Brief erhalten Sie …

Synonyme = sinnverwandte Wörter.

Beispiel: Synonyme zum Wort „liefern" sind etwa „senden", „schicken", „zustellen".

- Die Kürze darf nicht auf Kosten der Höflichkeit gehen (kein Chat-Stil).
- Durch Kürzung dürfen keine wichtigen Inhalte verloren gehen.

Schlecht	Besser
Sollte der oben angeführte Betrag nicht bis zu diesem Tag bei uns eingelangt sein, tritt Terminverlust ein, d. h., dass die gesamte aushaftende Restschuld zur Gänze fällig wird und von Ihnen unverzüglich auf oben genanntes Konto zur Einzahlung gebracht werden muss.	Wenn dieser Betrag nicht bis … bei uns einlangt, tritt Terminverlust ein. Sie müssen dann die gesamte Restschuld auf unser Konto einzahlen.
Wir möchten Sie einladen, uns zu besuchen.	Besuchen Sie uns!

Keine Leideform, keine Nennformkonstruktionen, keine Mittelwörter der Gegenwart verwenden!

- Durch die Passivform wirkt ein Brief unpersönlich und verliert an Dynamik.

Schlecht	Besser
Wir ersuchen Sie, den ausstehenden Betrag bis spätestens … zu überweisen.	Überweisen Sie bitte bis spätestens …
Die Reparaturkosten werden von der Versicherung übernommen.	Die Versicherung übernimmt die Reparaturkosten.

Viele treffende Zeitwörter benutzen – aber nicht immer dieselben!

- Wenn Sie Hauptwörter (zum Beispiel Wörter mit der Endung „-ung") durch Zeitwörter ersetzen, gewinnt der Brief an Dynamik.
- Vermeiden Sie Wortwiederholungen, z. B. das Wort „liefern".
- Ersetzen Sie häufig gebrauchte Wörter durch Synonyme.

Schlecht	Besser
Wir ersuchen um Überweisung des ausstehenden Betrages bis spätestens …	Überweisen Sie bitte bis spätestens …

Setzen Sie am Briefschluss ein Satzzeichen!

Schlecht	Besser
Ihrer umgehenden Rückantwort sehen wir mit Interesse entgegen und zeichnen …	Ihre rasche Antwort erwarten wir mit Interesse. Freundliche Grüße
In der Hoffnung, bald von Ihnen zu hören, verbleiben wir …	Ihre Stellungnahme erwarten wir bis … Freundliche Grüße

Übungen

1. **Informative, aber nicht belehrende Formulierungen – passendere Ausdrucksmöglichkeiten suchen**
   a) Wir teilen Ihnen mit, dass die erforderliche Teilnehmerzahl nicht erreicht werden konnte und der diesjährige Kinderskikurs daher zu unserem großen Bedauern abgesagt werden musste.
   b) Wir stehen Ihnen gerne zur Verfügung, sollte Ihnen wider Erwarten der Zusammenbau des Modells Schwierigkeiten bereiten.
2. **Individuelle, einfache Formulierungen – passendere Wendungen suchen**
   a) Es wird gebeten, davon Abstand zu nehmen, den Hallenbadbereich mit Getränken und Speisen zu betreten.
   b) Wir wären Ihnen dankbar, wenn Sie zur Vervollständigung unserer Unterlagen den beiliegenden Anmeldebogen ausfüllen würden.
3. **Aktuelle, moderne Formulierungen – passendere Aussagen suchen**
   a) Ich würde mich über eine baldige Rückantwort freuen.
   b) Im Rahmen des diesjährigen Mitarbeiterpreisausschreibens ist es der Personalvertretung ein besonderes Vergnügen, Ihnen mitzuteilen, dass Sie den ersten Preis gewonnen haben.
4. **Formulierungen im Sie-Stil – passendere Phrasen suchen**
   Wir senden Ihnen gerne weitere Unterlagen, die Ihnen eine effiziente Bedienung unseres Kaffeeautomaten ermöglichen werden.
5. **Kurze Formulierungen – passendere Formulierungen suchen**
   a) Bezugnehmend auf Ihr Schreiben vom ... teilen wir Ihnen mit, dass aufgrund der gesetzlichen Vorschriften eine Kündigung erst nach Ablauf von drei aufeinanderfolgenden Kalendermonaten möglich ist.
   b) Diesbezüglich werden wir uns noch bei Ihnen melden.
6. **Treffende Zeitwörter – Synonyme finden**
   Suchen Sie mit der Thesaurusfunktion in WORD Synonyme zu den Wörtern: „senden", „erhalten", „unterschreiben" und „zahlen".

Hinweis: Schreiben Sie Ihre alternativen Formulierungen in ein WORD-Dokument!

Sie-Stil = Kundenorientiert, partnerschaftlich formulieren sowie den Adressaten in das Zentrum der Anrede stellen.

2.4 E-Mail-Stil

E-Mails ersetzen bereits einen sehr großen Teil der geschäftlichen und privaten Briefkommunikation. Eine E-Mail ist so wie jedes andere Schriftstück eine Visitenkarte des Unternehmens und der Verfasserin/des Verfassers. Kundinnen/Kunden erwarten Genauigkeit, Höflichkeit und Schnelligkeit.

In Unternehmen gibt es daher E-Mail-Regeln für externe und interne E-Mails.

Die **Regeln der Corporate-Identity** (Merkmale, die für die Identität des Unternehmens stehen) des Unternehmens werden beim Verfassen von E-Mails häufig nicht beachtet.
Die Qualität der E-Mails entspricht dann nicht dem Qualitätsstandard des Unternehmens.

2.4.1 Attachments

- Senden Sie keine großen Dateianhänge (Attachments) mit mehreren Megabyte, ohne diese vorher anzukündigen. Besser ist es, große Dateianhänge über Cloud-Dienste zu teilen.
- Briefe, die als Attachments verschickt werden, tragen den Beförderungsvermerk „Per E-Mail" oder „Per E-Mail an jemand@office.com".
- Wandeln Sie Dokumente, die Sie als Attachment versenden wollen, zuerst in das Dateiformat PDF (Portable Document Format) um. Eventuell kann es sogar notwendig sein, den Sicherheitsstandard PDF/A zu verwenden.

PDF/A entspricht dem ISO-Standard für Langzeitarchivierung und sorgt für ein systemunabhängiges Erscheinungsbild. Dabei werden beispielsweise sämtliche Schriftarten, aber auch relevante Metadaten eingebettet.

Beförderungsvermerk in Briefen, die als Attachments verschickt werden	
Per E-Mail Robert Wagner Vorhänge – Tapeten – Innenraumdekor Herrn Fritz Wagner Europaplatz 20 4020 Linz	Per E-Mail an office@adagio.com Frau Hannelore Fleißig Geschäftsführerin p. A. Musikalienhandlung Adagio Innrain 54 6020 Innsbruck

Die Absenderangabe in E-Mails (Signatur) ist nicht ident mit der elektronischen Signatur, die einer eigenhändigen Unterschrift gleichgestellt ist.

§ „In das Firmenbuch eingetragene Unternehmer haben auf allen Geschäftsbriefen ... die an einen bestimmten Empfänger gerichtet sind, sowie auf ihren Websites die Firma, die Rechtsform, den Sitz und die Firmenbuchnummer des Unternehmens ... sowie das Firmenbuchgericht anzugeben ..." (§ 14 Unternehmensgesetzbuch)

Emoticons ☺ 😐 ☹ verwendet man nur in privaten, nicht in geschäftlichen E-Mails.

2.4.2 Signatur

Im geschäftlichen Schriftverkehr setzen Unternehmen, aber auch Private, alle Kontaktdaten **an das Ende der E-Mail.** Diese Absenderangabe wird Signatur genannt. In Österreich gibt es keine gesetzlichen Vorschriften, welche Daten eine E-Mail-Signatur zu enthalten hat.

2.4.3 E-Mail-Stil – Regeln für geschäftliche E-Mails

1. Fassen Sie sich kurz! Beachten Sie die Rechtschreibung!
2. Emoticons und Abkürzungen sind verpönt!
3. Aussagekräftigen Betreff wählen!
4. Signatur am Ende einfügen!
5. Der Ton macht die Musik – Netiquette!
6. Zuerst alle E-Mails lesen – dann schreiben!
7. Zitieren (quoten) Sie richtig!
8. Versenden Sie keine vertraulichen Mitteilungen per E-Mail!

Fassen Sie sich kurz! Beachten Sie die Rechtschreibung!

- Fassen Sie Ihre Nachricht so kurz wie möglich ab.
- Behandeln Sie nur ein Thema pro Nachricht.
- Die deutsche Rechtschreibung (vor allem die korrekte Groß- und Kleinschreibung) ist zu beachten.
- Es gelten die gleichen Formulierungsempfehlungen wie für Geschäftsbriefe. Sie dürfen sich noch kürzer fassen als im Brief.

Brief	E-Mail
Danke für Ihr Schreiben vom ... Um Ihre Anfrage bearbeiten zu können, benötigen wir noch folgende Unterlagen: ...	Danke für Ihre Anfrage. Bitte senden Sie uns noch folgende Unterlagen: ...
Herzlichen Dank für Ihre Bestellung vom ... Wir bestätigen Ihre Buchung wie folgt: ...	Besten Dank für Ihre Bestellung – wir bestätigen Ihre Buchung.

Emoticons und Abkürzungen sind verpönt!

- Verwenden Sie lediglich branchenübliche Abkürzungen und Abkürzungen, die im Österreichischen Wörterbuch bzw. im Duden festgelegt sind.

Intern	Extern
S. g. Frau Müller,	Sehr geehrte Frau Müller,
Mfg	Mit freundlichen Grüßen

Im internen Mailverkehr sind Abkürzungen wie „S. g." oder „Mfg" möglicherweise erlaubt – in externen Geschäftsmails sind sie unhöflich. Oft werden Sie durch firmeninterne Sprachregelungen verboten.

Aussagekräftigen Betreff wählen!

- Verwenden Sie aussagekräftige Betreffzeilen.
- E-Mails ohne Betreff werden beim ersten Vorsortieren meist ungelesen gelöscht, oder Ihre E-Mails werden vom Spamfilter aussortiert.

Keine E-Mails ohne Betreff senden! In Ihre Signatur setzen Sie den Firmennamen, Ihren Namen, Ihre Postadresse, Telefon- und Faxnummer sowie die E-Mail- und Internetadresse.

Signatur am Ende einfügen!

- Mit der Signatur wird klargestellt, wer die Absenderin/der Absender ist.
- Für Unternehmen besteht eine Impressumspflicht, d. h., die Signatur muss folgende Angaben enthalten: Firmenname, Rechtsform, Firmensitz, Firmenbuchnummer, Firmenbuchgericht und je nach Geschäftsform evtl. auch die haftenden Gesellschafter/innen. Zusätzliche Kontaktdaten (Telefon-, Faxnummer, E-Mail, Webadresse) werden üblicherweise ebenfalls angeführt.
- Meist wird die Signatur mit einem Disclaimer ergänzt.
- Bei Werbemails muss in der Signatur bzw. im Disclaimer dem Empfänger/der Empfängerin die Möglichkeit zur Abmeldung geboten werden.

In Ihre Signatur setzen Sie Ihren Namen, den Firmennamen, die Firmenanschrift und alle weiteren Kontaktdaten ein.

Disclaimer bezeichnet einen Haftungsausschluss in E-Mails oder auch Websites. Er regelt den Umgang mit vertraulichen Inhalten bzw. die Weitergabe und Nutzung.

Der Ton macht die Musik – Netiquette

- Beginnen Sie mit einer höflichen Anrede und beenden Sie die Nachricht mit einem freundlichen Gruß (keine Abkürzungen verwenden).
- Farbe ist nicht empfehlenswert.
- Verwenden Sie keine Großbuchstaben zur Hervorhebung (das signalisiert Schreien), sondern Fettschrift.
- Konsequente Kleinschreibung wird als Desinteresse, Bequemlichkeit oder mangelnde Rechtschreibkenntnis interpretiert.
- Auf kritische Äußerungen in einer E-Mail nicht zornig oder gestresst reagieren. Antworten Sie in diesem Fall zurückhaltend und höflich.

Die Netiquette regelt den Umgangston in E-Mails.

Zuerst alle E-Mails lesen – dann schreiben!

- Bevor Sie mit dem Beantworten der Mails beginnen, sehen Sie alle neu eingegangenen E-Mails der gleichen Absenderin/des gleichen Absenders durch. Eine Anfrage kann schon erledigt sein oder es sind weitere Detailinformationen hinzugekommen.
- Manchmal möchten sich Personen für zuvor gesendete E-Mails (die mehr oder weniger unüberlegt geschrieben worden waren) entschuldigen.

Dauernde Erreichbarkeit kann zu Überlastung und sogar Burnout führen. Lesen Sie daher E-Mails nicht laufend, sondern gewöhnen Sie sich an, diese nur zu bestimmten Tageszeiten und z. B. nur zweimal täglich zu lesen und zu beantworten.

Zitieren (quoten) Sie richtig!

- Mit dem Drücken der Antworttaste wird die ursprüngliche E-Mail noch einmal im Bearbeitungsfenster angezeigt. Die zitierten Textteile werden je nach Mailprogramm mit einem speziellen Zeichen oder einem Strich vor dem Zeilenbeginn gekennzeichnet.
- Zitieren (quoten) Sie nicht die gesamte Mail, sondern möglichst kurz alle Punkte, auf die Sie sich beziehen.
- Platzieren Sie die Antwort unter dem betreffenden zitierten Punkt.

Wenn Sie in Ihrer E-Mail auf Fragen aus vorhergehenden E-Mails antworten, zitieren Sie diese. Lassen Sie die Fragen in Ihrer Antwort keinesfalls weg.

Beispiel: Richtig zitieren – Mitteilung

Sehr geehrter Herr Müller!

Da Ihre uns zugesendeten Druckdaten leider fehlerhaft sind, ersuchen wir Sie um nachfolgend angeführte Korrektur:

Ihre Druckdaten sind im Monitorfarbmodus RGB angelegt. Damit der Druck Ihrer Publikation erfolgen kann, müssen diese in den Druck-Farbmodus CMYK umgewandelt werden. Tipp: Falls Sie selbst keine Möglichkeit haben, können wir die Wandlung kostenfrei für Sie durchführen. Bitte beachten Sie, dass wir keine Garantie für 100%ige Farbtreue geben können.

Bitte senden Sie die vollständigen Druckdaten für die weitere Bearbeitung Ihres Auftrages, inklusive der vorgenommenen Korrekturen, erneut an service@mustercopyshop.at. Vielen Dank.

Freundliche Grüße
Doris Winkler

Beispiel: Richtig zitieren – Antwort

>From: "Andreas Müller" <andreas_mueller@wellness.com>
>To: service@mustercopyshop.at
>Subject: Re: Ihr Druckauftrag mit der Nummer 445404
>Date: Fri, 19 Nov 8:48:18

Sehr geehrte Frau Winkler!

> Ihre Druckdaten sind im Monitorfarbmodus RGB angelegt.
> Falls Sie selbst keine Möglichkeit haben, können wir die Wandlung kostenfrei
> für Sie durchführen.

Wir ersuchen Sie, unsere Druckdaten kostenfrei in den CMYK-Farbmodus umzuwandeln.

> Bitte beachten Sie, dass wir keine Garantie für 100%ige Farbtreue geben
> können.

Bitte senden Sie uns einen Musterabzug nach der Umwandlung. Vielen Dank im Voraus.

Freundliche Grüße
Andreas Müller

Übungen

Hinweis: Schreiben Sie Ihre alternativen Formulierungen in ein WORD-Dokument!

1. E-Mail-Formulierungen

Formulieren Sie folgende Brieftexte in einer E-Mail kürzer, ohne dass der Sinn verloren geht.

a) Brief: Verwenden Sie bitte das Formular XY, damit Ihr Antrag rascher an die zuständige Abteilung weitergeleitet und bearbeitet werden kann.
b) Brief: Sehr geehrter Herr Müller, bitte beachten Sie, dass ein freiwilliger Austritt auch in Ihrem Fall erst nach Ablauf von drei aufeinanderfolgenden Kalendermonaten möglich ist.

2. Abkürzungen in E-Mails
Welche Abkürzungen sollten in der Geschäfts-E-Mail vermieden werden? Kreuzen Sie sie an.

Abkürzung	Verwenden	Vermeiden
fg (Freundliche Grüße)		
Nr. (Nummer)		
lg (Liebe Grüße)		
d. h. (das heißt)		
z. B. (zum Beispiel)		
cu (Wir sehen uns)		
ca. (circa)		

Ziele erreicht? – „Inhaltliche Briefgestaltung"

KOMPETENZ-ERWERB

1. Treffende Zeitwörter – Synonyme
Suchen Sie mit der Thesaurusfunktion in WORD Synonyme zu den Wörtern „ausfüllen", „anbieten" und „bestätigen".

2. Betreff in E-Mails
Was kann passieren, wenn Sie eine E-Mail an einen Neukunden/eine Neukundin ohne Betreff senden?

3. Formulierung im Sie-Stil
Wir wünschen Ihnen einen angenehmen Aufenthalt und eine gute Reise. Suchen Sie eine passendere Formulierung.

4. Abkürzungen in E-Mails
Welche Abkürzungen/Emoticons sollten in Geschäfts-E-Mails vermieden werden? Kreuzen Sie sie an.

Abkürzung	Verwenden	Vermeiden
Mfg (Mit freundlichen Grüßen)		
Stk. (Stück)		
bzw. (beziehungsweise)		
☹		
UID (Umsatzsteueridentifikation)		
☺		

Hinweis: Schreiben Sie Ihre Lösungen zu den „Ziele erreicht?"-Aufgaben in ein WORD-Dokument.

5. Brief ergänzen und veraltete Formulierungen korrigieren
Der Absender ist Karl Gruber OG, Tapeten nach Maß. Empfängerin ist die Firma Supertapete AG, Fototapeten und Wandtattoos aus Deutschland. Ergänzen Sie die Absender- und Empfängerangaben sowie sonstige Briefbestandteile passend. Betreff: Anfrage – Türtapeten. Speichern Sie Ihre Lösung unter **Gruber1.docx.**

Sehr geehrte Damen und Herren!

Ich danke Ihnen sehr für die Zusendung Ihres neuesten Vliestapetenfolders.

Ich würde überaus gerne mein Sortiment um Türtapeten mit Motiven aus den Bereichen „Abstrakt", „Science" und „Weltall" erweitern. Dafür benötige ich Informationen über weitere lieferbaren Standardgrößen und eventuell anfallende Mehrkosten bei Bestellung von Sondergrößen und Farbtonänderungswünsche sowie über Ihre Lieferbedingungen.

Im Voraus für Ihre prompte Antwort bestens dankend verbleibe ich

mit freundlichen Grüßen

Einen interaktiven **Safety-Check** finden Sie in der TRAUNER-DigiBox.

Die englische Schreibweise des **Datums** unterscheidet sich je nachdem, ob **American** oder **British English** verwendet wird:

American English: 11/20/20..
British English: 20/11/20..

stamp
Briefmarke
envelope
Briefumschlag
registered letter
Einschreiben
advice of delivery
Rückschein
form of address
Art der Anrede
complimentary close
Schlussformel, Grußformel

In English, most **academic titles** are added *after* the name:
John Smith, **BA**
Andrea Ferguson, **MBA**
Katharina Fuchs, **MSc**

Dr. Johann Horvath, **MD**
Dr. Franz Hammer, **PhD.**

With a doctorate, the title after the name specifies which kind of doctor the person is.
(MD = medical, PhD = philosophical)

Going international

Now let's use the basics of the chapter "Briefgestaltung" in English!

Exercise 1
Put the elements of letters into the correct column.

private person — date on its own — company — company name — no typed repetition of the name — typed repetition of the name — handwritten signature — date + additional information for the company

private letter	business letter

Forms of address and complimentary closes in English

1. Forms of address
Dear Sir or Madam => Sehr geehrte Damen und Herren

Dear Mr / Mrs / Ms [name] => Sehr geehrter Herr / Sehr geehrte Frau [Name]

2. Complimentary close
[informal, only used in e-Mails & private letters]
All the best / Kind regards / Best wishes / Best regards
Alles Gute / Liebe Grüße

[formal]
Yours sincerely (if you know the name of the person)
Yours faithfully (if you do not know the name of the person, in combination with "Dear Sir or Madam")

Exercise 2 – Writing a letter in English
You work for the clothing store HATS ALL AROUND. Draft a short letter to your business partner, MAD HATTER Inc., 10 Tottenham Court Road, London, England, W1T 1JY, ordering five hats "Bunny 4587". Don't forget to use the correct form of address and complimentary close.

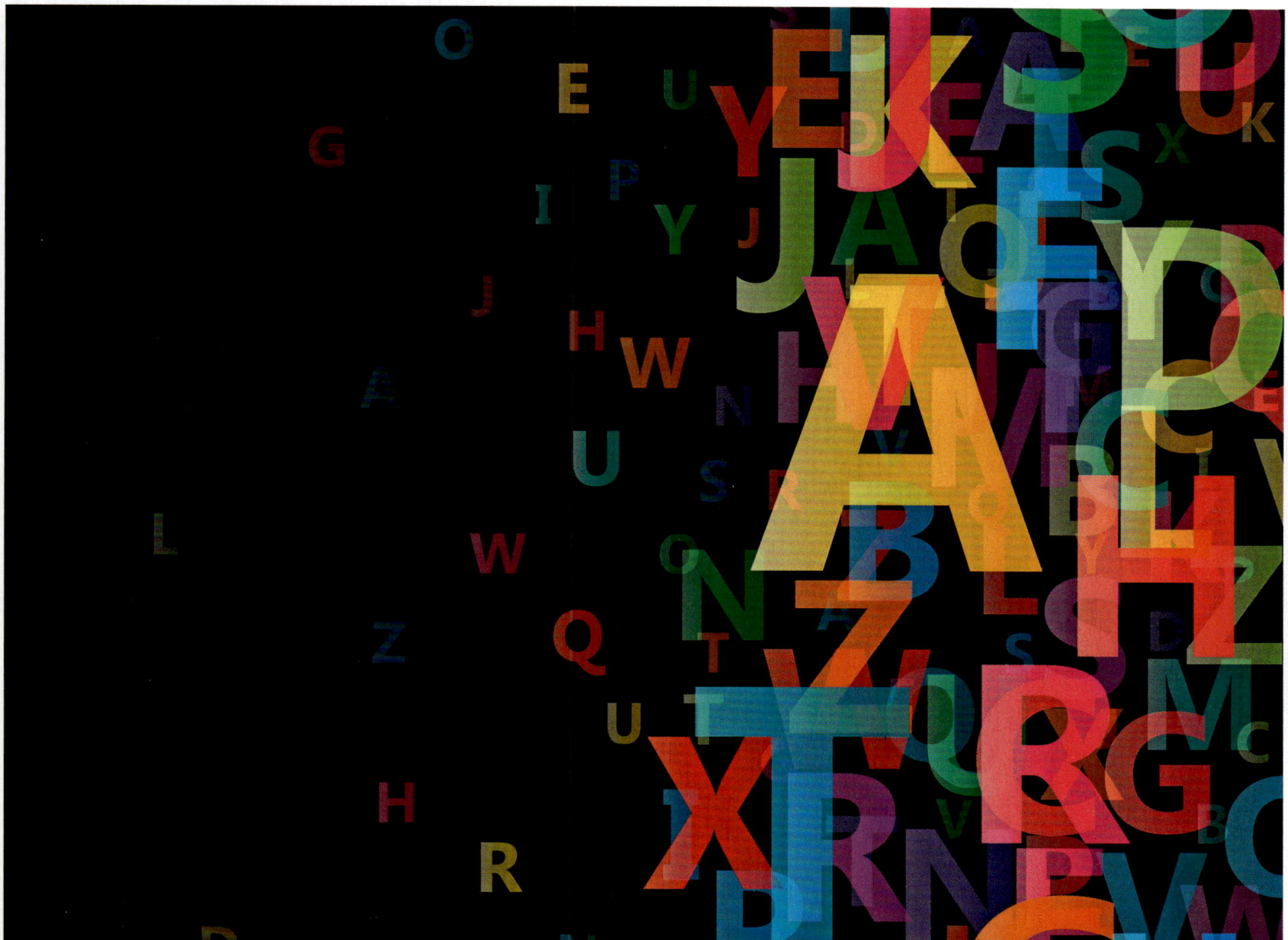

II Textdesign

Die Tätigkeit in einem Büro umfasst viele Teile der Textverarbeitung. Mails werden an Kundinnen und Kunden gesendet, Einladungen und Werbebriefe verschickt, Geschäftsbriefe verfasst etc. Oftmals ist es notwendig, Daten aus anderen Programmen einzubetten bzw. zu übernehmen. All diese Tätigkeiten sollen routiniert ausgeführt werden. Deshalb bedarf es guter Schulung, damit die einzelnen Schriftstücke rationell erstellt werden können.

1 Gestalten in WORD

Sarahs Vater organisiert den Wandertag des Siedlervereins, und sie soll ihm helfen, ein Flugblatt zu gestalten. Das Logo soll unbedingt eingefügt werden, und da es sich um ein Flugblatt handelt, soll die Einladung zum Wandertag so auffällig gestaltet sein, dass sie in der Fülle der Postwurfsendungen nicht untergeht. Sarah entschließt sich daher, zur Hervorhebung weitere Illustrationen einzufügen.

KOMPETENZ-ERWERB

Meine Ziele

Nach Bearbeitung dieses Kapitels kann ich

- Daten für den Druck aufbereiten;
- Listen mit mehreren Ebenen mit und ohne Formatvorlagen neu erstellen, zuweisen und anpassen;
- Illustrationen in Texten positionieren und gruppieren;
- Tabulatoren in Tabellen setzen;
- Tabellen teilen und Tabelleninhalte sortieren;
- Texte mit Tabulatoren und Tabellen selbstständig gestalten;
- Stichworttexte gestalten;
- mehrseitige Tabellen gestalten.

Mögliche Probleme bei der Dateiübertragung

- Dateityp wird von der Druckerei nicht unterstützt
- Datei soll vor unerlaubter Bearbeitung geschützt werden
- Download von Dokumenten über das Internet ist erforderlich
- Heruntergeladene Dateien sollen nur mit Passwort geöffnet werden können

1.1 Daten für den Druck bzw. Download aufbereiten

Es gibt eine Vielzahl an unterschiedlichen Programmen, um Publikationen und Dokumente zu erstellen. Probleme bei der Übertragung der Dateien können durch die Verwendung des PDF-Dateiformats vermieden werden.

Mit dem ADOBE READER können Sie außerdem Text und Bilder markieren, in ein anderes Programm, z. B. WORD, kopieren und das angezeigte PDF-Dokument bei Bedarf in 90°-Schritten drehen.

Wenn Sie eine PDF-Datei speichern bzw. drucken möchten, benötigen Sie einen PDF-Writer oder PDF-Maker, der in manchen Programmpaketen, z. B. MICROSOFT-OFFICE 2013, bereits inkludiert ist.

PDF-Datei aus WORD-bzw. POWERPOINT-Datei erstellen

- WORD-Dokument bzw. POWERPOINT-Präsentation als .docx bzw. .pptx speichern
- Datei – Speichern unter – Dateityp: PDF auswählen
- Oder in WORD: Datei – Exportieren – PDF/XPS-Dokument erstellen
- Optionen... – gewünschte Optionen auswählen
- Dateinamen vergeben – Speichern bzw. Veröffentlichen

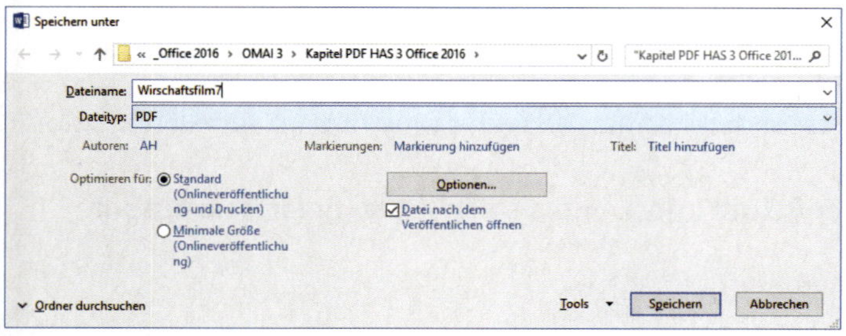

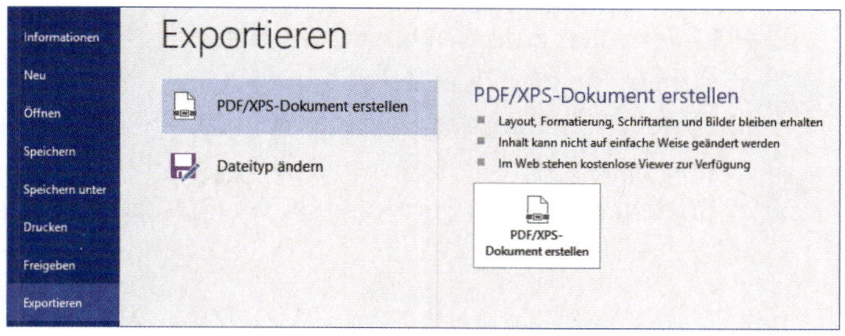

PDF-Optionen in WORD

- Seitenbereich: Alle Seiten oder Aktuelle Seite bzw. Seite(n) von bis festlegen
- Was veröffentlichen: Dokument oder Dokument mit Markups speichern.
- Nicht druckbare Informationen einschliessen: Dokumenteigenschaften und Dokumentstrukturtags für Eingabehilfen sind standardmäßig aktiviert
- Haben Sie für die Überschriften im Dokument Formatvorlagen verwendet oder sind Textmarken vorhanden, können sie mit der Option Textmarken erstellen mithilfe von: Überschriften oder Word-Textmarken als Lesezeichen mitgespeichert werden

Die PDF-Optionen in WORD haben Sie bereits im I. Jahrgang kennengelernt.

PDF-Optionen in POWERPOINT

- In POWERPOINT: Bereich: Alle oder Aktuelle Folie bzw. Folie(n) von bis festlegen
- Veröffentlichungsoptionen: Zur Auswahl stehen Folien, Handzettel, Notizenseiten und Gliederungsansicht
- Für die Option Handzettel wählen Sie die Anzahl der Folien pro Seite und die Reihenfolge; entscheiden Sie, ob Sie die Folienrahmen anzeigen, die ausgeblendeten Folien einschließen und die Kommentare und Freihandmarkierungen einschließen wollen
- Nicht druckbare Informationen einschliessen: Dokumenteigenschaften und Dokumentstrukturtags für Barrierefreiheit sind standardmäßig aktiviert.
- PDF-Optionen: Aktivieren Sie Text als Bitmap speichern, falls die Schrift nicht eingebettet werden kann; falls Sie das PDF nur bestimmten Personen zugänglich machen wollen, können Sie das Dokument mit einem Kennwort verschlüsseln

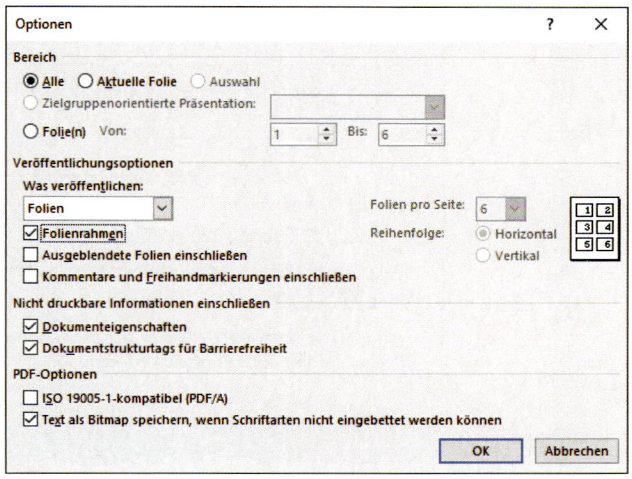

Übungen

1. WORD-Dokument als PDF

a) Öffnen Sie die Datei **Angebotsentwurf_u.docx.**

b) Erstellen Sie die Tabelle mit passenden Werkzeugen (WORD- oder EXCEL-Tabelle) wie abgebildet und fügen Sie sie im Brief an der gekennzeichneten Stelle ein. Ändern Sie die im Brief rot hervorgehobenen Textteile passend.

c) Speichern Sie das Dokument als WORD-Dokument **Angebotsentwurf1.docx.**

d) Speichern Sie das WORD-Dokument zusätzlich als PDF-Datei **Angebotsentwurf2.pdf.** Schließen Sie im PDF alle nicht druckbaren Informationen ein und vergeben Sie ein Kennwort zum Schutz der Daten.

	A	B	C	D	E	F
1	Pos.	Beschreibung	Menge		Einzel-preis	Gesamt-preis
2	**1.**	**Fassadenwäsche Nord-Ost-Seite:**				
3	a)	Vorbehandlung: Einsprühen der Fassadenflächen mit hochwirksamer Reinigungslösung	105	m²	€ 4,00	€ 420,00
4	b)	Abspülen: Fassade mit 60°-Heißwasser-Hochdruckreiniger nachspülen mit Flachstrahldüse	105	m²	€ 2,00	€ 210,00
5	c)	Nachbehandlung: Behandlung der Fassadenflächen mit Spezialwirkstoff, 5 Jahre Garantie	105	m²	€ 4,00	€ 420,00
6						
7	**2.**	**Teleskop-Arbeitsbühne – Arbeitshöhe 23 m:**				
8	a)	Tagespauschale			€ 220,00	€ 220,00
9	b)	Anlieferung, Aufbau, Abbau			€ 50,00	€ 50,00
10		**Gesamtsumme netto**				**€ 1.320,00**
11		+ 20 % USt				€ 264,00
12		**Gesamtsumme brutto**				**€ 1.584,00**
13						

Textdesign

2. PDF-Formular zum Download erstellen

a) Öffnen Sie die Datei **Beitritt_u.docx.**

b) Erstellen Sie das abgebildete Formular in WORD mit passenden Formatvorlagen sowie mit der Tabellenfunktion und passenden Steuerelementen.

c) Speichern Sie das Formular als WORD-Dokument unter **Beitritt1.docx** und als PDF-Datei unter **Beitritt2.pdf.**

MOTORBOOTKLUB KREMS

Yachthafenstraße 15
3500 KREMS
ÖSTERREICH/AUSTRIA

Telefon	+43 2732 81 81 11
E-Mail	vorstand@motorboot-krems.at
Web	www.motorboot-krems.at

BEITRITTSERKLÄRUNG

Vorname:	Klicken Sie hier, um Text einzugeben.	Nachname:	Klicken Sie hier, um Text einzugeben.
Beruf:	Klicken Sie hier, um Text einzugeben.	Geboren am:	Klicken Sie hier, um ein Datum einzugeben.
Wohnhaft in:	Klicken Sie hier, um Text einzugeben.		
Erreichbar unter: Telefon-Nr.:	Klicken Sie hier, um Text einzugeben.	Mobiltelefon-Nr.:	Klicken Sie hier, um Text einzugeben.
E-Mail:	Klicken Sie hier, um Text einzugeben.		
☐ Ich erkläre mit meiner Unterschrift die Vereinsstatuten und ergänzende Vorstandsbeschlüsse gelesen zu haben und nehme die Rechte und Pflichten aus diesen Satzungen zur Kenntnis.			
☐ Ich erkläre für die Dauer meiner Mitgliedschaft beim Motorbootklub Krems eine Haftpflichtversicherung für mein Schiff abgeschlossen zu haben.			
☐ Ich erkläre den übergebenen Mitgliedsschlüssel entsprechend dem Sicherheitsbedürfnis des Klubs weder weiter zu geben noch kopieren zu lassen.			

MITGLIEDSSTATUS

☐ Vollmitglied	☐ Anschlussmitglied	☐ Gastmitglied (befristet für ein Jahr)	
Boot: Typ und Kennzeichen:	Klicken Sie hier, um Text einzugeben.	Bootsliegeplatz-Nr.:	Klicken Sie hier, um Text einzugeben.
Ausgehändigter Schlüssel Nr.:	Klicken Sie hier, um Text einzugeben.	Schlüsseleinsatz in EUR	Klicken Sie hier, um Text einzugeben.
Aufnahme bewilligt durch Vorstandsitzung vom:		Klicken Sie hier, um ein Datum einzugeben.	
Beginn der Mitgliedschaft:		Klicken Sie hier, um ein Datum einzugeben.	
Ergänzende Bemerkungen:		Klicken Sie hier, um Text einzugeben.	
Unterschrift Beitrittswerber:			
Unterschrift Vorstandsmitglied i. V.			
Datum:	Klicken Sie hier, um ein Datum einzugeben.		

1.2 Listen mit mehreren Ebenen

Liste mit mehreren Ebenen zuweisen

- START – ABSATZ – LISTE MIT MEHREREN EBENEN
- Aus der Listenbibliothek passende Gliederung für die Liste auswählen
- Listentext eingeben
- Nach dem Drücken der Eingabetaste erscheint der nächste Gliederungspunkt
- Oder, falls der Text bereits vorhanden ist, Listentext markieren
- START – ABSATZ – LISTE MIT MEHREREN EBENEN
- Aus der Listenbibliothek passende Gliederung für die Liste auswählen
- Um die Gliederungspunkte höherzustufen – Symbol EINZUG VERKLEINERN
- Um die Gliederungspunkte tieferzustufen – Symbol EINZUG VERGRÖSSERN

Liste mit mehreren Ebenen neu erstellen bzw. anpassen

- START – ABSATZ – LISTE MIT MEHREREN EBENEN – NEUE LISTE MIT MEHREREN EBENEN DEFINIEREN...
- Passende Ebene auswählen und Änderungen vornehmen
- Für alle weiteren Ebenen, die verändert werden sollen, den Vorgang wiederholen
- Oder FÜR ALLE EBENEN FESTLEGEN...

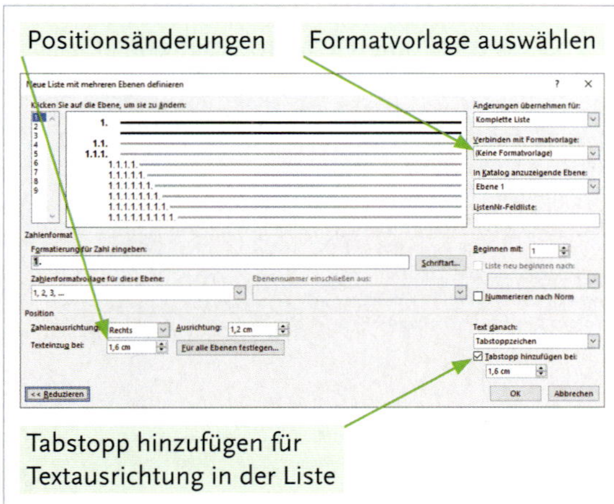

Liste mit mehreren Ebenen mit Formatvorlage verknüpfen

- START – ABSATZ – LISTE MIT MEHREREN EBENEN – NEUE LISTE MIT MEHREREN EBENEN DEFINIEREN... – Schaltfläche ERWEITERN >>
- Zuerst passende Ebene, dann passende Formatvorlage auswählen, Tabstopp hinzufügen bei: ... cm und weitere passende Änderungen vornehmen
- Für alle weiteren Ebenen, die verändert werden sollen, den Vorgang wiederholen

Werden Listen mit mehreren Ebenen mit Formatvorlagen verknüpft, kann den Überschriften schnell und einfach eine Nummerierung zugewiesen werden.

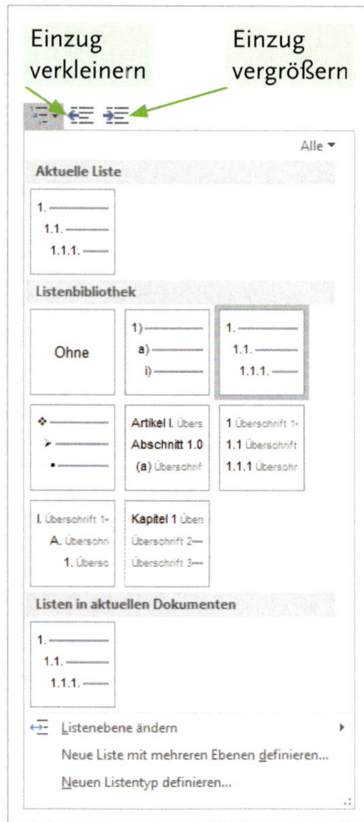

Listen mit mehreren Ebenen werden zur Gliederung umfangreicher Dokumente verwendet. Mehr dazu erfahren Sie in der dritten Klasse.

Textdesign

Übungen

1. Liste mit mehreren Ebenen neu erstellen

a) Öffnen Sie die Datei **Rasen_u.docx** und weisen Sie ein passendes Design, z. B. Facette, Farben Grüngelb und Dokumentformatierung Informell zu.
- Speichern Sie die Datei unter **Rasen1.docx.**
- Wählen Sie für die Überschriften die Formatvorlage Überschrift 1.
- Ergänzen Sie unterhalb des Einleitungstextes den Listentext und führen Sie eine korrekte numerische Gliederung bereits während der Texteingabe durch.

b) Ändern Sie die bestehende Gliederung wie abgebildet.
- Speichern Sie die Datei unter **Rasen2.docx.**
- Ändern Sie die Ebene 1 auf eine numerische Gliederung wie abgebildet, Schriftfarbe Akzent 1 dunkler 25 %, Schrift fett 12 Punkt, Zahlenposition 0 cm, Texteinzug 0,75 cm.
- Ebene 2 ändern Sie auf eine Gliederung mit Kleinbuchstaben, Schrift wie Ebene 1, Zahlenposition 0,75 cm, Texteinzug 1,5 cm.
- Ebene 3 wird mit runden Aufzählungszeichen in der Farbe wie Ebene 1 gegliedert, Zahlenposition 1,5 cm, Texteinzug 2 cm.

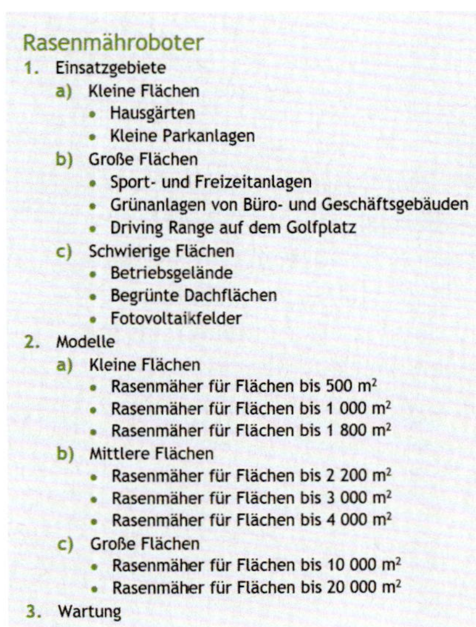

Rasenmähroboter

1. Einsatzgebiete
   a) Kleine Flächen
      - Hausgärten
      - Kleine Parkanlagen
   b) Große Flächen
      - Sport- und Freizeitanlagen
      - Grünanlagen von Büro- und Geschäftsgebäuden
      - Driving Range auf dem Golfplatz
   c) Schwierige Flächen
      - Betriebsgelände
      - Begrünte Dachflächen
      - Fotovoltaikfelder
2. Modelle
   a) Kleine Flächen
      - Rasenmäher für Flächen bis 500 m²
      - Rasenmäher für Flächen bis 1 000 m²
      - Rasenmäher für Flächen bis 1 800 m²
   b) Mittlere Flächen
      - Rasenmäher für Flächen bis 2 200 m²
      - Rasenmäher für Flächen bis 3 000 m²
      - Rasenmäher für Flächen bis 4 000 m²
   c) Große Flächen
      - Rasenmäher für Flächen bis 10 000 m²
      - Rasenmäher für Flächen bis 20 000 m²
3. Wartung

c) Ändern Sie die bestehende Gliederung wie abgebildet.
- Speichern Sie die Datei unter **Rasen3.docx.**
- Entfernen Sie für alle Ebenen die Schriftfarbe.
- Formatieren Sie alle Ebenen fett und ändern Sie für alle Ebenen die Ausrichtung von links auf rechts, die Zahlenposition auf 1,2 cm und den Texteinzug auf 1,6 cm, Tabstopp hinzufügen bei 1,6 cm.

Rasenmähroboter

1. Einsatzgebiete
1.1. Kleine Flächen
1.1.1. Hausgärten
1.1.2. Kleine Parkanlagen
1.2. Große Flächen
1.2.1. Sport- und Freizeitanlagen
1.2.2. Grünanlagen von Büro- und Geschäftsgebäuden
1.2.3. Driving Range auf dem Golfplatz
1.3. Schwierige Flächen
1.3.1. Betriebsgelände
1.3.2. Begrünte Dachflächen
1.3.3. Fotovoltaikfelder
2. Modelle
2.1. Kleine Flächen
2.1.1. Rasenmäher für Flächen bis 500 m²
2.1.2. Rasenmäher für Flächen bis 1 000 m²
2.1.3. Rasenmäher für Flächen bis 1 800 m²
2.2. Mittlere Fläche
2.2.1. Rasenmäher für Flächen bis 2 200 m²
2.2.2. Rasenmäher für Flächen bis 3 000 m²
2.2.3. Rasenmäher für Flächen bis 4 000 m²
2.3. Große Flächen
2.3.1. Rasenmäher für Flächen bis 10 000 m²
2.3.2. Rasenmäher für Flächen bis 20 000 m²
3. Wartung

2. Liste mit Text mit Formatvorlagen erstellen

a) Öffnen Sie die Datei **Culture_u.docx.** Der Lösungsvorschlag ist im Design Integral, Farben Rotviolett, Dokumentformatierung schattiert erstellt. Aktivieren Sie die Silbentrennung.

b) Speichern Sie die Datei unter **Culture3.docx.**

c) Weisen Sie dem Text die Formatvorlagen Überschrift 1 und Überschrift 2 wie in Klammern angegeben zu. Entfernen Sie anschließend die Hinweise in Klammern.

d) Fügen Sie die Bilder **Culture1.jpg** und **Culture2.jpg** wie abgebildet ein (Breite jeweils 4,5 cm).

e) Weisen Sie eine numerische Gliederung auf Basis der Formatvorlagen Überschrift 1 und Überschrift 2 zu.

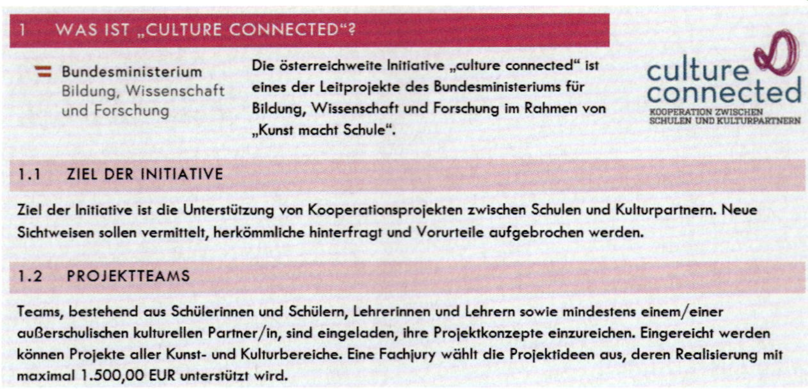
1 WAS IST „CULTURE CONNECTED"?

Bundesministerium Bildung, Wissenschaft und Forschung

Die österreichweite Initiative „culture connected" ist eines der Leitprojekte des Bundesministeriums für Bildung, Wissenschaft und Forschung im Rahmen von „Kunst macht Schule".

culture connected
KOOPERATION ZWISCHEN SCHULEN UND KULTURPARTNERN

1.1 ZIEL DER INITIATIVE

Ziel der Initiative ist die Unterstützung von Kooperationsprojekten zwischen Schulen und Kulturpartnern. Neue Sichtweisen sollen vermittelt, herkömmliche hinterfragt und Vorurteile aufgebrochen werden.

1.2 PROJEKTTEAMS

Teams, bestehend aus Schülerinnen und Schülern, Lehrerinnen und Lehrern sowie mindestens einem/einer außerschulischen kulturellen Partner/in, sind eingeladen, ihre Projektkonzepte einzureichen. Eingereicht werden können Projekte aller Kunst- und Kulturbereiche. Eine Fachjury wählt die Projektideen aus, deren Realisierung mit maximal 1.500,00 EUR unterstützt wird.

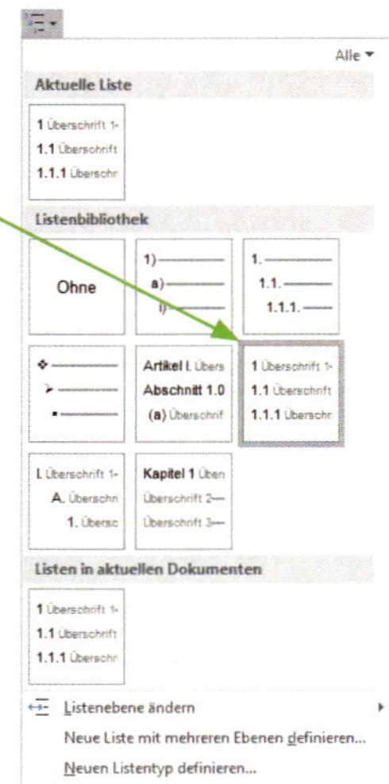

1.3 Illustrationen positionieren und gruppieren

Um WORD-Dokumente optisch ansprechend zu gestalten, stehen verschiedene Illustrationen, wie Grafiken, Onlinebilder, Formen, SmartArts, Diagramme, Textfelder und WordArts, zur Verfügung.

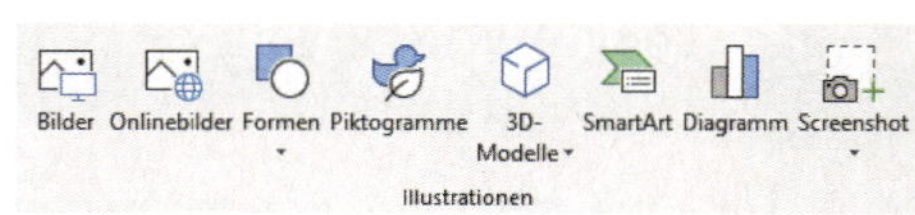

Textfelder sind standardmäßig weiß gefüllt und haben einen schwarzen Rahmen. Um sie auf farbigem Hintergrund transparent und randlos erscheinen zu lassen, wählen Sie den Fülleffekt KEINE FÜLLUNG und die Formkontur KEIN RAHMEN.

Formen und Textfelder formatieren

- Illustration, wie z. B. Formen oder Textfelder, erstellen oder markieren
- ZEICHENTOOLS – FORMAT – FORMENARTEN – im Listenfeld DESIGNFORMATVORLAGEN oder Symbol FÜLLEFFEKTE, FORMKONTUR und FORMEFFEKTE wählen
- Oder über FORM FORMATIEREN Formatierungen zuweisen
- Text über START – SCHRIFTART und ABSATZ und über ZEICHENTOOLS – FORMAT – TEXT – TEXTRICHTUNG und TEXT AUSRICHTEN formatieren

Illustrationen anordnen

Standardmäßig werden alle Formen und Textfelder mit dem Zeilenumbruch VOR DEN TEXT positioniert. Für Änderungen:

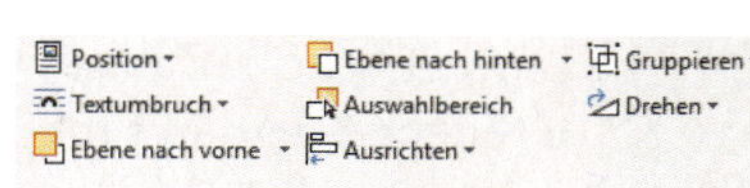

- Illustration markieren – FORMAT – FORM BEARBEITEN – PUNKTE BEARBEITEN – Symbol LAYOUTOPTIONEN
- Oder über ZEICHENTOOLS – ANORDNEN – ZEILENUMBRUCH – Umbruch auswählen
- Oder über ZEICHENTOOLS – ANORDNEN – POSITION
- Oder über ZEICHENTOOLS – ANORDNEN – POSITION – WEITERE LAYOUTOPTIONEN... – VERTIKALE und HORIZONTALE POSITION in Zentimetern eingeben

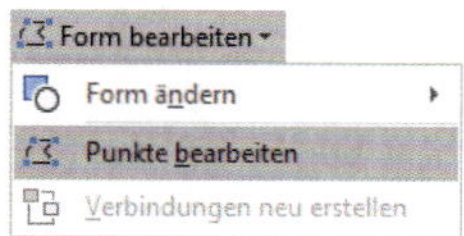

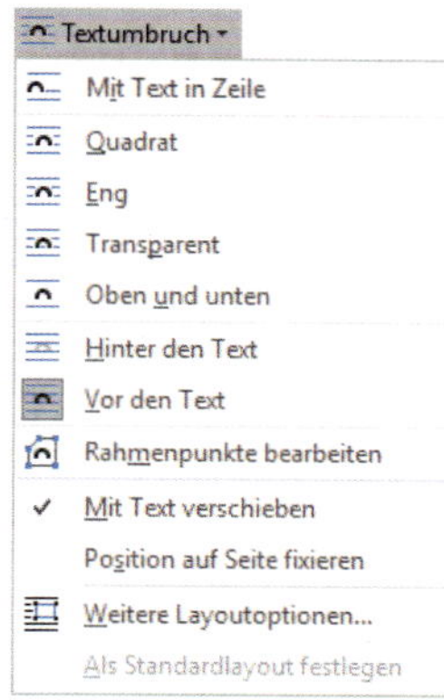

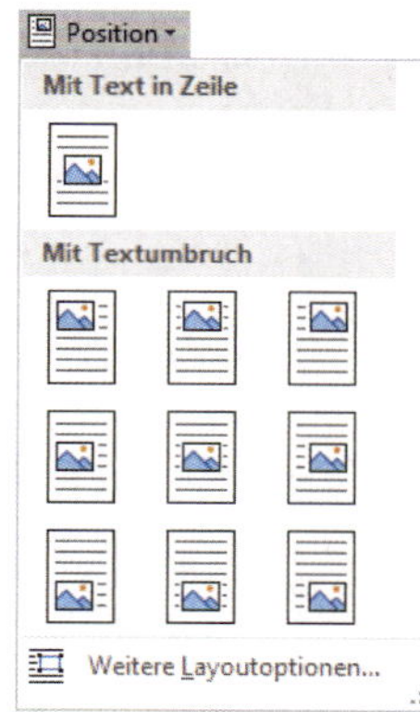

Sind mehrere Illustrationen vorhanden, liegen sie in Ebenen übereinander, die zuletzt eingefügte Illustration ganz vorne (oben). Nachträglich kann die Reihenfolge verändert werden über:

- Illustration markieren
- ZEICHENTOOLS – ANORDNEN – EBENE NACH VORNE oder EBENE NACH HINTEN
- Oder über ZEICHENTOOLS – ANORDNEN – AUSWAHLBEREICH – im Dialogfeld AUSWAHL Auswahlbereich – ALLE ANZEIGEN oder ALLE AUSBLENDEN
- Oder mehrere Illustrationen an anderen Objekten oder am Seitenrand ausrichten über ZEICHENTOOLS – ANORDNEN – Symbol AUSRICHTEN – Ausrichtung auswählen

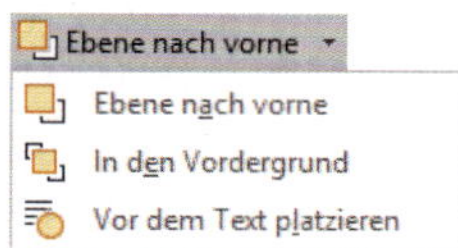

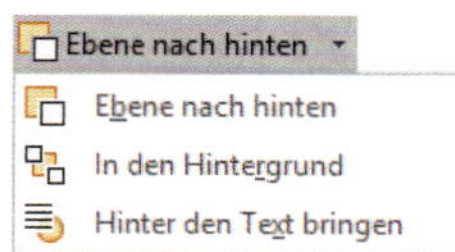

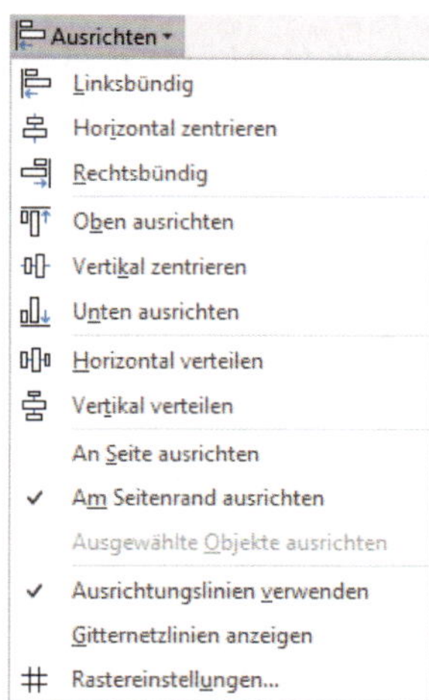

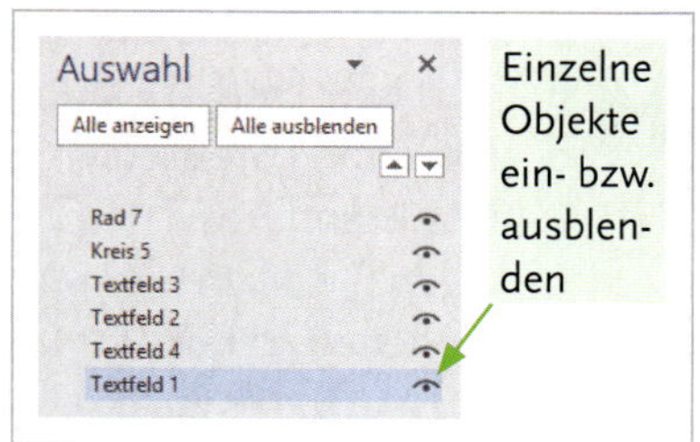

Illustrationen gruppieren

Um das unbeabsichtigte Verschieben einzelner Illustrationen zu verhindern oder Größen- und Positionsänderungen für mehrere Objekte gemeinsam durchzuführen, können Illustrationen gruppiert werden.

Einzelne Illustrationen bearbeiten Sie von der Gruppe unabhängig, indem Sie die Gruppierung markieren, anschließend eine einzelne Illustration markieren und an ihr Veränderungen vornehmen.

- Mehrere Illustrationen markieren (erste Illustration markieren, mit gedrückter Strg-Taste nächste Illustration markieren usw.)
- ZEICHENTOOLS/BILDTOOLS – ANORDNEN – GRUPPIEREN
- Sollen die Illustrationen wieder voneinander getrennt werden, ZEICHENTOOLS/BILDTOOLS – ANORDNEN – GRUPPIERUNG AUFHEBEN

Übungen

1. Gutschein aus Illustrationen erstellen

a) Erstellen Sie den abgebildeten Gutschein. Der Lösungsvorschlag ist im Design Savon erstellt. Verwenden Sie immer die Schriftart Century Gothic in passenden Schattierungen der Farbe Akzent 1.

b) Speichern Sie die Datei als **Gutschein1.docx.**

c) Verwenden Sie für die Textfelder keine Füllungen und keine Formkontur.

d) Weisen Sie die Schriftgrößen 9, 11, 24, 28, 42 und 72 Punkt zu. Ändern Sie die Zeichenabstände schmal bzw. erweitert und verwenden Sie Kapitälchen.

e) Das Textfeld »Motorbootschule ...« erstellen Sie in der Größe 2 cm x 16 cm, das Textfeld »10 % « in der Größe 3 cm x 7,5 cm, das Textfeld »auf alle Schiffspatente bei Kursbuchung bis « in der Größe 1 cm x 7,5 cm, das Textfeld »31. Jänner .... « in der Größe 1,5 cm x 8 cm.

f) Gruppieren Sie die Textfelder.
g) Ordnen Sie ein Rechteck ohne Füllung mit passender Rahmenlinie und Schattierung im Hintergrund an.

2. Flugblatt Wandertag mit Tabulator, Einzügen und gruppierten Illustrationen

a) Erstellen Sie das abgebildete Flugblatt im Querformat.
b) Speichern Sie die Datei als **Wandern1.docx.**
c) Verwenden Sie die Schriftart Rockwell in passenden Größen. Die verwendete Farbe außer Schwarz und Weiß ist die Akzentfarbe 1.
d) Fügen Sie Textfelder und Formen in den oben angegebenen Farben ein und gruppieren Sie die Illustrationen.
e) Für den weiteren Text und die Stichwörter wählen Sie die passende Ausrichtung und setzen Sie Tabulatoren und Einzüge im Textfeld.

Der Lösungsvorschlag wurde im Design Facette erstellt.

1.4 Gestaltung mit Tabulator, Einzug und Tabelle

Digitale Lernkarten zum folgenden Abschnitt finden Sie in der TRAUNER-DigiBox.

Einfache Aufstellungen mit Tabulator oder Tabelle

Aufstellungen bieten dem Leser/der Leserin einen rasch zu erfassenden Überblick über Text und/oder Zahlen in Kolonnen.

- Text mit Tabulatoren schreiben
- Tabstopps setzen
- Oder Tabelle mit passender Anzahl von Spalten erstellen
- Text in die Zellen schreiben, Breite der Spalten anpassen
- Rahmenlinien ausblenden

Stichworttexte mit hängendem Einzug oder Tabelle

Zur Anordnung von Text mit Stichwörtern verwenden Sie eine mindestens zweispaltige Tabelle oder einen hängenden Einzug.

- Stichwort mit Tabulator getrennt vom Text schreiben; beachten Sie vorläufig den Zeilenumbruch nicht; drücken Sie die Eingabetaste erst beim nächsten Stichwort
- Gesamten Text markieren
- Hängenden Einzug festlegen; die Position des Einzugs hängt von der Länge des längsten Stichworts ab
- Oder den geschriebenen Text in eine zweispaltige Tabelle umwandeln
- Oder zweispaltige Tabelle einfügen, in die linken Zellen die Stichwörter und in die rechten Zellen den dazugehörigen Text schreiben
- Die Breite der linken Spalte hängt von der Länge des längsten Stichwortes ab
- Rahmenlinien ausblenden

Illustrationen in Tabellen

In Tabellenzellen können alle Arten von Objekten eingefügt werden, wie z. B. Grafiken, Onlinebilder, Formen, SmartArts und Diagramme.

- Tabelle mit passender Spaltenanzahl erstellen
- Text einfügen und formatieren
- Spaltenbreiten anpassen, bei Bedarf Zellen verbinden, Rahmenlinien ausblenden etc.
- Illustrationen in die Zellen einfügen
- Bei Bedarf Größe der Illustration an die Größe der Zelle anpassen; exakte Größenanpassung der Zelle und der Illustration in Zentimetern ist empfehlenswert

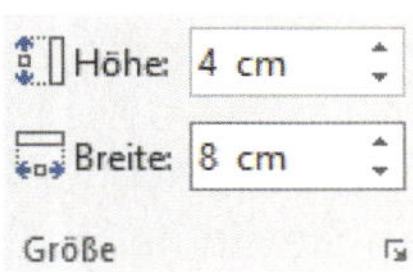

Übungen

1. Einfache Aufstellung mit Tabelle erstellen

a) Speichern Sie eine neue Datei unter **Schloss1.docx.**

b) Der Lösungsvorschlag ist im Design Rückblick, Dokumentformatierung Linien (modisch) erstellt. Schreiben Sie den Text ab. Verwenden Sie zur Gestaltung der Seite für die Aufstellung eine fünfspaltige Tabelle.

c) Formatieren Sie den Text wie abgebildet mit der Formatvorlage Überschrift 1 sowie der Farbe Akzent 2.

d) Fügen Sie ein passendes Onlinebild ein.

Musikalischer Spaziergang

Unser Programm am Vormittag:

Ebene 1	Schlosstrakt	Barocksaal	Raum 8	„Pavian und Maskenschwein“ – was ist das?
Ebene 1	Schlosstrakt	Bibliothek	Raum 9	„Alles Akkordeon“
Ebene 1	Schlosstrakt	Waffensaal	Raum 2	„Baklava und Apfelstrudel“
Ebene 2	Südtrakt	Festsaal	Raum 1	„OÖ Junior Drummers“
Ebene 2	Schlosstrakt	Volkskunde	Raum 3	„Pyhrn-Eisenwurzen-Geigenmusik“

2. Flugblatt mit Tabulator, Tabelle und Illustrationen

a) Erstellen Sie das abgebildete Flugblatt im Querformat. Der Lösungsvorschlag ist im Design Rückblick erstellt.
b) Speichern Sie die Datei unter **Huhn3.docx.**
c) Ändern Sie den linken Seitenrand auf 2 cm. Verwenden Sie die Schriftarten Ravie und Verdana in passenden Größen. Verwendete Farben: Weiß, Schwarz und Akzent 1, dunkler 25 %.
d) Verwenden Sie die Grafiken **Huhn1.gif** und **Huhn2.gif.**
e) Fügen Sie passende Textfelder ein und gruppieren Sie sie.
f) Für die Bilder im „Hendlpass“ verwenden Sie eine Tabelle in einem Textfeld ohne Formkontur. Ändern Sie die Breite der Bilder auf 2 cm.
g) Für den weiteren Text verwenden Sie einen passenden linken Tabstopp.
h) Legen Sie ein Rechteck mit passender Formkorrektur in den Hintergrund.

3. Einfachen Stichworttext mit Tabelle mit zwei Spalten und Formatvorlagen erstellen

a) Erstellen Sie ein neues Dokument und schreiben Sie den Text ab. Verwenden Sie zur Gestaltung des Stichworttextes zweispaltige Tabellen und für jedes Stichwort eine eigene Tabellenzeile. Der Lösungsvorschlag ist im Design Office erstellt.
b) Speichern Sie das Dokument unter **Comenius2.docx.**
c) Für die Textformatierung verwenden Sie die Formatvorlagen Titel, Überschrift 1und fett.
d) Weisen Sie dem Titel, den Überschriften und den Stichwörtern die passende Ausrichtung, Schriftfarbe und Zeilenabstände zu.
e) Fügen Sie bei den Stichwörtern einen Abstand vor und nach von 6 Punkt ein.
f) Suchen Sie das Logo der Nationalagentur mit dem Suchbegriff „OEAD“ im Internet oder verwenden Sie das Bild **Comenius1.gif** und fügen Sie es ein. Aktivieren Sie die Silbentrennung.

Hinweis: Die Lösung kann auch mit Tabstopps, hängenden Einzügen und Rahmenlinien erstellt werden.

Individuelle Schülermobilität

Mit der neuen Aktion „Schülermobilität" haben Schülerinnen und Schüler die Möglichkeit, drei bis zehn Monate am Unterricht an einer Schule in einem anderen EU-Land teilzunehmen.

Rahmenbedingungen

Antragsberechtigte: Antragsberechtigt sind alle Schulen, die an einer Comenius-Schulpartnerschaft mitwirken. Der Austausch ist mit jenen Ländern möglich, mit denen die Schulpartnerschaft besteht.

Zielgruppe: Die Aktion richtet sich an einzelne österreichische Schülerinnen und Schüler (und nicht an ganze Schulklassen).

Ablauf

Antrag: Die Schule beantragt Auslandsaufenthalte bei der Nationalagentur.

Auswahl: Die Auswahl der Schülerinnen und Schüler erfolgt durch die Schule.

Lernvereinbarung: Für jede Schülerin und jeden Schüler wird eine individuelle Lernvereinbarung erarbeitet, in der die Lernziele während des Aufenthalts klar definiert sind. Die Anerkennung der erbrachten schulischen Leistungen im EU-Ausland wird durch die Lernvereinbarung zwischen der österreichischen Schule und der Gastschule sichergestellt.

Unterbringung: Die Unterbringung der Schülerinnen und Schüler erfolgt in einer sorgfältig ausgewählten Gastfamilie. Eine Mentorin oder ein Mentor steht den Schülerinnen und Schülern als Ansprechperson zur Verfügung.

Vorbereitung: Verpflichtende vorbereitende Trainings für Schülerinnen und Schüler werden von den Nationalagenturen organisiert.

Antrag

Antragstermin: 3. Dezember ....

Antragsstelle: Nationalagentur Lebenslanges Lernen

Aufenthalt: Schuljahr ..../....

Aufenthaltsdauer: 3 – 10 Monate

Förderungen: Es gibt Pauschalförderungen für die entsendenden Schulen und die Gastschulen. Die entsandten Schülerinnen und Schüler erhalten neben den Reisekosten eine monatliche Förderung.

Quelle: gekürzt aus www.oead.at, Individuelle Schülermobilität, Stand 2013

4. Tabelle mit Rahmenlinien und Illustrationen (Diagrammen) erstellen

a) Speichern Sie ein neues Dokument unter dem Dateinamen **Solaranlage1.docx.**

b) Der abgebildete Lösungsvorschlag ist im Design Basis, Dokumentformatierung Schattiert erstellt. Fügen Sie eine Tabelle mit sechs Spalten ein.

	A	B	C	D
1		Optimal isoliertes Haus	Normal isoliertes Haus	Wenig isoliertes Haus
2	Kollektorfläche 16 m²	29	22	18

c) Die Tabelle wird zentriert, der Text in der Tabelle wird mittig in der Zelle ausgerichtet und die Überschriften fett formatiert. Verwenden Sie als Schrift-, Rahmenlinien- und Füllfarbe die verschiedenen Schattierungen der Farbe Akzent 5. Wählen Sie die Schriftgrößen passend. Zellenhöhe der Zeile mit den Überschriften 1,5 cm, Zellenhöhe für alle weiteren Zeilen 1,8 cm. Für die Überschriften weisen Sie die Formatvorlage Überschrift 1 zu.
Fügen Sie ein Diagramm in die rechte Zelle der zweiten Zeile ein. Hinweis: Verkleinern Sie das Diagramm erst wie abgebildet, wenn Sie die folgenden Formatierungen durchgeführt haben.

d) Passende Diagrammformatvorlage wählen: keine Achsen, keine Achsentitel, kein Diagrammtitel, keine Datenbeschriftungen, keine Gitternetzlinien, keine Legende. Ändern Sie in den weiteren Achsenoptionen den Minimumwert auf 0, den Maximumwert auf 50 und den Hauptintervall auf 20. Sollten weitere Elemente im Diagramm angezeigt werden, Hilfs- und Hauptintervalle etc., markieren Sie diese Elemente und entfernen Sie sie bei Bedarf.
e) Geben Sie in das EXCEL-Datenblatt die Werte der zweiten Tabellenzeile ein. Verkleinern Sie erst nach der Dateneingabe das Diagramm wie abgebildet (Höhe des Diagramms 1,6 cm, Breite 3 cm).
f) Fügen Sie in jede weitere Zelle ein Diagramm mit den Eigenschaften und Formatierungen wie oben angegeben eine und ändern Sie nur die Werte passend.

SOLARANLAGEN MIT HEIZUNGSUNTERSTÜTZUNG

Die Sonne kann einen großen Teil der erforderlichen Energie für die Heizung eines Hauses liefern. Je besser das Haus isoliert ist, umso mehr solare Energie steht für die Wärmeerzeugung zur Verfügung.

Spezielle Systeme für die Heizungsunterstützung liefern nicht nur Warmwasser zum Waschen, Duschen oder Baden, sondern versorgen auch die Wand-, Fußboden- oder Heizkörperheizung mit Wärme. Spezialisten/Spezialistinnen rüsten bestehende Heizungsanlagen auf oder erstellen ein neues Gesamtkonzept. Sie kennen alle Vor- und Nachteile von Heizkörpern, Fußbodenheizungen, Wärmewänden usw. Ziel ist es, ein individuelles Konzept zu erstellen, das dem Lebensstil der Hausbewohner/Hausbewohnerinnen entspricht.

WIE VIEL PROZENT DER HEIZENERGIE KANN DIE SONNE LIEFERN?

Kollektorfläche	Speichervolumen	Optimal isoliertes Haus	Normal isoliertes Haus	Wenig isoliertes Haus	Vergleich im Diagramm
12 m^2	1 000 l	24 %	18 %	15 %	
16 m^2	1 000 l	29 %	22 %	18 %	
20 m^2	1 000 l	33 %	25 %	21 %	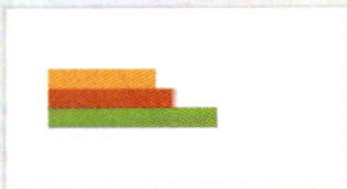
24 m^2	1 500 l	36 %	28 %	24 %	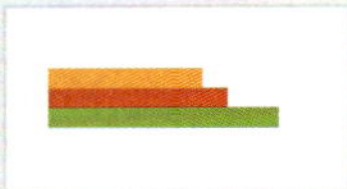
30 m^2	2 000 l	41 %	32 %	28 %	
40 m^2	3 000 l	49 %	39 %	34 %	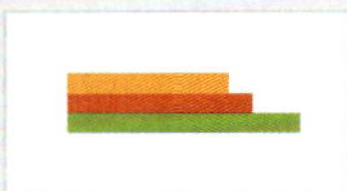

Die solare Heizungsunterstützung ist durch einfache Nachrüstung möglich und mit allen Wärmequellen (Pellets, Holz, Öl, Gas und Wärmepumpe) möglich. Sie ist außerdem für alle Wärmeabgabesysteme (Fußboden-, Wandheizung und Heizkörper) geeignet.

1.5 Tabulator in Tabellen

Zum Ausrichten von Text und/oder Zahlen in Tabellenzellen können Tabulatoren verwendet werden. Da Sie den Cursor mit der Taste ⇄ innerhalb einer Tabelle von einer Zelle zur nächsten bewegen, benötigen Sie Strg und ⇄, um zum nächsten Tabstopp innerhalb der Tabellenzelle zu wechseln.

Dezimaltabulator in Zellen festlegen

- Tabelle mit gewünschter Spaltenanzahl erstellen, Spaltenbreite festlegen
- Bei Bedarf alle bereits gesetzten Tabstopps löschen
- Spalte markieren und über das Lineal oder das Dialogfeld DEZIMALTABULATOR setzen
- Text einfügen, Zahlen werden automatisch am Dezimaltabulator ausgerichtet

Mehrere Tabstopps in Zellen festlegen

Werden mehrere Tabstopps in Zellen festgelegt, kann der Text mit Strg und ⇄ daran ausgerichtet werden.

- Tabelle mit gewünschter Spaltenanzahl erstellen, Spaltenbreite festlegen
- Spalten markieren und über das Lineal oder das Dialogfeld die benötigten Tabstopps setzen
- Text einfügen, mit Strg und ⇄ zum nächsten Tabstopp gehen und weiteren Text einfügen

FILM AB!

Ein Video zum Thema Tabulator in Tabellen finden Sie unter www.trauner.at/aim_v2.aspx.

Ist der Dezimaltabulator der einzige Tabulator in der Zelle, werden die Zahlen automatisch daran ausgerichtet.

Ist eine Zahl mit Tausenderpunkt vorhanden, richtet der Dezimaltabulator die Zahl daran aus.

Ist außer dem Dezimaltabulator ein **weiterer Tabstopp in einer Zelle** gesetzt, werden die Zahlen **nicht automatisch** am Dezimaltabulator **ausgerichtet.**

Textdesign

Übungen

1. Angebot erstellen

a) Öffnen Sie das Dokument **British_u.docx** oder schreiben Sie den Text in eine siebenzeilige, sechsspaltige Tabelle. Der Lösungsvorschlag ist im Design Segment, Farben Slipstream erstellt.

b) Speichern Sie die Datei unter **British2.docx.**

c) Für die Tabelle wählen Sie die Formatierung Listentabelle 2, Akzent 6. Ändern Sie die Schattierungs- und Schriftfarben wie abgebildet.

d) Verbinden Sie für die Überschrift die Zellen passend und weisen Sie die Formatvorlage Überschrift 1 zu. Fügen Sie das Bild **British1.gif** in die Zellen neben der Überschrift ein. Formatieren Sie die Überschrift und den Text in den Schriftgrößen 18 und 9 Punkt, in passenden Ausrichtungen Abstände vor und nach sowie Schriftfarben.

e) Legen Sie passende Tabulatoren für die Spalte Preis fest.

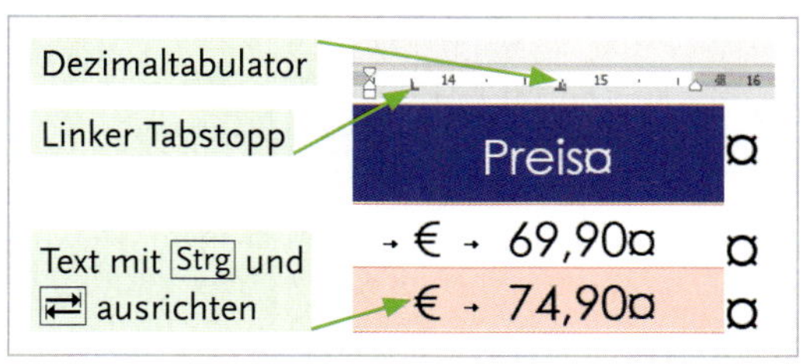

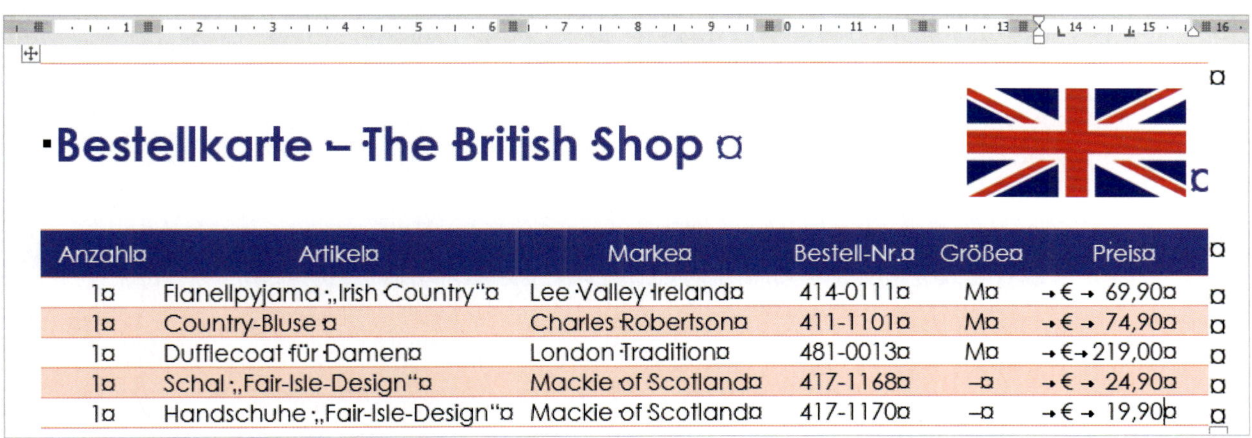

Bestellkarte – The British Shop

Anzahl	Artikel	Marke	Bestell-Nr.	Größe	Preis
1	Flanellpyjama „Irish Country“	Lee Valley Ireland	414-0111	M	€ 69,90
1	Country-Bluse	Charles Robertson	411-1101	M	€ 74,90
1	Dufflecoat für Damen	London Tradition	481-0013	M	€ 219,00
1	Schal „Fair-Isle-Design“	Mackie of Scotland	417-1168	–	€ 24,90
1	Handschuhe „Fair-Isle-Design“	Mackie of Scotland	417-1170	–	€ 19,90

2. Informationsblatt mit Tabulator und Tabellen gestalten

a) Öffnen Sie das Dokument **Kreuzfahrt_u.docx** oder schreiben Sie den Text mit Tabulatoren und Tabelle. Der Lösungsvorschlag ist im Design Integral, Dokumentformatierung Linien (einfach), Farben Laufschrift erstellt.

b) Speichern Sie das Dokument unter **Kreuzfahrt3.docx.** Führen Sie folgende Formatierungen durch:
- Weisen Sie dem Text mit Tabulatoren die Formatvorlage Standard sowie die Schattierungsfüllung Weiß zu.
- Verwenden Sie die Formatvorlage Titel, Kapitälchen, Schriftgröße 36 Punkt, Zeichenabstand schmal 0,2 Punkt und die Formatvorlage Überschrift 1, Kapitälchen.

c) Fügen Sie die Bilder **Kreuzfahrt1.jpg** und **Kreuzfahrt2.jpg** ein, passen Sie die Größe und die Position an und weisen Sie die Schnellformatvorlage Gedreht weiß bzw. Abgeschrägt matt weiß zu.

d) Markieren Sie den Text mit Tabulatoren und ziehen Sie den rechten Einzug im Lineal an die passende Position.

e) Formatieren Sie die Tabellen mit der Tabellenformatvorlage Gitternetztabelle 4, Akzent 1, Schriftgröße 8 Punkt, in passenden Designfarben und weisen Sie Schattierungen wie abgebildet zu.

f) Richten Sie die Ziffern in den Spalten mit Dezimalstopps aus und verbinden Sie Zellen passend.

g) Ergänzen Sie die Form und fügen Sie den Text »Exklusive neue Route« der Form hinzu (gefaltete Ecke, passender Effekt, Schrift fett und Kapitälchen).

Adriatische Küste, Italien und Ionisches Meer

Tag	Ziel (Hafen)	Ankunft	Abfahrt
1	Venedig, Italien	–	15:00 Uhr
2	Dubrovnik, Kroatien	12:30 Uhr	17:00 Uhr
3	Korfu, Griechenland	08:00 Uhr	13:00 Uhr
4	Lipari, Italien	08:00 Uhr	12:00 Uhr
5	Rom, Italien	06:00 Uhr	16:00 Uhr
6	Marseille, Frankreich	13:00 Uhr	19:00 Uhr
7	Erholung auf See	–	–
8	Sizilien, Italien	08:00 Uhr	14:00 Uhr
9	Kotor, Montenegro	14:00 Uhr	21:00 Uhr
10	Split, Kroatien	08:00 Uhr	16:00 Uhr
11	Venedig, Italien	07:00 Uhr	

Exklusive neue Route

Preise

Kategorie	Bezeichnung	Preise in Euro					
		Saison A		Saison B		Saison C	
		Smart Preis	Katalog Preis	Smart Preis	Katalog Preis	Smart Preis	Katalog Preis
Innenkabine	Standard	1.069,00	1.239,00	1.039,00	1.349,00	1.099,00	1.499,00
	Superior	1.079,00	1.419,00	1.079,00	1.599,00	1.149,00	1.749,00
	Premium	1.099,00	1.519,00	1.149,00	1.749,00	1.229,00	1.879,00
Außenkabine	Standard	1.169,00	1.779,00	1.169,00	1.959,00	1.249,00	2.099,00
	Superior	1.149,00	1.939,00	1.199,00	2.199,00	1.299,00	2.369,00
	Premium	1.199,00	2.019,00	1.299,00	2.369,00	1.399,00	2.549,00
	Deluxe	1.249,00	2.099,00	1.399,00	2.549,00	1.499,00	2.729,00
Suiten	Junior Suite	1.349,00	2.459,00	1.549,00	2.819,00	1.649,00	2.999,00
	Suite	1.449,00	2.639,00	1.699,00	3.079,00	1.799,00	3.279,00
Einzelkabine	Zuschlag	50 %	100 %	50 %	100 %	50 %	100 %

Abfahrtsdaten

Saison A	Saison B	Saison B	Saison C	Saison C	Saison B	Saison A
April	Mai	Juni	Juli	August	September	Oktober
11.	12.	11.	11. und 21.	11. und 21.	11.	12.

1.6 Sortieren in Tabellen

Einträge in Tabellen können nach ihrem Typ, Text (alphabetisch), Zahl (numerisch) und dem Datum sortiert werden.

- Einfügemarke in die Tabelle bzw. Tabellenspalte markieren
- TABELLENTOOLS – LAYOUT – DATEN – SORTIEREN
- SPALTE und TYP sowie AUFSTEIGEND oder ABSTEIGEND bei SORTIEREN NACH auswählen
- Wenn nach weiteren Kriterien sortiert werden soll, bei Bedarf den Vorgang in den Optionen DANN NACH wiederholen
- Um Überschriftenzeilen in der Tabelle nicht mitzusortieren, die Option MEINE LISTE ENTHÄLT ÜBERSCHRIFT aktivieren

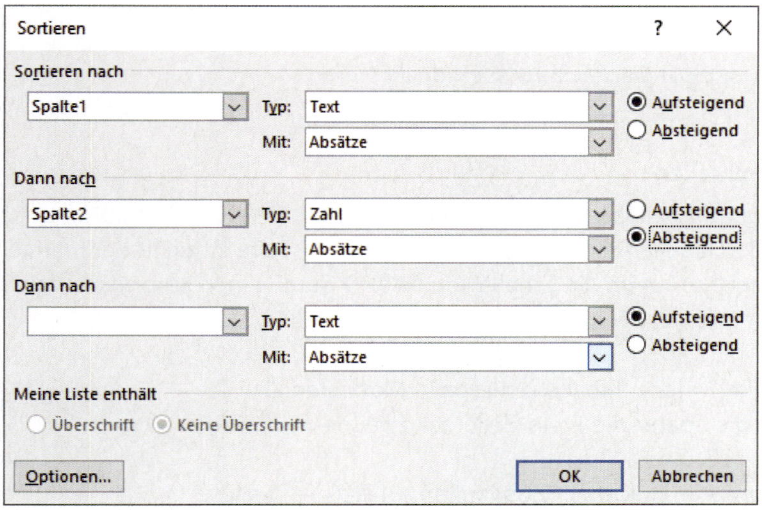

Übung

Sortieren in Tabelle

a) Öffnen Sie das Dokument **Drinks_u.docx** oder schreiben Sie den Text in ein neues Dokument in eine fünfspaltige Tabelle.

b) Speichern Sie die Datei unter **Drinks1.docx.**

c) Sortieren Sie nach den Produktbezeichnungen in der ersten Spalte (Typ Text) aufsteigend oder nach den Mengen in der zweiten Spalte (Typ Zahl) absteigend oder nach den Preisen in der vierten Spalte (Typ Zahl) ebenfalls absteigend.

d) Formatieren Sie anschließend die Datei in einem passenden Design, z. B. Rückblick, formatieren Sie die Überschrift passend und weisen Sie der Tabelle eine Tabellenformatvorlage eigener Wahl zu.

e) Passen Sie die Spaltenbreiten und die Schriftgröße bei Bedarf an und richten Sie Produktbezeichnungen und -beschreibungen in der Tabelle linksbündig, Mengenangaben rechtsbündig und die Preise mit Dezimaltabulator aus.

1.7 Mehrseitige Tabellen

Tabellenüberschrift

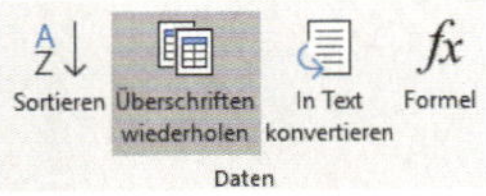

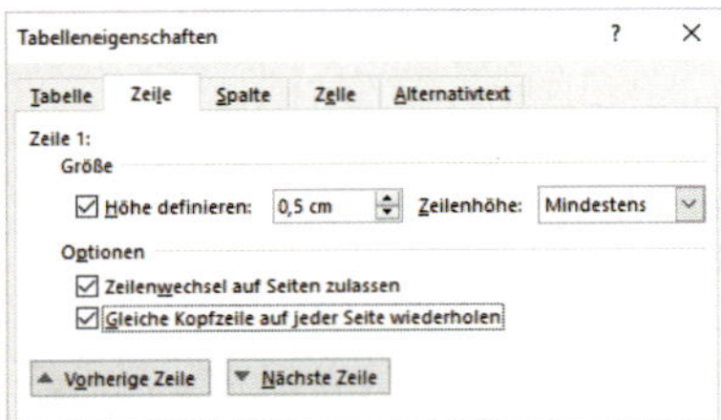

- Um die Tabellenzeile, die Überschriften enthält, auf jeder Seite der mehrseitigen Tabelle zu wiederholen, die Überschrift markieren
- TABELLENTOOLS – LAYOUT – DATEN – ÜBERSCHRIFTEN WIEDERHOLEN
- Oder TABELLENEIGENSCHAFTEN – ZEILE – OPTIONEN – GLEICHE KOPFZEILE AUF JEDER SEITE WIEDERHOLEN aktivieren

Seitenumbruch in einer Zelle verhindern

- Um zu verhindern, dass der Inhalt der letzten Zelle auf einer Seite bei mehrseitigen Tabellen automatisch geteilt wird, Klick in die Zelle
- TABELLENTOOLS – LAYOUT – ZELLENGRÖSSE
- TABELLENEIGENSCHAFTEN – ZEILE
- ZEILENWECHSEL AUF SEITEN ZULASSEN deaktivieren

Enthält eine Zelle mehrzeiligen Text, kann der automatische Seitenumbruch von WORD in diesen Text fallen und sich der Zellinhalt auf zwei Seiten aufteilen.

Tabelle manuell teilen

Tabellen können an beliebigen Stellen manuell geteilt werden. Das automatische Wiederholen der Tabellenüberschrift auf der nächsten Seite ist nicht bei manueller Teilung, sondern nur, wenn die Tabelle von WORD durch einen automatischen Seitenumbruch geteilt wurde, möglich.

- Einfügemarke in jene Tabellenzeile bzw. Markieren der Tabellenzeile, die später die erste Zeile der zweiten Hälfte der Tabelle sein soll
- TABELLENTOOLS – LAYOUT – ZUSAMMENFÜHREN – TABELLE TEILEN
- Zwischen der ersten und der zweiten Hälfte der Tabelle fügt WORD eine Absatzmarke ein, bei Bedarf einen manuellen Seitenumbruch Strg + ↵ einfügen

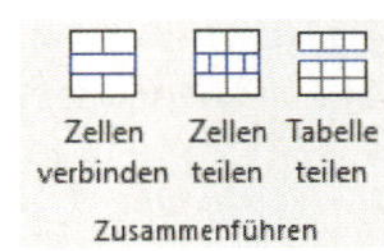

Übungen

1. Mehrseitige Tabelle mit Überschriften

a) Öffnen Sie das Dokument **Bodyshape_u.docx** oder gestalten Sie in einem neuen Dokument das Logo wie abgebildet mit dem Bild **Bodyshape1.gif.** Der Lösungsvorschlag ist im Design Basis erstellt.

b) Speichern Sie die Datei unter **Bodyshape2.docx.**

c) Fügen Sie die Fußzeile Rückblick ein und fügen Sie in die Tabelle eine Spalte in der Mitte ein. Ersetzen Sie das Feld Autor durch das Wort »Kundenname«. Positionieren Sie in der neuen Spalte in der Mitte ausgerichtet das Logo **Bodyshape1.gif.** Verkleinern Sie es auf eine passende Größe.

d) Fügen Sie unter den Überschriften „Kundenstammblatt“ und „Trainingsplan“ jeweils eine Tabelle wie auf der ersten Seite abgebildet ein.

e) Weisen Sie den Überschriften „Kundenstammblatt“ und „Trainingsplan“ die Formatvorlage Überschrift 1 zu. In der Tabelle formatieren Sie den Text mit den Formatvorlagen Standard Schriftgröße 10 Punkt und Intensive Hervorhebung Schriftgröße 11 Punkt. Entfernen Sie die kursive Hervorhebung.

f) Weisen Sie den Zeilen Geschlecht und Trainingsgerät die Zellenhöhe 1,6 cm zu, alle anderen Zellen erhalten die Zellenhöhe 0,5 cm. Ändern Sie die Spaltenbreiten und verbinden bzw. teilen Sie Zellen passend. Richten Sie den Text in den Zellen passend horizontal und vertikal aus.

g) Wählen Sie als Farbe für die Rahmenlinien der beiden Tabellen einen passenden Grauton, z. B. Hintergrund 1, dunkler 25 %.

h) Weisen Sie der Zeile mit den Überschriften in der Tabelle Trainingsplan die Option Überschriftenzeile wiederholen zu. Ergänzen Sie die passenden Zeilen und Zellinhalte auf der zweiten Seite.

body shape factory
Inhaberin: Doris Schwarz
Traungasse 16
4600 WELS
ÖSTERREICH/AUSTRIA
Telefon: +43 7242 35 01 50

Kundenstammblatt

Nachname		Telefon/Mobil-Tel.	
Vorname		E-Mail	
Adresse		Geburtsdatum	
Trainingsgerät	☐ Variante 1: Crosstrainer mit Slim-Belly-Bauchgürtel ☐ Variante 2: Infrarot Perfect Forms SUN 400 XL ohne Slim-Belly-Bauchgürtel ☐ Variante 3: Infrarot Perfect Forms SUN 400 XL mit Slim-Belly-Bauchgürtel		
Trainingsbeginn		Geschlecht	☐ Männlich ☐ Weiblich
Gewicht		Körperfett	
Idealgewicht		Idealwert Körperfett	
Wunschgewicht		Zielwert Körperfett	
Maße bei Trainingsbeginn			
Körpergröße		Bauch (Nabelhöhe)	
Taille		Brust	
Schultern		Hüfte	
Oberarm links		Oberschenkel links	
Oberarm rechts		Oberschenkel rechts	
Unterarm links		Unterschenkel links	
Unterarm rechts		Unterschenkel rechts	

Trainingsplan

Laufende Nr.	Termin	Gerät	Körperfett	Gewicht	Zu-/Abnahme
1					
2					
3					
4					
5					
6					
7					
8					
9					
10					
11					
12					

KUNDENNAME 1

Laufende Nr.	Termin	Gerät	Körperfett	Gewicht	Zu-/Abnahme
13					
14					
15					
Maße nach 15 Trainingseinheiten			Gewicht		
Körpergröße			Bauch (Nabelhöhe)		
Taille			Brust		
Schultern			Hüfte		
Oberarm links			Oberschenkel links		
Oberarm rechts			Oberschenkel rechts		
Unterarm links			Unterschenkel links		
Unterarm rechts			Unterschenkel rechts		
Laufende Nr.	Termin	Gerät	Körperfett	Gewicht	Zu-/Abnahme
16					
17					
18					
19					
20					
21					
22					
23					
24					
25					
26					
27					
28					
29					
30					
Maße nach 30 Trainingseinheiten			Gewicht		
Körpergröße			Bauch (Nabelhöhe)		
Taille			Brust		
Schultern			Hüfte		
Oberarm links			Oberschenkel links		
Oberarm rechts			Oberschenkel rechts		
Unterarm links			Unterschenkel links		
Unterarm rechts			Unterschenkel rechts		
Trainingsergebnis					
Beginn: Gewicht			Beginn: Körperfett		
Idealgewicht			Idealwert Körperfett		
Wunschgewicht			Zielwert Körperfett		
Ende: Gewicht			Ende: Körperfett		
Erreichte Reduktion					

KUNDENNAME 2

Textdesign

2. Tabstopps in Tabellen setzen, Tabelle manuell teilen

a) Öffnen Sie das Dokument **Reykjavik_u.docx** oder schreiben Sie den Text in eine zweispaltige Tabelle. Wählen Sie ein passendes Design, z. B. Schiefer, und Dokumentformatierung Informell.
b) Speichern Sie die Datei unter **Reykjavik3.docx.**
c) Weisen Sie dem Text in der Kopfzeile die Formatvorlage Titel zu und ändern Sie die Schriftgröße auf 18 Punkt. Fügen Sie in die Fußzeile die Seitenzahl Kästchen kursiv 2 über die Auswahl Seitenende ein und ändern Sie die Füll- und Konturfarbe des Quadrats auf Akzent 5.
d) Die Breite der linken Spalte legen Sie mit 5,5 cm und als Füllfarbe Akzent 5 fest. Setzen Sie in die linke Spalte einen rechten Tabstopp ohne Füllzeichen bei 2 cm und mit dem Füllzeichen 2 bei 4,5 cm.
e) Den Überschriften in den Tabellenzellen weisen Sie die Formatvorlage Überschrift 1 zu. Ändern Sie den Abstand nach auf 6 Punkt und die Schriftfarbe wie abgebildet.
f) Fügen Sie in die leeren Zellen unter den Uhrzeiten die Bilder **Reykjavik1.jpg** und **Reykjavik2.jpg** ein und wählen Sie eine passende Bildformatvorlage.
g) Teilen Sie die Tabelle manuell in der Überschriftszeile „Unsere Leistungen“.
h) Weisen Sie dem Text neben „Unsere Leistungen“ passende Aufzählungszeichen zu.
i) Richten Sie die Überschriften und den Text in den Tabellenzellen passend vertikal aus. Entfernen Sie bei Bedarf die Abstände vor bzw. nach dem Text.
j) Ergänzen Sie die Tabelle auf der zweiten Seite um die Überschrift »Reisepreis« und den Text in einer Kolonne untereinander »Reisepreis pro Person 1.460,00 EUR, Flughafentaxen (Stand Juli ....) 199,00 EUR, Einbettzimmer 180,00 EUR, Mindestteilnehmerzahl 20 Personen«. Richten Sie den Text und die Zahlen mit passenden Tabstopps aus.

Wirtschaftsexkursion – Reykjavik – 30. Mai bis 2. Juni ....

Freitag, 30. Mai .... – **Anreise Keflavik – Reykjavik**

8:30 Uhr .... Abfahrt in Linz und Bustransfer nach München
14:00 Uhr .... Abflug von München
16:00 Uhr .... Ankunft in Keflavik
Nach der Ankunft in Keflavik auf dem internationalen Flughafen Islands erfolgt der Transfer nach Reykjavik per Bus mit anschließender Stadtrundfahrt, bei der Sie die wichtigsten Sehenswürdigkeiten der isländischen Hauptstadt wie die Hallgrimskirche, das Parlament, das Konzerthaus Harpa und den Fischereihafen kennenlernen.
Danach beziehen Sie das 4-Sterne-Hotel im Zentrum von Reykjavik.
Individuelle Abendgestaltung.

Samstag, 31. Mai .... – **Ausflug Geysir – Gullfoss – Thingvellir**

9:00 Uhr .... Abfahrt zum Halbtagsausflug
Fahrt durch Südisland zum Geysirfeld in Haukadaur mit dem Geysir Strokkur, der in Intervallen von wenigen Minuten Wassersäulen bis 20 m Höhe in die Luft schleudert. Das nächste Ziel ist der Gullfoss, der „Goldene Wasserfall", der als schönster Wasserfall Islands gilt. Anschließend fahren Sie über den größten See Islands, den Thingvallavatn, nach Thingvellir, um die älteste noch bestehende Parlamentsstätte zu besichtigen.

17:00 Uhr .... Vortrag des Außenwirtschaftscenters
Ein Mitarbeiter des Außenwirtschaftscenters informiert über aktuelle Wirtschaftsdaten, Import- und Exportmöglichkeiten.
Anschließend Buffet und Diskussion.
Individuelle Abendgestaltung.

Sonntag, 1. Juni .... – **Ausflug an die Südküste**

9:00 Uhr .... Vormittagsprogramm
Vorbei am Thjorsatal fahren Sie Richtung Vik, Spaziergang zum Wasserfall Seljalandsfoss und durch die Schlucht Nauthusagil.
15:00 Uhr .... Nachmittagsprogramm
Nach der Ankunft in Vik Besuch der schwarzen Sandstrände und der Naturbrücke Kap Dyrholaey, anschließend Rückfahrt nach Reykjavik.
Individuelle Abendgestaltung.

Montag, 2. Juni .... – **Heimreise**

9:00 Uhr .... Nach dem Frühstücksbuffet steht der Vormittag zur freien Verfügung, anschließend Transfer nach Keflavik.
13:00 Uhr .... Abflug von Keflavik
18:00 Uhr .... Ankunft in Kopenhagen
19:30 Uhr .... Abflug von Kopenhagen
21:00 Uhr .... Ankunft in München
Anschließend Transfer per Bus von München nach Linz

1

Wirtschaftsexkursion – Reykjavik – 30. Mai bis 2. Juni ....

Unsere Leistungen

- Bustransfers Linz – München – Linz
- Linienflug mit Icelandair von München nonstop nach Keflavik
- Linienflug mit Icelandair und SAS via Kopenhagen nach München
- Hin- und Rückflug inkl. flugbezogener Taxen
- Übernachtungen in einem 4-Stern-Hotel im Zentrum von Reykjavik
- Frühstücksbuffet
- Alle Transfers und Ausflüge per Bus in Island
- Deutsch sprechende lokale Reiseleitung für alle Ausflüge laut Programm

Einreise

Für die Einreise nach Island benötigen Sie ein gültiges Reisedokument, das nach der Ausreise noch mindestens sechs Monate gültig sein muss.

Reisepreis

Reisepreis pro Person	1.460,00 EUR
Flughafentaxen (Stand Juli ....)	199,00 EUR
Einbettzimmer	180,00 EUR
Mindestteilnehmerzahl	20 Personen

2

Achtung: Die Abbildung stellt einen Lösungsvorschlag dar. Wählen Sie ein eigenes Design für Ihr Dokument.

Ziele erreicht? – „Gestalten in WORD"

KOMPETENZ-ERWERB

1. Liste mit mehreren Ebenen – 30 min

a) Öffnen Sie das Dokument **Patent_u.docx** oder schreiben Sie den Text in ein neues Dokument. Der Lösungsvorschlag wurde im Design Parallax erstellt.
b) Speichern Sie das Dokument unter **Patent1.docx.**
c) Erstellen Sie eine neue Gliederung mit vier Ebenen und weisen Sie den Ebenen die Nummerierung bzw. Aufzählungszeichen wie in der Abbildung zu.
d) Weisen Sie passende Formatierungen in der Schriftart Corbel in den Schriftgrößen 10 und 16 Punkt, eine Schattierung und Schriftfarben in passenden Akzentfarben zu.
e) Aktivieren Sie die Silbentrennung.
f) Ändern Sie den Abstand nach für die Aufzählungspunkte der Ebene 1 auf 18 Punkt. Hinweis: Deaktivieren Sie im Dialogfeld Absatz die Option Keinen Abstand zwischen Absätzen gleicher Formatierung einfügen für die Ebenen 1 und 2 sowie den Absatz mit dem Text: „✓ Erledigung der Behördenwege".
g) Das Wort „Schiffsführerpatente" formatieren Sie zentriert mit einer passenden Schriftfarbe, Kapitälchen, Schriftgröße 48 Punkt, und einem Zeichenabstand von 0,5 Punkt.

SCHIFFSFÜHRERPATENTE

1 Schiffsführerpatent 10 m (Donau- und Seenpatent)

a) Berechtigung
Dieses Patent berechtigt Sie zum selbstständigen Führen von Motorfahrzeugen mit einer Länge bis zu zehn Metern ohne Leistungsbegrenzung der Motorisierung auf Wasserstraßen (z. B. auf der Donau) und sonstigen Binnengewässern (Flüssen und Seen, wie z. B. Attersee, Traunsee, Wolfgangsee). Wird ein internationales Zertifikat beantragt, besteht die Berechtigung zum Fahren auf internationalen Wasserstraßen und Binnengewässern (z. B. auf dem Gardasee, Po, Ebro oder auf der Donau bis zum Schwarzen Meer).

b) Gültigkeit
Österreichweit und international, wenn ein internationales Zertifikat beantragt wurde.

c) Kursangebot

- Theorieunterricht
  - ✓ Skriptum
  - ✓ Fragenkatalog
- Praxisunterricht
  - ✓ Schleusenfahrt in der Praxis
  - ✓ An- und Ablegemanöver
  - ✓ Mann-über-Bord-Manöver
  - ✓ Hafenmanöver
  - ✓ Knotenkunde
  - ✓ Verheften eines Bootes etc.
- Prüfung
  - ✓ Prüfungsfahrt mit dem Schulboot
  - ✓ Prüfungsbegleitung durch das Team der Motorbootschule
  - ✓ Erledigung der Behördenwege

2 Küstenpatent inklusive Funk

a) Berechtigung
Das Küstenpatent ist für Motorboote, Segelboote, Katamarane bis 30 Bruttoregistertonnen (je nach Bauart können das Boote bis ca. 20 m Länge sein), aber auch für Jetskis (Waterbikes) ohne Leistungsbegrenzung der Motorisierung gültig. Das Funkzeugnis für Kroatien ist inkludiert.

b) Gültigkeit
In Kroatien kann mit diesem Patent jedes Boot gechartert werden. Hinweis: In Kroatien besteht seit einigen Jahren für alle motorisierten Boote Patentpflicht. Sie benötigen das Patent auch dann, wenn Sie zum Beispiel nur mit einem kleinen Schlauchboot mit 2,5 PS Motorleistung unterwegs sind (z. B. mit einem Beiboot).

c) Kursangebot

- Theorieunterricht
  - ✓ Skriptum
  - ✓ Fragenkatalog
  - ✓ Auszüge aus Seekarten für den Prüfungsteil Navigation
  - ✓ Navigationsbesteck – Dreieck und Zirkel – kann ausgeliehen werden
- Prüfung
  - ✓ Prüfungsbegleitung durch das Team in Kroatien vor Ort
  - ✓ Begleitung zur Prüfung in das Hafenamt in Rijeka
  - ✓ Abwicklung der Anmelde- und Prüfungsformalitäten im Hafenamt

2. Programm mit Tabelle gestalten – 30 min

a) Öffnen Sie das Dokument **Alpbach_u.docx** und wandeln Sie den Text in eine Tabelle mit drei Spalten um, Trennzeichen Tabstopps, oder schreiben Sie den Text in eine dreispaltige Tabelle in ein neues Dokument. Der Lösungsvorschlag ist im Design Netz, Dokumentformatierung Linien (markant) erstellt. Führen Sie folgende Formatierungen durch:

- Speichern Sie das Dokument unter **Alpbach1.docx.**
- Weisen Sie dem Text die Absatzformatierung linksbündig, die Schrift Century Gothic 11 Punkt, 24 Punkt und 45 Punkt sowie Kapitälchen zu. In den Zellen mit Zeitangaben verwenden Sie die Absatzformatierung rechtsbündig.
- Fügen Sie in den Zeilen mit den Programmpunkten (außer den Aufzählungen) einen Abstand nach und bei Bedarf vor von jeweils 2 Punkt ein. Deaktivieren Sie jeweils für die letzten Aufzählungspunkte im Dialogfeld Absatz die Option Keinen Absatz zwischen Absätzen gleicher Formatierung einfügen.
- Richten Sie den Text in den Zellen Mitte links und den vertikalen Text Mitte zentriert aus.
- Ergänzen Sie fehlende Zeilenumbrüche und die Aufzählung.
- Weisen Sie eine Schattierung in der Farbe Akzent 1, heller 60 % und in der Zelle mit dem vertikalen Text die Schattierungsfarbe Weiß zu.
- Fügen Sie punktierte Rahmenlinien oben, unten und rechts in der Strichstärke 1 Punkt wie abgebildet ein.
- Fügen Sie ein passendes Onlinebild außerhalb der Tabelle ein. Vergrößern Sie sie bei Bedarf und wählen Sie in den Bildtools Farbe neu einfärben, ändern Sie den Zeilenumbruch passend sowie anschließend hinter den Text. Hinweis: Positionieren Sie das Bild erst, nachdem Sie alle Formatierungen in Ihrem Bild durchgeführt haben, hinter der Tabelle. Achten Sie auf die Unterkante des Bildes, die mit der unteren Rahmenlinie der Tabelle abschließen soll.

TECHNOLOGIEGESPRÄCHE ALPBACH

VIER NOBELPREISTRÄGER, 1 200 DISKUTANTEN

Das Programm in Alpbach

DONNERSTAG, 23. AUGUST ....

10:00 Uhr	Technologiebrunch
13:00 Uhr	Eröffnungsreferate: 1. Hannes Androsch 2. Industriepräsident Georg Kapsch 3. Infrastrukturminister Gerald Klug 4. Wirtschafts-, Forschungs- und Wissenschaftsminister Vizekanzler Reinhold Mitterlehner
14:15 Uhr	Plenardiskussion „Energie für morgen“ mit Physiknobelpreisträger Robert B. Laughlin
15:25 Uhr	„Forschung für die Zukunft“
16:55 Uhr	„Kampf gegen Krebs“ mit Medizinnobelpreisträger Harald zur Hausen
20:00 Uhr	„Produktion und Forschung im globalen Wettbewerb“
21:30 Uhr	Abendempfang
21:30 Uhr	Karrierelounge für Studierende und Jungforscher/innen

FREITAG, 24. AUGUST ....

9:00 – 15:30 Uhr	Arbeitskreise 1. Key-Technologies 2. Produktionsstandorte der Zukunft 3. Erfolgreiche Innovationskulturen 4. Lernen durch innovative Bildungsnetzwerke 5. Gesucht: jung, technisch begabt, wissbegierig 6. Medizintechnik 7. Cyber-Sicherheit 8. Moderne Technologien und Demokratieprozesse
9:00 – 18:00 Uhr	Junior Alpbach
9:00 – 15:00 Uhr	Kinderuni Alpbach
16:00 Uhr	Plenardiskussion „Individualisierung als Basis für Bildung und Innovation“
17:45 Uhr	„Wege zum Nobelpreis“ mit den Medizinnobelpreisträgern J. Michael Bishop und Elizabeth H. Blackburn

SAMSTAG, 25. AUGUST ....

9:00 Uhr	„Neue Technologien, die unser Leben verändern“
10:45 Uhr	„In welchen Zeiträumen können wir planen?“
12:00 Uhr	„Physik des Fußballs“
13:15 Uhr	Abschluss

Quelle: gekürzt aus Die Presse, Magazin für Technologie und Innovation

b) Formatieren Sie die Tabelle nach Ihren eigenen Vorstellungen passend zum Thema. Besprechen Sie die Ergebnisse mit Ihren Mitschülerinnen/Mitschülern sowie mit Ihrer Lehrkraft. Welches Dokument gefällt Ihnen am besten – begründen Sie Ihre Entscheidung.

3. Mehrseitige, automatisch geteilte Tabelle mit Wiederholung der Überschriften, Sortieren in Tabellen – 30 min

a) Erstellen Sie das abgebildete Dokument im Querformat oder öffnen Sie die Datei **Laender_u.docx.**

b) Speichern Sie das Dokument unter **Laender1.docx.**

c) Führen Sie folgende Formatierungen durch:

- Schreiben Sie »Länderdaten« in die Kopfzeile und weisen Sie die Formatvorlage Titel zu. Fügen Sie in die Kopfzeile die Seitennummerierung wie angegeben in Schriftgröße 10 Punkt ein.
- Weisen Sie der Tabelle die Formatvorlage Gitternetztabelle 4, Akzent 1, zu und verkleinern Sie die Schriftgröße für den gesamten Text auf 9 Punkt. Aktivieren Sie Überschriften wiederholen.
- Fügen Sie die passenden Flaggen als Bilder ein und weisen Sie allen Flaggen die Höhe 1 cm zu. Richten Sie den Text und die Flaggen in den Zellen Mitte links aus. Ändern Sie die Zellenhöhe auf mindestens 1,9 cm.
- Wiederholen Sie die Überschriften auf jeder Seite. Aktivieren Sie die Silbentrennung.

d) Sortieren Sie den Inhalt der Tabelle alphabetisch und speichern Sie das Dokument als **Laender2.docx.**

e) Recherchieren Sie im Internet und fügen Sie weitere Länder mit passenden Daten hinzu (Flaggen: Höhe 1 cm). Sortieren Sie erneut alphabetisch.

d) Speichern Sie das Dokument unter **Laender3.docx.**

Textdesign

LÄNDERDATEN

SEITE 1

Land	Flagge	Pass/Visum für österreichische Staatsbürger/Reisewarnungen	Vorgeschriebene/Empfohlene Impfungen *	Österreichische Vertretung im Ausland **	Währung	UTC und Zeitdifferenz zur MEZ	Strom-spannung
Deutschland		Kein Visum, Reisepass kann bis zu fünf Jahre abgelaufen sein. Seit September 2015 gibt es Grenzkontrollen an der österreichischen Grenze.	DPT, Hepatitis B	B: Berlin Stauffenbergstraße 1 10785 Berlin	1 Euro = 100 Cent	UTC + 1 = MEZ	220 V
Schweiz		Kein Visum, Reisepass kann bis zu fünf Jahre abgelaufen sein.	DPT, Hepatitis B	B: Bern Kirchenfeldstraße 77/79 3005 Bern	1 Schweizer Franken (CHF) = 100 Rappen	UTC + 1 = MEZ	230 V
Slowakei		Kein Visum, Passgültigkeit bis zur Ausreise. Aufenthalt beim örtlich zuständigen Polizeikommissariat innerhalb von zehn Tagen melden (erfolgt üblicherweise durch das Hotel).	DPT, Hepatitis B, FSME	B: Pressburg Hodzovo námestie 1/A 81106 Bratislava	1 Euro = 100 Cent	UTC + 1 = MEZ	230 V
Tschechische Republik		Kein Visum, Passgültigkeit für die gesamte Aufenthaltsdauer. Während des Aufenthaltes müssen die Reisedokumente zwecks Identifizierung stets mitgeführt werden.	DPT, Hepatitis A, B	B: Prag Viktora Huga 10 15115 Praha 5 HK: Brünn Botanicka 834/56 602 00 Brno	1 Tschechische Krone (CZK) = 100 Haléřů (Heller)	UTC + 1 = MEZ	230 V + Adapter
Ungarn		Kein Visum, Reisepass kann bis zu fünf Jahre abgelaufen sein. Von der Verwendung gestohlener/verlorener und wieder aufgefundener Reisedokumente wird abgeraten, auch wenn die Anzeige bei der zuständigen Behörde bereits widerrufen wurde.	DPT, Hepatitis B, FSME	B: Budapest Benczúr utca 16 1068 Budapest	1 Forint (HUF) = 100 Fillér	UTC + 1 = MEZ	220 V
Slowenien		Kein Visum, der Pass darf bei der Einreise weniger als fünf Jahre abgelaufen sein. Die Identität des Passinhabers muss jedoch eindeutig erkennbar sein.	DPT, Hepatitis B, FSME	B: Laibach Presernova cesta 23 1000 Ljubljana	1 Euro = 100 Cent	UTC + 1 = MEZ	230 V
Italien		Kein Visum, Reisepass kann bis zu fünf Jahre abgelaufen sein. Alleinreisende Personen unter 15 Jahren sollten eine von der italienischen Botschaft amtlich beglaubigte Einverständniserklärung der Erziehungsberechtigten mitführen.	DPT, Hepatitis B	B: Rom Via Pergolesi 3 00198 Rom	1 Euro = 100 Cent	UTC + 1 = MEZ	230 V

* DPT: Diphtherie, Polio, Tetanus

** B: Botschaft, HK: Honorarkonsulat, GK: Generalkonsulat (nicht alle Vertretungen in der Tabelle angeführt)

Quellen: bmeia.gv.at/aussenministerium/buergerservice/reiseinformation, wikipedia.org; wwwnc.cdc.gov, St

Die Lösungsabbildung ist im Design Schaltkreis, Dokumentformatierung Schattiert erstellt.

LÄNDERDATEN

SEITE 2

Land	Flagge	Pass/Visum für österreichische Staatsbürger/Reisewarnungen	Vorgeschriebene/Empfohlene Impfungen *	Österreichische Vertretung im Ausland **	Währung	UTC und Zeitdifferenz zur MEZ	Strom-spannung
Türkei		Visumpflicht, Pass bei Einreise noch sechs Monate gültig. Seit 10. April 2014 muss das Visum bereits vor Reisebeginn online beantragt und ausgedruckt werden. Hohes Sicherheitsrisiko im Süden und Osten wegen kriegerischer Auseinandersetzungen im Irak und Syrien, Gefährdung durch Bombenanschläge sowie Entführungen durch terroristische Organisationen Erhöhtes Sicherheitsrisiko im Rest des Landes! Erhöhte Anschlagsgefahr in Großstädten und touristischen Zentren. Meiden Sie Einkaufszentren, Konzerte, kulturelle, religiöse und sportliche Veranstaltungen, religiöse Stätten und Sehenswürdigkeiten, Staats- und Regierungsgebäude sowie militärische Einrichtungen möglichst. Vorsicht bei der Benutzung öffentlicher Verkehrsmittel.	DPT, Hepatitis A, B, Tollwut, Typhus	B: Ankara Atatürk Bulvari 189 06680 Ankara HK: Bodrum Atatürk Cadessi 113 A 48400 Bodrum-Mugla	1 Türk Lirası (Türkische Lira, TRY) = 100 Kuruş	UTC + 2 = MEZ + 1	220 V
USA		Die US-Regierung warnt vor terroristischen Aktivitäten und ruft zu besonderer Vorsicht auf. Bei der Einreise mit dem Flugzeug sind verschärfte Kontrollen vorgesehen. Beachten Sie aktuelle Informationen über Waldbrände sowie aktuelle Sturmwarnungen für die USA. Kein Visum, Pass muss bei Einreise gültig sein. Beachten Sie bei Einreise im Rahmen des „Visa-Waiver"-Programmes die notwendige Onlineregistrierung ESTA.	DPT, Hepatitis B	B: Washington 3524 International Court N.W., Washington D.C. 20008 GK: New York 31 East 69th Street New York, N.Y. 10021	1 US-Dollar (USD, $) = 100 Cent (¢)	UTC - 5 bis UTC - 10	110/120 V + Adapter
China		Visumpflicht, Pass bei Antragsstellung mindestens sechs Monate gültig.	Cholera, DPT, Hepatitis A, B, Japan-B-Enzephalitis, Malaria, Tollwut, Typhus	B: Peking Jian Guo Men Wai Xiu Shui Nan Jie 5 100600 Peking	Renminbi (RMB) 1 Yuan = 10 Jiao	UTC + 8 = MEZ + 7	220 V + Adapter

* DPT: Diphtherie, Polio, Tetanus

** B: Botschaft, HK: Honorarkonsulat, GK: Generalkonsulat (nicht alle Vertretungen in der Tabelle angeführt)

Quellen: bmeia.gv.at/aussenministerium/buergerservice/reiseinformation, wikipedia.org; wwwnc.cdc.gov, Stand: 2016

Einen interaktiven **Safety-Check** finden Sie in der TRAUNER-DigiBox.

2 SmartArt-Objekte

Ali lernt für einen wichtigen BW-Test. In seiner Mitschrift hat er viele Übersichten und Grafiken aufgezeichnet. Leider sind einige davon schlampig, also beschließt Ali sie am Computer neu zu machen.

KOMPETENZ-ERWERB

Mein Ziel

Nach Bearbeitung dieses Kapitels kann ich

- SmartArt-Grafiken erstellen und bearbeiten.

Eine SmartArt-Grafik ist eine visuelle Darstellung von Informationen und Ideen. Sie können schnell, bequem und effizient SmartArt-Grafiken erstellen.

Beim Erstellen einer SmartArt-Grafik können Sie zwischen verschiedenen Kategorien von SmartArt-Grafiken, wie PROZESS, HIERARCHIE, ZYKLUS oder BEZIEHUNG wählen. Innerhalb der einzelnen Kategorien finden Sie unterschiedliche Grafiken.

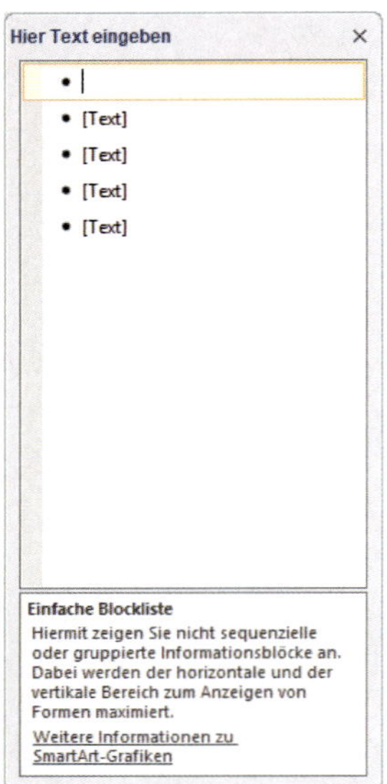

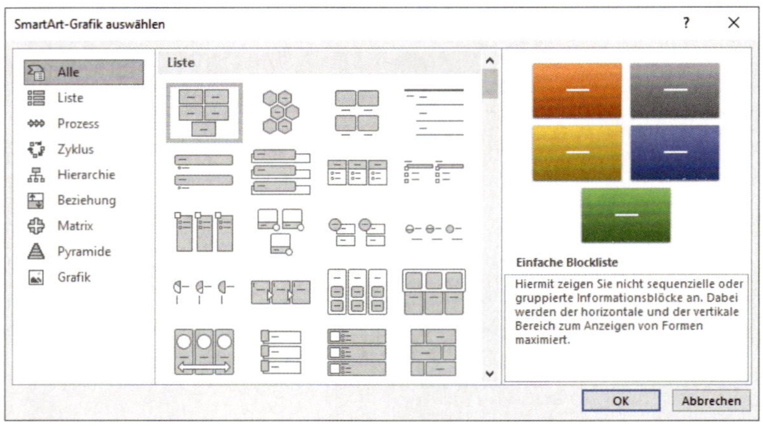

SmartArt erstellen

- EINFÜGEN – ILLUSTRATIONEN – SMARTART
- SmartArt-Kategorie auswählen
- Grafik auswählen
- Platzhaltertext (z. B. **[Text]**) wird angezeigt
- TEXTBEREICH wird automatisch neben dem SmartArt eingeblendet. Bei Bedarf über SMARTART-TOOLS – ENTWURF – TEXTBEREICH aktivieren.
- Text vorzugsweise im TEXTBEREICH eingeben
- Platzhalter durch eigenen Text ersetzen oder Text aus der Zwischenablage hineinkopieren

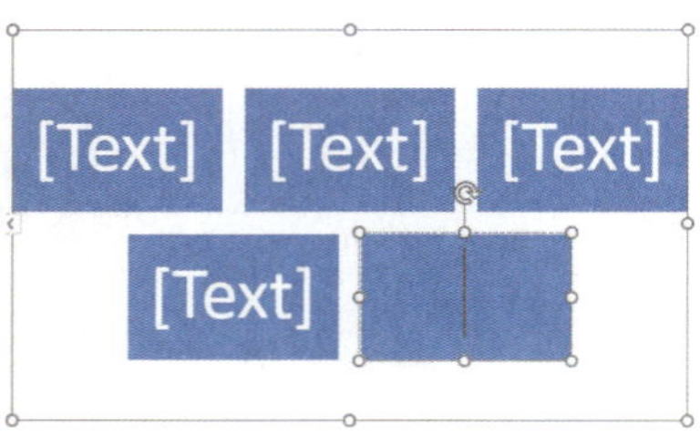

Für bestimmte SmartArt-Kategorien (z. B. Zyklus, Hierarchie) ist es notwendig, mehrere Ebenen zu definieren. Mit EINZUG VERGRÖSSERN bzw. VERKLEINERN (oder ⇄-Taste) steuern Sie diese Ebenen an.

Das Menüband zeigt die SMARTART-TOOLS.

Bei Bedarf ein- oder ausblenden

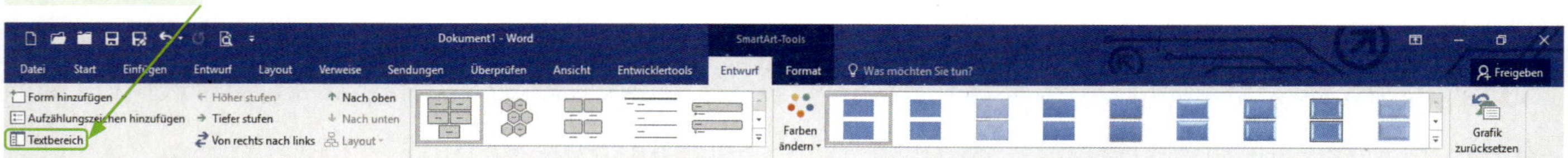

Textbereich anzeigen

Der Textbereich funktioniert wie eine Gliederung oder Aufzählung, in der die Informationen direkt der SmartArt-Grafik zugeordnet werden.

- ENTWURF – GRAFIK ERSTELLEN – TEXTBEREICH
- Oder Symbol links im SmartArt-Bereich
- Drücken Sie die Eingabetaste, um eine neue Textzeile zu erstellen.
- Mit ENTWURF – GRAFIK ERSTELLEN – TIEFER STUFEN bzw. HÖHER STUFEN können Sie das Objekt eine Stufe/Ebene hinauf bzw. hinunter rücken.
- Schließen Sie den Textbereich über das Symbol SCHLIESSEN oder indem Sie Alt + F4 drücken.

Alt + F4

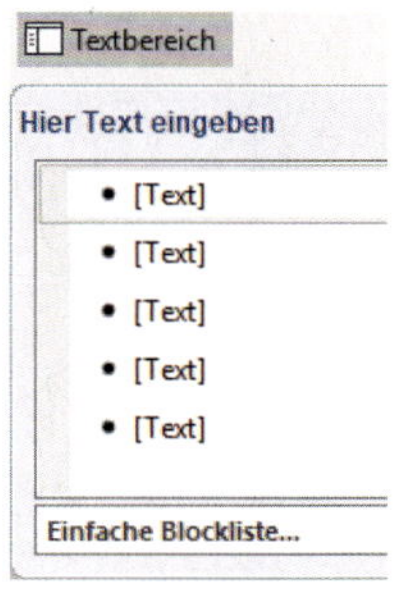

Formen hinzufügen

- ENTWURF – FORM HINZUFÜGEN
- Oder im Textbereich weiteren Aufzählungspunkt mit ↵-Taste hinzufügen
- Einigen Layouts für SmartArt-Grafiken können nicht alle Arten von Formen hinzugefügt werden.
- Welche Form hinzugefügt werden kann, hängt von der aktuell markierten Form ab.

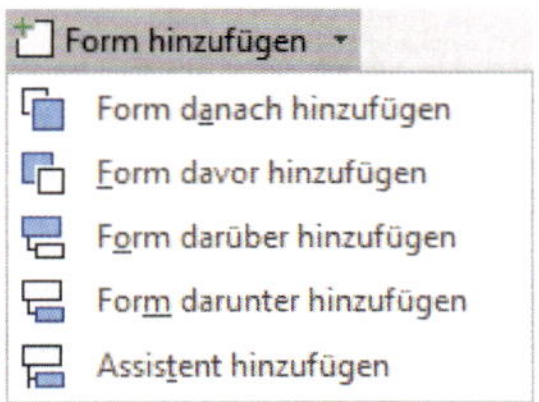

Einige Layouts für SmartArt-Grafiken enthalten eine feste Anzahl von Formen: Weitere Formen können nicht mehr hinzugefügt werden (z. B. BEZIEHUNG – GEGENGEWICHTSPFEILE oder BEZIEHUNG – ZAHNRAD) im TEXTBEREICH wird anstelle des Aufzählungspunktes ein rotes X angezeigt.

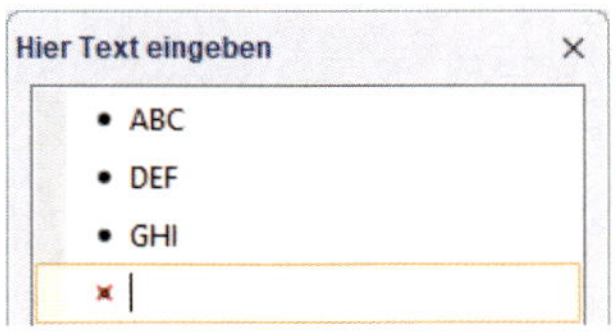

Formen entfernen

- Rahmen der Form anklicken Entf-Taste drücken
- Oder im Textbereich mit der Backspace-Taste entfernen

Layout ändern

- ENTWURF – LAYOUTS – passendes Layout über die abgebildeten Symbole oder WEITERE LAYOUTS... auswählen
- Wird ein LAYOUT gewählt, das eine andere Anzahl oder Position von Formen erlaubt, gehen Daten, die Sie im bestehenden SmartArt eingegeben haben, möglicherweise verloren!

Layout mit Grafiken

Eine besondere Variante der SmartArts bilden die Layouts mit Grafiken.

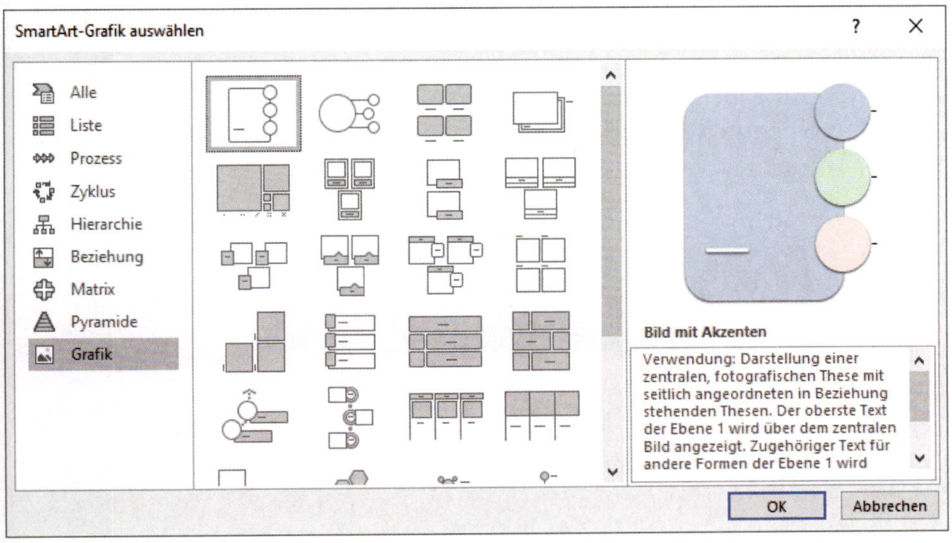

Ein ausgewähltes Grafiklayout können Sie bei Bedarf verändern. Text und andere Inhalte, Farben, Formatvorlagen, Effekte und Textformatierungen werden automatisch in das neue Layout übernommen, wenn die gleiche Auswahl an Formen und Textfeldern im neu gewählten Layout verfügbar ist.

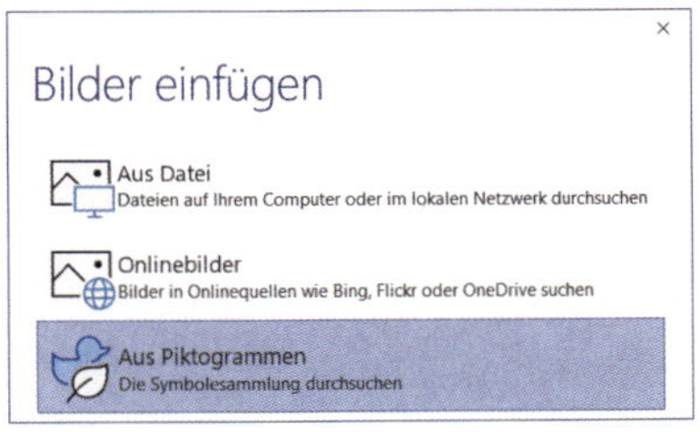

Sie können bereits gespeicherte Bilder, Onlinebilder oder Piktogramme direkt in die entsprechenden Platzhalter einfügen. Haben Sie ein Bild eingefügt, erscheint im Menüband das Register BILDTOOLS, in dem Sie es bearbeiten können.

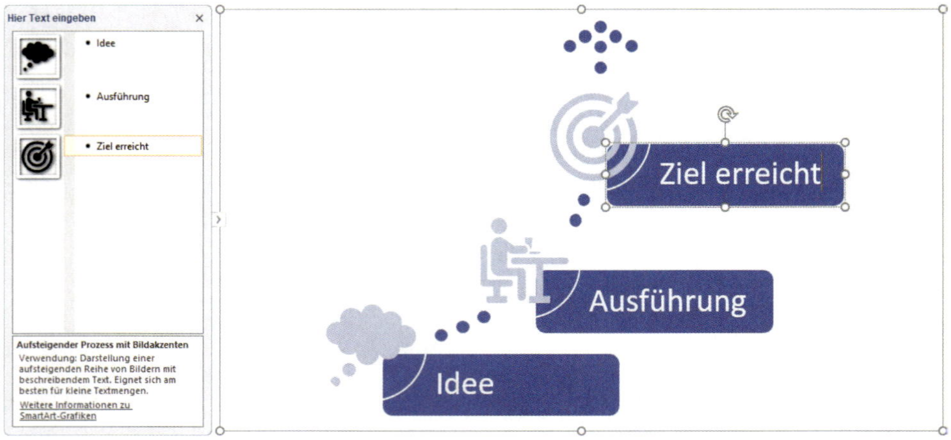

SmartArt-Objekte formatieren

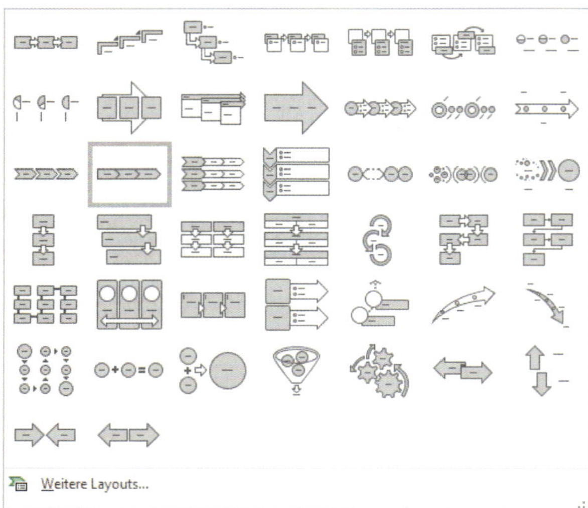

Das Register ENTWURF bietet die Möglichkeit, Formen hinzuzufügen, unterschiedliche Layouts auszuwählen oder SmartArt-Formatvorlagen und Farben zu verwenden bzw. zu ändern.

Im Register FORMAT finden Sie die Einstellungen für Formenarten, Fülleffekte, Formkontur und -effekte, WordArt-Formate und das Anordnen der Formen sowie für die Größe des SmartArt-Objektes.

Die Größe der Form passt sich dem eingegebenen Text an: Geben Sie Text ein, wird sie größer. Löschen Sie Text, wird sie kleiner.

Sie können Sie Größe zusätzlich einstellen über

- FORMAT – FORMEN – GRÖSSER/KLEINER
- Oder indem Sie die Ziehpunkte der Formen ziehen.

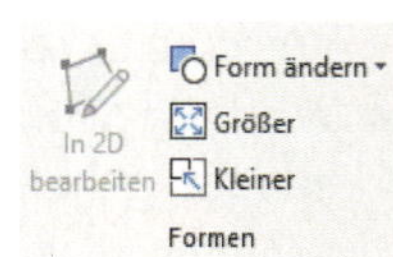

Wenn Sie die Größe ändern, werden alle zusammengehörigen Formen gleichzeitig angepasst, außer Sie haben die Größe der Formen zuvor manuell verändert.

Wollen Sie die Größe der gesamten SmartArt-Grafik ändern, ziehen Sie den Ziehpunkt der Außenkontur.

SmartArt-Objekte positionieren

Standardmäßig werden SmartArt-Objekte mit der Formatierung TEXT IN ZEILE eingefügt. Wie bei Bildern bzw. anderen Formen besteht die Möglichkeit, einen anderen Textumbruch zu wählen. So können SmartArt-Objekte frei positioniert werden.

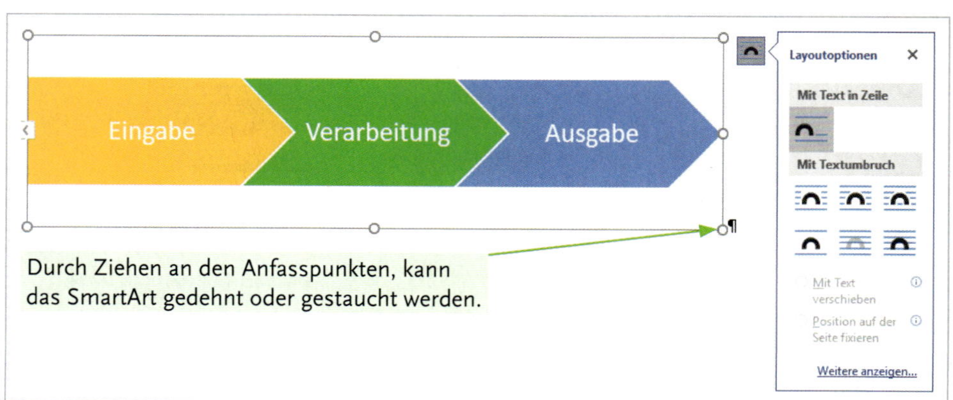

SmartArt-Formatvorlagen

SmartArt-Formatvorlagen bieten eine einfache Möglichkeit, dem SmartArt-Objekt besondere Formatierungen (z. B. Abschrägung, Abrundungen, 3-D-Effekte) zuzuweisen. Eine Änderung der Farbe wirkt sich auch auf die Schnellformatvorlagen aus. Je nach Auswahl des Designs ändern sich die Farben, Schriftarten und Effekte.

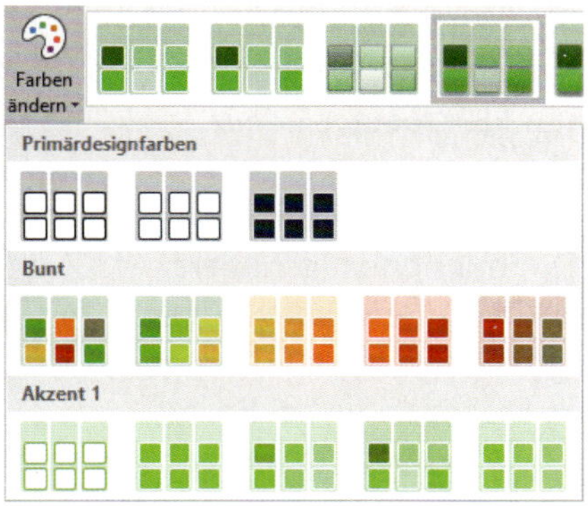

Textdesign

Übungen

1. SmartArt-Hierarchie erstellen

a) Öffnen Sie das Dokument **Hierarchie_u.docx** und kopieren Sie den Text in die Zwischenablage.
b) Öffnen Sie ein neues Dokument und erstellen Sie ein Organigramm der Kategorie Hierarchie wie abgebildet.
c) Speichern Sie das Dokument unter **Hierarchie1.docx.**
d) Fügen Sie den Text aus der Zwischenablage in den Textbereich ein.
e) Wählen Sie ein passendes Design. Verändern Sie die Farben wie abgebildet.

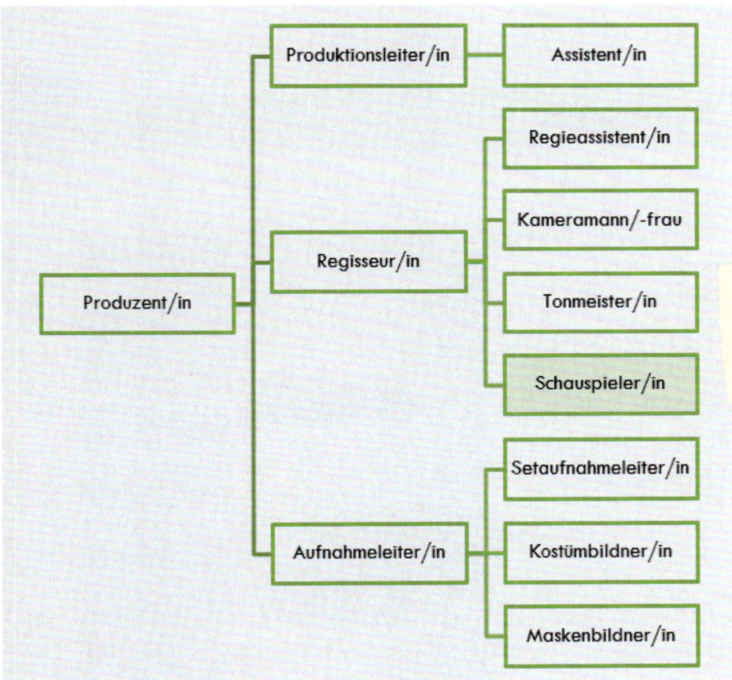

Die Lösung wurde im Design Schaltkreis erstellt.

2. SmartArt-Liste erstellen

a) Gestalten Sie in der Kopfzeile ein SmartArt Liste als Absenderangabe mit Ihren Daten wie abgebildet. Verkleinern Sie die Größe des SmartArts und die Schriftgrößen passend. Für die Lösung wurde das Layout Liste mit vertikalen Kurven im Design Rahmen verwendet.
b) Speichern Sie das Dokument unter **Absender-Liste1.docx.**

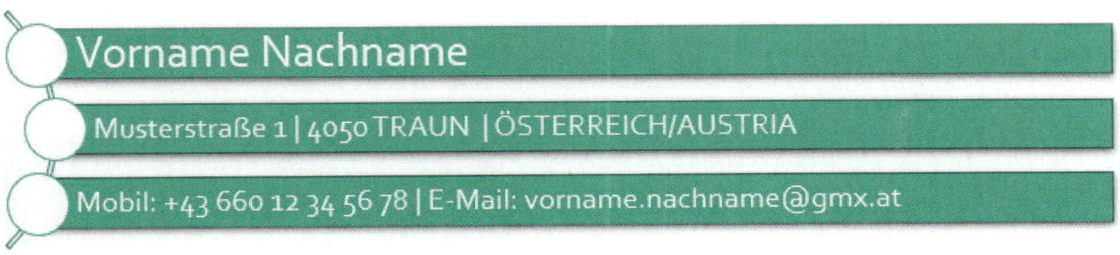

3. SmartArt-Beziehung erstellen

a) Schreiben Sie als Überschrift »Elektroautos« und weisen Sie eine passende Formatvorlage zu.

b) Speichern Sie das Dokument unter **Elektroautos1.docx.**

c) Gestalten Sie ein SmartArt Beziehung, wählen Sie z. B. das Layout Konträre Ansichten und ergänzen Sie folgende Daten: Vorteile: lokal weniger CO_2-Emissionen, geringere Betriebskosten, weniger Verschleiß, geräuscharmes Fahren. Nachteile: höherer Kaufpreis, begrenzte Reichweite, fehlende Infrastruktur, lange Ladedauer. Ergänzen Sie bei Bedarf individuell Vor- und Nachteile.

d) Für die Lösung wurde das Design Fetzen verwendet, ändern Sie die Farbe über Smartart Tools – Format.

e) Speichern Sie das Dokument und wählen Sie ein anderes Layout.

f) Speichern Sie das Dokument mit neuem Layout unter **Elektroautos2.docx.**

g) Wechseln Sie das Layout (in der Lösungsabbildung: Gruppierte Listen) und weisen Sie Effekte und Farben eigener Wahl zu.

h) Speichern Sie die Änderungen.

Eine weitere Übung finden Sie in der TRAUNER-DigiBox.

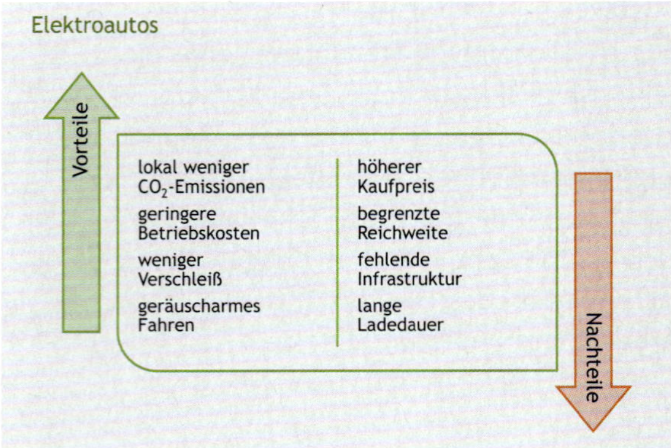

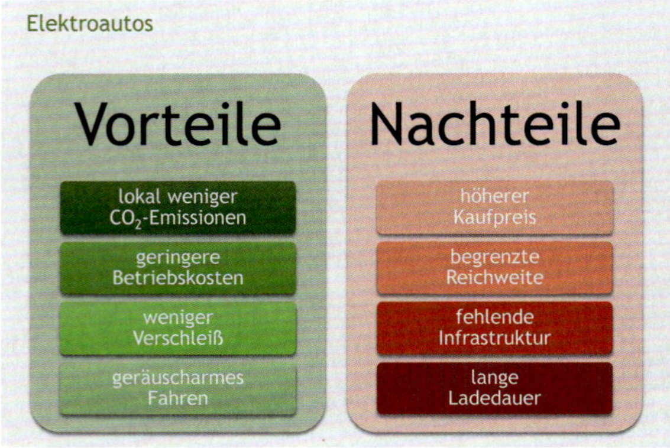

Ziele erreicht? – „SmartArt-Objekte“

KOMPETENZ-ERWERB

1. Organigramm erstellen – 15 min

a) Recherchieren Sie im Internet nach einem Organigramm eines großen Unternehmens in Ihrer Nähe oder nach dessen angebotener Produktpalette und stellen Sie die Abteilungen bzw. Produkte in Form eines Organigramms dar.

b) Speichern Sie das Dokument unter **Produktpalette1.docx.**

c) Wählen Sie eine passende Ausrichtung, ein passendes SmartArt-Layout und formatieren Sie das Organigramm individuell.

d) Speichern Sie die Änderungen.

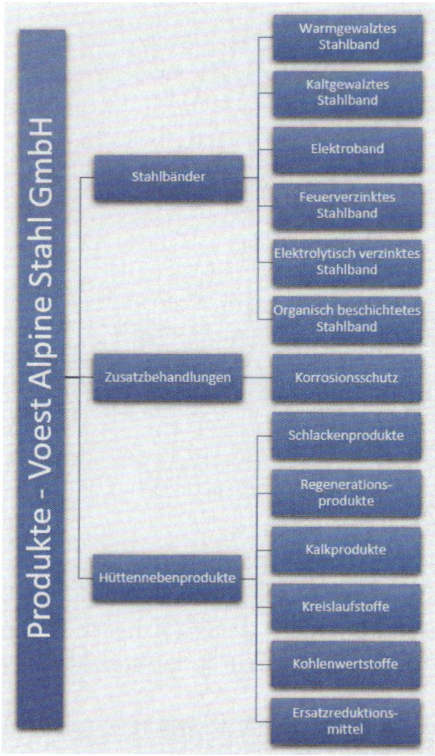

2. Maslow Bedürfnispyramide – 15 min

a) In Ihrem BW-Unterricht lernen Sie von der Bedürfnispyramide von Maslow. Verwenden Sie Ihr BW-Buch bzw. recherchieren Sie im Internet über Details und gestalten Sie diese Pyramide mithilfe eines passenden SmartArt-Typs.

b) Speichern Sie das Dokument unter **Beduerfnispyramide1.docx.**

Einen interaktiven **Safety-Check** finden Sie in der TRAUNER-DigiBox.

3 Kollaboratives Arbeiten

Gemeinsam mit ihrer Freundin Lisa muss Sarah ein Referat vorbereiten. Sie erinnert sich, dass sie im Vorjahr etwas über Cloud-Computing gelernt haben. Sie fragt sich, ob man über die Cloud Dokumente nicht nur teilen, sondern auch gemeinsam bearbeiten kann.

Welche Vorteile bzw. Nachteile hat Ihrer Meinung nach das gemeinsame Arbeiten an Dokumenten in der Cloud. Diskutieren Sie mit Ihren Mitschülerinnen und Mitschülern.

Meine Ziele

Nach Bearbeitung dieses Kapitels kann ich
- Dokumente in der Cloud gemeinschaftlich bearbeiten.

3.1 Allgemeines

Im Berufsalltag ist es immer wieder nötig, dass mehrere Personen an einem Dokument arbeiten – oftmals befinden sich die Teammitglieder allerdings nicht am gleichen Ort.

In der Praxis kann das zum Problem werden, wenn z. B. ein WORD-Dokument nicht geöffnet werden kann, weil ein Kollege damit arbeitet. Um das zu umgehen und um zu verhindern, dass nach jeder Bearbeitung durch ein Teammitglied ein neues Dokument gespeichert und geteilt werden muss, ist der Einsatz von kollaborativer Software in der Cloud sinnvoll.

Kollaborativ = gemeinsam; zusammen arbeitend, entwickelnd

3.2 Kollaborative Software

Es gibt viele verschiedene Softwareangebote, die gemeinsames Arbeiten an Dokumenten in der Cloud ermöglichen. Allgemein ergeben sich die folgenden Vor- und Nachteile:

Anbieter von kollaborativer Software in der Cloud sind, z. B. MICROSOFT (OFFICE 365) und GOOGLE DRIVE (GOOGLE DOCS etc.).

Vorteile
- Die Arbeitsvorgänge der einzelnen Teammitglieder können zeitgleich, zeitversetzt, an einem gemeinsamen Ort oder an unterschiedlichen Orten stattfinden.
- Änderungen sind für alle sichtbar und nachvollziehbar.
- Die Stärken der Teammitglieder werden besser genutzt, Schwächen können gegenseitig ausgeglichen werden.
- Wenn mehrere Mitarbeiter/innen am gleichen Dokument arbeiten, ohne vom Arbeitsfortschritt der Kolleginnen und Kollegen zu wissen, besteht die Gefahr, dass Teile der Arbeit mehrfach gemacht werden. Diese Verschwendung von Arbeitszeit wird durch kollaboratives, zeitgleiches Arbeiten an einem Dokument verhindert.

Face-to-Face-Kommunikation = persönliches Gespräch ohne zwischengeschaltete Medien.

Nachteile

- Die volle Funktionalität ist oft nur bei bestehender Internetverbindung gewährleistet.
- Auch wenn man bei einem Videochat den Gesichtsausdruck der Kollegin/des Kollegen sehen kann, so gehen im Vergleich zur Face-to-Face-Kommunikation doch einige Eindrücke, wie z. B. die Körperhaltung, verloren. Noch viel stärker wiegt dieser Nachteil bei schriftlicher Kommunikation.

Möglichkeiten für Kollaboratives Arbeiten in der Cloud

Dateien gemeinsam bearbeiten

Gemeinsames Brainstorming

Zusammen recherchieren

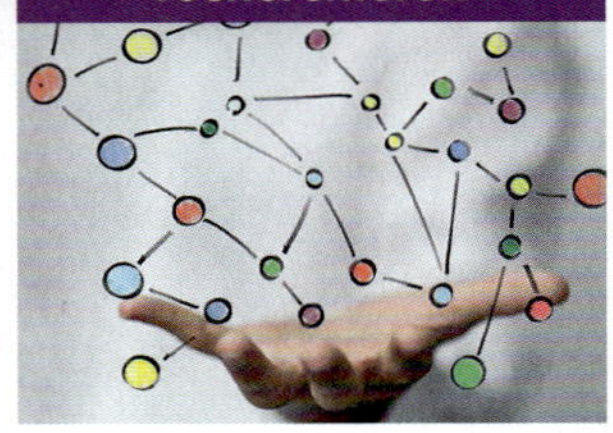

Auch Wikis wie Wikipedia entstehen durch kollaboratives Arbeiten. Allerdings ist es bei Wikis nicht möglich Dokumente zeitgleich zu bearbeiten.

Dateien gemeinsam bearbeiten

Wenn Sie wie Sarah und Lisa gemeinsam mit anderen Mitschülerinnen/Mitschülern ein Referat vorbereiten müssen, können Online-Texteditoren Sie bei der Zusammenarbeit unterstützen. Beispiele dafür sind GOOGLE DRIVE (z. B. GOOGLE DOCS), ZOHO DOCS. Auch MICROSOFT bietet mit OFFICE 365 und ONEDRIVE Möglichkeiten zum kollaborativen Arbeiten.

Auch für Tabellenkalkulation oder Präsentationen gibt es Online-Tools für kollaboratives Arbeiten, z. B. GOOGLE Tabellen bzw. Präsentation oder PREZI.

http://drive.google.com
http://www.zoho.com/docs
https://prezi.com/

Gemeinsames Brainstorming

Um Ideen und Konzepte zu sammeln bzw. gemeinsam zu entwickeln sind Online-Texteditoren nicht immer ausreichend. Hier bieten sich Mindmapping-Werkzeuge an, z. B. MIND42 oder COGGLE von GOOGLE.
Mithilfe von Mindmaps können Sie die gesammelten Ideen strukturieren und übersichtlich darstellen.

http://mind42.com
http://coggle.it

Zusammen recherchieren

Auch für die gemeinsame Recherche finden sich im Internet Tools: Social Bookmarking-Dienste wie DIIGO oder DELICIOUS erleichtern das Sammeln und Teilen von Bookmarks bzw. Favoriten.

https://www.diigo.com
https://delicious.com

3.3 Kommunikation bei Teamarbeit

Arbeiten mehrere Personen an einer Datei bzw. einem Projekt, ist eine gute Kommunikation für den Erfolg entscheidend.

E-Mails

Sie können sich mit Ihren Kolleginnen/Kollegen per E-Mail austauschen: E-Mail-Verkehr kann allerdings schnell unübersichtlich werden, wenn mehr als zwei Personen miteinander schreiben. Sie verlieren unter Umständen Zeit: E-Mails sind ein wichtiges Medium zur Kommunikation, aber nicht optimal für die Zusammenarbeit in Echtzeit.

Manchmal sind persönliche Treffen für eine sinnvolle Zusammenarbeit unumgänglich. Google bietet mit dem Online-Terminplaner Doodle ein hilfreiches Feature um Termine zu vereinbaren.

Chat

Viele Anbieter kollaborativer Software ermöglichen die direkte Kommunikation in Echtzeit über eine Chat- oder Kommentarfunktion.

Videotelefonie

Oft ist es einfacher eine Besprechung zu machen und Themen face-to-face anzusprechen. Wenn das durch die räumliche Entfernung nicht möglich ist, sind Telefonkonferenzen eine gute Lösung, z. B. über Skype.

http://www.skype.com/de/

3.4 Kollaboratives Arbeiten mit OFFICE 365

Die bekannten Anwendungen des OFFICE-Paketes von Microsoft, wie zum Beispiel WORD, EXCEL oder POWERPOINT wurden für OFFICE 365 um Funktionen erweitert, die das kollaborative Arbeiten ermöglichen. Zusätzlich stehen den Nutzerinnen und Nutzern je nach Lizenzmodell noch weitere Anwendungen zur Verfügung, von denen viele mit dem Ziel entwickelt wurden, kollaboratives Arbeiten zu unterstützen.

MICROSOFT OFFICE 365 wird mit dem Motto „Die einfachste Art der Zusammenarbeit" beworben.

Aha!
Das Bundesministerium für Bildung, Wissenschaft und Forschung hat mit MICROSOFT eine Generallizenz abgeschlossen, die es vielen weiterführenden Schulen ermöglicht, auf eine große Zahl dieser Anwendungen zuzugreifen.

Die Eckpunkte der Generallizenz können auf der Website des Ministeriums im Bereich Bildung unter dem Suchwort MS-ACH (MICROSOFT Austrian College and High School Agreement) eingesehen werden.

Apps öffnen

Voraussetzung ist, dass Sie über ein **OFFICE-365-Konto** verfügen. Falls Sie bereits ein Konto haben, z. B. über Ihre Schule, gehen Sie wie folgt vor:

- Öffnen Sie die Website portal.office.com und loggen Sie sich mit Ihren Zugangsdaten ein
- Unter ALLE IHRE APPS ERKUNDEN können Sie auf die von Ihrer Schule abonnierten Apps zugreifen.

In der TRAUNER-DigiBox finden Sie eine Aufstellung aller MICROSOFT-Apps, die für das kollaborative Arbeiten relevant sind.

Besonders die Apps SHAREPOINT, TEAMS und ONENOTE werden in Unternehmen häufig genutzt.

Häufig genutzte Apps

SHAREPOINT	TEAMS	ONENOTE

3.4.1 SHAREPOINT

To share = (mit anderen) teilen.

SHAREPOINT ist ein umfangreiches Werkzeug des Dokumentenmanagements zur schnellen und einfachen Erstellung von Websites und zur Kollaboration zwischen Teams. Es dient als Integrationsbasis für viele der anderen Produkte von MICROSOFT, wie zum Beispiel ONEDRIVE.

Websites
Die Bausteine von SHAREPOINT-Online sind Websites. Diese ermöglichen es Benutzern, Arbeitsbereiche zu erstellen, die dazu dienen, Inhalte zu organisieren, Informationen zu verbreiten oder Projekte zu verfolgen.

Websites können aus verschiedenen Vorlagen erstellt werden, jede mit einem etwas anderen Zweck oder einer Möglichkeit, Informationen zu vermitteln. Websites können auf der obersten Ebene nach Teamwebsites und Kommunikationswebsites gegliedert werden.

Websites

Teamwebsite	Kommunikationswebsite
Die **Teamwebsite** bietet dagegen sehr viele Möglichkeiten, um effizient zusammenzuarbeiten.	Die **Kommunikationswebsite** ist praktisch, um Zwischenergebnisse zu präsentieren oder Neuigkeiten, die für mehrere Personen interessant sind.

Je nachdem, für welche Vorlage Sie sich entscheiden, besitzt die so erstellte Website unterschiedliche Fähigkeiten.

Möglichkeiten der Zusammenarbeit bei Teamwebsites
Mit verschiedenen Vorlagen von Sites, die innerhalb einer Teamwebsite erstellt werden können, können zum Beispiel

- einfache Listen geführt,
- Bibliotheken für OFFICE-365-Dokumente angelegt,
- Neuigkeiten gepostet oder
- Pläne für Aufgaben gepostet werden.

Erscheinungsbild einer Site anpassen

- Schaltfläche BEARBEITEN anklicken
- Inhalte und Aussehen anpassen – Klick auf VERÖFFENTLICHEN

Aha!
Durch die fertigen Vorlagen kann man sich auf die Inhalte konzentrieren – trotzdem ist es möglich, das Erscheinungsbild der Sites anzupassen.

3.4.2 TEAMS

Die App TEAMS hat einige Ähnlichkeiten mit den Teamsites von SHAREPOINT. In TEAMS ist das zentrale Element aber nicht die Site, sondern der Kanal. Hier findet die eigentliche Arbeit statt. In den Kanälen können die Teammitglieder Besprechungen abhalten, Teamunterhaltungen führen und Dateien freigeben.

Möglichkeiten in TEAMS

Besprechungen

In einer Besprechung (die als Videokonferenz oder als VoIP-Telefonkonferenz geführt werden kann) können Sie Inhalte von Ihrem Rechner zeigen oder die Besprechung aufzeichnen.

Unterhaltungen

Diese Chat-Funktion verfügt über die Möglichkeit, im Chatverlauf Dateien hochzuladen. OFFICE-365-Dokumente können dann von allen Teammitgliedern gleichzeitig bearbeitet werden. Sie können im Chat auch Besprechungstermine vereinbaren, die mit Ihrem OFFICE-365-Kalender synchronisiert werden. Der Verlauf der Unterhaltungen wird gespeichert.

Suchleiste

Während in SHAREPOINT Informationen sehr strukturiert abgelegt werden, ist der eigentliche Speicherort in TEAMS eigentlich unwichtig. Über die Suchleiste können Inhalte aus Unterhaltungen, Dokumente und Personen gesucht werden. Alternativ kann auf Dokumente auch über das Register DATEIEN zugegriffen werden.

Einige „Wurzeln“ von MICROSOFT TEAMS liegen in SKYPE FOR BUSINESS.

VoIP = **V**oice **o**ver **IP**: Eine Internet-Technik, mit der Sprachübertragung über das Internet oder Intranet möglich wird.

3.4.3 ONENOTE

ONENOTE stellt die digitale Variante des klassischen Notizbuches dar. Die Software spielt ihre Vorteile vor allem auf mobilen Geräten, die mit einem Eingabestift ausgestattet sind, aus. Damit ist es möglich, handschriftliche Notizen zu vorhandenen elektronischen Dokumenten hinzuzufügen oder selbst neue Dokumente anzulegen, in die unterschiedliche Informationen eingetragen werden können.

Aha!
Die Zusammenarbeit mit anderen Nutzerinnen und Nutzern ist mit ONENOTE ebenfalls möglich – ähnlich wie in anderen OFFICE-365-Anwendungen können mehrere Nutzerinnen und Nutzer zeitgleich gemeinsam an einem Notizbuch arbeiten.

Handschriftlich eingegebene Notizen können über die integrierte Handschrifterkennung in normalen Text umgewandelt werden.

Die Seiten können in Abschnitten angeordnet werden, um die Übersicht über größere Notizbücher zu wahren.

Die Dokumente selbst werden als NOTIZBÜCHER bezeichnet und bestehen aus unendlich großen SEITEN, auf denen Texte, Grafiken, Videos, OFFICE-Dateien und andere Elemente angeordnet werden können. Die Notizbücher selbst können mehr als eine Seite umfassen.

Die Nutzung von ONENOTE ist plattformübergreifend – das heißt, dass die Notizbücher nicht nur auf dem Gerät verwendet werden können, auf dem sie erstellt wurden, sondern dass man neben dem Tablet-PC auch mit dem Mobiltelefon, Notebook-PC oder anderer Hardware auf die Notizbücher zugreifen und darin weiterarbeiten kann.

Ziele erreicht? – „Kollaboratives Arbeiten“

KOMPETENZ-ERWERB

1. Textdatei gemeinsam bearbeiten

a) Teilen Sie die Datei **Referat_u.docx** mit Ihrer Sitznachbarin/Ihrem Sitznachbarn. Benutzen Sie dafür einen Online-Texteditor Ihrer Wahl.

b) Bearbeiten Sie gleichzeitig die Datei. Probieren Sie die verschiedenen Funktionen aus und nutzen Sie, wenn vorhanden, die Chat- oder Kommentarfunktion.

c) Welche Unterschiede fallen Ihnen im Vergleich zu WORD auf.

2. Projektarbeit gemeinsam erstellen

Erstellen Sie in einem Team von vier Personen gemeinschaftlich eine mindestens sechsseitige Projektarbeit zum Thema Internet-Betrug. Nutzen Sie für die Zusammenarbeit verschiedene der oben genannten Werkzeuge zum kollaborativen Arbeiten.

a) Überlegen Sie sich im Vorfeld, welche Tools in welcher Phase Ihrer Arbeit hilfreich sind.

b) Erstellen Sie einen Ablaufplan für Ihre Projektarbeit und begründen Sie, warum Sie sich für die einzelnen Tools entschieden haben.

3. Softwareangebote recherchieren und vergleichen

Bilden Sie Teams von drei bis vier Personen. Erstellen Sie eine Präsentation über die Vor- und Nachteile, Features, Kosten etc. verschiedener Anbieter kollaborativer Software.

a) Besprechen Sie Ihre Rechercheergebnisse z. B. bei einer Videokonferenz via Skype.

b) Erstellen Sie gemeinsam über ein Online-Tool Ihrer Wahl eine Präsentation. Bereiten Sie die gefundenen Informationen für Ihre Klassenkolleginnen und Klassenkollegen auf.

4. Arbeiten mit Teams

Erstellen Sie in Teams ein neues Team mit mindestens vier Personen.

a) Wählen Sie den Teamtyp Kurs (Diskussionen, Gruppenprojekte, Aufgaben).

b) Vergeben Sie den Namen Test.

c) Fügen Sie drei Personen aus Ihrer Klasse hinzu.

d) Testen Sie die verschiedenen Funktionen von Teams. Senden Sie z. B. auch Dateien zum gemeinsamen Bearbeiten.

Einen interaktiven **Safety-Check** finden Sie in der TRAUNER-DigiBox.

4 Dokumentorganisation

Überlegen Sie, welche Formulierungen in Geschäftsbriefen häufig vorkommen.

Ali wird damit beauftragt, aus vorhandenen Briefen Formulierungen in Form von Schnellbausteinen zu speichern, damit er für andere Schriftstücke wiederverwendet werden können und die Korrespondenz in der Abteilung rascher abgewickelt werden kann.

KOMPETENZ-ERWERB

Meine Ziele

Nach Bearbeitung dieses Kapitels kann ich

- Arten von Dokumenteigenschaften aufzählen;
- Dokumenteigenschaften festlegen;
- Dokumenteigenschaften als Schnellbausteine einfügen;
- Felder einfügen und die Feldschattierung aktivieren;
- AutoText-Einträge als Schnellbausteine definieren, organisieren und verwenden.

Dokumenteigenschaften werden jeder Benutzerin/jedem Benutzer angezeigt, die/der das Dokument öffnet.

4.1 Dokumentinformation und -prüfung

4.1.1 Dokumenteigenschaften

Dokumenteigenschaften dienen der Beschreibung und Organisation von Dokumenten. Nach Dokumenteigenschaften kann gezielt im Dialogfeld ÖFFNEN oder im WINDOWS-EXPLORER gesucht werden.

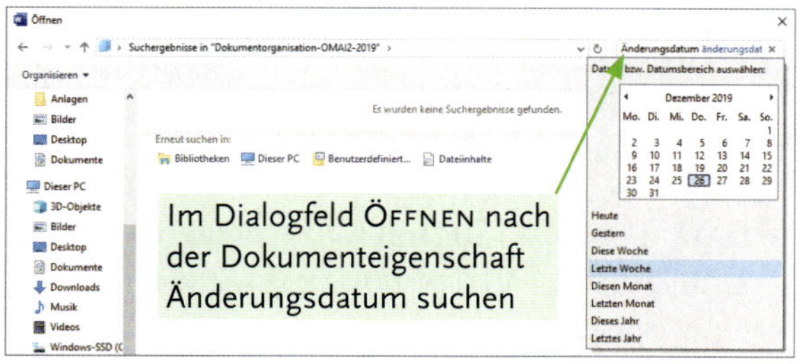

Im Dialogfeld ÖFFNEN nach der Dokumenteigenschaft Änderungsdatum suchen

Arten von Dokumenteigenschaften	
Automatisch aktualisierte Eigenschaften	WORD aktualisiert automatisch Eigenschaften wie z. B. die Dateigröße, das Erstellungs- und das Änderungsdatum sowie die Seiten- und Wörteranzahl.
Standard-eigenschaften	Standardmäßig zeigt WORD Eigenschaften wie z. B. Titel, Autor, Kategorien, Kommentare an, deren Inhalt Sie neu eingeben, ändern bzw. ergänzen können.
Selbst definierte Eigenschaften	Benötigen Sie zusätzliche Dokumenteigenschaften, können Sie diese aus der Liste der Eigenschaften auswählen, z. B. Abteilung, Ablage, Erstellt von oder Kontrolliert von.

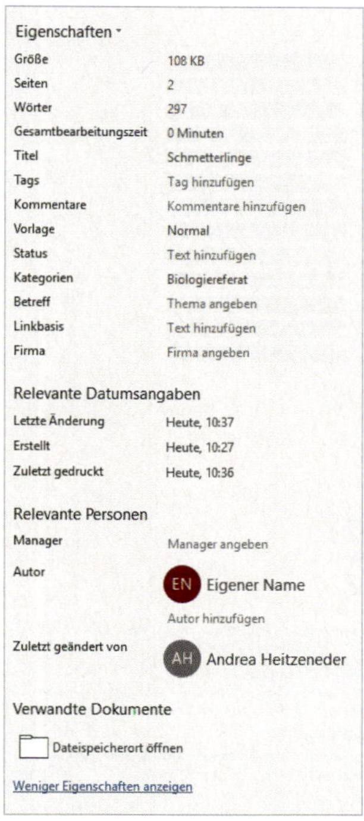

Dokumenteigenschaften anzeigen und Inhalte bearbeiten

- Dokument öffnen – DATEI – INFORMATIONEN
- In der Backstage-Ansicht werden die Eigenschaften des aktuellen Dokuments angezeigt
- Klick in das Eingabefeld neben die EIGENSCHAFTEN, z. B. TITEL – Text eingeben
- Wiederholen Sie diesen Schritt für alle Eigenschaften, die nicht automatisch von WORD aktualisiert werden
- Oder EIGENSCHAFTEN – ERWEITERTE EIGENSCHAFTEN – ZUSAMMENFASSUNG oder ANPASSEN – Eigenschaft auswählen und Text eingeben oder Eigenschaft auswählen – HINZUFÜGEN

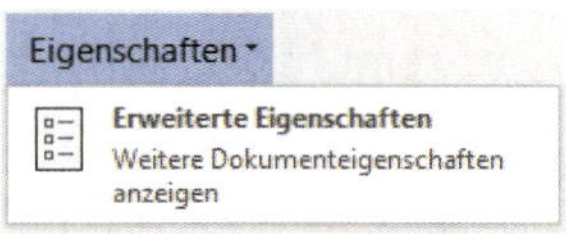

Dokumenteigenschaften als Schnellbausteine einfügen

Es ist sehr praktisch, Dokumenteigenschaften als Schnellbausteine einzufügen, da bei Änderungen der Dateiinformationen durch WORD oder durch die Bearbeiterin/den Bearbeiter die Schnellbausteine automatisch im gesamten Dokument aktualisiert werden.

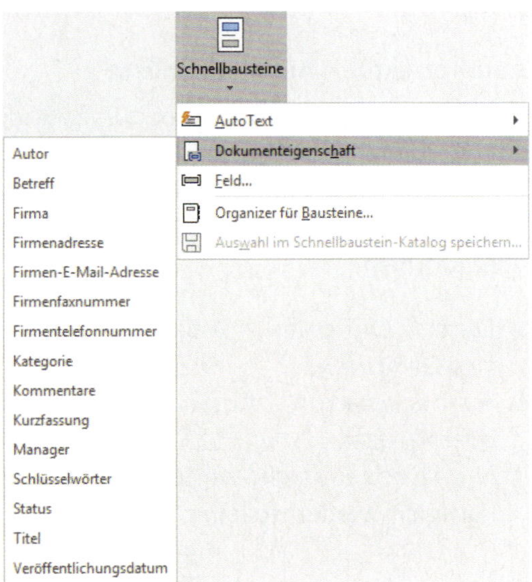

- Klick an die gewünschte Stelle im Dokument
- EINFÜGEN – TEXT – SCHNELLBAUSTEINE – DOKUMENTEIGENSCHAFTEN
- Passende Dokumenteigenschaft auswählen, Inhalt ergänzen; bei Bedarf Formatierung ändern

Digitale Lernkarten dazu finden Sie in der TRAUNER-DigiBox.

Textdesign

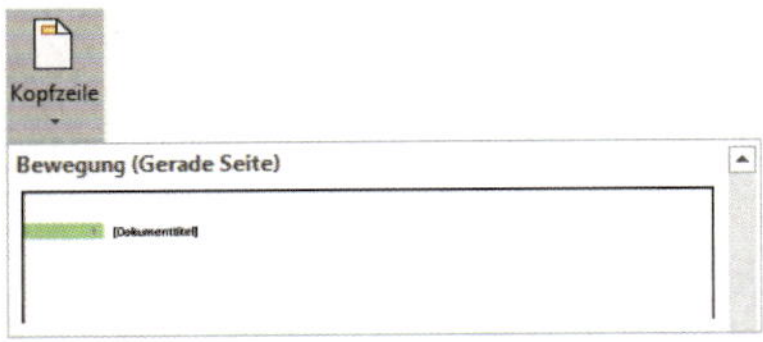

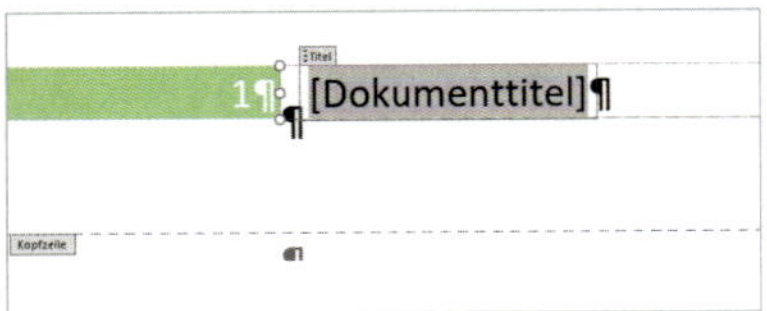

Dokumenteigenschaften in WORD-Vorlagen sowie in Kopf- und Fußzeilen

In manchen WORD-Vorlagen sind Felder mit Dokumenteigenschaften enthalten. Wenn Sie beim Einfügen von Kopf- und Fußzeilen Vorlagen verwenden, sind in diesen ebenfalls häufig Felder mit Dokumenteigenschaften enthalten.

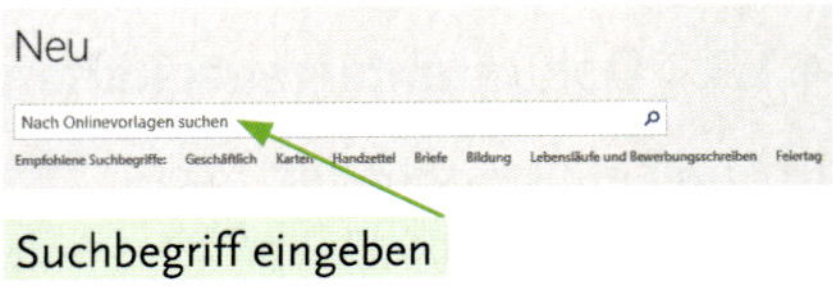

- DATEI – NEU – SUCHBEGRIFF eingeben, z. B. KARTEN – VISITENKARTE (BAMBUS)
- Und/oder EINFÜGEN – passende KOPF- UND FUSSZEILENVORLAGE auswählen
- Inhalte in den Feldern ergänzen oder die Inhalte wurden bereits aus den Dokumenteigenschaften übernommen
- Bei Bedarf die Formatierung verändern

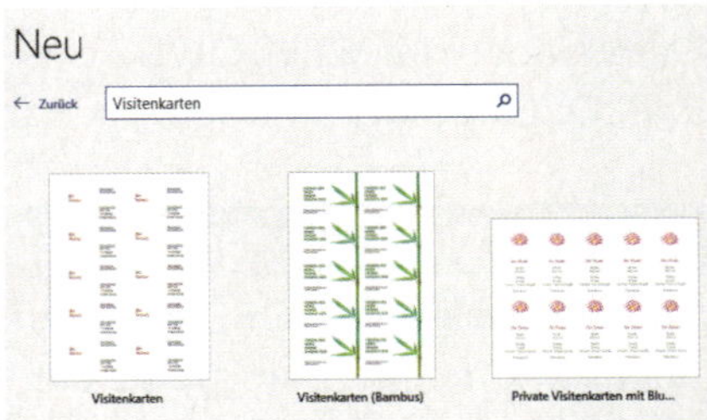

4.1.2 Dokumentprüfung

Dokument prüfen

Nach dem Speichern und bevor Sie ein Dokument weitergeben, können Sie prüfen, ob es versteckte Informationen enthält, und sie bei Bedarf entfernen.

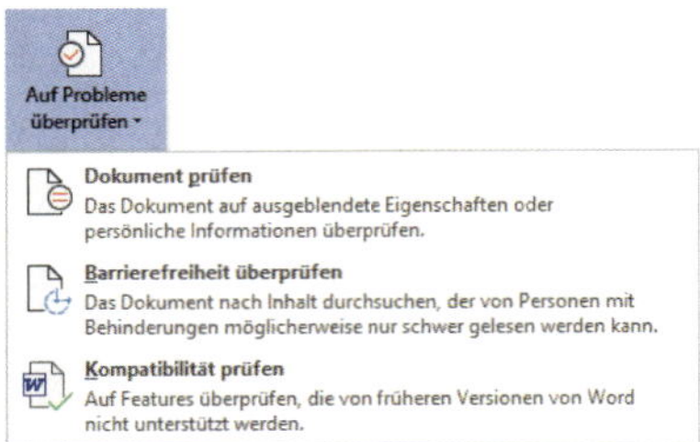

- DATEI – INFORMATIONEN – AUF PROBLEME ÜBERPRÜFEN – DOKUMENT PRÜFEN
- Auswählen, welche Eigenschaften geprüft werden sollen – PRÜFEN
- Bevor Sie die versteckten Informationen entfernen, die das Prüfungsergebnis anzeigt, beachten Sie, dass manche Änderungen nicht rückgängig gemacht werden können!
- ALLE ENTFERNEN – ERNEUT PRÜFEN

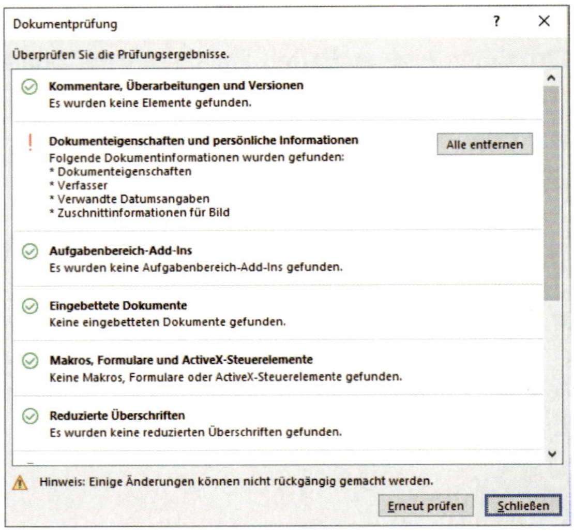

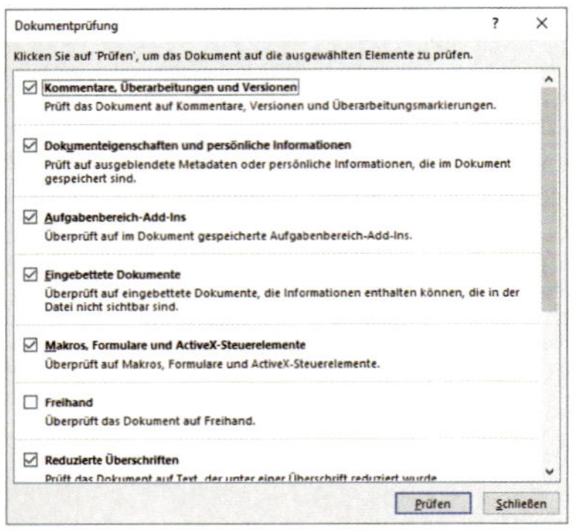

AutoKorrektur – Ausnahmenliste

Um die Vorteile der AutoKorrektur, z. B. die Korrektur von zwei Großbuchstaben am Wortanfang, zu nutzen, aber bei manchen Wörtern diese AutoKorrektur zu verhindern, legen Sie eine Liste von Ausnahmen fest, die in Ihrem Benutzerprofil gespeichert werden. Die Ausnahmenliste wird von allen OFFICE-Programmen übernommen.

- DATEI – OPTIONEN – WORD-OPTIONEN – DOKUMENTPRÜFUNG – AUTOKORREKTUR-OPTIONEN...
- AUTOKORREKTUR – AUSNAHMEN... – ERSTER BUCHSTABE, WORTANFANG GROSS oder ANDERE
- NICHT KORRIGIEREN-Wörter, die mit zwei Großbuchstaben beginnen und nicht korrigiert werden sollen, z. B. USt, in das Textfeld schreiben – HINZUFÜGEN

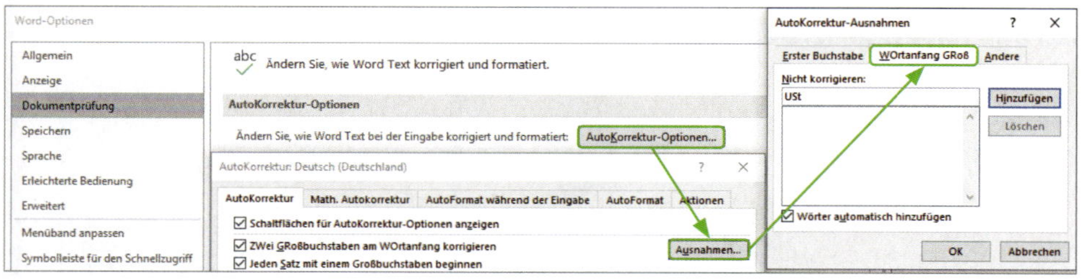

Neues Benutzerwörterbuch anlegen und aktivieren

Für Texte, die fachspezifische Begriffe enthalten, können Sie zusätzlich zum Standardwörterbuch Benutzerwörterbücher anlegen.

- Datei – Optionen – Word-Optionen – Dokumentprüfung
- Benutzerwörterbücher... – Custom.dic – Neu...
- Dateinamen für das Benutzerwörterbuch eingeben – Speichern

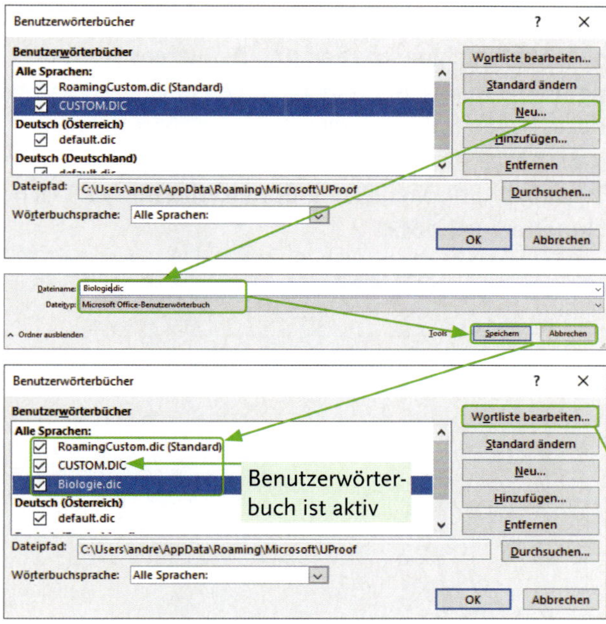

WORD verwendet zur Rechtschreibprüfung das **Standardwörterbuch** der von Ihnen gewählten Sprache. Wollen Sie zur Prüfung zusätzlich ein **Benutzerwörterbuch** verwenden, müssen Sie es aktivieren über Datei – Optionen – Word-Optionen – Dokumentprüfung – Benutzerwörterbücher – Kontrollkästchen vor dem Wörterbuch aktivieren.

Textdesign

Benutzerwörterbuch-Wortliste bearbeiten (Wörter hinzufügen oder löschen)

- Datei – Optionen – Word-Optionen – Dokumentprüfung
- Benutzerwörterbücher... – Wörterbuch auswählen – Wortliste bearbeiten...
- Oder das neue gespeicherte Benutzerwörterbuch markieren – Wortliste bearbeiten ...
- Wort/Wörter Hinzufügen bzw. Wörter in der Wörterbuchliste markieren und Löschen oder Alle löschen

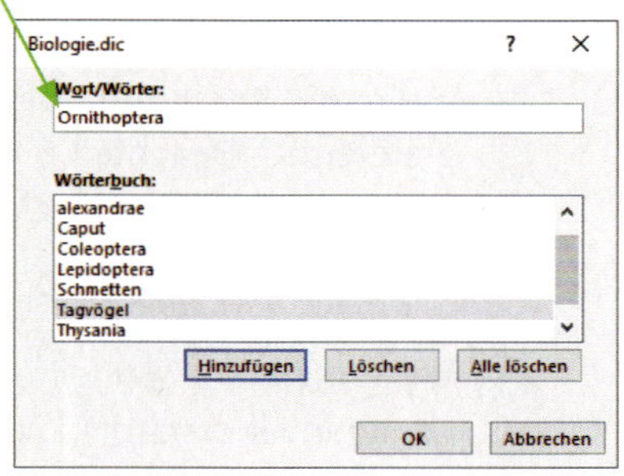

Übungen

1. Dokumenteigenschaften

a) Nennen Sie mindestens drei Standard-Dokumenteigenschaften, deren Inhalt Sie ändern können.

b) Nennen Sie mindestens drei Dokumenteigenschaften, die von WORD automatisch aktualisiert werden.

2. Vorlage mit Dokumenteigenschaften und Inhaltssteuerelementen

a) Öffnen Sie das Dokument **Vorlage_u.docx** oder erstellen Sie ein neues Dokument auf Basis der WORD-Vorlage Visitenkarte (Bambus).

b) Speichern Sie die Datei unter **Vorlage1.docx.**

c) Ändern Sie in den Dokumenteigenschaften Relevante Personen den Namen des Autors auf Ihren Namen. Ergänzen Sie in den vorgegebenen Feldern in der Visitenkarte die Daten Telefonnummer, E-Mail- und Internetadresse.

3. Dokument mit benutzerdefinierten Dokumenteigenschaften und Benutzerwörterbuch

a) Öffnen Sie das Dokument **Schmetterling1.docx.** Schreiben Sie den abgebildeten Text ab **oder** kopieren Sie ihn aus der Datei **Schmetterling_u.docx.** Fügen Sie den Text ohne Formatierungen ein.

b) Erstellen Sie das neue Benutzerwörterbuch **Biologie.dic** und fügen Sie folgende Begriffe hinzu: »Coleoptera, Lepidoptera, Tagvögel, Caput, Thysania, Agrippina, Ornithoptera, alexandrae, Tischeriidae, Schmetten«.

c) Speichern Sie die Datei unter **Schmetterling2.docx.**

d) Aktivieren Sie für das Dokument **Schmetterling2.docx** das neu erstellte Wörterbuch.

e) Führen Sie die Rechtschreibprüfung durch und aktivieren Sie die automatische Silbentrennung.

f) Öffnen Sie den Dokumentbereich mit den Dokumenteigenschaften und ergänzen Sie folgende Eigenschaften: Autor: Fügen Sie Ihren Namen ein, Titel »Schmetterlinge«, Kategorie »Biologiereferat«. Beachten Sie die Änderung auf dem Deckblatt, passen Sie bei Bedarf die Schriftgröße an.

g) Weisen Sie die Schnellformatvorlagen Überschrift 1, Überschrift 2 und Intensives Zitat wie in der Lösung abgebildet zu.

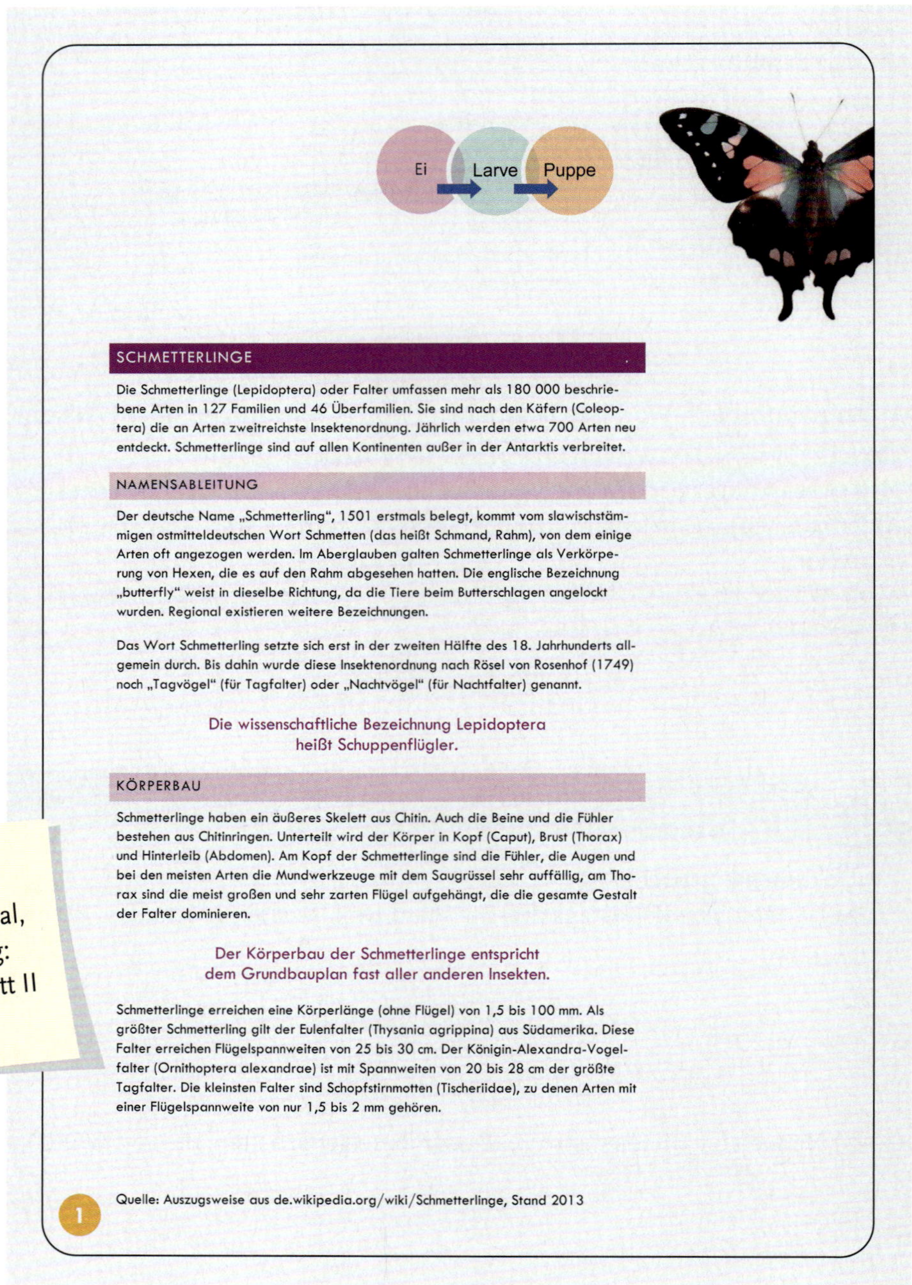

SCHMETTERLINGE

Die Schmetterlinge (Lepidoptera) oder Falter umfassen mehr als 180 000 beschriebene Arten in 127 Familien und 46 Überfamilien. Sie sind nach den Käfern (Coleoptera) die an Arten zweitreichste Insektenordnung. Jährlich werden etwa 700 Arten neu entdeckt. Schmetterlinge sind auf allen Kontinenten außer in der Antarktis verbreitet.

NAMENSABLEITUNG

Der deutsche Name „Schmetterling", 1501 erstmals belegt, kommt vom slawischstämmigen ostmitteldeutschen Wort Schmetten (das heißt Schmand, Rahm), von dem einige Arten oft angezogen werden. Im Aberglauben galten Schmetterlinge als Verkörperung von Hexen, die es auf den Rahm abgesehen hatten. Die englische Bezeichnung „butterfly" weist in dieselbe Richtung, da die Tiere beim Butterschlagen angelockt wurden. Regional existieren weitere Bezeichnungen.

Das Wort Schmetterling setzte sich erst in der zweiten Hälfte des 18. Jahrhunderts allgemein durch. Bis dahin wurde diese Insektenordnung nach Rösel von Rosenhof (1749) noch „Tagvögel" (für Tagfalter) oder „Nachtvögel" (für Nachtfalter) genannt.

Die wissenschaftliche Bezeichnung Lepidoptera heißt Schuppenflügler.

KÖRPERBAU

Schmetterlinge haben ein äußeres Skelett aus Chitin. Auch die Beine und die Fühler bestehen aus Chitinringen. Unterteilt wird der Körper in Kopf (Caput), Brust (Thorax) und Hinterleib (Abdomen). Am Kopf der Schmetterlinge sind die Fühler, die Augen und bei den meisten Arten die Mundwerkzeuge mit dem Saugrüssel sehr auffällig, am Thorax sind die meist großen und sehr zarten Flügel aufgehängt, die die gesamte Gestalt der Falter dominieren.

Der Körperbau der Schmetterlinge entspricht dem Grundbauplan fast aller anderen Insekten.

Schmetterlinge erreichen eine Körperlänge (ohne Flügel) von 1,5 bis 100 mm. Als größter Schmetterling gilt der Eulenfalter (Thysania agrippina) aus Südamerika. Diese Falter erreichen Flügelspannweiten von 25 bis 30 cm. Der Königin-Alexandra-Vogelfalter (Ornithoptera alexandrae) ist mit Spannweiten von 20 bis 28 cm der größte Tagfalter. Die kleinsten Falter sind Schopfstirnmotten (Tischeriidae), zu denen Arten mit einer Flügelspannweite von nur 1,5 bis 2 mm gehören.

Quelle: Auszugsweise aus de.wikipedia.org/wiki/Schmetterlinge, Stand 2013

1

Die Lösungsabbildung wurde im Design Integral, Dokumentformatierung: Schattiert, Farben: Violett II erstellt

4.2 Schnellbausteine – Felder

Felder werden als Platzhalter für variable Daten in einem Dokument verwendet. Sie werden häufig automatisch durch bestimmte Befehle eingefügt, wie z. B. Seitenzahlen, können aber auch aus einer Liste von Feldern mit individuell wählbaren Optionen eingefügt werden.

Feldschattierung anzeigen

Um problemlos erkennen zu können, wo sich in einem Dokument Felder befinden, aktivieren Sie die Feldschattierung.

- DATEI – OPTIONEN – WORD-OPTIONEN – ERWEITERT
- DOKUMENTINHALT ANZEIGEN – FELDSCHATTIERUNG – IMMER bzw. WENN AUSGEWÄHLT

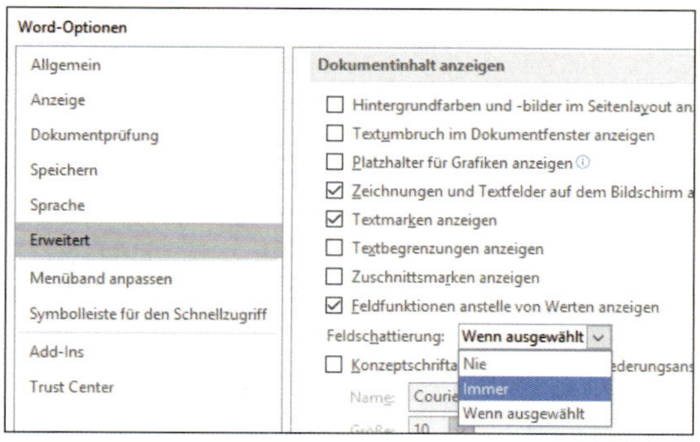

Feldfunktion anzeigen bzw. drucken

Normalerweise wird nur das Ergebnis des Feldes, z. B. die Seitenzahl, angezeigt. Sie können die Feldfunktion im Dokument auch anzeigen oder drucken über:

- DATEI – OPTIONEN – WORD-OPTIONEN – ERWEITERT
- DOKUMENTINHALT ANZEIGEN – FELDFUNKTIONEN ANSTELLE VON WERTEN ANZEIGEN

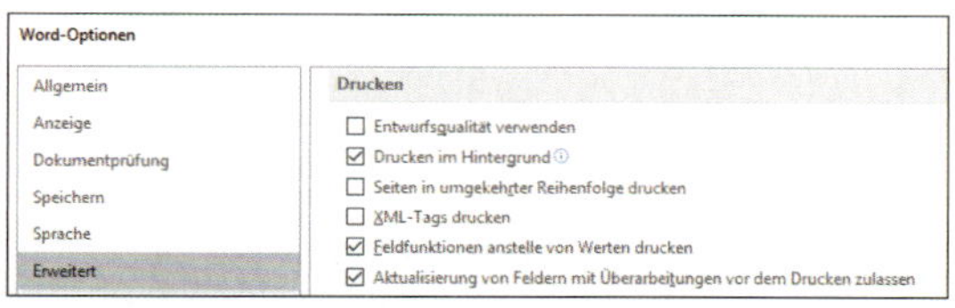

- Oder DRUCKEN – FELDFUNKTIONEN ANSTELLE VON WERTEN DRUCKEN

4.2.1 Feld einfügen, Feldeigenschaften und Optionen auswählen

- Einfügemarke an die gewünschte Stelle im Dokument
- EINFÜGEN – TEXT – SCHNELLBAUSTEINE – FELD...
- KATEGORIE – FELDNAMEN – Feld mit passenden FELDEIGENSCHAFTEN wählen, z. B. Feld ERSTELLUNGSDATUM (Create Date) mit einem passenden Datumsformat oder Feld VERKNÜPFUNG mit einer Formatvorlage (StyleRef), die Sie aus der Liste der vorhandenen Formatvorlagen auswählen
- Für manche Felder sind OPTIONEN wählbar, z. B. Feld DATEINAME mit der Option PFAD

Der SCHNELLBAUSTEINKATALOG ist ein Katalog, in dem **wiederverwendbare Inhalte** erstellt, gespeichert und gesucht werden können (Felder, AutoText sowie Dokumenteigenschaften).

Felder haben Sie bisher meist verwendet, ohne sich dessen bewusst zu sein. WORD fügt automatisch Felder ein, wenn Sie bestimmte Befehle verwenden, z. B. beim Einfügen einer Seitenzahl oder eines Deckblatts oder beim Nummerieren von Listen.

Feldschattierung und Feldfunktion einer Seitenzahl in der Fußzeile:

{PAGE···*·MERGEFORMAT}¤

Feldschattierung und Feldfunktion eines automatisch aktualisierbaren Datums in der Form: Freitag, 10. Februar ....

{ TIME \@ "yyyy-MM-dd" }

Eine interaktive Abbildung dazu finden Sie in der TRAUNER-DigiBox.

Textdesign

Feld Erstellungsdatum (Create Date)

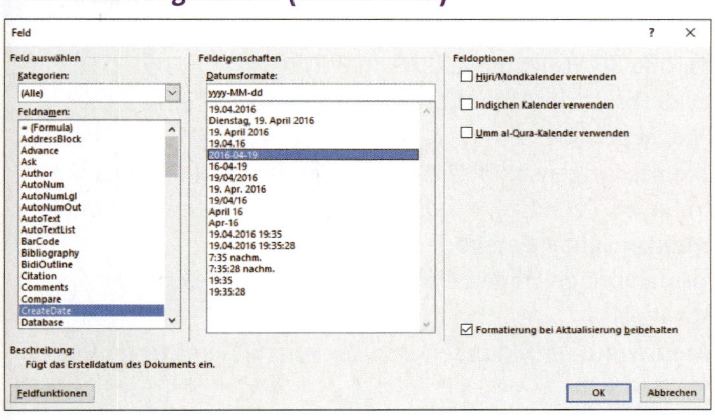

Feld Verknüpfung mit einer Formatvorlage (StyleRef)

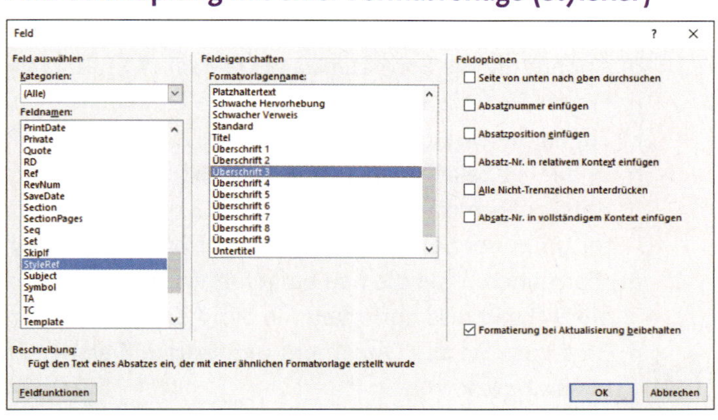

Feld Dateiname mit Pfad (Filename, Spezifische Schalter, Pfad hinzufügen)

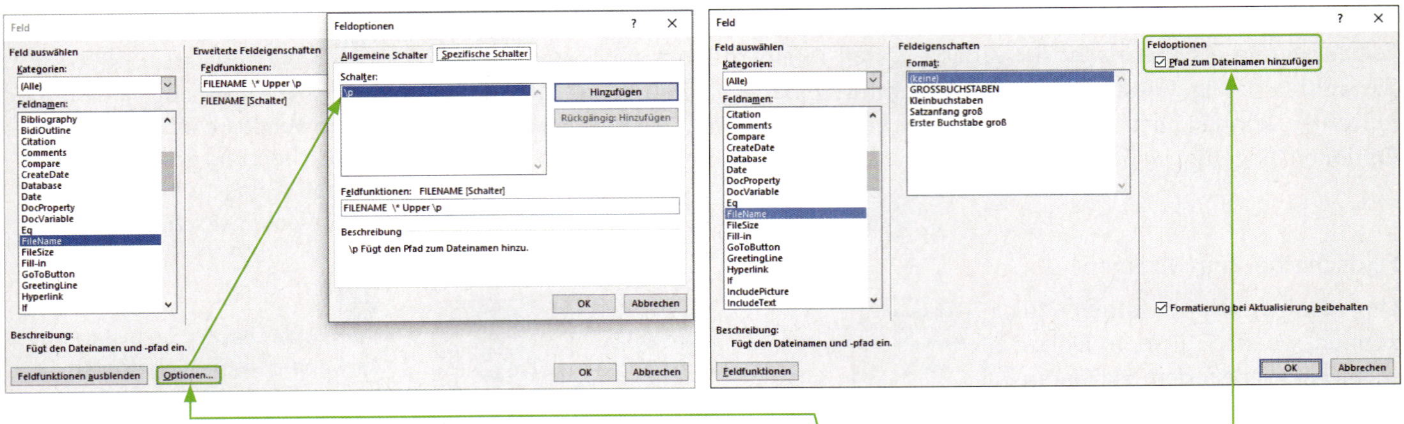

Eine interaktive Abbildung dazu finden Sie in der TRAUNER-DigiBox.

Unabhängig davon, ob Sie die Optionen über die FELDOPTIONEN oder über die Schaltfläche FELDFUNKTIONEN – OPTIONEN – SPEZIFISCHE SCHALTER wählen, wird das Feldergebnis auf die gleiche Art angezeigt.

4.2.2 Feld aktualisieren

Beim Öffnen der Datei werden Felder automatisch aktualisiert, wenn diese Option gewählt wurde. Sie können die Felder auch während der Arbeit im Dokument aktualisieren.

- Kontextmenü – FELDER AKTUALISIEREN
- Oder Klick in das Feld – F9-Taste

Übung

Dokumenteigenschaften und Feld einfügen

a) Öffnen Sie das Dokument **Eierspeise_u.docx.** Der Lösungsvorschlag ist im Design Facette, Dokumentformatierung Schattiert erstellt worden.
b) Speichern Sie das Dokument unter **Eierspeise1.docx.**
c) Ändern Sie im Design die Farben Akzent 1 und Akzent 2 auf passende gelbe Farbtöne und speichern Sie das neue Farbschema unter **Eierspeise.**
d) Ändern Sie den Inhalt folgender Dokumenteigenschaften: Titel „Eierspeisen“, Autor „Vorname Nachname“, Kategorie „Einfache Rezepte“.
e) Weisen Sie sowohl für die Kopfzeile als auch für die Fußzeile die Vorlage Rückblick zu. Ändern Sie bei Bedarf die Schriftfarbe auf Text 1.
f) Wählen Sie in der Kopfzeile das aktuelle Datum aus. Ändern Sie bei Bedarf in den Entwicklertools das Datumsformat. Ändern Sie bei Bedarf die Schriftfarbe auf Text 1.
g) Formatieren Sie den vorhandenen Text mit den Formatvorlagen Titel, Überschrift 1 und Überschrift 3.
h) Ändern Sie die Formatvorlage Titel auf Schriftgröße 72 Punkt, erweitert um 5 Punkt. Wählen Sie einen passenden Schatten.
i) Ändern Sie die Formatvorlage Überschrift 1 auf Schriftgröße 36 Punkt, erweitert um 6 Punkt.
j) Fügen Sie linke Einzüge 5 cm sowie Onlinebilder mit Bildrahmen in Akzentfarbe 1 wie abgebildet ein.
k) Fügen Sie eine Linie in Akzentfarbe 1, Stärke 6 Punkt, wie abgebildet ein.
l) In die Fußzeile fügen Sie linksbündig unterhalb der Dokumenteigenschaft Autor das Feld StyleRef ein, das Sie mit der Formatvorlage Überschrift 2 verknüpfen. Fügen Sie in die Fußzeile außerdem an einem rechten Tabulator unter der Seitennummer ausgerichtet die Dokumenteigenschaft Kategorie ein.
m) Formatieren Sie die neu eingefügten Felder mit der Formatvorlage Überschrift 3, ändern Sie die Schriftgröße auf 9 Punkt und entfernen Sie den Abstand vor dem Absatz.
n) Ergänzen Sie das Dokument um weitere Eierspeisenrezepte und Abbildungen und speichern Sie es unter **Eierspeise2.docx.**

EIERSPEISEN 27. DEZEMBER 2019

EIERSPEISEN

Unter Eierspeisen versteht man im deutschen Sprachraum Gerichte, die überwiegend aus Hühnereiern hergestellt werden. In Österreich bezeichnet man üblicherweise Rühreier als Eierspeise.

EIERSPEISENREZEPTE

ÖSTERREICHISCHE EIERSPEISE (RÜHREIER)

Eier aufschlagen, salzen, in der heißen Pfanne stocken lassen. Nach Geschmack mit Speck, Zwiebel, Käse oder Kräutern variieren.

OMELETTE

Eier leicht aufschlagen, mit Salz und Pfeffer würzen, je nach Rezept weitere Zutaten wie Zwiebel, Gemüse, Pilze, Käse, Speck, Schinken, Wurst, Krabben, Muscheln oder Fisch hinzufügen. Die Masse in eine heiße befettete Pfanne geben, langsam etwas umrühren und dann ohne Wenden fertig backen. Die Omelette schmeckt am besten, wenn die Oberseite noch glänzend und saftig ist.

PALATSCHINKEN

Eier mit Milch, Mehl und einer Prise Salz mit dem Schneebesen oder dem Mixer in einer Schüssel verrühren, bis eine glatte, flüssige Teigmasse entsteht. In eine Pfanne mit wenig heißem Öl mit einem Schöpflöffel so viel Teig gießen, dass der Boden bedeckt ist. Wenn sie auf einer Seite leicht angebräunt ist, die Palatschinke umdrehen. Noch heiß mit Marmelade füllen und mit Staubzucker bestreuen.

VORNAME NACHNAME 1

EIERSPEISENREZEPTE

4.3 Schnellbausteine – AutoText

Als AutoText werden wiederverwendbare Inhalte (Texte, Tabellen und Grafiken) bezeichnet, die mit ihrer Zeichen- und Absatzformatierung unter einer Kurzbezeichnung gespeichert werden und auf die Sie über diese Kurzbezeichnung wiederholt zugreifen können.

AutoText-Einträge beschleunigen den betrieblichen Schriftverkehr erheblich, da regelmäßig anfallende Texte bzw. Textteile nur einmal formuliert, formatiert und gespeichert werden müssen und dann immer wieder verwendet werden können.

Im betrieblichen Schriftverkehr werden Schnellbausteine/AutoText-Einträge im Rahmen der **Bausteinkorrespondenz** und als Hilfsmittel für die Einhaltung des Corporate Designs sehr häufig verwendet.

Regeln für das Erstellen eines AutoText-Katalogs

- Verwenden Sie bewährte Formulierungen aus vorhandener (gesammelter) Korrespondenz.
- Achten Sie beim Mischen der Bausteine darauf, holprige Stellen zu vermeiden und nicht mehrere Absätze mit dem gleichen Wort beginnen zu lassen.
- Prüfen Sie die Rechtschreibung und die Grammatik.
- Bei fremdsprachigen Bausteinen wird die Verwendung an passender Stelle erleichtert, wenn in der Beschreibung der Inhalt auf Deutsch erklärt wird.

Beispiele für Schnellbaustein-AutoText-Einträge
Firmen- oder Produktnamen, Firmenlogo, Hinweise auf allgemeine Geschäftsbedingungen, regelmäßig anfallende Textpassagen

4.3.1 AutoText erstellen

- Textteil, der als Schnellbaustein gespeichert werden soll, markieren
- Einfügen – Text – Schnellbausteine – AutoText

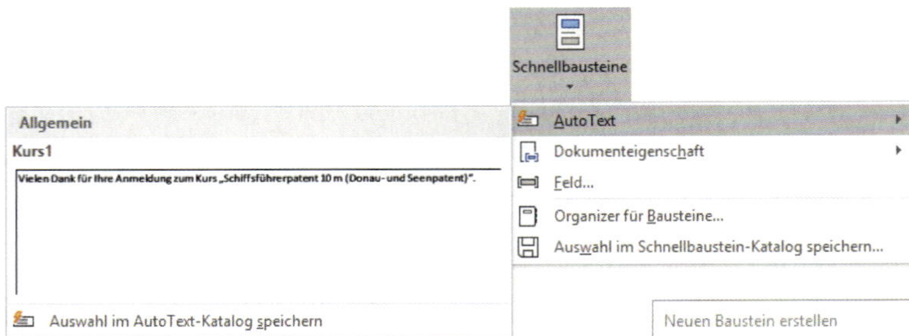

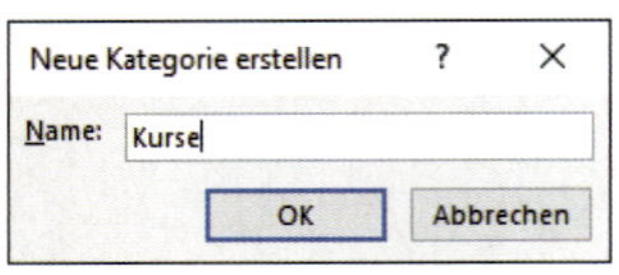

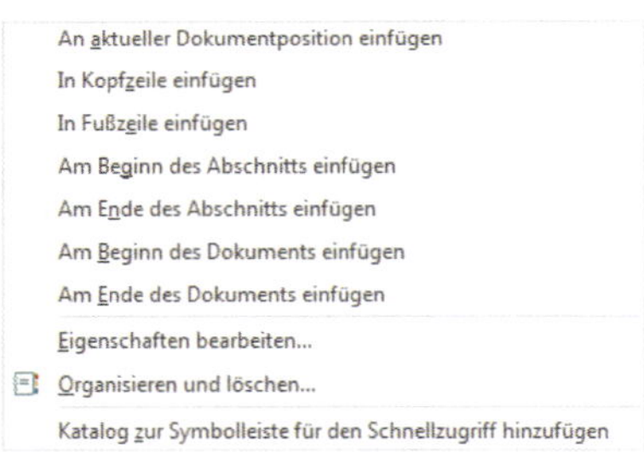

- Auswahl im AutoText-Katalog speichern bzw. Auswahl im Schnellbaustein-Katalog speichern... fügt den Text in den Katalog: AutoText bzw. Schnellbaustein wahlweise in die **Normal.dotm** oder in die Datei **Building Blocks.dotx** ein
- Neuen Baustein erstellen – Namen des Bausteins einfügen, Katalog auswählen und bei Bedarf eine Neue Kategorie erstellen... – Name der Kategorie festlegen – OK; passende Beschreibung eingeben – Speichern in: **Building Blocks.dotx** und Optionen auswählen

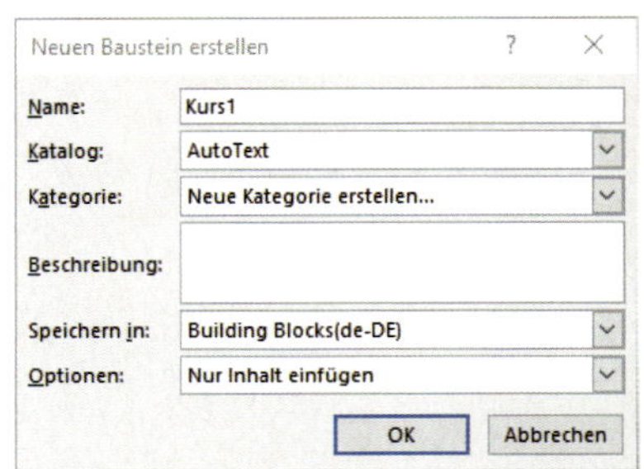

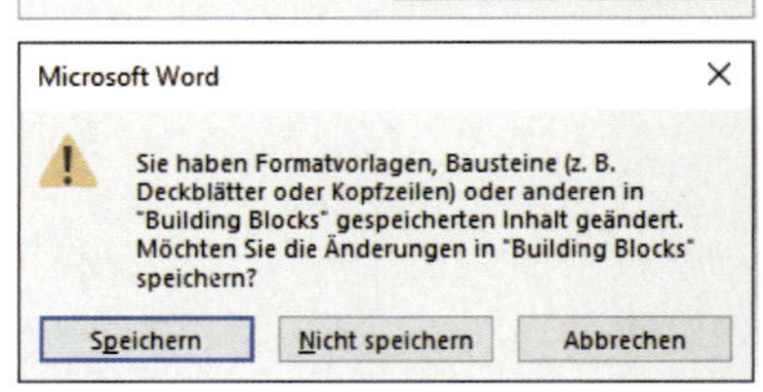

Speicherort für Schnellbausteine/AutoText-Einträge	
built-in building blocks.dotx	Enthält die von WORD vorgegebenen Schnellbausteine. In manchen Firmen werden Inhalte daraus oder die gesamte Datei entfernt und durch eine namensgleiche Datei ersetzt, die firmeneigene Bausteine enthält, die den Anforderungen des Corporate Designs entsprechen.
Normal.dotm	WORD speichert die Bausteine als Bestandteil der **Normal.dotm.** Wenn die **Normal.dotm** umbenannt, beschädigt oder verschoben wird, wird beim nächsten Aufrufen von WORD automatisch eine neue Version (mit den ursprünglichen Standardeinstellungen) erstellt. Die benutzerdefinierten Bausteine gehen dann verloren.

BuildingBlocks.dotx	Ist ein benutzerdefinierter Speicherort für alle Bausteine, auf dem die Vorlagen immer zur Verfügung stehen. Beim Speichern des Dokuments erscheint daher eine Aufforderung zum Speichern in den **Building Blocks.dotx.**

4.3.2 AutoText verwenden

- Einfügemarke an die Stelle setzen, wo der AutoText/Schnellbaustein eingefügt werden soll
- Namen des Bausteins schreiben und F3-Taste drücken
- Oder Einfügen – Text – Schnellbaustein – AutoText und/oder Kategorie auswählen – AutoText/Schnellbaustein aus der Liste auswählen
- Oder im Kontextmenü auswählen, an welcher Stelle des Dokuments Sie den AutoText/Schnellbaustein einfügen möchten

4.3.3 AutoText löschen, organisieren und ändern

- Einfügen – Text – Schnellbaustein – AutoText – bei Bedarf Kategorie auswählen – AutoText aus der Liste auswählen
- Im Kontextmenü Organisieren und Löschen... – im Organizer für Bausteine AutoText markieren und Löschen
- Oder Eigenschaften bearbeiten... – Baustein ändern und Änderungen in den Feldern Name, Kategorie, Katalog, Beschreibung etc. vornehmen
- Oder Inhalt des eingefügten AutoText-Eintrags korrigieren – markieren – Einfügen – Text – Schnellbaustein – AutoText – Auswahl im AutoText-Katalog speichern oder Auswahl im Schnellbaustein-Katalog speichern... wählen (gleichen Namen, Katalog, Kategorie und Speicherort wählen wie für den ursprünglichen AutoText-Eintrag)

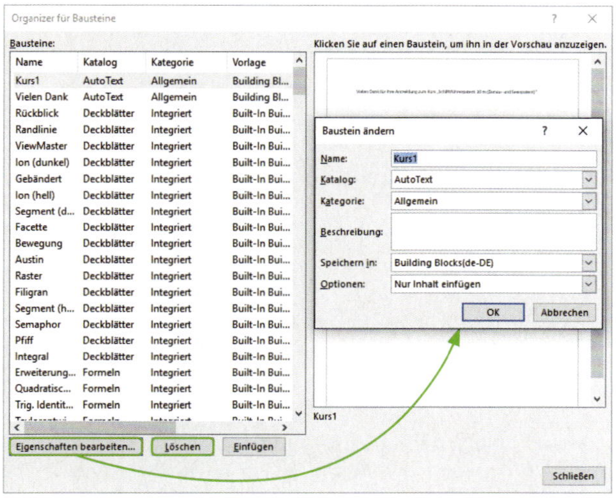

- Frage Möchten Sie den Eintrag für den Baustein neu definieren? mit Ja beantworten

4.4 Alle Schnellbausteine organisieren

Im Organizer für Bausteine befinden sich alle Schnellbausteine, wie Deckblätter, Fußzeilen, Kopfzeilen, Seitenzahlen, Textfelder, Wasserzeichen und die von Ihnen angelegten Schnellbaustein/AutoText-Einträge.

- Einfügen – Text – Schnellbausteine – Organizer für Bausteine...
- Durch Klick auf die Spaltenköpfe können Schnellbausteine sortiert werden
- Durch Markieren und Löschen können sie gelöscht werden

Übung

AutoText-Einträge anlegen und Brief aus AutoText-Einträgen erstellen

a) Schreiben und formatieren Sie die unten stehenden AutoText-Einträge mit passenden Aufzählungszeichen in passender Schriftart in einem neuen Dokument oder öffnen Sie die Datei **Kursangebot_u.docx.**

b) Legen Sie die AutoText-Einträge in einer neuen Kategorie »Kurse« unter den links in der Angabe angeführten Namen in der Datei **Building Blocks.dotx** an.

c) Öffnen Sie das Dokument **Kursangebot1.docx** oder gestalten Sie den abgebildeten Briefkopf in einem neuen Dokument mit passenden Formatierungen.

d) Speichern Sie das Dokument unter **Kursangebot2.docx.**

e) Erstellen Sie mit den AutoText-Einträgen einen Antwortbrief in Schriftgröße 11 Punkt auf die Kursanmeldung von Herrn Mag. Konrad Winter, Semmelweisstraße 14, 4061 Pasching, vom 20. d. M. mit dem Betreff »Auftragsbestätigung« und den AutoText-Einträgen Kurs1, Ausbild2, Ausbild6, Team1, Schluss2.

Motorbootschule Martin Fichtenbauer

Motorbootschule Martin Fichtenbauer | Niederschrems 179 | 3943 SCHREMS | ÖSTERREICH/AUSTRIA
E-Mail: martin@motorboot-schule.at | Internet: www.motorbootschule.at | Mobil-Tel.: 0664 111 81 76

Kurs1	Vielen Dank für Ihre Anmeldung zum Kurs „Schiffsführerpatent 10 m (Donau- und Seenpatent)“.
Kurs2	Vielen Dank für Ihre Anmeldung zum Kurs „Kroatisches Küstenpatent“.
Kurs3	Vielen Dank für Ihre Anmeldung zum Kurs „Internationales Küstenpatent MSVÖ FB1“.
Kurs4	Vielen Dank für Ihre Anmeldung zum Kurs „Sportbootführerschein“.
Ausbild1	Damit Sie die Kursorte schnell und mit wenig Aufwand erreichen können, haben wir für Sie mehrere Standorte zur Auswahl.
Ausbild2	Folgende Orte stehen für Ihre Ausbildung zur Auswahl:
Ausbild3	Der von Ihnen gewählte Kurs findet in Linz statt.
Ausbild4	Der von Ihnen gewählte Kurs findet in Tulln statt.
Ausbild5	Der von Ihnen gewählte Kurs findet in Schlögen statt.
Ausbild6	≈ Tulln ≈ Linz ≈ Schlögen
Ausbild7	≈ Tulln ≈ Schlögen
Ausbild8	≈ Tulln ≈ Linz
Team1	Je nach Anzahl der Kursteilnehmer sind bis zu acht Personen von unserem bewährten Team für Sie an den Ausbildungsstätten vor Ort, um den Kurs für Sie so angenehm wie möglich zu gestalten. Sollten noch weitere Fragen zum Kurs bestehen, steht unser Team für Auskünfte telefonisch unter der Nummer 0664 111 11 71 zur Verfügung.
Schluss1	Nach Überweisung der Kursgebühr erhalten Sie die Unterlagen zur Vorbereitung auf den Kurs innerhalb einer Woche. Mit uns wird jede Landratte zum Seebären. Freundliche Grüße Martin Fichtenbauer
Schluss2	Danke für die Überweisung der Kursgebühr, die bereits auf unser Konto eingegangen ist. Die Unterlagen zur Vorbereitung auf den Kurs werden in den nächsten Tagen bei Ihnen per Post eintreffen. Mit uns wird jede Landratte zum Seebären. Freundliche Grüße Martin Fichtenbauer

Der Lösungsvorschlag wurde im Design Metropolitan erstellt.

Ziele erreicht? – „Dokumentorganisation“

KOMPETENZ-ERWERB

1. Dokument mit Benutzerwörterbuch, Dokumenteigenschaften und Feldern mit Optionen

a) Öffnen Sie das Dokument **Football_u.docx.** Fügen Sie am Ende des Textes einen Seitenumbruch ein und ergänzen Sie den abgebildeten Text. Führen Sie noch keine weiteren Formatierungen durch. Der Lösungsvorschlag wurde im Design Katalog, Dokumentformatierung Linien einfach erstellt.
b) Speichern Sie das Dokument unter **Football1.docx.**
c) Erstellen Sie das neue Benutzerwörterbuch „Sport“ und fügen Sie folgende Begriffe hinzu: »Offense, Passing, Rushing, Running, Touchdown, Goalposts, Goalline, Downs, Scrum, Tackle«.
d) Aktivieren Sie für das Dokument das neu erstellte Wörterbuch.
e) Ändern Sie den Inhalt der Dokumenteigenschaften: Autor „Vorname Nachname“, Titel „Ballsportarten“, Kategorie „Sport“.
f) Weisen Sie die Kopfzeile Facette gerade Seite zu.
g) Formatieren Sie den vorhandenen Text mit den Formatvorlagen Titel, Überschrift 1 und Überschrift 2, wie in der Abbildung bzw. in Klammern angeführt (löschen Sie die Hinweise in Klammern anschließend).
h) Aktivieren Sie die automatische Silbentrennung.
i) In der Kopfzeile richten Sie am Zentriertabstopp die Dokumenteigenschaft Titel und am rechten Tabstopp die Dokumenteigenschaft Kategorie aus. Formatieren Sie den Text mit Schriftfarbe Akzent 1.
j) Fügen Sie in die Fußzeile linksbündig das Feld Dateiname mit dem Dateipfad ein und verkleinern Sie die Schrift auf 8 Punkt.
k) Am rechten Tabstopp ausgerichtet fügen Sie in die Fußzeile die Dokumenteigenschaft Autor ein. Formatieren Sie den Namen mit der Schriftfarbe Weiß und einer Schattierung in der Farbe Akzent 1.
l) Fügen Sie in die Fußzeile ein Textfeld Facette Randleiste rechts ein und entfernen sie das Randleistentextfeld.
m) Fügen Sie in die Fußzeile links ein Textfeld mit einem Feld StyleRef, das Sie mit der Formatvorlage Titel verknüpfen, ein. Formatieren Sie das Textfeld mit der Textausrichtung wie abgebildet, Schriftgröße 20 Punkt, Schriftfarbe Akzent 1.

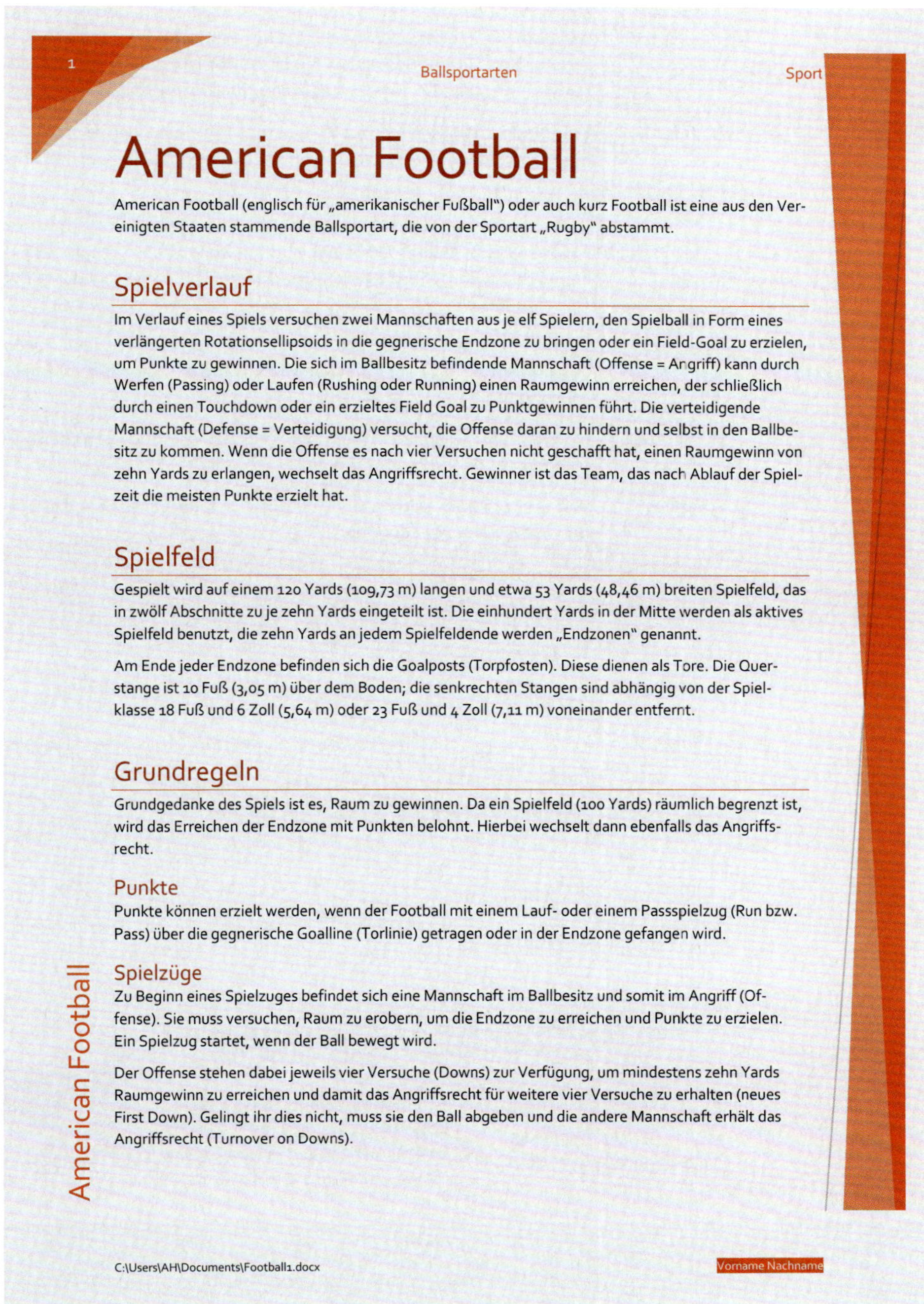

1 Ballsportarten Sport

American Football

American Football (englisch für „amerikanischer Fußball“) oder auch kurz Football ist eine aus den Vereinigten Staaten stammende Ballsportart, die von der Sportart „Rugby“ abstammt.

Spielverlauf

Im Verlauf eines Spiels versuchen zwei Mannschaften aus je elf Spielern, den Spielball in Form eines verlängerten Rotationsellipsoids in die gegnerische Endzone zu bringen oder ein Field-Goal zu erzielen, um Punkte zu gewinnen. Die sich im Ballbesitz befindende Mannschaft (Offense = Angriff) kann durch Werfen (Passing) oder Laufen (Rushing oder Running) einen Raumgewinn erreichen, der schließlich durch einen Touchdown oder ein erzieltes Field Goal zu Punktgewinnen führt. Die verteidigende Mannschaft (Defense = Verteidigung) versucht, die Offense daran zu hindern und selbst in den Ballbesitz zu kommen. Wenn die Offense es nach vier Versuchen nicht geschafft hat, einen Raumgewinn von zehn Yards zu erlangen, wechselt das Angriffsrecht. Gewinner ist das Team, das nach Ablauf der Spielzeit die meisten Punkte erzielt hat.

Spielfeld

Gespielt wird auf einem 120 Yards (109,73 m) langen und etwa 53 Yards (48,46 m) breiten Spielfeld, das in zwölf Abschnitte zu je zehn Yards eingeteilt ist. Die einhundert Yards in der Mitte werden als aktives Spielfeld benutzt, die zehn Yards an jedem Spielfeldende werden „Endzonen“ genannt.

Am Ende jeder Endzone befinden sich die Goalposts (Torpfosten). Diese dienen als Tore. Die Querstange ist 10 Fuß (3,05 m) über dem Boden; die senkrechten Stangen sind abhängig von der Spielklasse 18 Fuß und 6 Zoll (5,64 m) oder 23 Fuß und 4 Zoll (7,11 m) voneinander entfernt.

Grundregeln

Grundgedanke des Spiels ist es, Raum zu gewinnen. Da ein Spielfeld (100 Yards) räumlich begrenzt ist, wird das Erreichen der Endzone mit Punkten belohnt. Hierbei wechselt dann ebenfalls das Angriffsrecht.

Punkte

Punkte können erzielt werden, wenn der Football mit einem Lauf- oder einem Passspielzug (Run bzw. Pass) über die gegnerische Goalline (Torlinie) getragen oder in der Endzone gefangen wird.

Spielzüge

Zu Beginn eines Spielzuges befindet sich eine Mannschaft im Ballbesitz und somit im Angriff (Offense). Sie muss versuchen, Raum zu erobern, um die Endzone zu erreichen und Punkte zu erzielen. Ein Spielzug startet, wenn der Ball bewegt wird.

Der Offense stehen dabei jeweils vier Versuche (Downs) zur Verfügung, um mindestens zehn Yards Raumgewinn zu erreichen und damit das Angriffsrecht für weitere vier Versuche zu erhalten (neues First Down). Gelingt ihr dies nicht, muss sie den Ball abgeben und die andere Mannschaft erhält das Angriffsrecht (Turnover on Downs).

American Football

C:\Users\AH\Documents\Football1.docx Vorname Nachname

2. AutoText-Einträge definieren, organisieren und verwenden

a) Schreiben und formatieren Sie die unten stehenden AutoText-Einträge mit Aufzählungszeichen, in passender Schriftart in einem neuen Dokument oder öffnen Sie die Datei **Fischzucht_u.docx.**

b) Legen Sie die AutoText-Einträge in einer neuen Kategorie »Besatz« unter den links in der Angabe angeführten Namen in der Datei **Building Blocks.dotx** an.

c) Öffnen Sie das Dokument **Fischzucht1.docx** oder gestalten Sie den abgebildeten Briefkopf mit einem Onlinebild in einem neuen Dokument mit ansprechenden Formatierungen. Beachten Sie die Bildrechte.

d) Speichern Sie das Dokument unter **Fischzucht2.docx.**

e) Erstellen Sie mit den AutoText-Einträgen einen Antwortbrief auf die Anfrage des Gasthofs „Zur Fischerklause", Frau Susanne Mayer, Marktplatz 20, 4144 Oberkappel, vom 15. d. M. mit dem Betreff »Angebot – Besatzfische« und den AutoText-Einträgen „Bestell1, Liefer3, Entladen, Schluss1".

Bestell1 — Danke für Ihre Anfrage. Im beiliegenden Folder erhalten Sie einen Überblick über unser Angebot an Besatzfischen nach Fischart, Stückgewicht/Größe, Preis und Verfügbarkeit. Bitte geben Sie bei Bestellung die im Folder angeführte Bestellnummer, den gewünschten Liefertermin, die Art der Lieferung, die Lieferadresse und die gewünschte Menge an.

Bestell2 — Danke für Ihre Anfrage. Im beiliegenden Folder erhalten Sie einen Überblick über unser Angebot an Speisefischen nach Fischart, Stückgewicht/Größe, Preis und Verfügbarkeit. Bitte geben Sie bei Bestellung die im Folder angeführte Bestellnummer, den gewünschten Liefertermin, die Art der Lieferung, die Lieferadresse und die gewünschte Menge an.

Liefer1 — Bei forellenartigen Fischen muss eine dreitägige Ausnüchterungszeit (keine Fütterung der Fische) eingehalten werden, bevor die Fische verladen werden können.

Liefer2 — Die Verladung erfolgt mit modernen Maschinen und sehr fischschonend. Wird der Transport mit unseren Fahrzeugen durchgeführt, tragen wir das Transportrisiko. Die Lkws verfügen außerdem über GPS, mehr als 25 Meter Rohre und Planen für die problemlose Entladung auch bei entlegenen Gewässern. Die Abholung durch Ihre Fahrzeuge ist ebenfalls möglich.

Liefer3 — Kleinere Mengen als 100 kg sind bei Selbstabholung lieferbar oder wenn sie als Teil einer größeren Lieferung zu einem von uns festgelegten Liefertermin verladen und geliefert werden.

Entladen — Nach Ankunft wird, wenn nötig, ein Wasserwechsel durchgeführt. Die Entladung erfolgt schonend mit Rohren oder Planen.

Schluss1 — Wir sind natürlich auch in der Zeit nach dem Besatz für Sie da, beantworten gerne Fragen und geben Anregungen.

Freundliche Grüße

Erwin Willinger

Beilage

Schluss2 — Wir freuen uns auf Ihre Bestellung und hoffen, Sie mit der Qualität unserer Speisefische zu überzeugen.

Freundliche Grüße

Erwin Willinger

Beilage

Der Lösungsvorschlag wurde im Design Tropfen erstellt.

Fischzucht Willinger

Steyrer Straße 33
4522 SIERNING
ÖSTERREICH/AUSTRIA

Tel.: +43 7252 71 51 72-0
Fax: +43 7252 71 51 72-50
E-Mail: office@willinger-fisch.at
Web: www.willinger-fisch.at

Einen interaktiven **Safety-Check** finden Sie in der TRAUNER-DigiBox.

5 Formulare gestalten

Sarahs Klassenvorstand möchte für alle Schülerinnen und Schüler ein einheitliches Entschuldigungsformular verwenden. Da Sarah besonders gut in WORD arbeitet, bittet er sie es zu entwerfen.

Meine Ziele

Nach Bearbeitung dieses Kapitels kann ich
- Formulare in WORD erstellen;
- Inhaltssteuerelemente einfügen und deren Einstellungen anpassen;
- Formulare in Abschnitte unterteilen und schützen;
- PDF-Formulare erzeugen.

In WORD können Formulare erstellt werden, die händisch bzw. elektronisch ausgefüllt und als Ausdruck, per Fax oder als E-Mail versandt werden können. WORD-Formulare können als Vorlage abgespeichert werden, um immer wieder verwendet werden zu können.

Ein **Formular** ist ein Vordruck zur Beantwortung von Fragen bzw. für bestimmte Angaben.

Beispiele für Formulare
Anmeldeformulare, amtliche Formulare, Kontaktformulare, Reservierungen, Anfragen, Fragebögen, Bewerbungsformulare ...

Textdesign

5.1 WORD-Formulare erstellen

In WORD können Sie aus vorhanden Formular-Vorlagen wählen und diese anpassen. Sie haben aber auch die Möglichkeit, eigene, individuelle Formulare zu erstellen.

Formulare-Vorlagen in WORD suchen
- DATEI – NEU
- Im SUCHFELD »Formular« eingeben
- Gewünschte Vorlage auswählen

Formulare gestalten

Formulare sollen ohne weitere Erklärung ausfüllbar sein. Das bedeutet, dass sie übersichtlich aufgebaut und gestaltet werden müssen. Texte im Formular sollen
- klar gegliedert sein,
- aus kurzen/aussagekräftigen Sätzen bestehen und
- leicht verständlich sein.

Jedes Formular hat zudem einen Formularkopf und eine Fußzeile:
- Der Formularkopf beinhaltet Angaben zum Unternehmen bzw. zum Anbieter des Formulars (Bezeichnung, Logo, Kontaktdaten ...).
- Die Fußzeile weist eine Kennung der Formularanbieterin/des Formularanbieters und eine Seitennummerierung auf.

5.1.1 Menüband anpassen

Damit in WORD Formulare erstellt werden können, muss die Registerkarte ENTWICKLERTOOLS eingeblendet werden. Dafür müssen Sie das Menüband anpassen:

- DATEI – OPTIONEN – MENÜBAND ANPASSEN
- MENÜBAND ANPASSEN
- Kontrollkästchen ENTWICKLERTOOLS auswählen

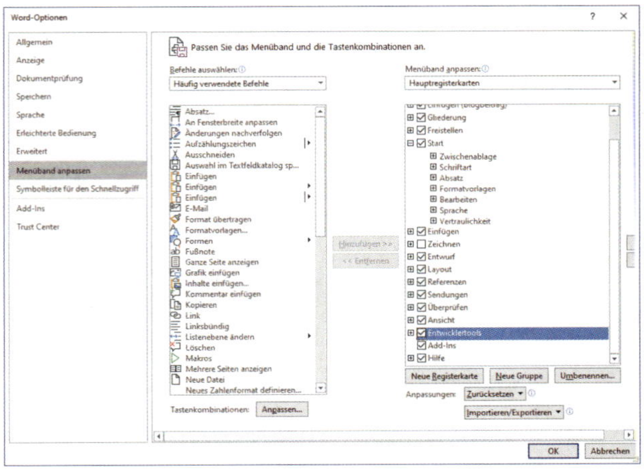

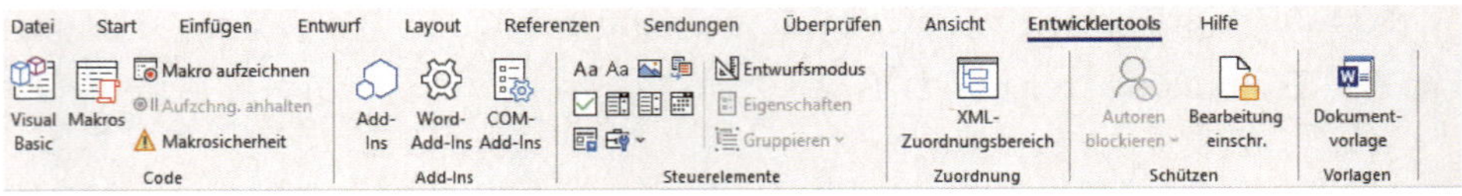

5.1.2 Steuerelemente einfügen

Steuerelement einfügen
- Einfügemarke im Dokument platzieren
- ENTWICKLERTOOLS – STEUERELEMENTE – Symbol anklicken

In das WORD-Formular können verschiedene Inhaltssteuerelemente eingefügt werden. Die Benutzerinnen/Benutzer werden danach an diesen Stellen dazu aufgefordert, das Formular auszufüllen (durch Texteingabe, ankreuzen, auswählen von Elementen ...).

Folgende Steuerelemente stehen in den Entwicklertools zur Auswahl:

Symbol	Bezeichnung	Verwendung
Aa	RICH-TEXT-INHALTSSTEUERELEMENT	Für Texteingabe über mehrere Absätze, Text kann fett oder kursiv formatiert werden
Aa	NUR-TEXT-INHALTSSTEUERELEMENT	Für die Eingabe von Text ohne Formatierung
	BILDINHALTSSTEUERELEMENT	Um ein Bild einzufügen (z. B. Logo)
	BAUSTEINKATALOG-INHALTSSTEUERELEMENT	Auswahl aus den Schnellbausteinen möglich (für einen bestimmten Textblock)
	KONTROLLKÄSTCHEN-STEUERELEMENT	Zum Ankreuzen – Mehrfachauswahl möglich (digital oder per Hand)
	KOMBINATIONSFELD-INHALTSSTEUERELEMENT	Auswahl von einer bereitgestellten Liste – wie ein Drop-down-Menü
	DROPDOWNLISTEN-INHALTSSTEUERELEMENT	Auswahl von einer Liste, es bestehen Auswahlmöglichkeiten
	DATUMSAUSWAHL-INHALTSSTEUERELEMENT	Datum aus dem digitalen Kalender auswählen
	INHALTSSTEUERELEMENT FÜR WIEDERHOLTE ABSCHNITTE	Um Abschnitte zu erstellen, die beliebig häufig wiederholt werden können
	VORVERSIONSTOOLS	Verschiedene Inhaltssteuerelemente aus Vorversionen von WORD

5.1.3 Eigenschaften von Steuerelementen

Für jedes eingefügte Steuerelement können Eigenschaften festgelegt und geändert werden. Darüber hinaus können verschiedene Formate eingestellt werden (z. B. Datumsformat, Titel, Sperrung, Formatvorlage zuweisen, Dropdown-Inhalte hinzufügen ...).

- Symbol anklicken
- STEUERELEMENTE – EIGENSCHAFTEN – das Dialogfeld EIGENSCHAFTEN VON INHALTSSTEUERELEMENTEN öffnet sich
- Hier können Sie je nach Steuerelement unterschiedliche Einstellungen vornehmen

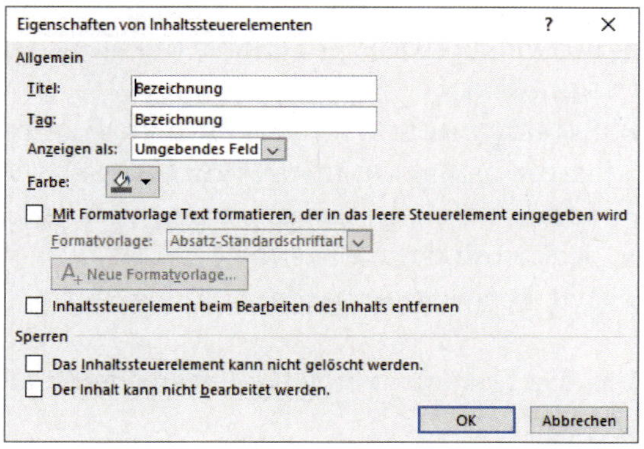

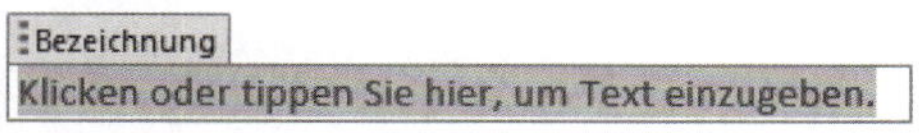

Inhaltssteuerelemente können mit Daten aus einer Datenbank verknüpft werden.

Inhaltssteuerelement löschen: Kontextmenü – INHALTSSTEUERELEMENT ENTFERNEN

Aha!

Der Vorgabetext »Klicken oder tippen Sie hier, um Text einzugeben.« kann im ENTWURFSMODUS geändert und formatiert werden. Damit können Sie der Benutzerin/dem Benutzer das Bearbeiten des Formulars erleichtern.

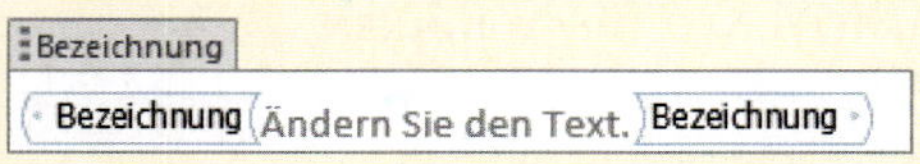

5.1.4 Formular schützen und anwenden

Wenn Formulare elektronisch zur Verfügung gestellt werden, kann es sinnvoll sein, diese zu schützen.

Formularfelder sperren

Ist das Formular fertig erstellt, können die Formularfelder gesperrt werden. Das bedeutet, dass sie nicht mehr geändert werden können. Die Benutzerinnen/Benutzer können die Formularfelder ausfüllen, aber keine Steuerelemente und deren Eigenschaften verändern.

- Markieren der Steuerelemente, für die eine Einschränkung vorgenommen werden soll
- ENTWICKLERTOOLS – STEUERELEMENTE – GRUPPIEREN – GRUPPIEREN
- ENTWICKLERTOOLS – STEUERELEMENTE – EIGENSCHAFTEN
- SPERREN
- Kontrollkästchen DAS INHALTSSTEUERELEMENT KANN NICHT GELÖSCHT WERDEN aktivieren
- Kontrollkästchen DER INHALT KANN NICHT BEARBEITET WERDEN aktivieren

Die Ausfüller eines Formulars sollen **nur** ausfüllen dürfen, ohne das Formular ändern zu können.

Worauf es bei der Erstellung eines sicheren Passwortes ankommt, haben Sie bereits im letzten Schuljahr gelernt.

Wenn Sie das Passwort vergessen, kann das Dokument nicht mehr bearbeitet werden.

Formular schützen

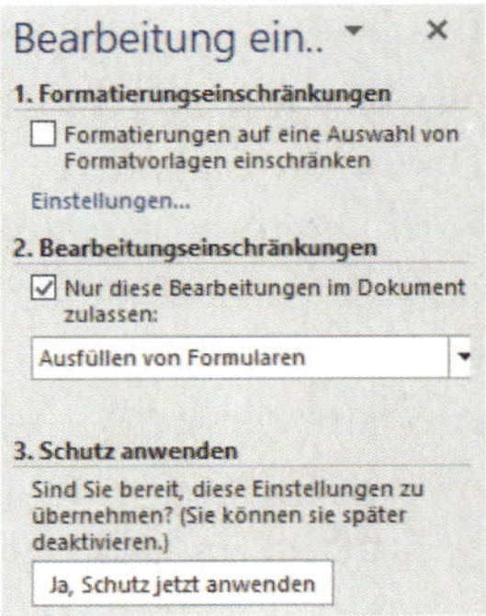

Um das Formular bzw. das Dokument vor Veränderungen zu schützen, kann die Bearbeitung des Dokuments eingeschränkt werden.

- Entwicklertools – Schützen – Bearbeitung einschränken
- Bearbeitungseinschränkungen: Nur diese Bearbeitungen im Dokument zulassen aktivieren – Option Ausfüllen von Formularen wählen
- Ja, Schutz jetzt anwenden
- Evtl. Kennwort eingeben

Um das Dokument erneut zu bearbeiten, muss der Dokumentschutz aufgehoben werden.

Formular in Abschnitte unterteilen

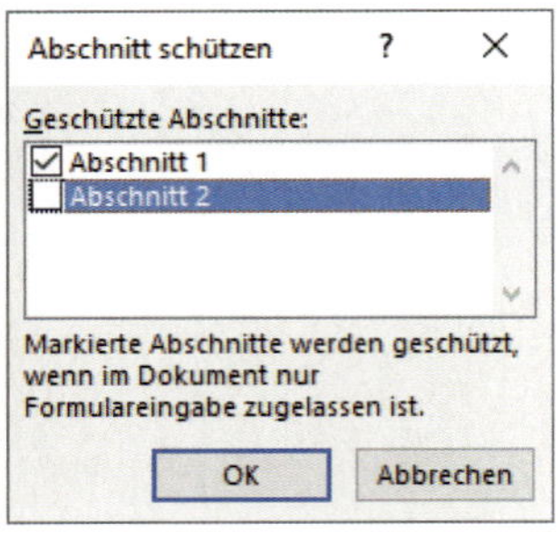

Wenn nur ein Teil des Dokuments geschützt werden soll, können Formulare in Abschnitte geteilt und nur einzelne Textteile gesperrt werden.

- Cursor positionieren
- Layout – Umbrüche – Abschnittsumbruch fortlaufend

Wenn das Dokument in die gewünschten Abschnitte unterteilt ist, kann das Formular bzw. der gewählte Abschnitt des Dokuments geschützt werden.

- Entwicklertools – Schützen – Bearbeitung einschränken
- Bearbeitungseinschränkungen – Abschnitte auswählen...
- Abschnitt deaktivieren, der nicht geschützt werden soll
- Ja, Schutz jetzt anwenden

Aha!
Speichern Sie das fertige Formular als Vorlage (*.dotx).

Formular ausfüllen

- Formularvorlage auswählen
- Formularfelder mit der Tab-Taste ansteuern
- Elemente auswählen bzw. Text eingeben
- Dokument speichern, ausdrucken, per E-Mail versenden ...

Übungen

1. Formular mit einer WORD-Vorlage erstellen

Ausgangssituation
Sie eröffnen in den nächsten Wochen ein neues Coffee4home-Geschäft und sind noch auf der Suche nach neuen Mitarbeiterinnen und Mitarbeitern. Für die ausgeschriebene Stelle haben sich einige Bewerberinnen und Bewerber gemeldet. Um bestmöglich auf die Gespräche vorbereitet zu sein, bereiten Sie sich ein Formular für die Vorstellungsgespräche vor, um alle notwendigen Informationen über die Personen schnellstmöglich notieren zu können.

a) Öffnen Sie ein neues Dokument und suchen Sie bei den OFFICE-Vorlagen nach einem passenden Formulare, das Sie adaptieren können (z. B. »Bewerberbewertung«). Speichern Sie die Datei unter **Bewertung2_v.dotx.**
b) Ändern und ergänzen Sie die Vorlage nach Ihren Vorstellungen und korrigieren Sie das Dokument nach den Richtlinien für den modernen Schriftverkehr.
c) Schützen Sie das Dokument, um bei den Vorstellungsgesprächen direkt am Computer Ihre Notizen machen zu können.
d) Vergessen Sie nicht, die geänderte Bewerberinnen-/Bewerber-Bewertung zu speichern.

2. WORD-Formular für Projekt erstellen

Ausgangssituation
In der Schule arbeiten Sie in einer Kleingruppe an einem Projekt. Damit die Übersicht bewahrt werden kann, erstellen Sie eine Aufgabenliste als Formular. Mit dieser Formular-Vorlage ermöglichen Sie jedem Mitglied Ihres Teams ein einfaches und schnelles Ausfüllen des Dokuments.

a) Öffnen Sie eine neue WORD-Datei und speichern Sie sie unter **Projekt1.docx.**
b) Gestalten Sie den Absender (evtl. Ihre eigene Schule, Übungsfirma ...) mit Textfeldern, Logos und wählen Sie ein passendes Design und passende Farben.
c) Fügen Sie folgende Steuerelemente ein, legen Sie deren Einstellungen fest und ändern Sie für jedes Steuerelement im Entwurfsmodus den gewünschten Text:

Projektname:	Nur-Text-Inhaltssteuerelement; Titel: Projektname Verbinden mit Formatvorlage Überschrift 1
Projektbeschreibung:	Rich-Text-Inhaltssteuerelement; Titel: Projektbeschreibung
Lehrer/in:	Dropdownlisten-Inhaltssteuerelement Fügen Sie in den Eigenschaften drei Professorinnen/Professoren zur Auswahl hinzu
Schüler/in:	Dropdownlisten-Inhaltssteuerelement Fügen Sie in den Eigenschaften drei Schüler/innen Ihres Teams zur Auswahl hinzu
Tabelle:	Aufgabe: Rich-Text-Inhaltssteuerelement; Fälligkeitsdatum: Datumsauswahl (dd.MM.yyyy) Erledigt: Kontrollkästchen (ja/nein); Initialen: Nur-Text-Inhaltssteuerelement
Abgabedatum:	Aktuelles Datum (d. MMMM yyyy)

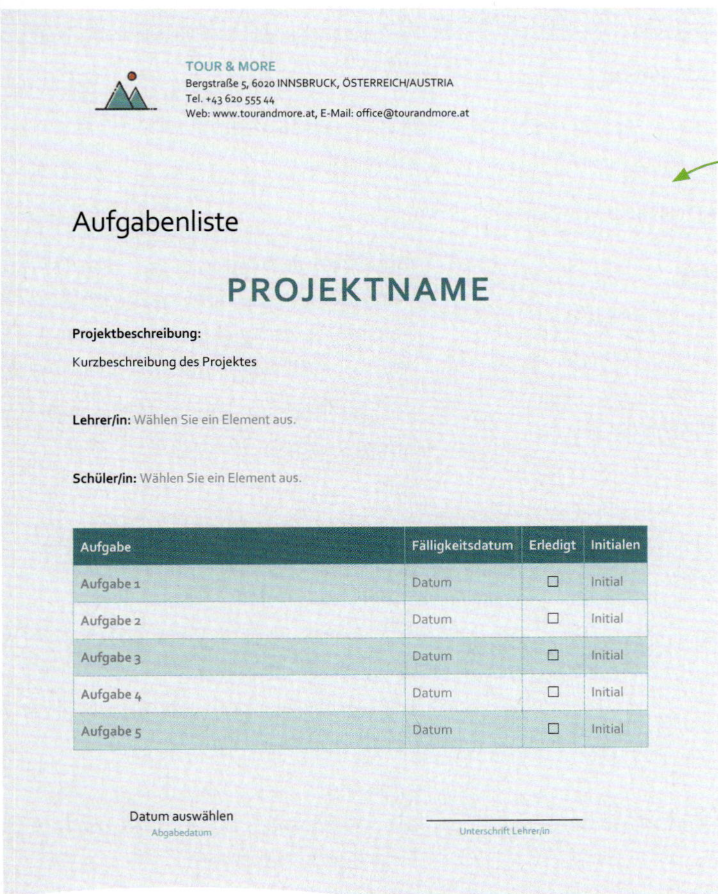
TOUR & MORE
Bergstraße 5, 6020 INNSBRUCK, ÖSTERREICH/AUSTRIA
Tel. +43 620 555 44
Web: www.tourandmore.at, E-Mail: office@tourandmore.at

Aufgabenliste

PROJEKTNAME

Projektbeschreibung:
Kurzbeschreibung des Projektes

Lehrer/in: Wählen Sie ein Element aus.

Schüler/in: Wählen Sie ein Element aus.

Aufgabe	Fälligkeitsdatum	Erledigt	Initialen
Aufgabe 1	Datum	☐	Initial
Aufgabe 2	Datum	☐	Initial
Aufgabe 3	Datum	☐	Initial
Aufgabe 4	Datum	☐	Initial
Aufgabe 5	Datum	☐	Initial

Datum auswählen
Abgabedatum

Unterschrift Lehrer/in

Lösungsvorschlag

d) Gestalten Sie eine Fußzeile mit Ihrem Namen und der Seitenangabe.
e) Schützen Sie das Formular und speichern Sie das Dokument als Vorlage **Projekt1_v.dotx.**
f) Verwenden Sie in einem neuen Dokument diese Vorlage und füllen Sie die Aufgabenliste mit möglichen Aufgaben aus.
g) Speichern nicht vergessen!

5.2 PDF-Formulare mit OPENOFFICE

Speichern Sie ein WORD-Formular als PDF ab, verliert das Formular seine interaktiven Elemente.

Eine kostenlose Möglichkeit, PDF-Formulare zu erzeugen, ist mit den Programmen OPENOFFICE und LIBREOFFICE möglich.

5.2.1 PDF-Formulare erstellen

Viele Unternehmen arbeiten mit ADOBE ACROBAT PRO. Mit diesem Programm können einfach und schnell PDF-Formulare erzeugt werden, allerdings ist das Programm kostenpflichtig.

Das Programm OPENOFFICE WRITER ist dem Programm OFFICE 365 sehr ähnlich. Folgende Grundeinstellungen müssen eingestellt sein, damit Formulare erzeugt werden können:

- Öffnen Sie OPENOFFICE
- DATEI – NEU – XML-FORMULARDOKUMENT
- ANSICHT – SYMBOLLEISTEN – FORMULAR-STEUERELEMENTE
- In der Symbolleiste ENTWURFSMODUS aktivieren

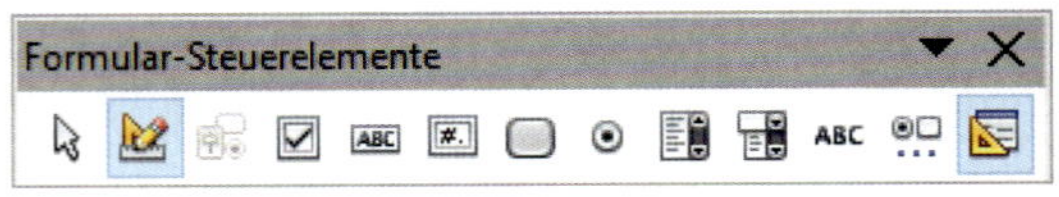

Tipp!
Gestalten Sie das Formular vorab in WORD, öffnen Sie die Datei mit OPENOFFICE und fügen Sie die Formular-Steuerelemente ein!

Symbol	Bezeichnung	Anwendung
	AUSWAHL	
	ENTWURFSMODUS AN/AUS	Aktivieren, um ein Formular erstellen zu können
	KONTROLLFELD	
	MARKIERFELD	Kästchen zum Ankreuzen, kann wahlweise freigelassen werden, mehrere Kästchen können gleichzeitig angekreuzt werden (z. B. mehrere Aussagen können richtig sein ...)
ABC	TEXTFELD	Für die Texteingabe (z. B. Anmerkungen, Erklärungen ...)
#.	FORMATIERTES FELD	Zahlenwert eintragbar, der vordefinierten Regeln unterliegt (z. B. Ziffern von 10 – 20)
	SCHALTFLÄCHE	Button
	OPTIONSFELD	Für Multiple-Choice-Fragen, nur eines kann ausgewählt werden
	LISTENFELD	Für ein Drop-down-Menü mit einer Auswahl von Optionen
	KOMBINATIONSFELD	Gleich wie das Listenfeld, zusätzlich besteht die Möglichkeit als Nutzerin/Nutzer eigene Einträge zu erstellen
ABC	BESCHRIFTUNGSFELD	Beschreibungstext für interaktive Elemente
	WEITERE STEUERELEMENTE	Datums- und Zeitfeld, grafische Schaltfläche, Regler ...
	FORMULAR-ENTWURF	

Tipp!
Elemente können mit den vorgenommenen Eigenschaften kopiert und an anderen Stellen im Dokument platziert werden.

Um die interaktiven Elemente zu testen, müssen Sie den Entwurfsmodus ein- und ausschalten.

5.2.2 Eigenschaften von Formular-Steuerelementen

Nachdem Sie ein Formular-Steuerelement ausgewählt und eingefügt haben, können Sie dessen Eigenschaften anpassen.

- Doppelklick auf ein beliebiges Steuerelement
- Höhe und Breite des Eingabefeldes, Titel ... ändern

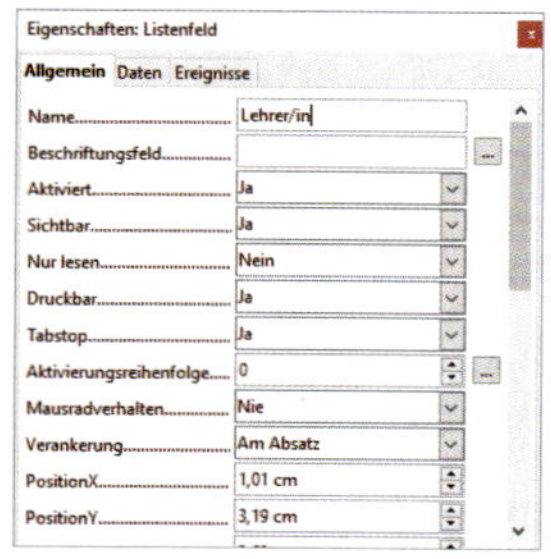

5.2.3 PDF-Datei erzeugen

Nach der Fertigstellung des Dokuments müssen Sie eine PDF-Datei erzeugen.

- DATEI – EXPORTIEREN ALS PDF

Formular kann in fast allen PDF-Readern geöffnet, ausgefüllt, ausgedruckt und abgespeichert werden.

Textdesign

Übung

- **PDF-Formular mit OPENOFFICE erstellen**

Ausgangssituation
In Ihrer Schule werden neue Schuloutfits bestellt. Ihre Lehrerin bittet Sie, ein Formular für die Bestellung zu erstellen, um die Abwicklung für die Schülerinnen und Schüler zu erleichtern. Die Kommunikation in der Schule funktioniert über E-Mail, daher entscheiden Sie sich, ein PDF-Formular zu erstellen.

a) Erstellen Sie in WORD OFFICE 365 bzw. in OPENOFFICE WRITER ein Grundgerüst für das Formular inkl. Kopf- und Fußzeile.
b) Fügen Sie folgende Formular-Steuerelemente ein und verwenden Sie Arial 10 Punkt für alle Formularfelder:

Schüler/in:	Textfeld; Standardtext: Bitte geben Sie Ihren Vor- und Nachnamen ein.
Klasse:	Kombinationsfeld; erstellen Sie die Einträge für Ihre Klassen an Ihrer Schule.
Volljährig:	Optionsfelder ja bzw. nein
Artikel-Nr.	Formatiertes Feld
Beschreibung:	Textfeld; Standardtext: Geben Sie eine kurze Beschreibung des Artikels ein.
Größe:	Kombinationsfeld; wählbar sind die Größen von XS bis XL
Menge:	Formatiertes Feld
Preis/Stk.:	Formatiertes Feld; Formatierung: Zahlenformat € #.##0,00
Gesamtpreis:	Formatiertes Feld; Formatierung: Zahlenformat € #.##0,00
Summe:	Formatiertes Feld; Formatierung: Zahlenformat € #.##0,00; Arial 12 Punkt, Schriftfarbe rot
Aktuelles Datum:	Datumsformat: dd/MM/yyyy

c) Speichern Sie die Datei unter **Bestellung1.odt.**
d) Exportieren Sie die Datei als PDF und speichern Sie unter **Bestellung2.pdf.**
e) Öffnen Sie die PDF-Datei und füllen Sie das Formular aus.

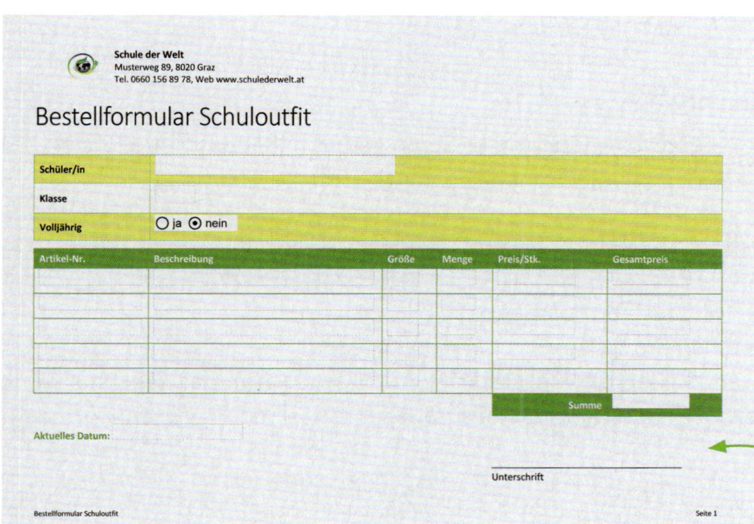

Schule der Welt
Musterweg 89, 8020 Graz
Tel. 0660 156 89 78, Web www.schulederwelt.at

Bestellformular Schuloutfit

Schüler/in	
Klasse	
Volljährig	○ ja ◉ nein

Artikel-Nr.	Beschreibung	Größe	Menge	Preis/Stk.	Gesamtpreis
				Summe	

Aktuelles Datum:

Unterschrift

Bestellformular Schuloutfit
Seite 1

Hinweis: Formularfelder können kopiert werden!

Lösungsvorschlag

5.3 Exkurs: MICROSOFT FORMS

MICROSOFT FORMS können Sie über Ihr MICROSOFT-Konto der Schule kostenlos anwenden. Es gibt auch noch andere Möglichkeiten, z. B. GOOGLE FORMS.

Wenn Sie Umfragen, Quizze und/oder Fragebögen erstellen und diese einfach und schnell auswerten wollen, dann können Sie unter anderem MICROSOFT FORMS verwenden.

MICROSOFT FORMS anwenden

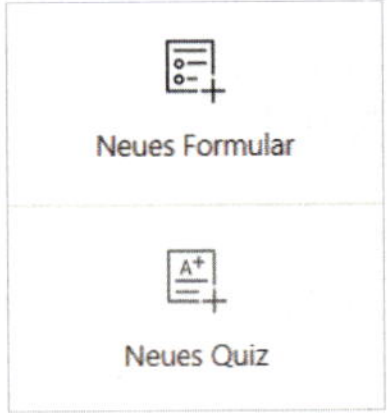

- Öffnen Sie einen Webbrowser und geben Sie die Adresse forms.office.com ein oder
- Melden Sie sich unter portal.office.com an und wählen Sie ALLE APPS – FORMS
- NEUES FORMULAR oder NEUES QUIZ wählen

Formulare erstellen

- NAMEN für das Formular wählen und evtl. einen Untertitel hinzufügen
- NEUE FRAGE HINZUFÜGEN

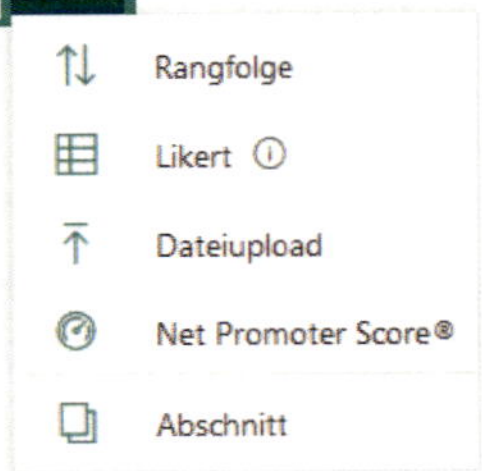

- Zur Auswahl stehen folgende Möglichkeiten:
  - AUSWAHL: Wenn nur eine Antwort möglich sein soll
  - TEXT: Ein freier Text kann eingegeben werden
  - BEWERTUNG: Mit Sternen oder Zahlen von 1 bis 5 bewerten
  - DATUM: Datumsangaben im Format dd.MM.yyyy
  - WEITERE FRAGETYPEN: Rangfolge, Likert (Messen von Einstellungen oder Meinungen) oder Net Promoter Score
- Klicken Sie auf VORSCHAU, um zu sehen, wie das Formular am COMPUTER bzw. am MOBILTELEFON dargestellt wird und klicken Sie auf ZURÜCK, wenn Sie die Vorschau des Formulars schließen möchten.
- Es stehen Ihnen unterschiedliche DESIGNS zur Verfügung
- Haben Sie Ihr Formular fertiggestellt, klicken Sie auf SENDEN, danach haben Sie mehrere Möglichkeiten zur Wahl:
  - LINK: Kopieren und z. B. per E-Mail senden
  - QR-CODE: Code kann mit einem Smartphone oder Tablet gescannt werden
  - EINBINDEN: Code kopieren und auf z. B. Websites einbinden
  - E-MAIL: Link kann direkt z. B. über OUTLOOK gesendet werden
  - FACEBOOK und TWITTER: Formular kann direkt auf FACEBOOK und TWITTER geteilt werden

Ändern Sie in den Einstellungen, dass bestimmte Fragen auch als erforderlich festgelegt werden bzw. Mehrfachauswahl zugelassen wird.

Alle, die den Link des Formulars bekommen, können das Formular beantworten.

Antworten prüfen

Nachdem Sie Ihr Formular mit anderen geteilt haben und Ihre Fragen beantwortet wurden, können Sie die Ergebnisse abrufen.

- Wählen Sie das Formular aus
- Oben sehen Sie die Anzahl der Antworten
- Wechseln Sie auf die Registerkarte ANTWORTEN, um das Ergebnis zu überprüfen
- ERGEBNISSE ANZEIGEN: Details zu jeder einzelnen Frage/Antwort werden angezeigt

Aha!
Sie bekommen die Ergebnisse sofort ausgewertet als Diagramm zur Verfügung gestellt bzw. Sie können die Ergebnisse in EXCEL öffnen und weiterbearbeiten.

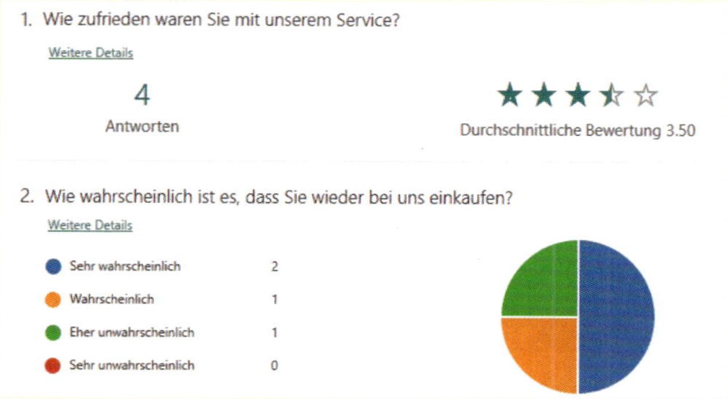

QUIZ erstellen

Mit MICROSOFT FORMS können Quizze mit Fragen und Punktevergaben erstellt werden. Die Erstellung von einem Quiz funktioniert gleich wie bei Formularen. Die Ergebnisse des Fragebogens können ebenso in MICROSOFT EXCEL exportiert werden.

Übungen

1. Fragebogen für eine Umfrage erstellen

Ausgangssituation
Sie sind Praktikant/in bei einem Start-up-Unternehmen, das vegane Kosmetikartikel anbietet. Sie bekommen den Auftrag, eine Umfrage über die Zufriedenheit der Kundinnen/Kunden zu erstellen. Ihr Chef betont bei der Auftragserteilung, dass eine gute Willkommensnachricht und eine Begrüßung die Umfrageteilnehmer/innen dazu ermutigen sollen, den Fragebogen vollständig auszufüllen. Versichern Sie den Teilnehmerinnen/Teilnehmern, dass die Umfrage anonym ist und die DSGVO eingehalten wird.

a) Folgende Fragestellungen haben Sie von Ihrem Chef vorgegeben bekommen. Damit die Umfrage auch aussagekräftig wird, überlegen Sie sich die passenden Antwortmöglichkeiten.
   - Wie wahrscheinlich ist es, dass Sie unsere Produkte an eine Freundin/einen Freund, eine Kollegin/einen Kollegen weiterempfehlen?
   - Wie zufrieden sind Sie generell mit unserem Unternehmen?
   - Welche Worte fallen Ihnen ein, wenn Sie an unsere Produkte denken? Qualitativ hochwertig, nützlich, einzigartig, preiswert, überteuert, minderwertig ...
   - Wie würden Sie die Qualität unserer Produkte beschreiben?

b) Überlegen Sie sich noch mindestens drei weitere Fragestellungen.

c) Teilen Sie den fertigen Fragebogen mit Ihrer Lehrkraft und diskutieren Sie gemeinsam Ihre Fragestellungen sowie Antwortmöglichkeiten.

2. Quiz erstellen
Sie haben in diesem Schuljahr in den unterschiedlichen Unterrichtsfächern schon viel gelernt. Um Ihr erlerntes Wissen überprüfen zu können, erstellen Sie ein Quiz mit mindestens acht Fragen zu einem Thema Ihrer Wahl. Auch Ihre Mitschüler/innen sollen von Ihrem Quiz profitieren, daher teilen Sie Ihren Fragebogen. Bitten Sie Ihre Mitschüler/innen, das Quiz gewissenhaft auszufüllen, und analysieren Sie die Ergebnisse.

Ziele erreicht? – „Formulare gestalten“

KOMPETENZ-ERWERB

1. Anmeldeformular erstellen – 30 min

Ausgangssituation
Ein guter Bekannter ist Leiter des Fitness-Studios „fit und aktiv“. Nächste Woche wird eine Neueröffnung gefeiert. Ihr Bekannter erhofft sich bei diesem Event viele neue Mitglieder. Er bittet Sie, ein Formular für die Anmeldung zu erstellen. Um den Mitarbeiterinnen und Mitarbeitern des Fitness-Studios ein rasches Anmelden zu ermöglichen, entscheiden Sie sich für ein WORD-Formular.

a) Recherchieren Sie im Internet, welche Informationen für eine Anmeldung notwendig sind.
b) Erstellen Sie ein passendes Formular mit Inhaltssteuerelementen.
c) Speichern Sie das Dokument als Vorlage unter **Fitness_v.dotx.**

fit & aktiv

Muskelstraße 10
7000 Eisenstadt
0664 500 50 50
office@fitaktiv.at
www.fitaktiv.at

Anmeldung - Mitgliedschaft

Nachname: Namen eingeben
Vorname: Vornamen eingeben
Geburtsdatum: Datum
Beruf: Beruf eingeben
Straße: Straße eingeben
Telefon: Telefonnummer.
PLZ und Wohnort: PLZ und Ort
E-Mail: E-Mail-Adressen eingeben.

Anmeldung am: Klicken oder tippen Sie, um ein Datum einzugeben.
Monatsbeitrag: Klicken oder tippen Sie hier, um Text einzugeben.
Trainingsbeginn am: Klicken oder tippen Sie, um ein Datum einzugeben.
Anmeldegebühr: Wählen Sie ein Element aus.

Dauer der Mitgliedschaft: Wählen Sie ein Element aus.
Getränkepauschale € 9,90/Monat
☐ ja
☐ nein

Abbuchung
☐ zum 1. des Monats
☐ zum 15. Des Monats

Aktuelles Datum, Ort
Unterschrift

Lösungsvorschlag

2. Anmeldeformular erstellen – 30 min

Ausgangssituation
Sie sind in einem Jugendverein tätig, welcher ständig wächst. Für die zukünftigen Mitglieder möchten Sie die Anmeldung in Ihrem Verein erleichtern und ein Formular auf die Website stellen. Damit dieses Formular online ausgefüllt werden kann, entscheiden Sie sich dafür, ein neues PDF-Formular zu erstellen.

a) Gestalten Sie ein optisch ansprechendes Formular mit allen wichtigen Inhalten und fügen Sie die passenden Formularfelder ein.
b) Speichern Sie das Formular unter **Anmeldung_v.dotx** und exportieren Sie die Datei als PDF **Anmeldung1.pdf.**

Einen interaktiven **Safety-Check** finden Sie in der TRAUNER-DigiBox.

III Präsentationssoftware

Präsentationssoftware

Ein Vortrag mit Bildern, Diagrammen, Fakten und Videos ist für die Zuhörerin/den Zuhörer wesentlich interessanter und effektiver, als ein reiner Vortrag ohne visuelle Hilfsmittel. Die Informationen werden viel besser aufgenommen und behalten. Eine gute Gliederung kann für die Vortragende/den Vortragenden auch ein guter Leitfaden durch die Präsentation sein. Deshalb sollten vorab wesentliche Punkte, die die Zielgruppe betreffen, überlegt werden.

FILM AB!

Sehen Sie sich als Einführung zum Kapitel Präsentationssoftware das Video unter www.trauner.at/aim_v10.aspx an.

1 Grundlagen

Sarah und ihre Freundin Leonie waren im Sommer auf Sprachreise in London. Neben dem Unterricht in der Sprachschule konnten sie viele Ausflüge in und um London erleben. Diese Eindrücke möchten sie nun nach ihrer Rückkehr mit ihren Freunden und Freundinnen teilen. Am besten wäre, eine Präsentation mit Bildern und Texten zu erstellen. Deshalb beschließen sie, sich die Präsentationssoftware POWERPOINT genauer anzusehen.

KOMPETENZ-ERWERB

Meine Ziele

Nach Bearbeitung dieses Kapitels kann ich
- den Aufbau einer Präsentation sowie deren Grundregeln erklären;
- die Elemente der POWERPOINT-Oberfläche benennen;
- Folien erstellen, deren Layout ändern und Objekte einfügen;
- eine Präsentation in verschiedenen Ansichtsarten darstellen;
- einer Präsentation ein Design zuweisen;
- einen Folienmaster erstellen und bearbeiten;
- eine Kopf- und Fußzeile erstellen;
- Folien mit einem Folienübergang und einer Animation versehen;
- Einstellungen für den Druck festlegen.

Ein Vortrag mit Bildern, Diagrammen, Videos und Tönen, ist für den Zuhörer bzw. die Zuhörerin wesentlich interessanter und effektiver, als ein reiner Vortrag ohne visuelle Hilfsmittel.

Wissenschaftliche Untersuchungen haben ergeben, dass wir
- 10 % von dem, was wir lesen
- 20 % von dem, was wir hören
- 30 % von dem, was wir sehen
- 50 % von dem, was wir hören **und** sehen

behalten.

Checkliste vor dem Beginn

Bevor Sie beginnen, eine Präsentation zu erstellen, überlegen Sie sich folgende Punkte:
- Welches Thema präsentiere ich?
- Wer ist meine Zielgruppe?
- Was möchte ich mit meiner Präsentation erreichen?
- Welche Punkte sind wesentlich?

Aufbau einer Präsentation

Teilen Sie Ihre Präsentation in drei Teile:
- Einleitung (Begrüßung, Vorstellung)
- Hauptteil (Informationen)
- Schluss (Wichtige Punkte wiederholen, Verabschiedung)

Die POWERPOINT-Präsentation soll Ihren Vortrag begleiten, ihn aber nicht ersetzen. Dazu gibt es die sogenannte KISS-Regel:

K.I.S.S. – keep it short and simple

Grundregeln und Grundsätze	
Design	Verwenden Sie ein passendes Layout für Ihre Präsentation. Texte in dunkler Schriftfarbe auf hellen Folien sind für die Zuhörer und Zuhörerinnen angenehmer zu lesen als Texte in heller Schriftfarbe auf dunklem Hintergrund. Achten Sie auf den Kontrast!
Schriftarten	Serifenlose Schriftarten sind besser lesbar als Serifenschriften. Verwenden Sie keine Zier- oder Schmuckschriften.
Schriftgröße	Wählen Sie für Überschriften einen größeren Schriftgrad als für den Text. Verwenden Sie eine Schriftgröße von mindestens 24 Punkt für den Text.
Weniger ist mehr	Schreiben Sie so wenig Text wie möglich, jedoch so viel wie nötig auf die Folie.
Ein Bild sagt mehr als tausend Worte	Dieses Sprichwort gilt auch für Präsentationen. Bilder bleiben besser in Erinnerung als reiner Text. Peppen Sie Ihre Präsentation mit Bildern auf.
Stichwörter bzw. Phrasen verwenden	Schreiben Sie keine vollständigen Sätze auf die Folie.
Animationen	Wenn Sie Animationen verwenden, setzen Sie sie gezielt ein.

Serifenlose Schriftarten: Calibri, Verdana, Tahoma, Century Gothic, Arial …

Serifenschriften: Bookman Old Style, Cambria, Times New Roman, Century Schoolbook …

Überprüfen Sie, ob Sie die passende Schriftgröße eingestellt haben, indem Sie die Präsentation via Beamer präsentieren. Stellen Sie sich in die letzte Reihe und kontrollieren Sie, ob die Texte gut lesbar sind.

Präsentationssoftware im Überblick

POWERPOINT	Ist im MICROSOFT-OFFICE-Paket enthalten. Die Software können Sie für WINDOWS- und APPLE-Computer verwenden.
KEYNOTE	Ist im MacAppStore erhältlich und kann nur auf APPLE-Computern installiert werden.
IMPRESS	Ist im OpenSource-Paket enthalten. Die Funktionen sind gegenüber POWERPOINT oder KEYNOTE stark eingeschränkt.
PREZI	Ist ein cloud-abhängiges, kostenloses Präsentationsprogramm. Es basiert auf der HTML5-Technologie.
ZOHO	Ist ein kostenloses Online-Präsentationsprogramm. Es bietet die Möglichkeit zum kollaborativen Arbeiten.
Google Präsentationen	Ist ein kostenloses Online-Präsentationsprogramm. Es bietet die Möglichkeit zum kollaborativen Arbeiten.
Weitere Cloud-Tools	Clearslide: www.clearslide.com Sway: https://sway.office.com, Emaze: www.emaze.com

PREZI
https://prezi.com

ZOHO
https://www.zoho.com

Google Österreich
https://docs.google.com/presentation

Präsentationssoftware

2 Präsentationssoftware POWERPOINT

Wenn Sie sich die Oberfläche ansehen, bemerken Sie, dass Sie vieles bereits aus WORD kennen.

Die **Dateiendung** von POWERPOINT lautet: ***.pptx.**

Begriffe rund um POWERPOINT	
Präsentation	Unter dem Begriff Präsentation versteht man die gesamte Datei mit allen Folien.
Folienmaster	Das ist die Vorlage für die Folie. Hier stellen Sie Schriftart, -farbe, -größe, Art des Aufzählungszeichens usw. ein. Diese Einstellungen werden automatisch auf allen Folien angewendet.

Folienlayout	POWERPOINT bietet viele verschiedene Gestaltungsvorschläge für Folien. Dies sind die sogenannten Layouts, die Sie auf den Folien anwenden.
Animation	Sie können die einzelnen Elemente der Folie animieren, d. h. beliebig erscheinen oder ausblenden lassen.
Folienübergang	Der Folienübergang regelt das Erscheinen der neuen Folie. Sie können verschiedene Einstellungen treffen, z. B. Wischen von rechts.

2.1 POWERPOINT-Oberfläche

Eine interaktive Abbildung finden Sie in der TRAUNER-DigiBox.

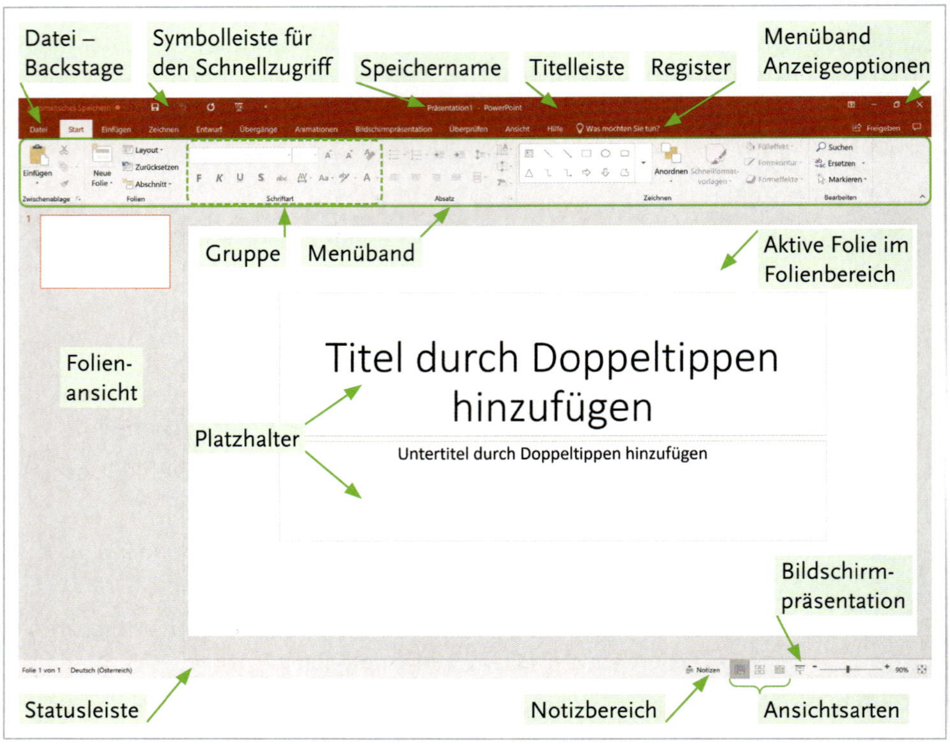

In der Folienansicht können Sie rasch zu einer anderen Folie navigieren.

Auf Bildschirmen mit Touchfunktion erscheint der Begriff DOPPELTIPPEN auf der Folie. Bei normalen Bildschirmen DOPPELKLICKEN.

2.2 Seite einrichten

- ENTWURF – ANPASSEN – FOLIENGRÖSSE
- BENUTZERDEFINIERTE FOLIENGRÖSSE

Hier legen Sie die Foliengröße sowie die Ausrichtung HOCHFORMAT oder QUERFORMAT für die Folien und die Handzettel fest.

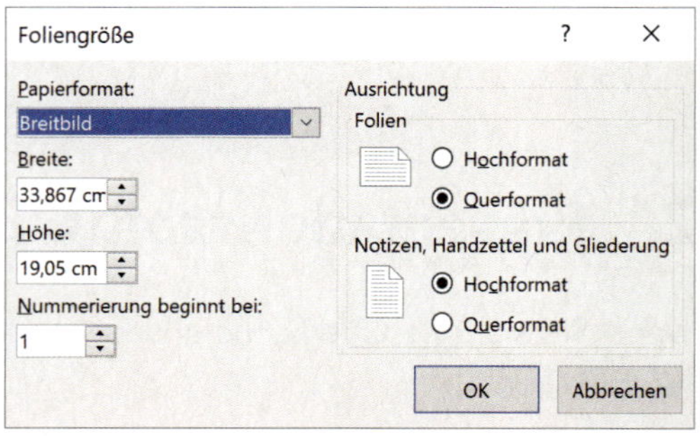

2.3 Neue Folien erstellen

Beim Öffnen einer neuen Präsentation wird automatisch die Titelfolie angezeigt.

Einfügen weiterer Folien
- START – FOLIEN – Listenfeld NEUE FOLIE
- Folienlayout durch Anklicken auswählen

Platzhalter

Die Textfelder einer Folie werden Platzhalter genannt. Diese sind vordefiniert und dienen zum Eingeben der Texte. POWERPOINT bietet Ihnen verschiedene Folienlayouts.

Den Platzhalter können Sie verschieben, vergrößern und verkleinern. Dazu klicken Sie auf den Rand – eine durchgehende Linie erscheint – und verschieben den Platzhalter.

Text eingeben

Klicken Sie in den Platzhalter, um einen Text einzugeben. Interaktive Schaltflächen und der Aufforderungstext zur Eingabe des Textes verschwinden, Aufzählungszeichen werden angezeigt.

Zu einer anderen Folie navigieren

Um ohne Klicken rasch zur nächsten Folie zu gelangen, wählen Sie die Richtungstasten ↑ und ↓ oder ← und →.

2.4 Ansichtsarten

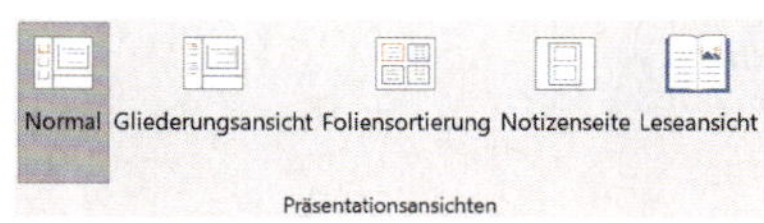

Die Oberfläche von POWERPOINT haben Sie bereits kennengelernt. In diesem Abschnitt erfahren Sie mehr über die Ansichtsarten.

2.4.1 Präsentationsansichten

- ANSICHT – PRÄSENTATIONSANSICHTEN
- Oder im rechten Bereich der Statusleiste

Normalansicht

Wenn Sie eine neue Präsentation öffnen, wird sie in der Normalansicht angezeigt. In dieser Ansicht sollten Sie Ihre Präsentation erstellen, d. h. Texte, Grafiken usw. einfügen.

In den Notizen unterhalb der Folie können Sie weitere Informationen, die jedoch bei der Präsentation nicht sichtbar sind, eingeben.

Öffnen und schließen Sie den Notizbereich durch Klick auf NOTIZEN in der Statusleiste.

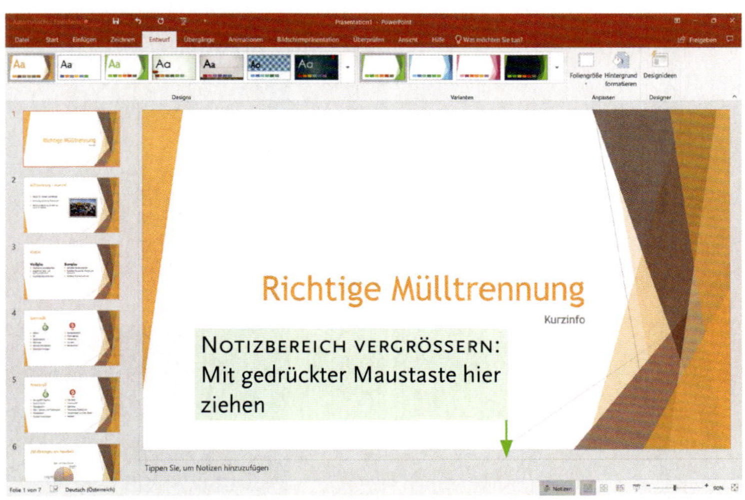

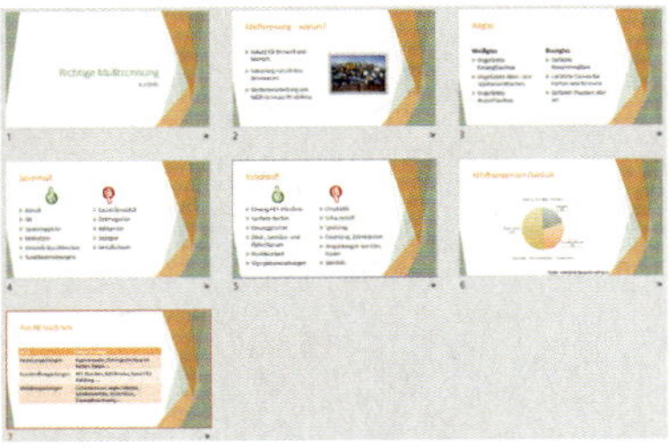

Foliensortierung

Die Folien werden der Reihe nach in der Miniaturansicht dargestellt. Diese Ansicht ermöglicht Ihnen einen Überblick über die gesamte Präsentation. Weiters können Sie die Folien durch Ziehen rasch verschieben.

Leseansicht

Verwenden Sie die Leseansicht zum Korrekturlesen Ihrer Präsentation. Wenn Sie die Präsentation einer Einzelperson auf einem kleinen Bildschirm zeigen, können Sie diese ebenso in der Leseansicht präsentieren.

Die Bildschirmpräsentation können Sie mit F5 aufrufen oder in der Symbolleiste Schnellzugriff durch Klick auf VON ANFANG AN BEGINNEN (F5).

Bildschirmpräsentation

Diese Ansicht verwenden Sie zum Vorführen der Präsentation vor einem Publikum. Es wird die Folie präsentiert, die Sie zuletzt verwendet haben. Mit den Richtungstasten ↑ und ↓ oder ← und → können Sie zur nächsten oder zur vorherigen Folie navigieren.

Damit Sie zur nächsten Folie gelangen, können Sie auch die linke Maustaste oder die ↵-Taste betätigen.

Möchten Sie zu einer anderen Folie, also zur vorigen oder nächsten, rufen Sie das Kontextmenü auf und wählen die gewünschte Folie aus oder Sie wählen die interaktiven Schaltflächen links unten aus.

Mit der Esc-Taste können Sie die Präsentation beenden oder abbrechen.

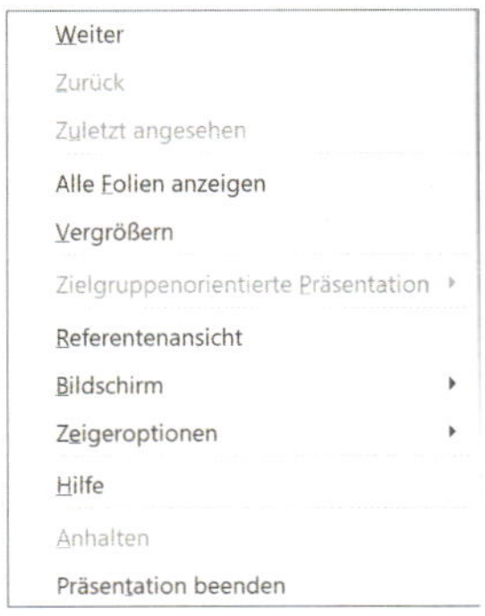

Referentenansicht
Alt + F1

Referentenansicht

Für die Referentenansicht benötigen Sie zwei Bildschirme. Sie bietet Ihnen unterschiedliche Ansichten. Auf einem Bildschirm wird die Präsentation, wie sie Ihre Zuhörerinnen und Zuhörer sehen, angezeigt. Auf dem anderen Bildschirm sehen Sie auch Ihre Notizen.

- BILDSCHIRMPRÄSENTATION – BILDSCHIRME – REFERENTENANSICHT aktivieren

Richten Sie Ihre Referentenansicht ein
- Wechseln Sie in die Ansicht BILDSCHIRMPRÄSENTATION
- Kontextmenü REFERENTENANSICHT

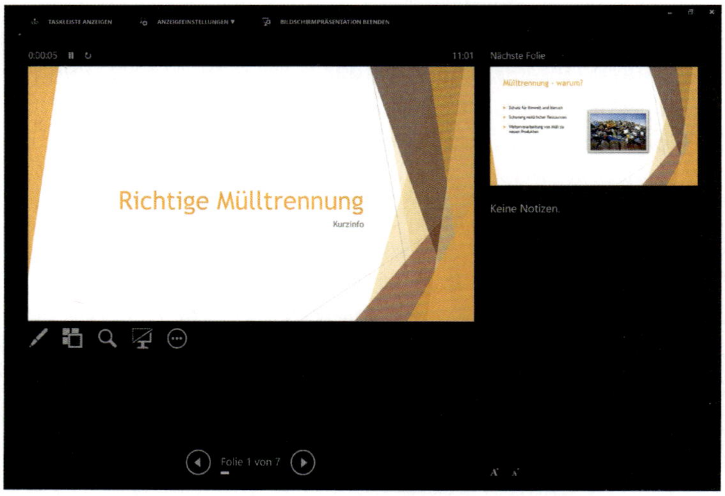

2.4.2 Miniaturansicht

In der **Miniaturansicht** sehen Sie die gestalteten Folien untereinander. Hier können Sie mit einem Klick zu einer anderen Folie wechseln. Die aktuelle Folie ist farblich hinterlegt.

In der **Gliederungsansicht** sehen Sie die Texte einer Folie. In dieser Ansicht können Sie Texte rasch bearbeiten oder im Kontextmenü die Ebenen **höher- und tieferstufen.**

- ANSICHT – PRÄSENTATIONSANSICHTEN – GLIEDERUNGSANSICHT

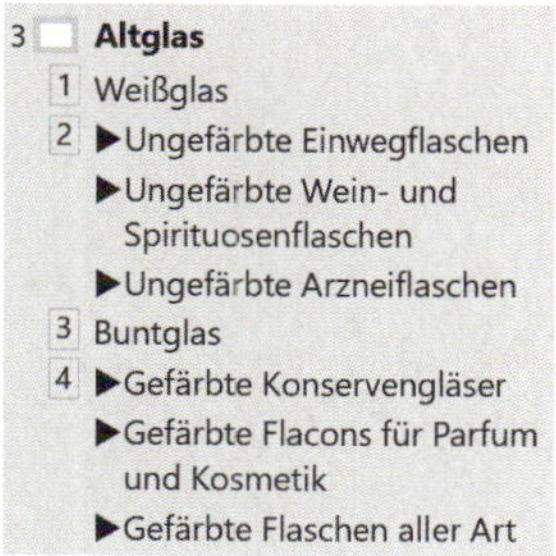

Gliederungsansicht

Übung

- **Präsentation mit zwei Folien erstellen und Ansichtsarten testen**

a) Erstellen Sie eine neue Präsentation mit einer Titelfolie und einer Titel und Inhalt Folie. Speichern Sie die Datei unter **Kuerbiskernoel1.pptx.**

b) Sehen Sie sich die Präsentation in allen Ansichtsarten an.

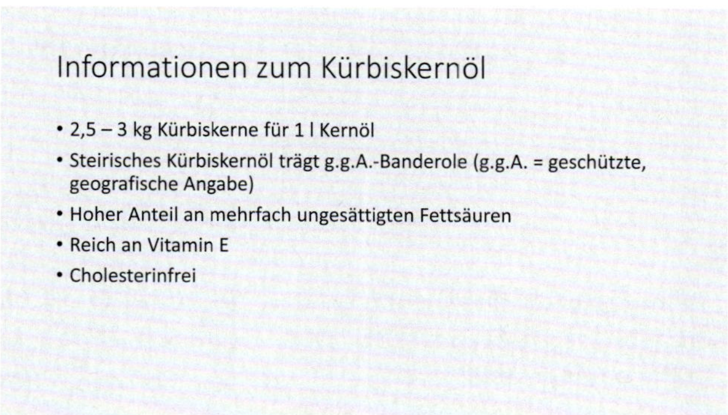

2.5 Folien bearbeiten

Folienlayout ändern

Bemerken Sie, dass ein anderes Folienlayout besser passt, können Sie dies auch im Nachhinein ändern.

- START – FOLIEN – LAYOUT
- Layout auswählen

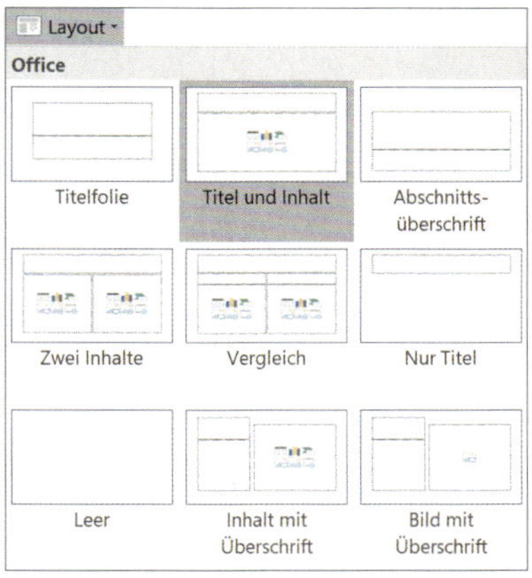

Folienlayout zurücksetzen

Haben Sie die Folie verändert, beispielsweise einen Platzhalter gelöscht, können Sie die Folie zurücksetzen, um Standardeinstellungen von POWERPOINT zurückzuerhalten.

- START – FOLIEN – ZURÜCKSETZEN

Folienlayout zurücksetzen
Kontextmenü – FOLIE ZURÜCKSETZEN

Platzhalter erstellen

Einen zusätzlichen Platzhalter erhalten Sie, indem Sie ein Textfeld mit dem Kreuz beim Mauszeiger aufziehen (erscheint beim Klick).

- START – ZEICHNEN – TEXTFELD
- Oder EINFÜGEN – TEXT – TEXTFELD

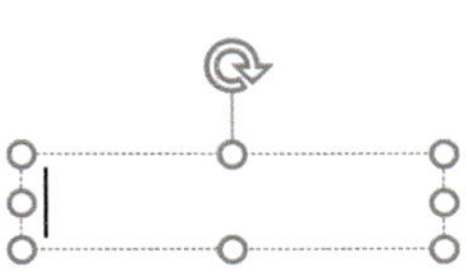

Durch Ziehen an den Eck- oder Seitenpunkten vergrößern oder verkleinern Sie das Textfeld. Durch Klicken auf die Linie – eine durchgehende Linie erscheint – verschieben Sie den Platzhalter mit der linksgedrückten Maustaste.

Platzhalter exakt anordnen

Platzieren Sie Ihre eingefügten Textfelder:

- START – ZEICHNEN – Listenfeld ANORDNEN

Gitternetzlinien zur Orientierung
Auf der Folie Kontextmenü – RASTER UND FÜHRUNGSLINIEN...

Möchten Sie die Textfelder exakt anordnen, verwenden Sie ein Raster als Orientierungshilfe.

- ANSICHT – ANZEIGEN – GITTERNETZLINIEN
- Oder ANSICHT – ANZEIGEN – Dialogfeld RASTEREINSTELLUNGEN

Platzhalter löschen

Platzhalter, die Sie nicht benötigen, entfernen Sie durch Klick auf den Rahmen und Drücken der Entf-Taste.

2.6 Designs

Beim Erstellen einer neuen Präsentation ist das Standarddesign „Office“ eingestellt.

POWERPOINT bietet Ihnen, wie WORD, vorgefertigte Designs zum raschen Formatieren Ihrer Präsentation. Beim Ändern eines Designs werden die Farben, Schriftarten, Formen, Effekte usw. verändert.

- ENTWURF – DESIGNS – WEITERE

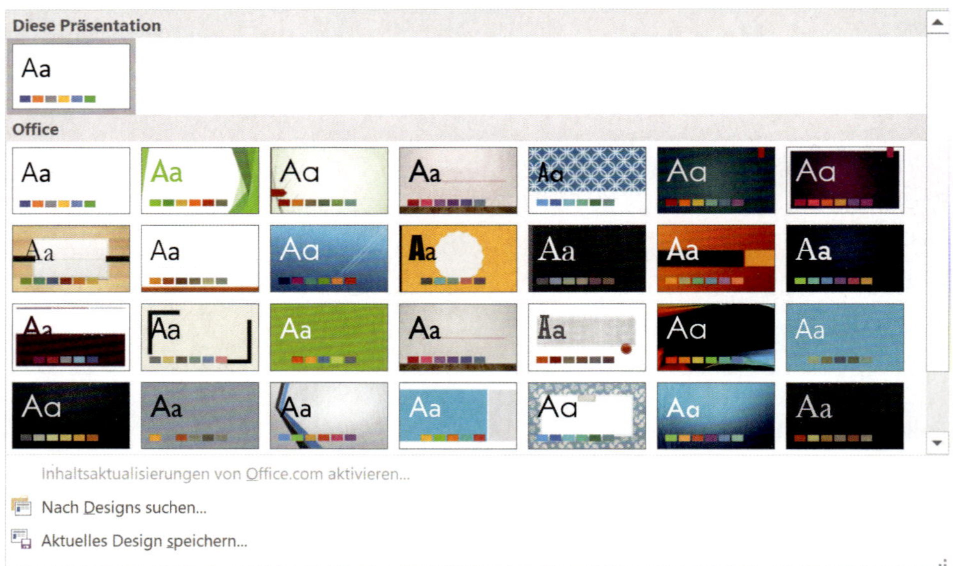

Sie können das Design jederzeit durch Auswählen eines anderen ändern.

Wenn Sie mit dem Mauszeiger auf ein Design zeigen, wird Ihre Präsentation sofort mit dieser Formatierung angezeigt. Durch Klicken auf das Design wählen Sie es aus.

Designelemente kombinieren

Sie können auch ein individuelles Design aus den Vorlagen erstellen. Wählen Sie zuerst das Design und anschließend die gewünschten Varianten (Farben, Schriftarten, Effekte und Hintergrundformate).

Schnellformatvorlagen anwenden

Textfelder können mit vorgefertigten Vorlagen gefüllt werden.

- Platzhalter markieren
- START – ZEICHNEN – SCHNELLFORMATVORLAGEN

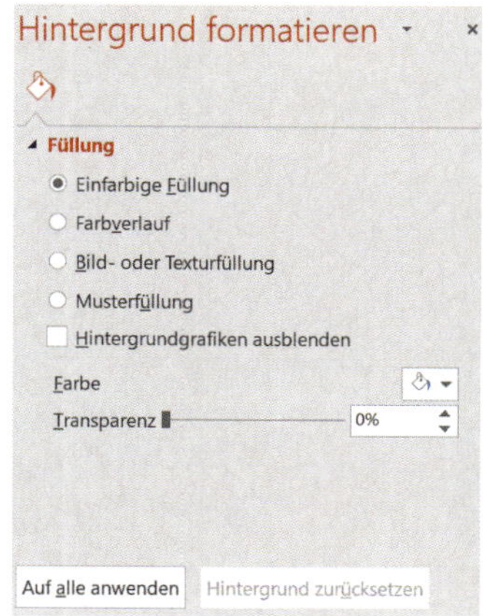

Hintergrund festlegen

Sie können anstatt eines Designs einen eigenen Hintergrund gestalten oder aus einem vorgefertigten Hintergrundformat auswählen. Sie sehen sofort den ausgewählten Hintergrund auf der Folie.

- ENTWURF – ANPASSEN – HINTERGRUND FORMATIEREN
- Oder Kontextmenü auf der Folie – HINTERGRUND FORMATIEREN...
- Füllung auswählen
- AUF ALLE ANWENDEN

Möchten Sie den Hintergrund lediglich für eine Folie übernehmen, klicken Sie nach dem Auswählen der Hintergrundfarbe auf SCHLIESSEN. ✕

Hintergrund zurücksetzen

Sie können einen Hintergrund auch löschen.

- Bereich HINTERGRUND FORMATIEREN
- HINTERGRUND ZURÜCKSETZEN

Übung

- **Layout ändern und Design auswählen**

a) Öffnen Sie die Präsentation **Kuerbiskernoel1.pptx** und speichern Sie sie unter **Kuerbiskernoel2.pptx.**
b) Sehen Sie sich die Präsentation mit verschiedenen Designs an.
c) Weisen Sie das Design Fetzen und die Farben Grüngelb zu.
d) Ändern Sie das Layout von Folie 2 in Zwei Inhalte um.
e) Vergessen Sie nicht zu speichern!

2.7 Texte im Platzhalter formatieren

Das Formatieren in POWERPOINT funktioniert wie in WORD. Zuerst wird der zu formatierende Text markiert und anschließend formatiert.

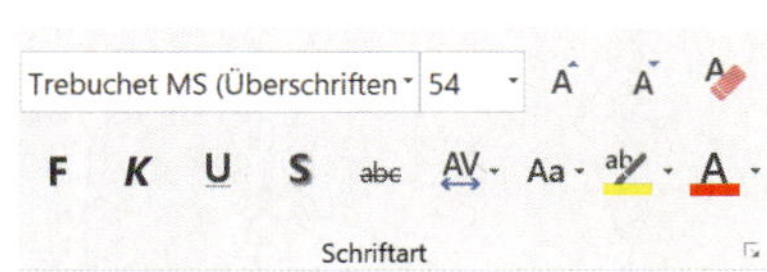

Zeichenformatierung

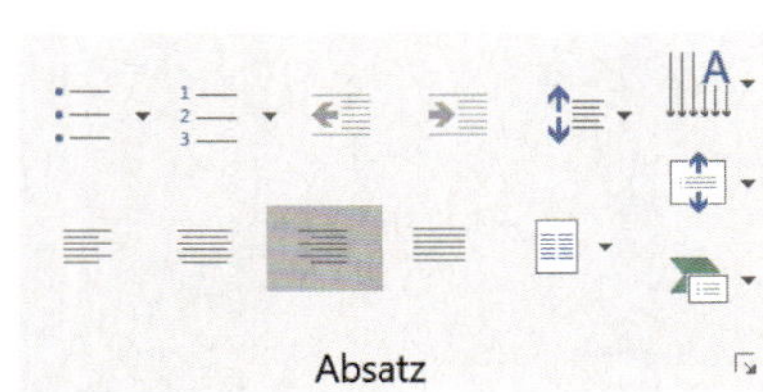

Absatzformatierung

Format übertragen

Ein Format von einem formatierten Textfeld auf ein anderes übernehmen:

- Platzhalter markieren
- START – ZWISCHENABLAGE – FORMAT ÜBERTRAGEN
- Auf das zu formatierende Textfeld klicken

Präsentationssoftware

Textausrichtung im Platzhalter ändern

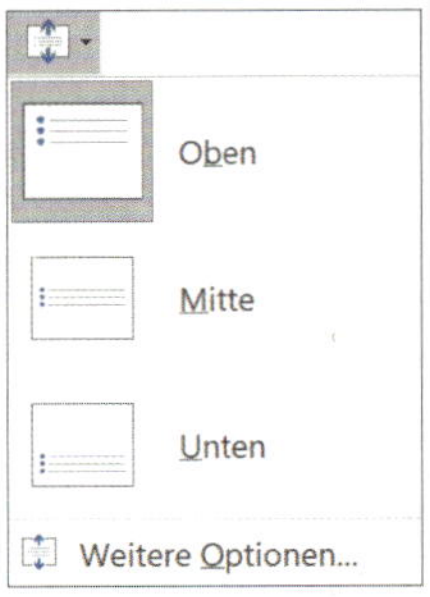

Sie können entscheiden, wie ein Text im Platzhalter ausgerichtet wird. Standardmäßig ist OBEN eingestellt.

- START – ABSATZ – Listenfeld TEXT AUSRICHTEN

Textrichtung im Platzhalter ändern

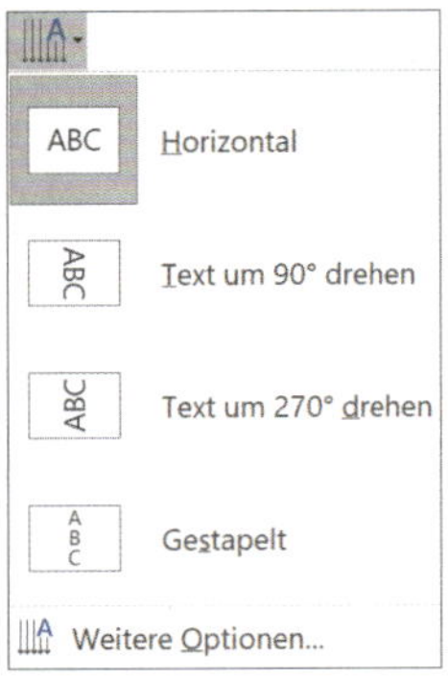

- START – ABSATZ – Listenfeld TEXTRICHTUNG

Freies Drehen

Drehen Sie mit der linksgedrückten Maustaste den Pfeil, um die Textrichtung individuell zu ändern.

Arbeiten mit Tabstopps

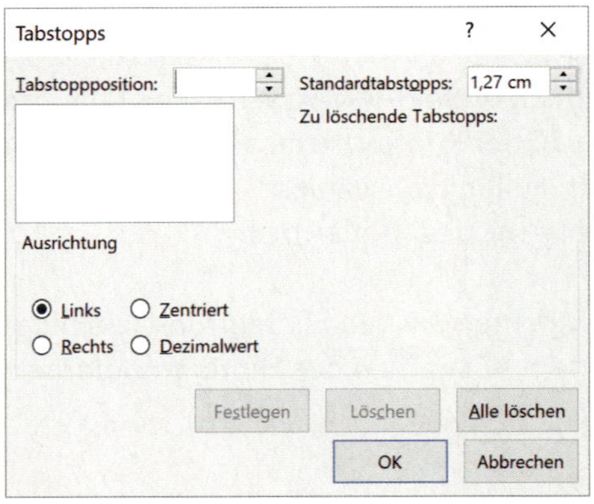

Aufstellungen oder Listen gestalten:

- START – Dialogfeld ABSATZ
- Schaltfläche TABSTOPPS...

2.8 POWERPOINT-Designer verwenden

Der POWERPOINT-DESIGNER ist ein sogenannter intelligenter Dienst in OFFICE 365. Während Sie auf der Folie Inhalte (Texte, Bilder etc.) einfügen, arbeitet der Designer im Hintergrund und schlägt Ihnen ein professionelles Layout vor.

Der Bereich DESIGNIDEEN öffnet sich automatisch, wenn Sie ein Bild auf einer Folie einfügen. Um ihn einblenden zu können:

- ENTWURF – DESIGNER – DESIGNIDEEN
- Design auswählen

Aha!
Die Intelligenten Dienste aktivieren Sie im Menü DATEI – OPTIONEN – ALLGEMEIN – Bereich INTELLIGENTE OFFICE-DIENSTE.

2.9 Objekte im Platzhalter erstellen

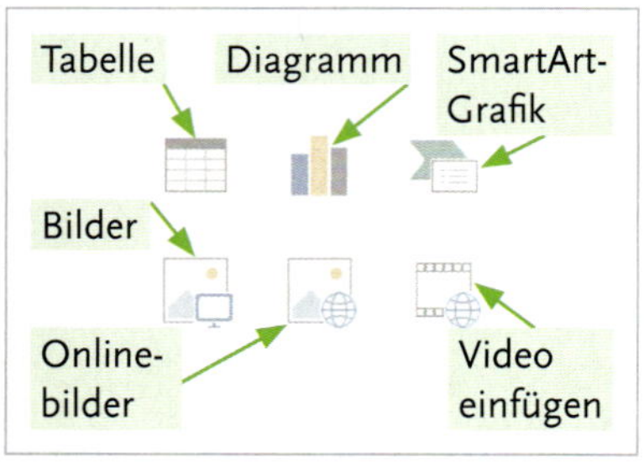

Platzhalter

„Ein Bild sagt mehr als tausend Worte."
Verwenden Sie Tabellen, Diagramme, SmartArts usw. zur grafischen Darstellung von Zahlen, Fakten etc. Bilder und Grafiken lockern Ihre Präsentation auf.

Der vordefinierte Platzhalter bietet die Möglichkeit, Bilder, Tabellen, SmartArts usw. rasch auf der Folie einzufügen.

Sie können ebenso alle Objekte im Register EINFÜGEN einfügen.

Onlinebilder

- Im Platzhalter ONLINEBILDER auswählen
- Oder EINFÜGEN – BILDER – ONLINEBILDER
- BING Bildersuche erscheint
- Im Textfeld den Suchbegriff eingeben oder eine Kategorie auswählen
- Eingabetaste drücken

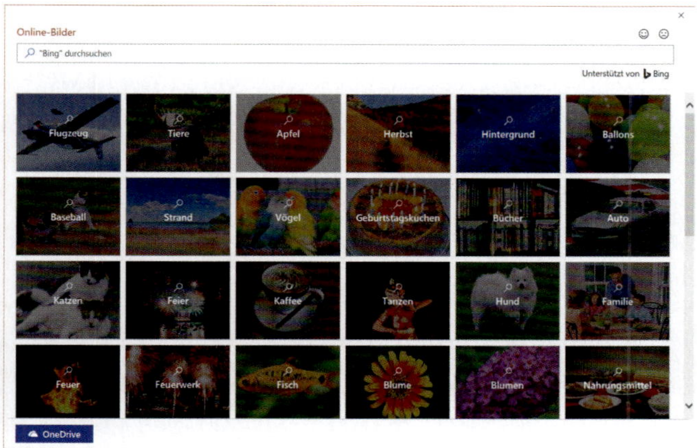

- Suchergebnisse werden angezeigt – Es werden automatisch alle Bilder, die mit einer Creative Commons-Lizenz (CC) markiert sind, angezeigt (NUR CC). Durch Deaktivierung des Kontrollkästchens können alle Bilder anzgezeigt werden.
- Bild auswählen und EINFÜGEN auswählen
- Oder Doppelklick auf das Bild
- Das Bild wird heruntergeladen und eingefügt

Creativ Commons (CC) ist eine gemeinnützige Organisation. Sie veröffentlicht Standard-Lizenzverträge, mit denen ein Urheber/einer Urheberin auf einfache Weise Nutzungsrechte an seinen/ihren Bildern einräumen kann. Einge CC-Lizenzen schränken die Nutzung relativ stark ein. Andere ermöglichen dem Urheber/der Urheberin, soweit wie möglich auf das Urheberrecht zu verzichten bzw. die Nutzung kostenfrei zur Verfügung zu stellen, oder gestatten die Inhalte zu verändern und weiterzuarbeiten.

Bilder einfügen

- Im Platzhalter BILDER auswählen
- Oder EINFÜGEN – BILDER – BILDER
- Aus Datei auswählen
- Bild auswählen und EINFÜGEN
- Oder Doppelklick auf das gewünschte Bild

Den Alternativtext kennen Sie bereits aus WORD.

Onlinebilder und Grafiken formatieren

Onlinebilder kennen Sie bereits aus WORD.

Das Formatieren von Grafiken und Onlinebildern funktioniert wie in WORD.

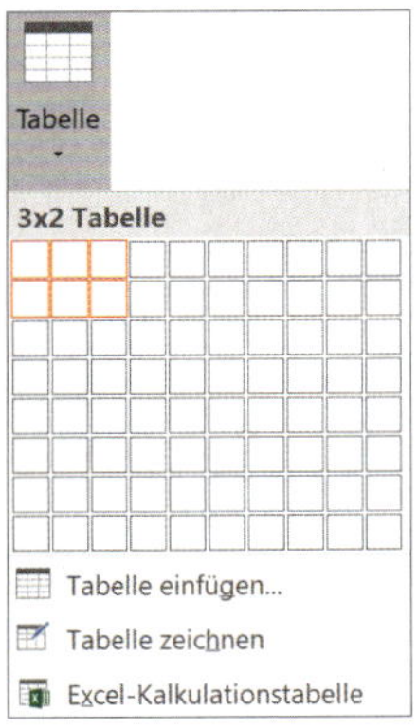

Das Formatieren von Tabellen funktioniert wie in WORD.

Tabelle einfügen

- Im Platzhalter TABELLE auswählen
- Anzahl der Spalten und Zeilen eingeben
- OK
- Oder EINFÜGEN – TABELLEN – TABELLE
- Die gewünschte Anzahl an Spalten und Zeilen auswählen

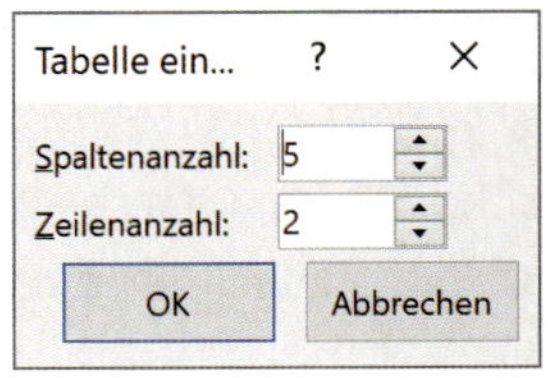

Das Zeichnen sowie das Erstellen einer EXCEL-Tabelle funktioniert wie in WORD.

Tabelle formatieren

In den Registern TABELLENTOOLS – ENTWURF und LAYOUT können Sie weitere Einstellungen für Ihre Tabelle vornehmen.

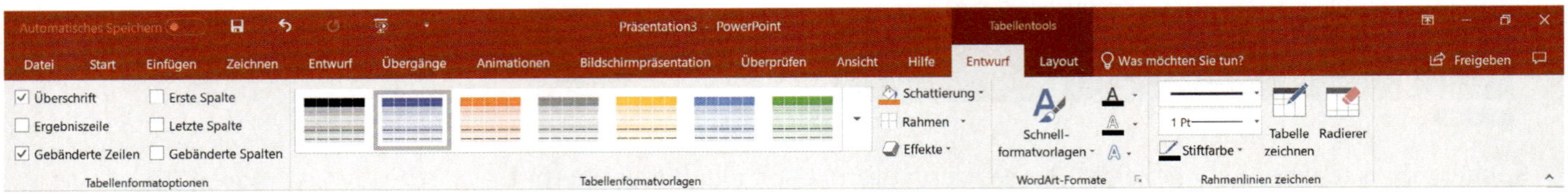

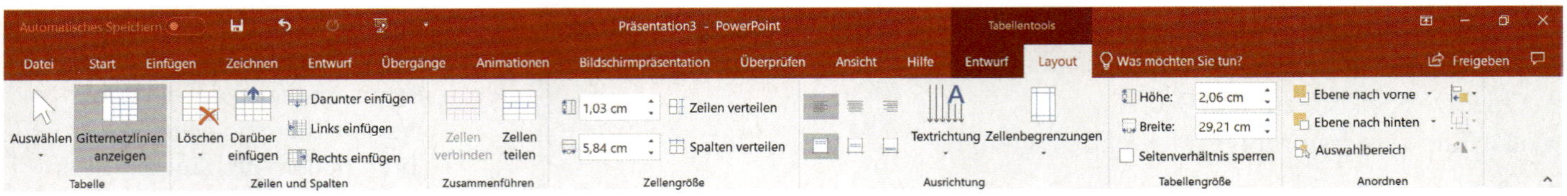

Vergleichen Sie beim Erstellen des Diagramms unterschiedliche Diagrammtypen, um die beste Darstellungsmöglichkeit herauszufinden.

Datenreihen zeigen die Messwerte an und **Kategorien** teilen die Daten in Gruppen ein.

Prozentsätze eingeben
Schreiben Sie das Prozentzeichen direkt nach der Zahl.

Diagramm einfügen

Diagramme eignen sich sehr gut für das Darstellen und Vergleichen von Zahlen. Viele verschiedene Diagrammtypen können dafür verwendet werden.

- Im Platzhalter DIAGRAMM auswählen
- Oder EINFÜGEN – ILLUSTRATIONEN – DIAGRAMM
- Diagrammtyp auswählen
- OK

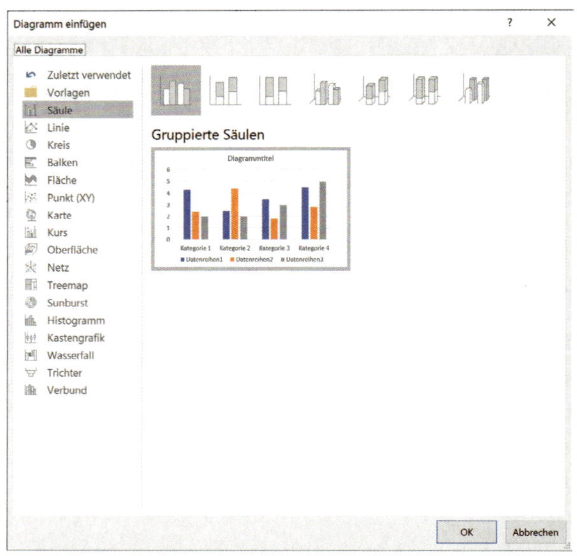

In Ihrem Platzhalter wird ein Beispieldiagramm angezeigt und ein EXCEL-Tabellenblatt wird geöffnet. Tragen Sie in EXCEL Ihre Daten ein. Sie sehen, dass sich die Daten in POWERPOINT sofort ändern.

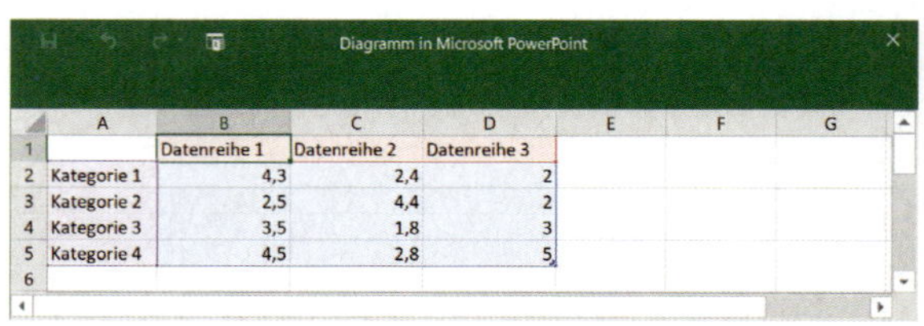

Nicht benötigte Zeilen und Spalten löschen Sie, indem Sie sie markieren und die Entf-Taste drücken.

Ziehen Sie an der blauen Linie, um Ihre Daten einzugrenzen. Schließen Sie EXCEL.

Daten in EXCEL bearbeiten

- Klick auf DATEN BEARBEITEN – DATEN IN EXCEL BEARBEITEN

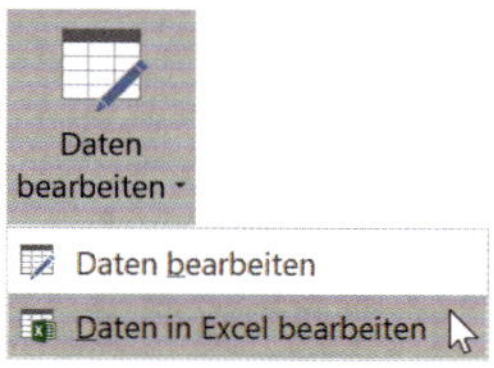

Diagramm formatieren

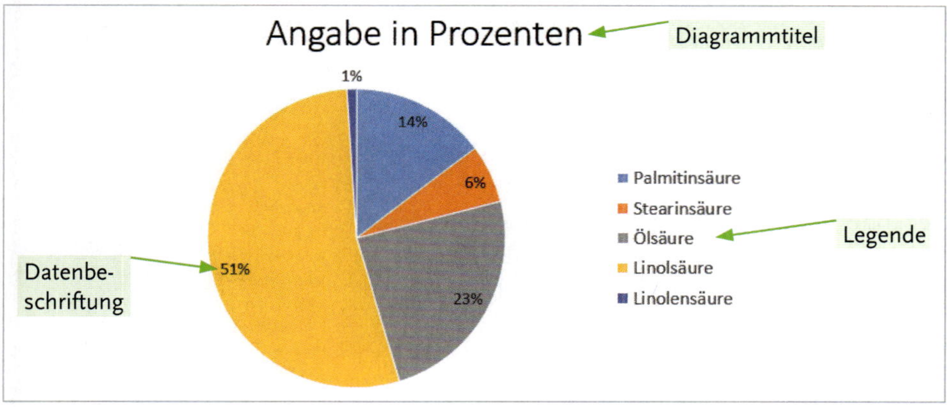

Ist das Diagramm markiert, stehen Ihnen die DIAGRAMMTOOLS mit den Registern ENTWURF und FORMAT zur Verfügung. Neben der rechten oberen Diagrammecke werden kleine Schaltflächen eingeblendet.

Entwurf

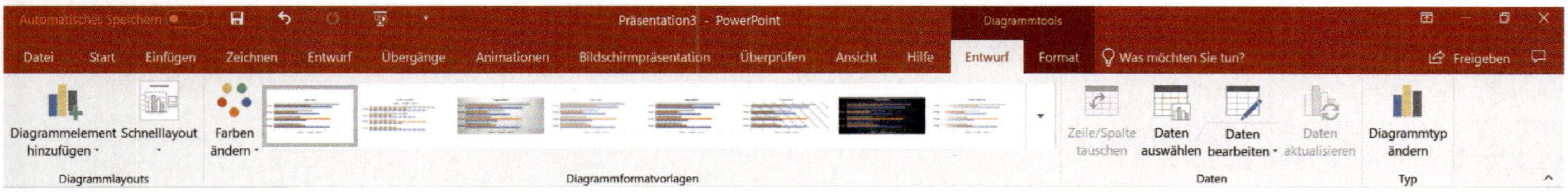

Diagrammelement hinzufügen	Fügen Sie dem Diagramm weitere Elemente wie Achsenbeschriftung, Gitternetzlinien, Datentabelle, Diagrammtitel hinzu.
Schnelllayout	Hier ändern Sie das Gesamtlayout Ihres Diagramms.
Farben ändern	Wählen Sie ein vordefiniertes Farbschema aus.
Diagrammformatvorlagen	Formatieren Sie Ihr Diagramm.
Zeile/Spalte tauschen	Vertauschen Sie die Daten auf der x- und y-Achse.
Daten auswählen	Ändern Sie den Datenbereich, der im Diagramm angezeigt wird.
Daten bearbeiten	Bearbeiten Sie die Daten.
Daten aktualisieren	Aktualisieren Sie Ihr Diagramm, nachdem Sie Daten geändert haben.
Diagrammtyp ändern	Wechseln Sie zu einem anderen Diagrammtyp. Die eingegebenen Daten bleiben erhalten.

Datenreihen formatieren

- Datenreihen markieren
- Im Kontextmenü DATENREIHEN FORMATIEREN... auswählen

Format

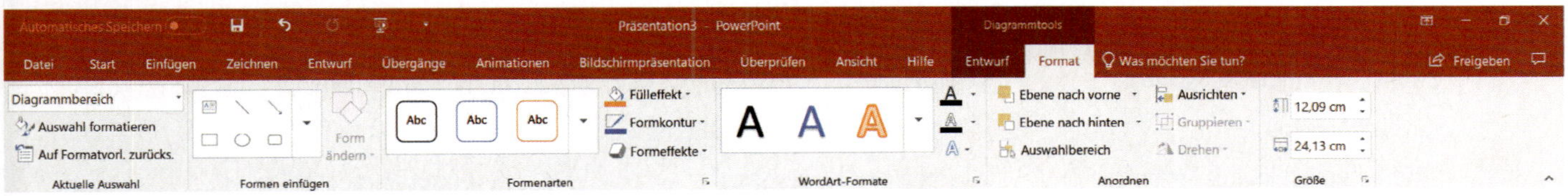

Diagrammelemente	Wählen Sie das gewünschte Element aus, um es zu formatieren.

Präsentationssoftware

Auswahl formatieren	Der Aufgabenbereich, in dem Sie Ihre Diagrammelemente formatieren können, erscheint.
Auf Formatvorl. zurücks.	Setzen Sie Ihre benutzerdefinierten Formatierung zurück.
Formen einfügen	Fügen Sie eine Form ein.
Formenarten	Formatieren Sie Ihre Formen mit Fülleffekten, Formkonturen und Formeffekten.

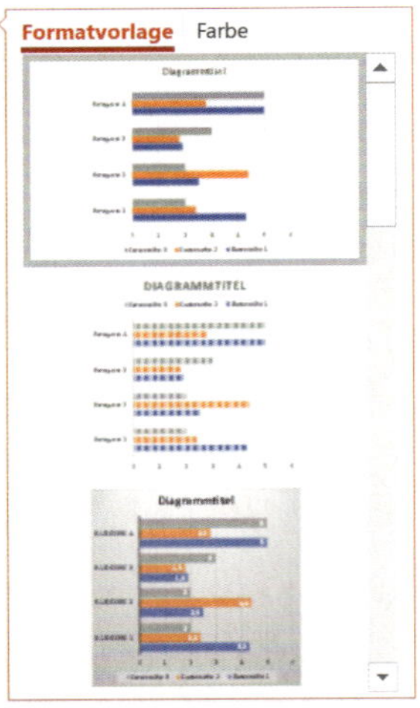

Diagrammelemente

Blenden Sie die Datenbeschriftung und die Legende ein oder aus und fügen Sie einen Diagrammtitel hinzu oder entfernen Sie ihn. Diese Elemente können ebenso formatiert werden, indem Sie auf den kleinen Pfeil rechts daneben klicken.

Diagrammformatvorlagen

Ändern Sie die Diagrammformatvorlage sowie die Farben.

Diagrammfilter

Blenden Sie Diagrammdaten ein und aus.

Farbe einer Kategorie ändern

Oftmals ist es notwendig, nur eine einzelne Kategorie umzufärben.

Eine Kategorie ist markiert, wenn die blauen Kreise rund um das gewünschte Element positioniert sind.

- Diagramm markieren
- Kategorie auswählen (es darf nur diese Kategorie markiert sein)
- DIAGRAMMTOOLS FORMAT – FORMENARTEN
- FÜLLEFFEKT auswählen

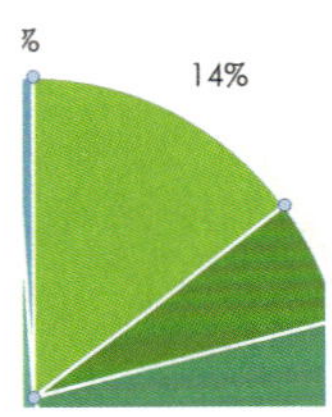

Übung

- **Onlinebild, Grafik, Tabelle und Diagramm einfügen**

a) Öffnen Sie die Präsentation **Kuerbiskernoel2.pptx** und wechseln Sie zur Titelfolie. Speichern Sie die Übung unter **Kuerbiskernoel4.pptx.**

b) Suchen Sie ein Onlinebild mit dem Schlagwort Kürbis. Fügen Sie sie auf der Titelfolie ein und gestalten Sie die Folie mit dem Designer.

c) Fügen Sie auf Folie 2 die Grafik **Kuerbiskernoel3.jpg** im Platzhalter ein.

d) Erstellen Sie eine neue Folie (Titel und Inhalt):
- Titel: »Speisen mit Kürbiskernöl«;
- Tabelle (drei Spalten, fünf Zeilen) mit folgendem Inhalt:

Vorspeisen	Hauptspeisen	Nachspeisen
Steirischer Rindfleischsalat	Gebratene Kernölnudeln	Kürbiskernölkuchen
Kürbiscremesuppe	Zanderfilet mit Erdäpfel-Kernölpüree	Vanilleeis mit Kernöl
Käferbohnensalat mit Kürbiskernöl	Kürbiskernöl-Eierspeise	Kürbiskernölmousse
Rindfleischsulz mit Kernölmarinade	Tofu in Strudelteig mit Kernöldip	Weißweincreme mit Kernölschlagobers

e) Formatieren Sie die Tabelle:
- Tabellenformatvorlage Helle Formatvorlage 2 – Akzent 1;
- 1. Zeile: Höhe 1,5 cm, Text horizontal und vertikal zentrieren, Schriftgröße 24 Punkt.

f) Erstellen Sie eine neue Folie (Titel und Inhalt):
- Titel: »Zusammensetzung des Kürbiskernöls«;
- Diagramm einfügen: Kreis – Kreis;
- Daten eingeben.

g) Formatieren Sie das Diagramm:
- Schnelllayout: Layout 7.
- Datenbeschriftung: Am Ende außerhalb.

	A	B
1		Angabe in Prozenten
2	Palmitinsäure	14%
3	Stearinsäure	6%
4	Ölsäure	23%
5	Linolsäure	51%
6	Linolensäure	1%

SmartArt-Grafiken einfügen

SmartArt-Grafiken dienen zur grafischen Veranschaulichung von Informationen.

- Im Platzhalter SMARTART-GRAFIK auswählen
- Oder EINFÜGEN – ILLUSTRATIONEN – SMARTART
- SmartArt-Typ auswählen
- OK

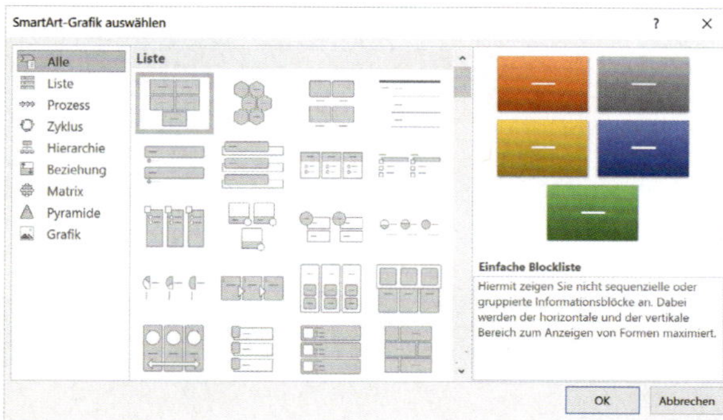

Im rechten unteren Bereich wird die ausgewählte SmartArt-Grafik näher erklärt.

SmartArt-Grafiken formatieren

Bei einer markierten SmartArt-Grafik stehen Ihnen die SMARTART-TOOLS ENTWURF und FORMAT zur Verfügung.

Entwurf

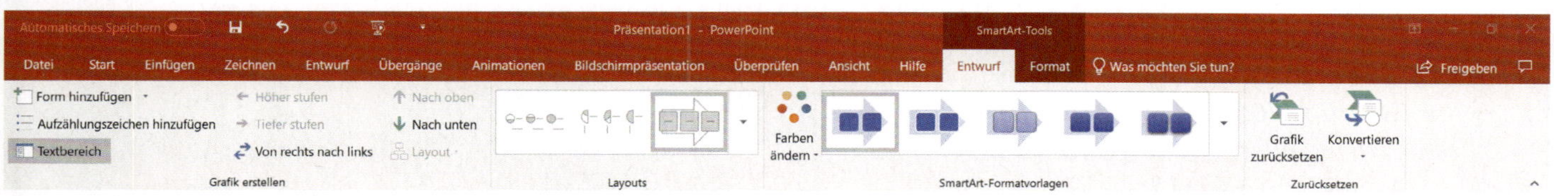

Form hinzufügen	Fügen Sie eine Form, davor, danach, darunter ... ein.
Aufzählungszeichen hinzufügen	Fügen Sie einen weiteren Aufzählungspunkt hinzu. Diese Option steht Ihnen nicht zur Verfügung, wenn keine Aufzählungen in der ausgewählten SmartArt-Grafik vorhanden sind.
Textbereich	Geben Sie den Text ein, der in der SmartArt-Grafik angezeigt werden soll.
Positionen ändern ↑ ← ↓ →	Ändern Sie die Position der einzelnen Formen, indem Sie die gewünschte Schaltfläche auswählen.
Layouts	Wechseln Sie zu einem anderen SmartArt-Grafik-Layout.
Farben ändern	Wechseln Sie die Farben der SmartArt-Grafik.
SmartArt-Formatvorlagen	Formatieren Sie Ihre SmartArt-Grafik mit einer Formatvorlage.
Grafik zurücksetzen	Alle getätigten Formatierungen werden gelöscht.
Konvertieren	Konvertieren Sie Ihre SmartArt-Grafik in einen Text oder eine Form.

Weitere Formen

Kontextmenü FORM HINZUFÜGEN

Text einfügen

- Text durch Klicken in die Form einfügen
- Kontextmenü TEXT BEARBEITEN

Format

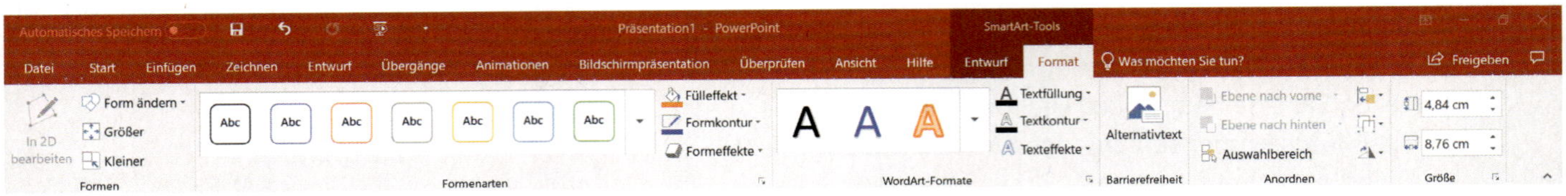

In 2D bearbeiten	Dies ist nur möglich, wenn Sie eine 3D-SmartArt-Grafik eingefügt haben.
Form ändern	Ändern Sie die Form eines einzelnen SmartArt-Grafik-Objekts.
Größer/Kleiner	Vergrößern bzw. verkleinern Sie die Form.
Formenarten	Formatieren Sie Ihre Form mit Linien, Füllfarben usw.
WordArt-Formate	Erstellen Sie aus Ihrem Text ein WordArt Objekt und formatieren Sie es.
Anordnen	Wählen Sie die Position für Ihre SmartArt-Grafik aus.
Größe	Ändern Sie die Größe des SmartArt-Grafik-Bereichs.

Übung

- **Hintergrund und SmartArt-Grafik einfügen**

a) Erstellen Sie eine neue Präsentation im Design Office mit einer Titelfolie und einer Titel und Inhalt Folie. Speichern Sie die Präsentation unter **Einrichtung1.pptx.**

b) Titelfolie:
- Titel: Innenausbau, Untertitel: Checkliste.

c) Titel und Inhalt Folie:
- Titel: Übersicht – Einrichtung;
- SmartArt-Grafik Hierarchie – Hierarchieliste.

d) Formatieren Sie die SmartArt-Grafik:
- SmartArt-Formatvorlage 3D – Abgesenkt;
- Farben ändern: Bunt – Farbiger Bereich – Akzentfarben 4 bis 5;
- Füllfarbe der Form „Böden“ ändern: Orange Akzent 2.

e) Weisen Sie der Präsentation den Hintergrund – Hintergrundformat – Formatvorlage 9 zu.

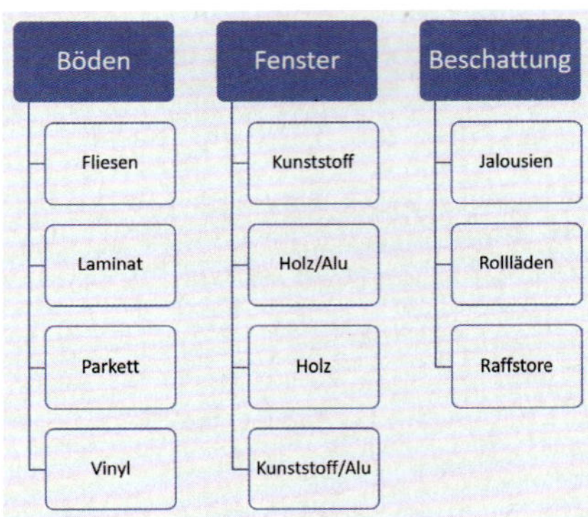

Eingabe im Textbereich

2.10 Folienmaster erstellen

Im Folienmaster können Sie das Design, die Schriftarten, die Farben usw. ändern. Der Vorteil liegt darin, dass die hier getroffenen Einstellungen automatisch für die gesamte Präsentation übernommen werden. Legen Sie beispielsweise ein neues Aufzählungszeichen fest, so wird dieses automatisch für alle Folien der Präsentation übernommen.

Sie können den Folienmaster individuell anpassen. Fügen Sie beispielsweise ein Logo ein, das automatisch auf jeder Folie erscheint.

- ANSICHT – MASTERANSICHTEN – FOLIENMASTER
- In der Folienansicht die zu ändernde Folie auswählen
- Die Folie bearbeiten
- Wählen Sie, wenn nötig, weitere Folien aus und formatieren Sie sie
- MASTERANSICHT SCHLIESSEN

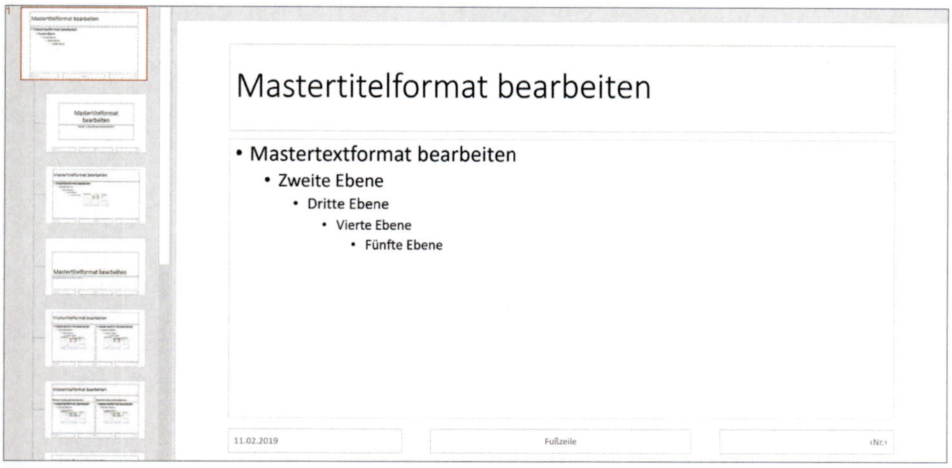

Möchten Sie ein Layout für alle Folien verwenden, formatieren Sie die erste Folie als DESIGN-FOLIENMASTER, z. B. Office Notizen.

⚠ Möchten Sie z. B. die Titelfolie Layout anders gestalten als alle anderen Folien, dürfen Sie den Design-Folienmaster (1. Folie) nicht formatieren. Verwenden Sie die Funktion FORMAT ÜBERTRAGEN.

Übung

Folienmaster erstellen

a) Erstellen Sie eine neue Präsentation, die Sie unter **Propolis2.pptx** speichern.
b) Wechseln Sie in den Folienmaster und weisen Sie das Design Rückblick und die Farben Grün zu.
c) Treffen Sie folgende Einstellungen in der Titelfolie Layout:
- Untertitel Schriftgröße 36 Punkt;
- Titelmasterformat Textschatten.

d) Treffen Sie folgende Einstellungen im Basis Folienmaster:
- Titel fett und 48 Punkt formatieren;
- erste Ebene Schriftgröße 32 Punkt;
- zweite Ebene Aufzählungszeichen ändern: Silbentrennung-Aufzählungszeichen und 24 Punkt.
- Grafik **Propolis1.png** einfügen; Höhe 3,3 cm, Breite proportional; Position eingeben: horizontal 30,14 cm und vertikal 14,5 cm von der oberen linken Ecke.

Sehen Sie sich die Folien in der Miniaturansicht an, nachdem Sie die Grafik eingefügt und formatiert haben. Sie erkennen nun, dass die Grafik auch in den anderen Folien zu sehen ist.

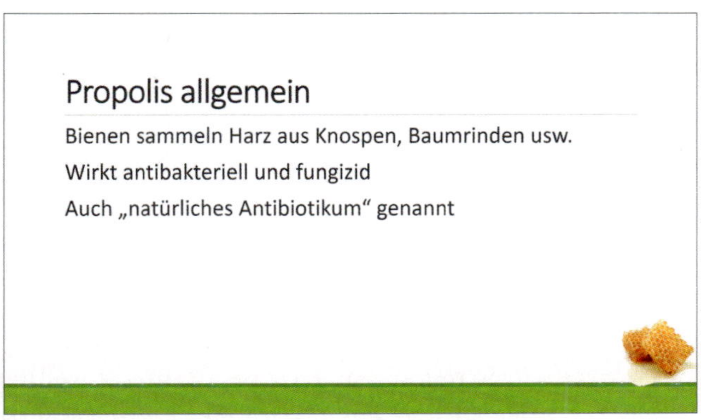

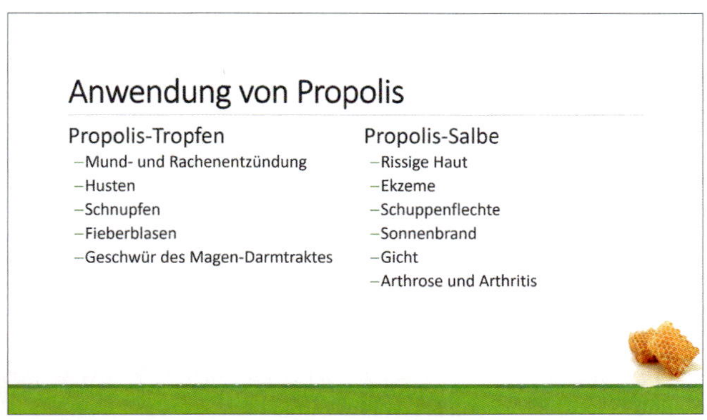

e) Schließen Sie die Masteransicht.
f) Geben Sie folgenden Text auf der Titelfolie ein: Titel: »Propolis«, Untertitel: »Gesundheit aus dem Bienenstock«.
h) Erstellen Sie die beiden Folien (Titel und Inhalt, Zwei Inhalte).

In die zweite Ebene gelangen
- ⇥-Taste drücken
- Oder START – ABSATZ – LISTENEBENE ERHÖHEN

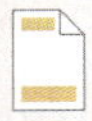

Kopf- und Fußzeile

⚠ Füllen Sie diese Registerkarte aus, werden Ihre Einstellungen für eine (ÜBERNEHMEN auswählen) oder alle Folien (FÜR ALLE ÜBERNEHMEN auswählen) übernommen.

Wenn Sie ein Feld aktiviert haben, sehen Sie es in der Vorschau rechts unten (fett hervorgehoben).

⚠ Füllen Sie diese Registerkarte aus, werden Ihre Einstellungen für die Notizblätter und Handzettel übernommen. Diese Einstellungen sehen Sie nur auf dem Ausdruck.

2.11 Kopf- und Fußzeile

In POWERPOINT können Sie Kopf- und Fußzeilen für Notizblätter und Handzettel sowie für Folien erstellen.

- EINFÜGEN – TEXT – KOPF- UND FUSSZEILE
- Register auswählen und ausfüllen
- FÜR ALLE ÜBERNEHMEN oder ÜBERNEHMEN klicken

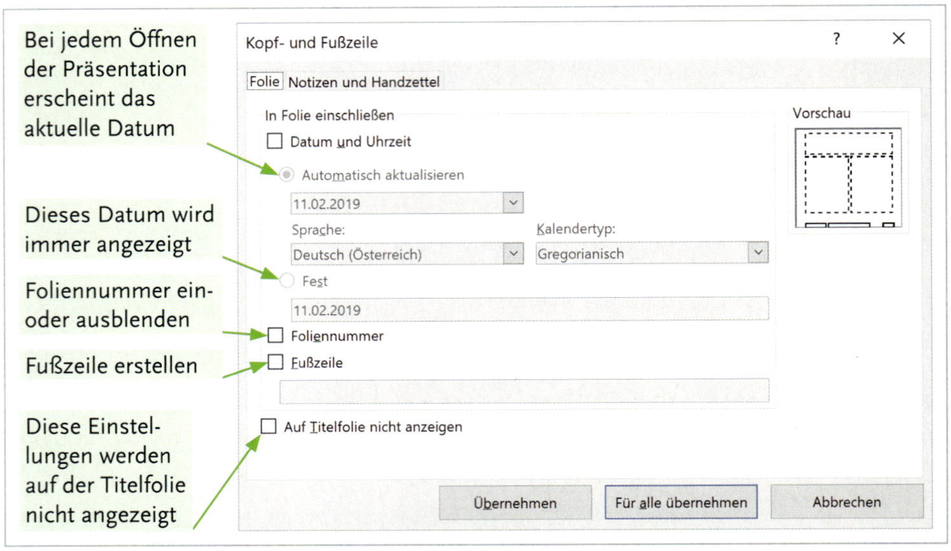

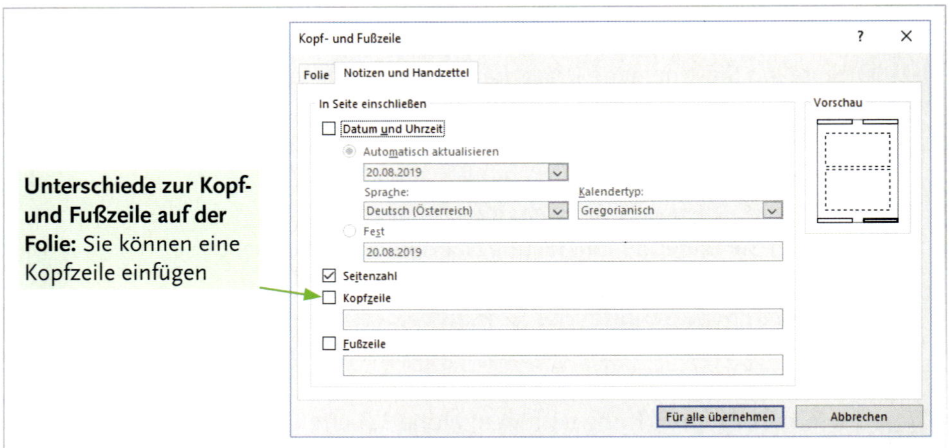

Übung

- **Kopf- und Fußzeile erstellen**

a) Öffnen Sie die Präsentation **Propolis2.pptx** und speichern Sie die Übung unter **Propolis3.pptx.**

b) Wechseln Sie in die Kopf- und Fußzeile. Einstellungen Folie – Für alle übernehmen:
- Datum und Uhrzeit aktivieren und automatisch aktualisieren;
- Foliennummer anzeigen;
- auf Titelfolie nicht anzeigen aktivieren.

c) Einstellungen Notizblätter und Handzettel:
- Datum und Uhrzeit aktivieren und Fest auswählen;
- Kopfzeile: »Informationsblatt«;
- Fußzeile: »Vorname Nachname«.

2.12 Präsentation bearbeiten

Folien löschen

Nicht benötigte Folien löschen Sie in der MINIATURANSICHT oder in der FOLIENSORTIERUNG.

- MINIATURANSICHT bzw. Ansicht – PRÄSENTATIONSANSICHTEN – FOLIENSORTIERUNG
- Entf-Taste oder Kontextmenü FOLIE LÖSCHEN

Reihenfolge ändern

- Ansicht FOLIENSORTIERUNG
- Folie mit gedrückter linker Maustaste an die gewünschte Position ziehen
- Linke Maustaste loslassen

Folien kopieren

Möchten Sie eine Folie mehrmals verwenden, kopieren Sie sie. Sie können auch Folien von anderen Präsentationen kopieren.

- Kopieren und fügen Sie die Folie mithilfe der Zwischenablage ein.

Kopieren und Einfügen
Strg + C und Strg + V

2.13 Folienübergang

Wie die nächste Folie auf dem Bildschirm erscheint, stellen Sie im Folienübergang ein.

- ÜBERGÄNGE – ÜBERGANG ZU DIESER FOLIE
- Übergang auswählen
- ANZEIGEDAUER – weitere Einstellungen treffen und AUF ALLE ANWENDEN

Wählen Sie einen einheitlichen, dezenten Übergang für alle Folien.

Vorschau	Sehen Sie sich den eingestellten Übergang an.
Übergang zu dieser Folie	Wählen Sie einen passenden Übergang aus.
Effektoptionen	Bei manchen Übergängen kann man die Richtung ändern, z. B. Wischen von links, von oben ...
Sound	Beim Übergang wird der ausgewählte Sound gespielt.
Dauer	Sie zeigt an, wie lange der Übergang dauert.
Auf alle anwenden	Der eingestellte Folienübergang wird automatisch auf alle Folien übernommen.

Bei einem Übergang oder einer Animation erscheint bei der Folie in der Miniaturansicht bzw. in der Foliensortierung ein Stern.

Nächste Folie	Hier stellen Sie ein, ob die nächste Folie durch Klick oder automatisch nach einigen Sekunden erscheinen soll. Verwenden Sie diese Option, wenn Sie die Präsentation automatisch ablaufen lassen wollen.

Möchten Sie während der Präsentation die Zuseherinnen/Zuseher mit einem Eyecatcher überraschen, wählen Sie für eine bestimmte Folie, beispielsweise nach dem Theorie-Input vor einem Fallbeispiel, einen spektakulären Übergang.

Wurde bei der Folie ein Übergang oder eine Animation eingestellt, erscheint ein Sternchen bei der Folie.

Übung

- **Folien tauschen, Folienübergang, Notiz erstellen**
  a) Öffnen Sie die Präsentation **Kuerbiskernoel4.pptx** und speichern Sie die Datei unter **Kuerbiskernoel5.pptx.**
  b) Tauschen Sie die Folien 3 und 4.
  c) Lassen Sie sich die Folien mit verschiedenen Übergängen zeigen und stellen Sie anschließend folgenden Übergang für alle Folien ein:
     - Form, Effektoption Heraus; Dauer: 00,75.
  d) Sehen Sie sich die Präsentation in der Bildschirmpräsentation an.
  e) Wechseln Sie zu Folie 4 und geben Sie folgende Notiz ein: »Linolsäure ist lebensnotwendig und wirkt sich positiv auf den Cholesterinspiegel aus.«

2.14 Animation

Sie können die Inhalte einer Folie, Texte, Bilder usw. animieren. Achten Sie darauf, dass Sie nicht zu viele verschiedene Animationen verwenden. Bei manchen Animationsstilen können Sie in den Effektoptionen auswählen, aus welcher Richtung das Objekt erscheint.

Sie können die einzelnen Animationspunkte mit Klick oder durch Drücken der Eingabetaste erscheinen lassen.

Animationsstile und Effektoptionen auswählen

Arten von Animationsstilen	
Eingang	Das Objekt ist noch nicht auf der Folie und erscheint mit dem ausgewählten Effekt.
Hervorhebung	Das Objekt ist bereits auf der Folie sichtbar und wird mit dem eingestellten Effekt hervorgehoben.
Ausgang	Das Objekt verschwindet mit dem ausgewählten Effekt.
Animationspfade	Wählen Sie einen vordefinierten Animationspfad aus oder erstellen Sie einen benutzerdefinierten. Das Objekt ist auf der Folie und wird lediglich diesen Pfad entlang animiert.

- Das zu animierende Objekt markieren
- ANIMATIONEN – ANIMATION
- Animationseffekt auswählen
- Notwendige EFFEKTOPTIONEN einstellen
- Eventuell ANZEIGEDAUER einstellen

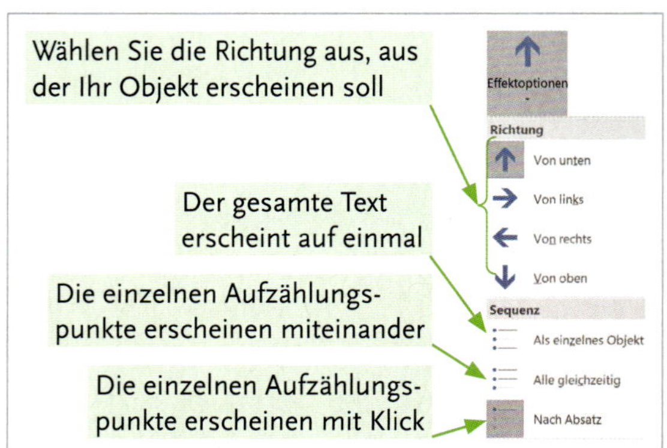

Aktuell animierte Folie in der Vorschau ansehen

ANIMATIONEN – VORSCHAU – VORSCHAU

Die Effektoptionen variieren je nach ausgewählter Animation.

Animationen verwalten Animationsbereich

Nachdem Sie Ihre Objekte auf der Folie animiert haben, erscheinen Zahlen neben den Platzhaltern. Diese zeigen an, in welcher Reihenfolge die Objekte erscheinen.

Öffnen Sie den Animationsbereich, um Ihre Animationen zu verwalten. Ändern Sie die Reihenfolge der Animationen.

- ANIMATIONEN – ERWEITERTE ANIMATION – ANIMATIONSBEREICH

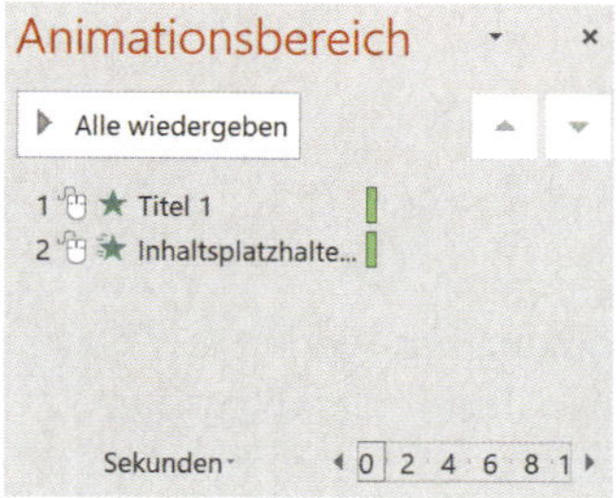

Animationen der gesamten Folie ansehen

Klicken Sie auf ALLE WIEDERGEBEN

Alle wiedergeben

Reihenfolge ändern

Ändern Sie die Reihenfolge der Animationen, indem Sie die zu ändernde Animation im Animationsbereich per Drag-and-drop verschieben oder die Schaltflächen verwenden.

Animation entfernen

- Im Animationsbereich auf die Animation klicken, die gelöscht werden soll
- DROPDOWNLISTE – ENTFERNEN

Animation übertragen Animation übertragen

Haben Sie eine Animation auf einer Folie eingestellt, können Sie sie mit der Funktion ANIMATION ÜBERTRAGEN auf andere Elemente übertragen.

Animationsbereich

Alt + ⇧ + C

- Wählen Sie das Objekt mit der gewünschten Animation aus
- ANIMATIONEN – ERWEITERTE ANIMATION – ANIMATION ÜBERTRAGEN
- Wählen Sie ein anderes Objekt aus, auf das die Animation automatisch angewendet werden soll

Übung

- **Animation**

a) Öffnen Sie die Präsentation **Kuerbiskernoel5.pptx** und speichern Sie die Datei unter **Kuerbiskernoel6.pptx.**

b) Wechseln Sie zu Folie 2. Animieren Sie die Objekte dieser Folie wie folgt:
   - Überschrift: Wischen, von links;
   - Bild: Impuls;
   - Text: Verblassen, nach Absatz.

c) Ändern Sie die Reihenfolge der Animation so, dass zuerst die Überschrift, dann der Text und anschließend das Bild animiert sind.

d) Wechseln Sie zu Folie 4 und animieren Sie sie wie folgt:
   - Überschrift: Wischen, von links;
   - Tabelle: Form, Form Feld Richtung Aus, Dauer 00,75.

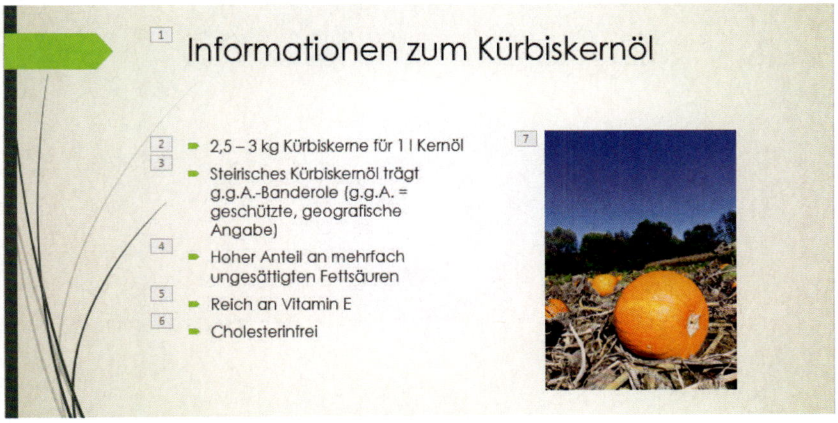

Präsentationssoftware

> **Notizblätter:** Wenn Sie einen Text in den NOTIZBEREICH geschrieben haben, können Sie ihn mit der Folie ausdrucken. Auf dem Ausdruck erscheint eine Folie pro Blatt. Darunter wird der Text aus dem Notizbereich eingefügt.
>
> **Handzettel:** Mehrere Folien werden auf einem Blatt ausgedruckt. Dieser Ausdruck eignet sich gut als Präsentationsübersicht.

2.15 Folien drucken

Sie können einzelne Folien, Notizblätter oder Handzettel ausdrucken.

- DATEI – DRUCKEN

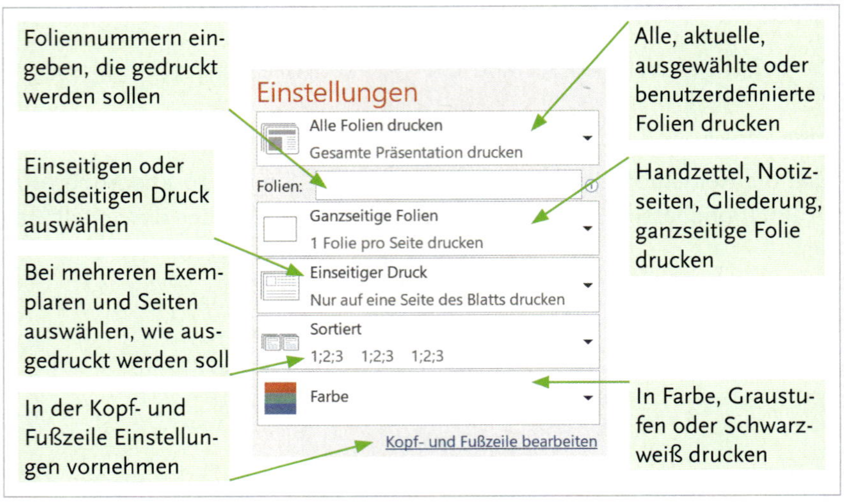

Ziele erreicht? – „Präsentationssoftware"

KOMPETENZ-ERWERB

1. Präsentation erstellen, gestalten und drucken

a) Erstellen Sie eine neue Präsentation, die Sie unter **Muell4.pptx** abspeichern.

b) Wechseln Sie in den Folienmaster:
- Design Facette; Farben Gelborange; Schriftarten Office;
- Facette Folienmaster: Titelmasterformat fett, 40 Punkt und Schriftfarbe Braun Akzent 2 formatieren, Platzhalter für Foliennummer und Datum löschen, erste Ebene Schriftgröße 28 Punkt, zweite Ebene Schriftgröße 20 Punkt.
- Folienmaster Vergleich: Überschrift fett und 28 Punkt.

c) Gestalten Sie die folgenden Folien:

Folienlayout: Titelfolie

Folienlayout: Zwei Inhalte

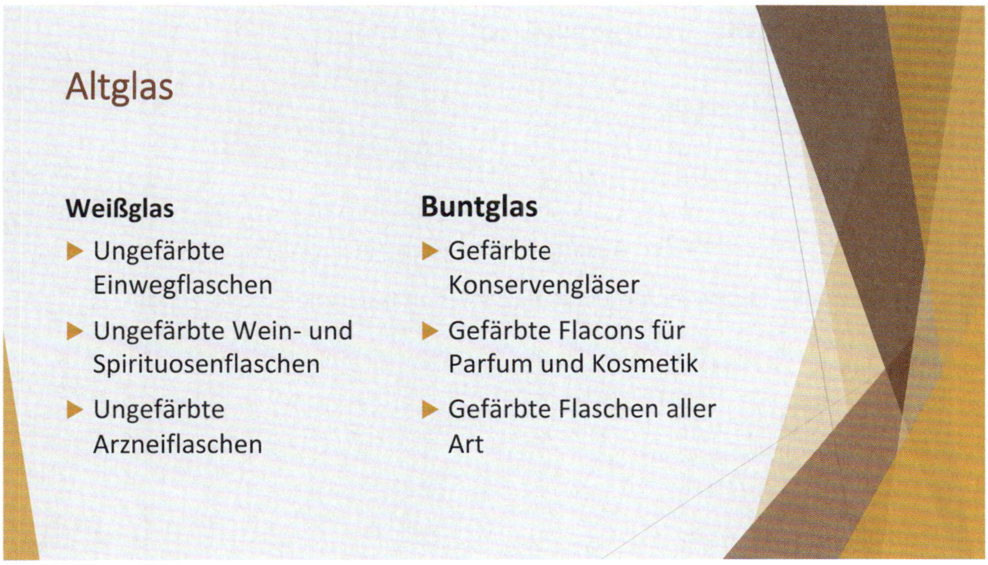

Folienlayout: Vergleich

Folienlayout: Zwei Inhalte

d) Verschieben Sie die beiden Text-Platzhalter auf Folie 4 nach unten, fügen die Bilder **Muell1.png** und **Muell2.png** ein und formatieren Sie sie wie folgt:
- Größe: Höhe 2,8 cm, Breite proportional;
- Position Muell1.png: horizontal 6,5 cm, vertikal 4,2 cm, jeweils von der oberen linken Ecke;
- Position Muell2.png: horizontal 18,7 cm, vertikal 4,2 cm, jeweils von der oberen linken Ecke.

e) Duplizieren Sie Folie 4. Ändern Sie den Text wie folgt:

Folienlayout: Zwei Inhalte

f) Ändern Sie auf Folie 2 für den Inhalt der Folie den Absatzabstand nach auf 12 Punkt.

g) Fügen Sie in Folie 2 die Grafik **Muell3.jpg** im rechten Platzhalter ein und nehmen Sie folgende Formatierungen vor:
- Größe und Position: passend.
- Bildformatvorlage: Metallrahmen.

h) Tauschen Sie die Reihenfolge der Folien 4 und 5.

i) Erstellen Sie die Folie 6:
- Folienlayout Titel und Inhalt;
- Titel »Abfallmengen pro Haushalt«;
- Diagramm erstellen: Diagrammtyp Kreis – Kreis;
- geben Sie folgende Werte ein;

	A	B
1		Basis ca. 755.500 Tonnen
2	Restabfälle	27%
3	Altstoffe/Wertstoffe	41%
4	Biogene Abfälle	32%

- Formatvorlage 9;
- Datenbeschriftung und Datenlegende passend anordnen;
- Textfeld erstellen und »Quelle: www.land-oberoesterreich.gv.at« eingeben, Schriftgröße 16 Punkt, passend anordnen.

j) Erstellen Sie die Folie 7:
- Folienlayout Titel und Inhalt;
- Titel »Aus Alt mach Neu«;
- Tabelle erstellen und Text eingeben;
- Schriftgröße Tabelle 24 Punkt;
- Erste Spalte laut Abbildung verkleinern;

Müll	Neues Produkt
Papierverpackungen	Hygienepapier, Zeitungsdruckpapier, Karton, Pappe, ...
Kunststoffverpackungen	PET-Flaschen, Sichtfenster, Fasern für Kleidung, ...
Metallverpackungen	Getränkedosen, Joghurtdeckel, Schokoladefolie, Verschlüsse, Eisenbahnschienen, ...

- Tabellenformatvorlage Mittlere Formatvorlage 1 – Akzent 1.

k) Legen Sie den Folienübergang Verblassen, Dauer 00,50 für alle Folien fest.

l) Animieren Sie die Objekte auf den einzelnen Folien nach Ihrem Geschmack.

m) Einstellungen für die Kopf- und Fußzeile am Handzettelausdruck:
- Datum und Uhrzeit aktivieren und Fest auswählen;
- Fußzeile: »Vorname Nachname«.

n) Drucken Sie die Folien als Handzettel (9 Folien vertikal) aus.

2. Urlaubspräsentation erstellen – 20 min

a) Erstellen Sie eine Präsentation über Ihren letzten Urlaub und speichern Sie die Präsentation unter **Urlaub1.pptx.**

b) Suchen Sie zusätzliche Informationen im Internet. Fertigstellung in 20 Minuten

c) Verwenden Sie den POWERPOINT-Designer für das Folienlayout. Weitere Einstellungen und Formatierungen können Sie nach Belieben vornehmen.

d) Verwenden Sie verschiedene Elemente (Tabellen, Diagramme, Bilder, ...).

e) Animieren Sie die Präsentation nach Ihrem Geschmack.

Einen interaktiven **Safety-Check** finden Sie in der TRAUNER-DigiBox.

3 Präsentieren mit POWERPOINT

Ali kennt bereits einige Tools in POWERPOINT. Er war mit seinen Eltern im Ausseerland auf Urlaub und hat dort mit seiner digitalen Videokamera einen Film gedreht. Er lässt den Urlaub Revue passieren und beginnt, seine Reise in einer POWERPOINT-Präsentation festzuhalten. Er bemerkt sehr rasch, dass er noch keine Video- und Audiodateien sowie Hyperlinks einfügen kann und beschließt, sich diese Kenntnisse anzueignen.

Meine Ziele

Nach Bearbeitung dieses Kapitels kann ich

- Hyperlinks in Präsentationen einfügen;
- eigenständig eine multimediale Präsentation erstellen;
- Audio- und Videodateien in eine Präsentation einbetten;
- ein Video von einer Website einfügen;
- ein Fotoalbum erstellen und bearbeiten;
- eine interaktive Schaltfläche einfügen.

3.1 Links

Text, Bilder und Illustrationen können mit einem Hyperlink versehen werden.

Hyperlinks werden in Präsentationen gesetzt, um auf eine Datei, Internet- oder E-Mail-Adresse zu verlinken. Sie bieten den Vorteil, dass sich im Modus der Bildschirmpräsentation das gewünschte Objekt, die Internetseite usw. öffnet.

3.1.1 Link einfügen

Verlinkte Wörter werden automatisch unterstrichen und sind mit der Hyperlinkfarbe des ausgewählten Designs formatiert.

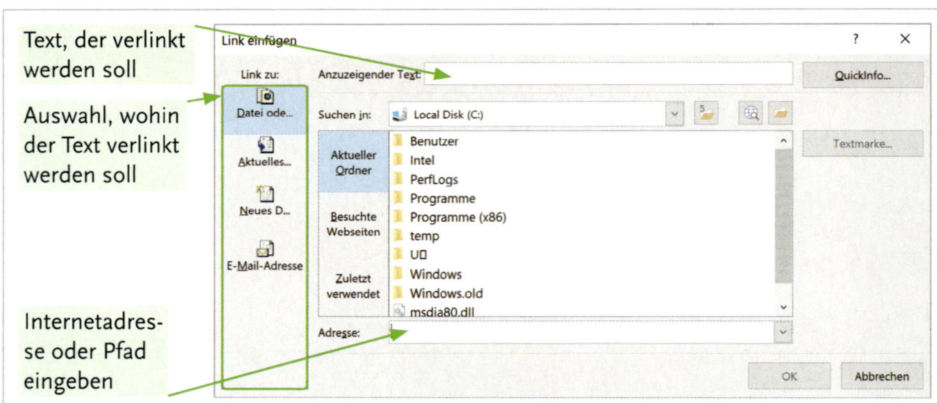

Geben Sie beim Verlinken auf Websites immer **http://** bzw. **https://** an.

- Zu verlinkenden Textteil oder Objekt markieren
- EINFÜGEN – LINKS – LINK – LINK EINFÜGEN...
- Oder Kontextmenü – LINK
- Auswahl, wohin verlinkt werden soll
- In der Adressleiste den Pfad oder den Hyperlink eingeben
- OK

3.1.2 Link bearbeiten

- Einfügemarke in das verlinkte Objekt stellen
- Kontextmenü – LINK BEARBEITEN...

3.1.3 Link entfernen

- Einfügemarke in das verlinkte Objekt stellen
- Kontextmenü – LINK ENTFERNEN

3.1.4 Link öffnen

- In der BILDSCHIRMPRÄSENTATION auf das verlinkte Objekt klicken
- Oder Kontextmenü – LINK ÖFFNEN
- Oder Strg + Klick auf den Link

3.1.5 Link kopieren

- Kontextmenü – LINK KOPIEREN

Wenn Sie die Präsentation zu Hause erstellen und in der Schule präsentieren, achten Sie darauf, dass Sie auch die verlinkten Dateien auf dem USB-Stick gespeichert haben und prüfen Sie anschließend den Pfad. Testen Sie den Link, bevor Sie die Präsentation vorführen.

Um mittels Hyperlink von einer Folie auf die andere oder auf andere Seiten zu gelangen siehe „Interaktive Schaltflächen“.

Übung

- **Präsentation erstellen und Hyperlink einfügen**
  a) Erstellen Sie eine neue Präsentation mit einer Titelfolie und einer Titel und Inhalt Folie im Standarddesign.
  b) Speichern Sie die Präsentation unter **Ausseerland1.pptx.**
  c) Titelfolie: Titel: »Das Ausseerland«, Untertitel: »Mitten in Österreich«.
  d) Titel und Inhalt Folie:
    - Titel »Die Region«;
    - Grafik **Ausseerland5.jpg** einfügen, Texte und Formen laut Abbildung;
    - Hyperlink auf die Website https://ausseerland.salzkammergut.at beim Bild.

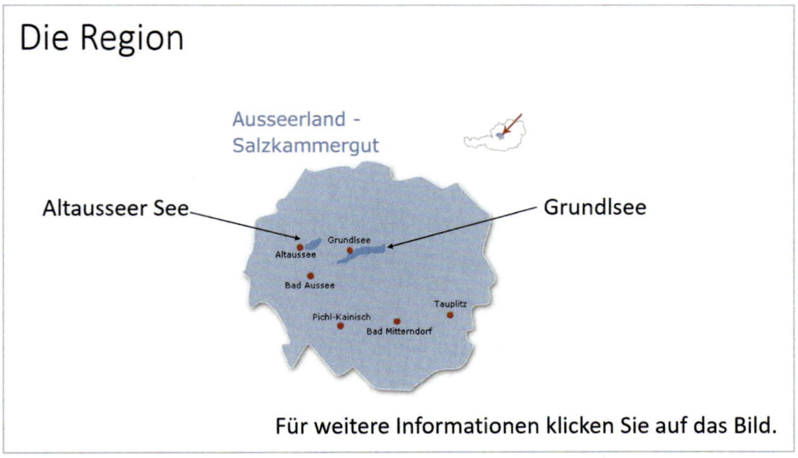

  d) Animieren Sie die Formen und Textplatzhalter passend und wählen Sie jeweils Start: Nach Vorherigen. Wählen Sie eine passende Verzögerung.
  e) Legen Sie einen automatischen Folienübergang nach sechs Sekunden für die Titelfolie fest.
  f) Testen Sie den Hyperlink.

Präsentationssoftware

3.2 Audio

Verleihen Sie Ihrer Präsentation das gewisse Etwas und peppen Sie sie mit Audiodateien auf. Lassen Sie die Musik während der gesamten Präsentation laufen oder spielen Sie lediglich eine kurze Audiosequenz ab.

Unterstützte Audiodateiformate:
AIFF, AU, MID, MIDI, MP3, WAV, WMA, M4A, MP4

⚠ Automatisch ablaufende Präsentationen werden häufig mit Musik untermalt, um der Präsentation mehr Ausdruckskraft zu verleihen.

Audiosymbol

3.2.1 Audio einfügen

- EINFÜGEN – MEDIEN – AUDIO
- AUDIOAUFNAHME... oder AUDIO AUF MEINEM COMPUTER... auswählen
- Audiodatei aus dem Speicherort bzw. ClipArt auswählen
- Audiosymbol erscheint
- Audiosymbol positionieren

Für Audioaufnahmen müssen Sie ein Audioaufnahmegerät (Mikrofon) am PC angeschlossen haben.

Audio folienübergreifend abspielen
- EINFÜGEN – MEDIEN – AUDIO
- AUDIO AUF MEINEM COMPUTER...
- Audiodatei aus dem Speicherort auswählen
- Register AUDIOTOOLS – WIEDERGABE
- AUDIOOPTIONEN – FOLIENÜBERGREIFEND WIEDERGEBEN aktivieren.

3.2.2 Audio formatieren

In den Registern AUDIOTOOLS – FORMAT und WIEDERGABE können Sie weitere Einstellungen für Ihre Audiodatei vornehmen.

Im Register AUDIOTOOLS – FORMAT können Sie das Audiosymbol formatieren. Diese Formatierungsmöglichkeiten kennen Sie bereits.

⚠ Achten Sie beim Verwenden von Audiodateien auf das Urheberrecht.

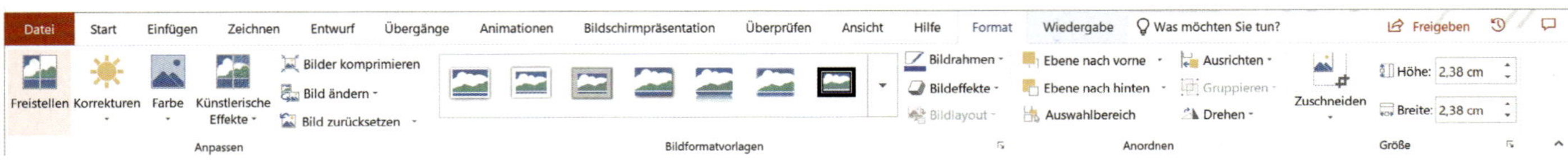

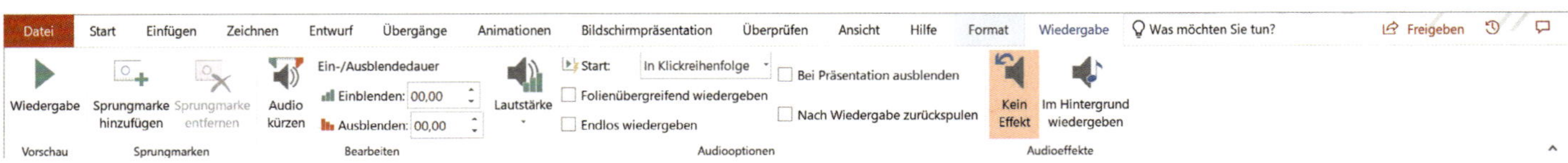

Wiedergabe	Die Audiodatei wird abgespielt. Währenddessen erscheint anstatt der Schaltfläche WIEDERGABE die Schaltfläche ANHALTEN.
Sprungmarke hinzufügen	Sprungmarken ermöglichen eine rasche Navigation in der Audiodatei.
Sprungmarke entfernen	Eingefügte Sprungmarken können Sie auch wieder entfernen.
Audio kürzen	Wenn Ihre Audiodatei zu lang ist, können Sie sie schneiden.
Ein-/Ausblendedauer	Sie können das Lied leise beginnen und leise enden lassen, indem Sie eine Ein-/Ausblendedauer einstellen.
Audiooptionen	Bestimmen Sie, wann Ihre Audiodatei abgespielt und beendet werden soll und legen Sie die Abspiellautstärke fest.
Audioeffekte	Sie können Ihre Audiodatei im Hintergrund abspielen lassen.

Zur nächsten Sprungmarke springen Alt + Ende

Zur vorherigen Sprungmarke springen Alt + Pos1

⚠ Achten Sie beim Verwenden von Audiodateien auf das **Urheberrecht.**

Übung

- **Audiodatei einfügen**

a) Öffnen Sie die Datei **Ausseerland1.pptx** und wechseln Sie zur Titelfolie.
b) Speichern Sie die Präsentation unter **Ausseerland2.pptx.**
c) Audio einfügen:
- Audiodatei **Ausseerland7.mp3** passend einfügen;
- automatisch starten festlegen.

d) Formatieren Sie das Objekt nach Ihrem Geschmack.
e) Fügen Sie den Text aus der Datei **Ausseerland8.txt** in den Notizbereich ein.
f) Sehen Sie sich die Präsentation in der Bildschirmpräsentationsansicht an.

3.3 Video

Das Einbetten von Videos in Präsentationen ist professioneller als das Abspielen eines Videos mit einem anderen Programm.

Videos können in die Präsentation eingebettet oder Verknüpfungen zum Video eingefügt werden. Der Vorteil des Einbettens liegt darin, dass das Video direkt in POWERPOINT gespeichert wird und das Video nicht separat mit auf dem Datenträger gespeichert werden muss.

Unterstützte Videodateiformate:
ASF, AVI, MPG, MPEG, WMV, SWF, MP4, M4V, MOV

3.3.1 Video aus Datei einfügen

- Im Textplatzhalter Klick auf VIDEO EINFÜGEN
- Oder EINFÜGEN – MEDIEN – VIDEO
- VIDEO AUF MEINEM COMPUTER...
- Video auswählen
- Schwarzes Rechteck erscheint auf der Folie, in dem das Video abgespielt wird
- Rechteck kann vergrößert oder verkleinert sowie an anderer Stelle positioniert werden

3.3.2 Onlinevideo

- EINFÜGEN – MEDIEN – VIDEO – ONLINEVIDEO...
- Video auf YOUTUBE suchen oder
- den Code AUS EINEM VIDEOEINBETTUNGSCODE einfügen
- EINFÜGEN
- Das Video kann vergrößert oder verkleinert sowie an anderer Stelle positioniert werden

Videos, die in die Präsentation eingefügt werden, erhöhen die Dateigröße der Präsentation enorm, da das Video in der Datei abgespeichert wird.

Bei einer **Verknüpfung** zu einem Video ändert sich die **Dateigröße der Präsentation kaum.**

www.youtube.com

Die meisten Videowebsites enthalten einen Einbettungscode. Dieser ist jedoch nicht auf jeder Website an der gleichen Stelle zu finden.

Achten Sie beim Verwenden von Videos auf das **Urheberrecht.**

Übung

- **Verknüpfung zu einem YouTube-Video einfügen**

a) Öffnen Sie die Datei **Ausseerland2.pptx.**
b) Speichern Sie die Präsentation unter **Ausseerland3.pptx.**
c) Fügen Sie als Folie 3 die Folie Leer ein.
d) Fügen Sie das Video »Das Jahr im Ausseerland – Salzkammergut« von YouTube ein.
e) Vergrößern Sie die Videoansicht.
f) Spielen Sie das Video ab.

3.3.3 Video formatieren

In den Registern VIDEOTOOLS – FORMAT und WIEDERGABE können Sie weitere Einstellungen für Ihre Videodatei vornehmen.

Format

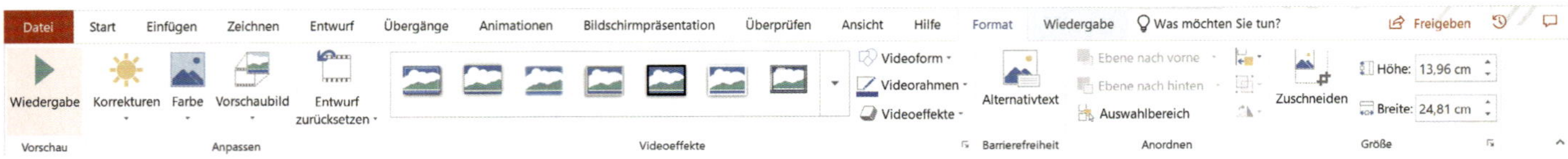

Wiedergabe	Die Videodatei wird abgespielt.
Korrekturen	Verändern Sie die Helligkeit und den Kontrast des Videos.
Farbe	Das Video wird neu eingefärbt.
Vorschaubild	Dieses Bild ist das Titelbild des Videos. Sobald Sie darauf klicken, wird das Video abgespielt.
Entwurf zurücksetzen	Alle vorgenommenen Formatierungsänderungen werden gelöscht.
Videoeffekte, Videorahmen	Erstellen Sie z. B. einen Rahmen oder Schatten rund um das Video.
Videoform	Legen Sie eine Form fest, in der das Video abgespielt wird.
Alternativtext	Erstellen Sie eine Textbeschreibung des Videos für Bildschirmsprachausgaben.
Zuschneiden	Schneiden Sie das Video zu.
Größe	Legen Sie die Größe des Videos fest.

Das Video selbst wird dadurch nicht beschnitten.

Wiedergabe

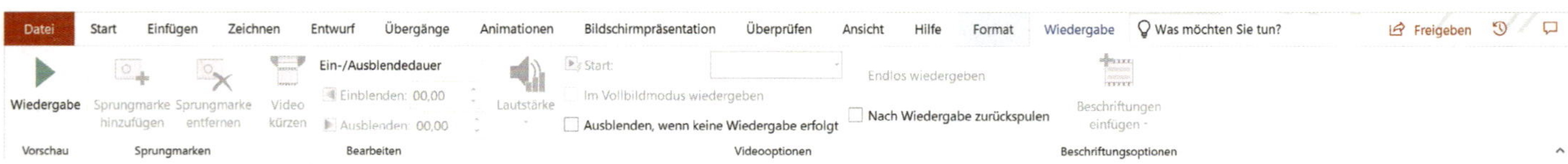

Wiedergabe	Die Videodatei wird abgespielt.
Sprungmarke hinzufügen	Sprungmarken ermöglichen eine rasche Navigation in der Videodatei.
Sprungmarke entfernen	Eingefügte Sprungmarken können Sie auch wieder entfernen.
Video kürzen	Schneiden Sie das Video zu.

Ein verknüpftes Video zu einer Website kann nicht gekürzt und die Ausblendedauer nicht eingestellt werden.

Ein-/Ausblende-dauer	Sie können Ihr Video mit einem Ein- und Ausblendeffekt starten und beenden.
Videooptionen	Bestimmen Sie, wann Ihre Videodatei abgespielt und beendet werden soll und legen Sie die Abspiellautstärke fest.
Im Vollbildmodus wiedergeben	Ihr Video wird am gesamten Bildschirm angezeigt. Achten Sie auf hohe Qualität des Videos.
Endloswiedergabe	Ihr Video wird so oft abgespielt, bis Sie es beenden.

3.4 Fotoalbum

Fotoalben bieten die Möglichkeit zum raschen Präsentieren von Fotos. Mit wenigen Klicks können Sie Ihre Urlaubsfotos Ihren Freundinnen und Freunden zeigen.

3.4.1 Fotoalbum einfügen

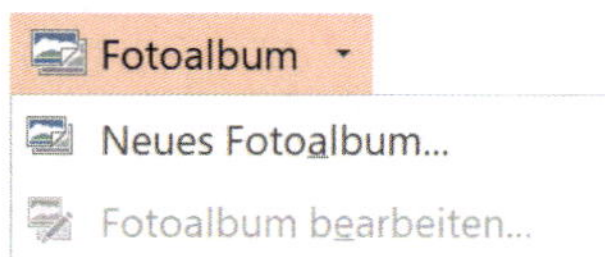

- EINFÜGEN – BILDER – FOTOALBUM
- NEUES FOTOALBUM...
- Bilder hochladen und gewünschte Einstellungen treffen
- ERSTELLEN
- Fotoalbum wird in einer neuen Präsentation erstellt und geöffnet

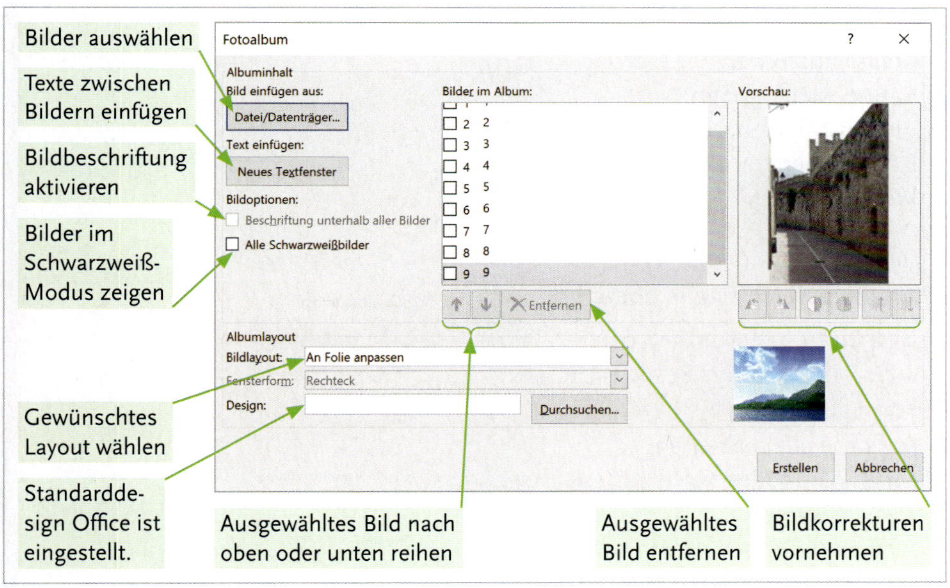

Sie können Ihre Fotopräsentation nun mit den bereits bekannten POWERPOINT-Werkzeugen formatieren und weiterbearbeiten.

3.4.2 Fotoalbum bearbeiten

Ihr erstelltes Fotoalbum können Sie bearbeiten

- EINFÜGEN – BILDER – FOTOALBUM
- FOTOALBUM BEARBEITEN...
- Gewünschte Einstellungen treffen
- AKTUALISIEREN

Übung

Fotoalbum erstellen

a) Öffnen Sie eine neue Präsentation in POWERPOINT und speichern Sie diese unter **Mallorca1.pptx.**
b) Erstellen Sie ein Fotoalbum mit den Bildern aus dem Ordner **Mallorca.**
c) Treffen Sie folgende Einstellungen:
- Bild 2 entfernen;
- Bilder 3 und 4 tauschen;
- Textfeld nach Bild 1 erstellen.

d) Text auf Folie 3 ändern »Ausflug nach Palma de Mallorca« und passend formatieren.
e) Passenden Folienübergang für alle Folien wählen, das Fotoalbum soll automatisch abgespielt werden.
f) Text auf der Titelfolie: Titel »Sommerurlaub auf Mallorca«, Untertitel »eigener Vor- und Nachname«.
g) Legen Sie eine passende Audiodatei als Hintergrundmusik fest.
h) Speichern nicht vergessen!

3.5 Interaktive Schaltflächen

Interaktive Schaltflächen sind Formen, die eine Aktion ausführen, wenn darauf geklickt oder mit der Maus gezeigt wird. Sie funktionieren lediglich in der Bildschirmpräsentationsansicht. Folgende Aktionen können Sie auswählen:

- Wechseln zur nächsten, vorherigen, ersten, letzten und zuletzt angezeigten Folie oder zu einer bestimmten Folie,
- Programm ausführen,
- Makro ausführen,
- Sound wiedergeben,
- Video abspielen,
- Datei öffnen,
- Website öffnen

Wenn Sie auf eine Website verlinken möchten, vergessen Sie nicht http:// einzugeben.

Bei der Aktion **Mausklick** wird die eingestellte Aktion beim Klick auf die Schaltfläche ausgeführt. Bei **Maus ruhen lassen auf** wird die Aktion ausgeführt, wenn die Maus auf die Schaltfläche zeigt.

Interaktive Schaltfläche einfügen

- EINFÜGEN – ILLUSTRATIONEN – FORMEN – INTERAKTIVE SCHALTFLÄCHEN
- Form auswählen
- Auf der Folie aufziehen
- MAUSKLICK oder MAUS RUHEN LASSEN AUF auswählen
- AKTIONSEINSTELLUNG auswählen
- OK

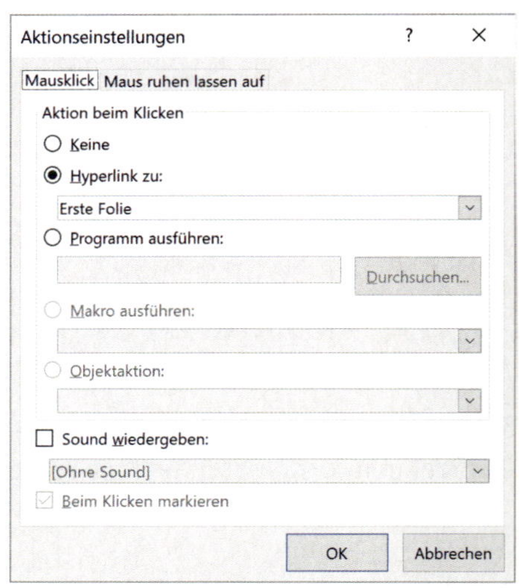

Interaktive Schaltfläche formatieren

Interaktive Schaltflächen werden genauso formatiert wie Formen.

Interaktive Schaltfläche bearbeiten

Sie können die eingestellte Aktion jederzeit ändern.

- Interaktive Schaltfläche markieren
- EINFÜGEN – LINKS – AKTION
- Änderungen durchführen
- OK

Interaktive Schaltfläche bearbeiten
Kontextmenü – LINK BEARBEITEN

Übung

- **Interaktive Schaltflächen erstellen**

a) Öffnen Sie die Präsentation **Ausseerland3.pptx** und wechseln Sie zur ersten Folie.
b) Speichern Sie die Präsentation unter **Ausseerland4.pptx.**
c) Erstellen Sie die interaktive Schaltfläche Ende mit Mausklick und Hyperlink zur letzten Folie an einer passenden Stelle.
d) Erstellen Sie auf der letzten Folie die interaktive Schaltfläche zum Anfang mit Maus ruhen lassen auf.

3.6 Präsentationen in anderen Formaten veröffentlichen

Eine Präsentation kann neben dem POWERPOINT-Format ***.pptx** auch in anderen Formaten gespeichert und veröffentlicht werden.

Dadurch können Sie ein Format wählen, das optimal auf Ihre Bedürfnisse abgestimmt ist. Für einen Vortrag eignet sich gut, die Präsentation als Bildschirmpräsentation zu speichern. Möchten Sie die Präsentation automatisch auf einem Fernseher abspielen lassen, bietet sich an, die Präsentation als Video zu speichern.

Hinweise zum Speichern

POWERPOINT 365 ermöglicht Ihnen, die Medienkompatibilität, -größe und -leistung zu optimieren. Diese Dienste können Sie unter DATEI-BACKSTAGE einstellen und prüfen:

- DATEI – INFORMATIONEN

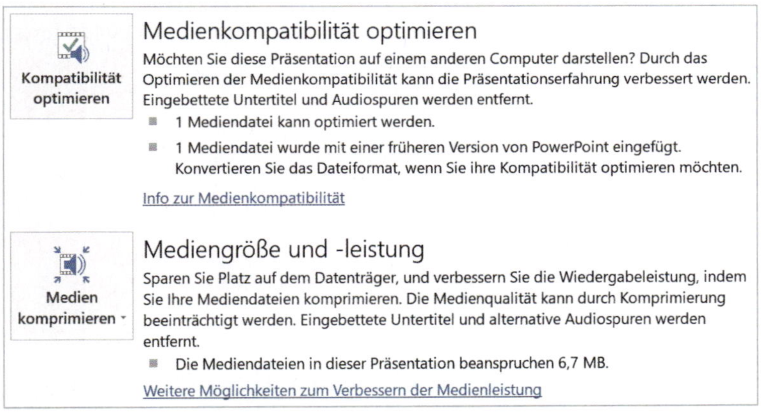

3.6.1 Präsentation als PDF speichern

- DATEI – EXPORTIEREN – PDF/XPS-DOKUMENT ERSTELLEN
- PDF/XPS-DOKUMENT ERSTELLEN
- Speicherort auswählen und Speichername eingeben
- VERÖFFENTLICHEN

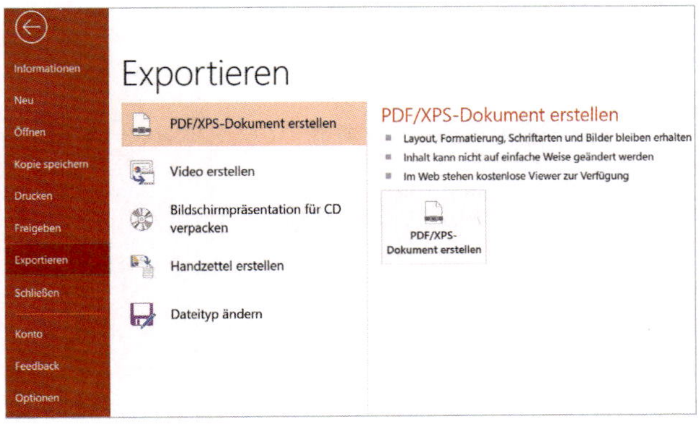

Sie können Ihre Präsentation im PDF-Format den Zuhörern und Zuhörerinnen als Informationsbegleitung austeilen oder digital zur Verfügung stellen.

Präsentationssoftware

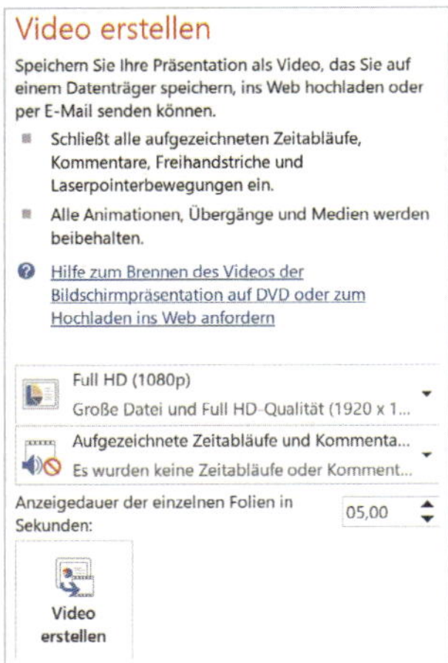

3.6.2 Präsentation als Video speichern

Wenn Sie Ihre Präsentation als Video speichern, können Sie sie auf einem Computer, im Internet oder auf einem Fernseher automatisch abspielen lassen.

Das Video wird als MPEG4-Video ***.mp4** gespeichert und im standardmäßig eingestellten Programm abgespielt, z. B. im WINDOWS MEDIA PLAYER.

- DATEI – EXPORTIEREN – VIDEO ERSTELLEN
- Einstellungen auswählen
- VIDEO ERSTELLEN
- Speicherort wählen und Speichername eingeben
- SPEICHERN

3.6.3 Präsentation als POWERPOINT-Bildschirmpräsentation speichern

Legen Sie vor Präsentationsbeginn eine Verknüpfung auf den Desktop, können Sie direkt von dort mit einem Doppelklick die Präsentation starten.

Um Ihre Bildschirmpräsentation mit Doppelklick zu starten, ohne POWERPOINT zu öffnen, speichern Sie sie als POWERPOINT-Bildschirmpräsentation ***.ppsx.**

- DATEI – KOPIE SPEICHERN
- Speicherort wählen und Dateiname eingeben
- Dateityp POWERPOINT-BILDSCHIRMPRÄSENTATION wählen
- SPEICHERN

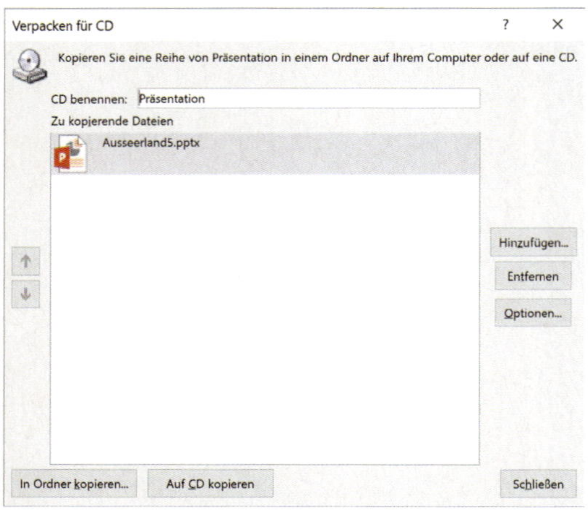

3.6.4 Bildschirmpräsentation für CD verpacken

Die Funktion eignet sich gut, wenn Sie multimediale Dateien in die Präsentation eingefügt haben. Dadurch wird verhindert, dass Objekte nicht abgespielt werden können.

- DATEI – EXPORTIEREN – BILDSCHIRMPRÄSENTATION FÜR CD VERPACKEN
- VERPACKEN FÜR CD
- Namen für die CD eingeben
- Dateien für die CD hinzufügen
- IN ORDNER KOPIEREN... oder AUF CD KOPIEREN auswählen
- Ordnername und Speicherort wählen
- OK
- VERKNÜPFTE DATEIEN IN PAKET EINSCHLIESSEN: JA

Übungen

1. Präsentation als Video speichern

a) Öffnen Sie die Präsentation **Mallorca1.pptx.**

b) Speichern Sie die Präsentation als Video und treffen Sie folgende Einstellungen:
- Qualität;
- Anzeigedauer der einzelnen Folien 4 Sekunden.

c) Speichern Sie die Präsentation als Video unter **Mallorca2.mp4** und spielen Sie das Video ab.

2. Präsentation als POWERPOINT-Bildschirmpräsentation speichern

a) Öffnen Sie die Präsentation **Ausseerland4.pptx.**

b) Prüfen Sie die Datei auf Medienkompatibilität.

c) Speichern Sie die Präsentation als POWERPOINT-Bildschirmpräsentation unter **Ausseerland6.ppsx.**

d) Testen Sie die Bildschirmpräsentation, indem Sie sie mit Doppelklick öffnen.

Ziele erreicht? – „Präsentieren mit POWERPOINT“

KOMPETENZ-ERWERB

1. Multimediale Präsentation erstellen

a) Erstellen Sie eine neue Präsentation und speichern Sie sie unter **Fairtrade6.pptx.** Wechseln Sie in den Folienmaster:
- Design Office, Farben Blaugrün, Schriftarten Trebuchet MS;
- Titelfolie Layout: Titelmasterformat fett;
- Office Notizen: Titelmasterformat fett, Grafik **Fairtrade1.png** einfügen, Höhe 3,3 cm, Breite proportional, Position rechts oben laut Abbildung;
- legen Sie die Schriftfarbe Aquamarin, Akzent 1 für die Überschrift fest;
- formatieren Sie das Aufzählungszeichen der ersten Ebene in Blaugrün, Akzent 4.

b) Text auf der Titelfolie:
- Titel »FAIRTRADE Österreich«;
- Untertitel »www.fairtrade.at«;
- Verlinken Sie »www.fairtrade.at« auf die Website http://www.fairtrade.at.

c) Gestalten Sie folgende Folien (Grafik: **Fairtrade2.jpg**):

d) Erstellen Sie eine neue Folie (Nur Titel).
- Titel: »Öffentlichkeitsarbeit«;
- im Textplatzhalter das Video **Fairtrade3.mpeg** mittig einfügen.

e) Formatieren Sie das Video:
- Höhe 12 cm, Breite proportional;
- Videoeffekt Subtil – Konkaves abgeschrägtes Rechteck.

f) Erstellen Sie eine neue Folie (Zwei Inhalte):
- Titel: »Produktpalette«;
- linke Spalte: »Bananen«, »Kakao«, »Tee«, »Fruchtsäfte«, »Rohrzucker«, »Reis«, »Baumwolle«, »Blumen«;
- rechte Spalte: **Fairtrade4.jpg** einfügen und passend formatieren;
- fügen Sie rechts unten die Audiodatei **Fairtrade5.mp3** ein.

g) Animieren Sie die Inhalte auf den Folien passend.

h) Sehen Sie sich die Präsentation in der Bildschirmpräsentationsansicht an.

i) Speichern nicht vergessen!

j) Verpacken Sie die Präsentation als Bildschirmpräsentation auf CD:
- nennen Sie die CD »Fairtrade«;
- wählen Sie in Ordner kopieren.

k) Legen Sie den Ordnernamen »Fairtrade« fest und wählen Sie den Speicherort.

2. Multimediale Präsentation erstellen

a) Öffnen Sie die Präsentation **Vigo1.pptx.**

b) Speichern Sie die Präsentation unter **Vigo5.pptx.**

c) Text auf der Titelfolie:
- Titel: »VIGÖ«;
- Untertitel: »Ihr Veranstaltungsfinder«;
- Audiodatei **Vigo2.mp3** einfügen, Endloswiedergabe; Start Automatisch.

d) Erstellen Sie eine neue Folie (Titel und Inhalt):
- Titel: »Kerndaten«;
- Text im Textplatzhalter: »2001 gegründet«; »8 kompetente Mitarbeiter/innen«; »Kostenloses Service für Veranstaltungszentren«; »Zentrale in Eisenstadt«; »Büros in Wien, Bregenz, Salzburg, Linz«; »Kostenlose Hotline 0800 12 12 12«.

e) Erstellen Sie eine neue Folie (Zwei Inhalte):
- Titel: »Aus unserem Programm«;
- Text im linken Textplatzhalter: »Lady Gaga«; »Robbie Williams«; »Volbeat«; »Michael Niavarani«; »uvm.«;
- verlinken Sie die Künstlerinnen und Künstler auf deren offiziellen Websites;
- rechten Platzhalter löschen;
- Grafik **Vigo3.jpg** einfügen, Größe anpassen und passend platzieren; Schnellformatvorlage Abgerundete diagonale Ecken, weiß. Grafik verlinken auf die Website www.oeticket.com;
- erstellen Sie eine interaktive Schaltfläche; verlinken Sie diese auf die Datei **Vigo4.pdf.**

f) Erstellen Sie eine neue Folie (Titel und Inhalt):
- Titel: »Verkaufte Karten pro Jahr«;
- Diagramm einfügen: Linie – Linie; Daten laut Tabelle eingeben; passend formatieren.

	Kabarett	Musical	Konzert
2006	1030	2306	2103
2011	2556	3217	3998
2015	3011	4539	6410

g) Erstellen Sie eine neue Folie (Titel und Inhalt) mit dem Titel »Konzertausschnitt«.

h) Fügen Sie von www.youtube.com einen Konzertausschnitt einer Künstlerin bzw. eines Künstlers Ihrer Wahl ein.

i) Setzen Sie auf Folie 5 eine interaktive Schaltfläche zum Anfang.

j) Drucken Sie die Folien als Handzettel (6 Folien horizontal) aus.

k) Speichern Sie die Präsentation als PDF unter **Vigo6.pdf.**

3. Multimediale Präsentation erstellen in 45 Minuten

a) Erstellen Sie eine Präsentation mit mindestens vier Folien zu einem Thema Ihrer Wahl (Lieblingsband, Serie ...). Achten Sie auf ein formschönes Layout.

b) Speichern Sie die Präsentation unter **Kuenstler1.pptx.**

c) Wählen Sie ein passendes Design.

d) Fügen Sie folgende Elemente ein:
- interaktive Schaltfläche;
- Link auf eine Website;
- Verknüpfung oder Link zu einem Video.

e) Animieren Sie die Präsentation nach Ihrem Geschmack. Beachten Sie dabei die Regeln, beispielsweise „Weniger ist mehr."

f) Erstellen Sie für die Folien eine passende Kopf- und Fußzeile.

4. Fotoalbum erstellen in 10 Minuten

a) Erstellen Sie ein Fotoalbum mit Fotos der letzten Schulveranstaltung (Lehrausgang, Wandertag ...).

b) Fügen Sie Textfelder zur Beschreibung diverser Fotos ein.

c) Animieren Sie die Präsentation und stellen Sie die Endloswiedergabe ein.

d) Legen Sie eine passende Hintergrundmusik fest.

e) Speichern Sie die Präsentation als Bildschirmpräsentation unter **Fotoalbum1.ppsx.**

Einen interaktiven **Safety-Check** finden Sie in der TRAUNER-DigiBox.

4 Zielgruppenorientiertes Präsentieren

Für den Betriebswirtschaft- und Projektmanagement-Unterricht muss Sarah eine Präsentation über ein Unternehmen erstellen. Sarah möchte mit einer professionellen Präsentation überzeugen. Daher sieht sie sich die Werkzeuge und Funktionen eines Präsentationsprogramms näher an und beschäftigt sich mit Farben und Vorlagen.

Meine Ziele

KOMPETENZ-ERWERB

Nach Bearbeitung dieses Kapitels kann ich
- eine individuelle Vorlage erstellen, ändern und anwenden;
- RGB-Farbwerte in POWERPOINT und in PHOTOSHOP bestimmen;
- Designfarben individuell anpassen und neue Designfarben erstellen;
- mit Abschnitten arbeiten;
- eine Bildschirmpräsentation zielgruppenorientiert einrichten;
- ein eigenes Design erstellen und anwenden.

4.1 Masterfolie

Verwenden Sie für die Projektarbeit und die Präsentation sowie für alle zusätzlichen Unterlagen ein einheitliches Design (Corporate Design). Firmenlogos, -farben und Schriftzüge sollen in Ihrer Präsentation eingesetzt werden.

Im Folienmaster werden alle Einstellungen festgelegt, die die gesamte Präsentation betreffen, wie Schriftgröße, Schriftart, Schriftfarbe, Absatzabstand usw.; fügen Sie gegebenenfalls das Firmenlogo ein.

Vordefinierte Masterfolien können auch verändert werden.

Corporate Design = einheitliches, gesamtes Erscheinungsbild

Indem Sie die Masterfolie selbst erstellen und keine vorgefertigte verwenden, verleihen Sie Ihrer Präsentation eine persönliche Note. Sie können auch Onlinevorlagen herunterladen.

4.2 Mit individuellen POWERPOINT-Vorlagen arbeiten

Vorlagen erstellen

- Erstellen Sie eine neue leere Präsentation
- Wählen Sie eine vorhandene Vorlage als Basis aus oder beginnen Sie in der neuen leeren Präsentation – gestalten Sie die Folien
- DATEI – SPEICHERN UNTER – Speicherort auswählen, wenn Sie die Vorlage nicht unter Vorlagen speichern möchten – Dateinamen eingeben – Dateityp POWERPOINT-VORLAGE auswählen – SPEICHERN

Dateiendung ***.potx**

POWERPOINT speichert die Vorlagen standardmäßig im OFFICE-Vorlagenordner. Diesen Ordner können Sie ändern:
- DATEI – OPTIONEN
- SPEICHERN
- Pfad bei STANDARDSPEICHERORT FÜR PERSÖNLICHE VORLAGEN eingeben
- OK

Vorlagen verwenden

- POWERPOINT öffnen
- BENUTZERDEFINIERT wählen – BENUTZERDEFINIERTE OFFICE-VORLAGE auswählen – Vorlage auswählen – ERSTELLEN

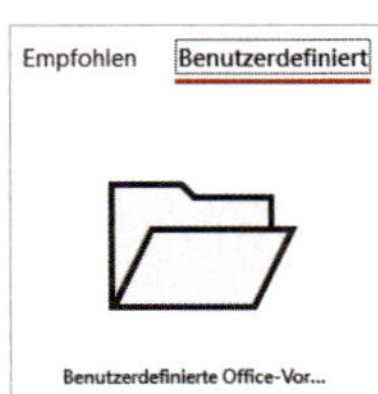

Vorlagen ändern

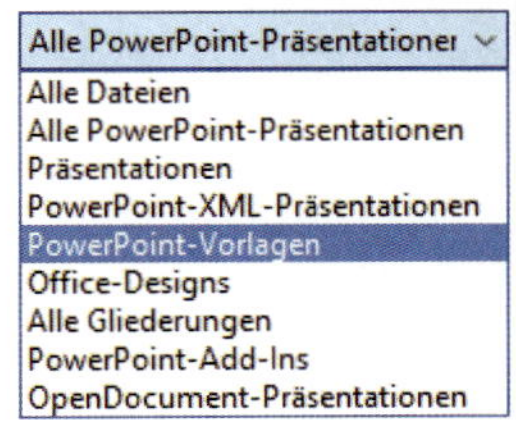

- DATEI – ÖFFNEN
- DURCHSUCHEN – Speicherort auswählen
- Dateityp POWERPOINT-VORLAGE auswählen
- Datei auswählen – ÖFFNEN
- Änderungen durchführen und erneut speichern

Übungen

1. POWERPOINT-Vorlage erstellen und speichern

a) Erstellen Sie eine neue leere Präsentation und wechseln Sie in den Folienmaster:
- Design Organisch, Farben Grüngelb;
- Organisch Folienmaster: Titel Schriftfarbe Grün, Akzent 2; Schriftgröße Erste Ebene 26 Punkt.

b) Speichern Sie die Vorlage unter **Fair1.potx.**

2. POWERPOINT-Vorlage anwenden – 45 min

a) Erstellen Sie zum Thema Nachhaltige Mode eine neue Präsentation anhand der Vorlage **Fair1.potx.**

b) Suchen Sie im Internet Informationen über dieses Thema und erstellen Sie eine ansprechende Präsentation.

c) Fügen Sie ein passendes YouTube-Video ein.

d) Animieren Sie die Präsentation.

e) Speichern Sie die Präsentation unter **Fair2.pptx.**

4.3 RGB-Farben abstimmen

In Präsentationen werden Firmen- und Vereinslogos, farbige Formen und Symbole verwendet. Das Corporate Design soll auch hier berücksichtigt werden. Stimmen Sie beispielsweise die Schriftfarbe, die Farbe der Aufzählungszeichen, der verwendeten Symbole usw. auf die Farbe des Logos ab.

Farbwert in POWERPOINT bestimmen

- Fügen Sie das Bild, aus dem Sie den Farbton abnehmen möchten, in POWERPOINT ein
- START – SCHRIFTART – Listenfeld SCHRIFTFARBE
- PIPETTE
- Mauszeiger zum gewünschten Farbton navigieren; im Rechteck erscheint die gerade ausgewählte Farbe, in der Quickinfo der Farbwert
- Farbe durch Klick bestätigen

Sie können den Text sofort in der ausgewählten Schriftfarbe schreiben. Sie finden die Farbe auch im Listenfeld Schriftfarbe, bei den Farbfüllungen usw. unter ZULETZT VERWENDETE FARBEN.

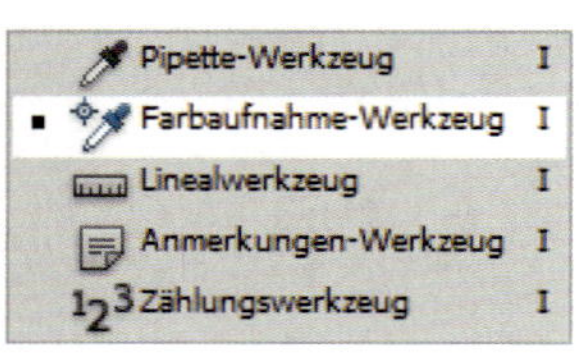

Farbwert in PHOTOSHOP bestimmen

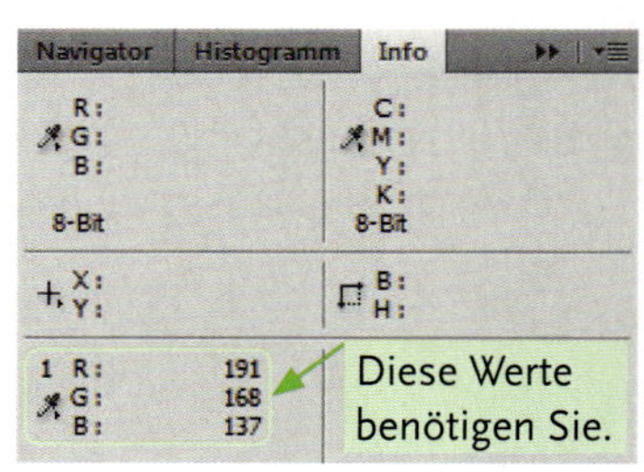

Den RGB-Farbton können Sie in ADOBE PHOTOSHOP bestimmen.

- Grafik in PHOTOSHOP öffnen
- FARBAUFNAHME-WERKZEUG auswählen
- Auf den Farbbereich klicken
- In der Info können Sie die RGB-Werte ablesen

Wechseln Sie zu POWERPOINT und nehmen Sie folgende Einstellungen vor:

- START – SCHRIFTART – Listenfeld SCHRIFTFARBE
- WEITERE FARBEN...
- Registerkarte BENUTZERDEFINIERT
- Bei Farbmodell RGB die RGB-Werte eingeben
- OK

Die benutzerdefinierte Farbe wird unter ZULETZT VERWENDETE FARBEN angezeigt.

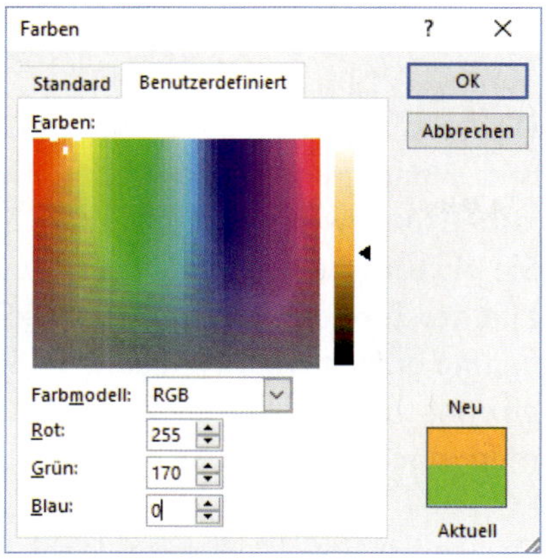

Übung

- **POWERPOINT-Vorlage erstellen und speichern**

a) Erstellen Sie eine neue leere Präsentation und speichern Sie sie unter **Cupcake2.potx.**

b) Legen Sie die Designfarben Rotviolett fest und wechseln Sie in den Folienmaster.

c) Legen Sie folgende Einstellungen für den Folienmaster Titelfolie Layout fest:
- Hintergrundfarbe Rosa, Akzent 1, heller 60 %;
- Linie mit Punkten erstellen: Breite und Höhe 0,5 cm, Füllfarbe Weiß, Hintergrund 1, keine Formkontur, Position lt. Abbildung; duplizieren Sie die Punkte und setzen Sie sie nebeneinander;
- Grafik **Cupcake1.png** passend einfügen;
- Schriftfarbe für den Titel und den Untertitel mit der Pipette von den Streuseln (Braun) abnehmen;
- Verschieben Sie das Textfeld Titel ein Stück nach oben und das Textfeld Untertitel ein wenig nach unten, sodass ein Abstand zur gepunkteten Linie ist.
- Titel fett formatieren;
- Rechteck aufziehen und an der unteren Folienkante positionieren: Höhe 1 cm, Musterfüllung Große Konfetti (Vordergrundfarbe: Farbe der Streusel; Hintergrundfarbe: Rosa, Akzent 1, heller 60 %, keine Rahmenlinie).

Titelfolie Layout

d) Einstellungen für den Office Folienmaster:
- Hintergrundfarbe Rosa, Akzent 1, heller 60 %;
- Titel fett formatieren;
- die Farbe der Streusel als Schriftfarbe für Titel und Text wählen;
- Schriftgröße der ersten Ebene 32 Punkt;
- Rechteck von der Titelfolie Layout kopieren, an der unteren Folienkante positionieren.
- Titel-Animation: Zufällige Balken, Effektoption: Horizontal;
- Inhaltsplatzhalter-Animation: Hineinschweben, Effektoptionen: Aufwärts schweben, Nach Absatz.

e) Stellen Sie den Folienübergang Verblassen ein und übernehmen Sie ihn für alle Folien.

f) Speichern Sie die Vorlage!

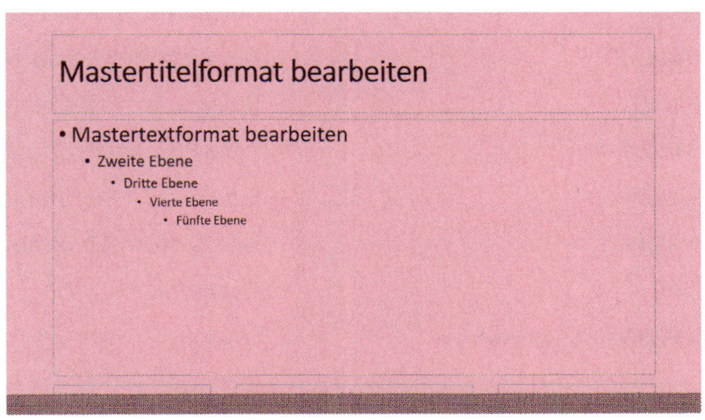

Office Folienmaster

4.4 Designs individuell anpassen

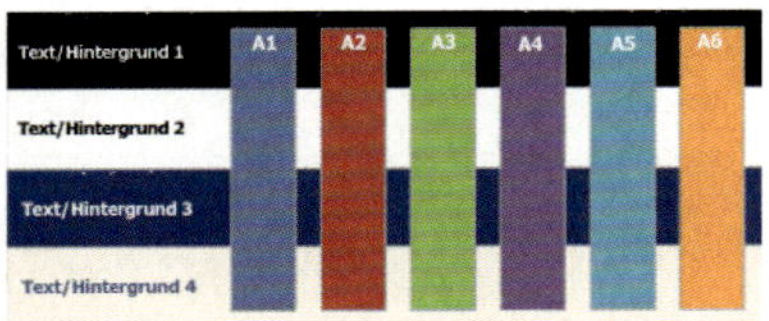

Die horizontalen Farben sind für die Formatierung von Text und Hintergrund, die nächsten sechs Farben sind Akzentfarben, die auf den Hintergrundfarben gut sichtbar sind, und die letzten beiden Farben sind die Hyperlinkfarben.

Designfarben bestehen aus vier Text- und Hintergrundfarben, sechs Akzentfarben und zwei Hyperlinkfarben. Sehen Sie sich im Beispiel das Erscheinungsbild der Textschriftart und der Textfarbe an und entscheiden Sie dann, ob Sie die gewünschte Farbkombination übernehmen möchten.

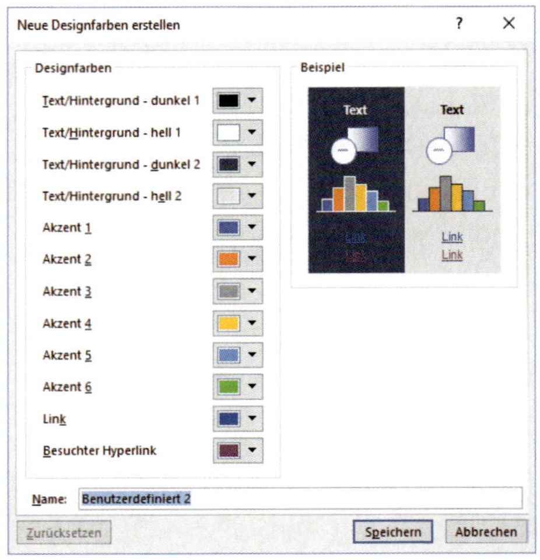

Das selbst erstellte Design steht Ihnen auch in den anderen OFFICE-Programmen zur Verfügung. Dadurch ist ein optimales Corporate Design gewährleistet, wenn Sie unterschiedliche Programme verwenden.

Neue Designfarben erstellen

- Registerkarte ENTWURF – VARIANTEN
- FARBEN – FARBEN ANPASSEN...
- Farbänderungen durchführen
- Im Textfeld NAME: Speichernamen eingeben
- SPEICHERN

Die folgende Tabelle gibt Ihnen einen Überblick über die Auswirkungen von definierten Farben. Jede Designfarbe, die Sie auswählen, wirkt sich in den Programmen unterschiedlich aus.

Farbe	Auswirkungen in WORD	Auswirkungen in POWERPOINT
Text/Hintergrund – dunkel 1	Schriftfarbe	Schriftfarbe Titel und Text
Text/Hintergrund – hell 1		Hintergrundfarbe
Text/Hintergrund – dunkel 2		
Text/Hintergrund – hell 2		
Akzent 1	Schnellformatvorlagen Farbton für Formfüllfarbe Tabellenformatvorlagen	Farbton bei Tabellenerstellung, Formfüllfarbe; SmartArt-Füllfarbe
Akzent 2	Tabellenformatvorlagen	
Akzent 3	Tabellenformatvorlagen	
Akzent 4	Tabellenformatvorlagen	
Akzent 5	Tabellenformatvorlagen	
Akzent 6	Tabellenformatvorlagen	
Link	Hyperlink	Hyperlink
Besuchter Hyperlink	Besuchter Hyperlink	Besuchter Hyperlink

Wenn Sie die benutzerdefinierten Designfarben und ein vorgefertigtes Design auswählen, ändert POWERPOINT die Schriftfarben passend dazu, falls zwei gleiche Farben aufeinandertreffen.

Neues Design erstellen

In POWERPOINT können Sie ein eigenes Design entwerfen und speichern. Beim Erstellen einer neuen Präsentation wählen Sie das neu entworfene Design im Listenfeld DESIGNS aus.

- POWERPOINT öffnen und im Folienmaster beliebige Einstellungen vornehmen
- ENTWURF – DESIGNS
- AKTUELLES DESIGN SPEICHERN...
- Dateiname eingeben
- Standardspeicherort nicht verändern
- SPEICHERN

Dateiendung ***.thmx**

Wenn Sie den Standardspeicherordner nicht verändern, können Sie auf das Design automatisch zugreifen, wenn Sie ein OFFICE-Programm öffnen.

Neues Design anwenden

- POWERPOINT öffnen
- Design auswählen
- BENUTZERDEFINIERT – Ordner DOCUMENT THEMES
- Eine leere Präsentation mit dem neuen Design wird geöffnet

Vergleichen Sie dazu das Kapitel **„Programmübergreifende Designs“**, Seite 251.

4.5 Zielgruppenorientiertes Präsentieren

Wenn Sie nur ausgewählte Folien präsentieren möchten, verwenden Sie die Funktion zielgruppenorientiertes Präsentieren.

- BILDSCHIRMPRÄSENTATION – BILDSCHIRMPRÄSENTATION STARTEN – BENUTZERDEFINIERTE BILDSCHIRMPRÄSENTATION – ZIELGRUPPENORIENTIERTE PRÄSENTATIONEN...

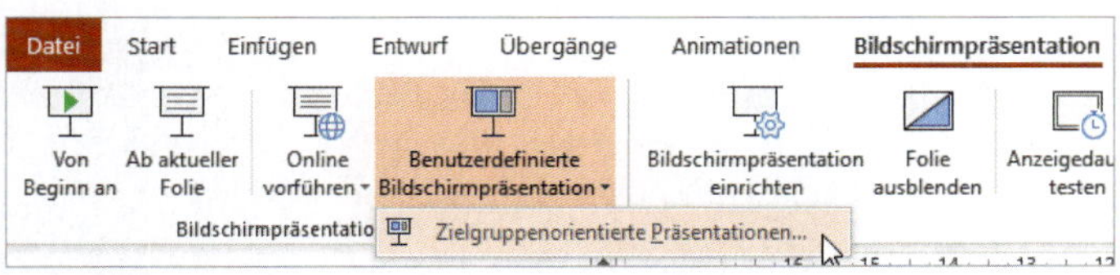

- NEU...
- Geben Sie den Namen der Bildschirmpräsentation ein
- Wählen Sie die Folien aus, die Sie präsentieren möchten
- Klicken Sie auf HINZUFÜGEN – die Folien erscheinen im rechten Feld
- OK

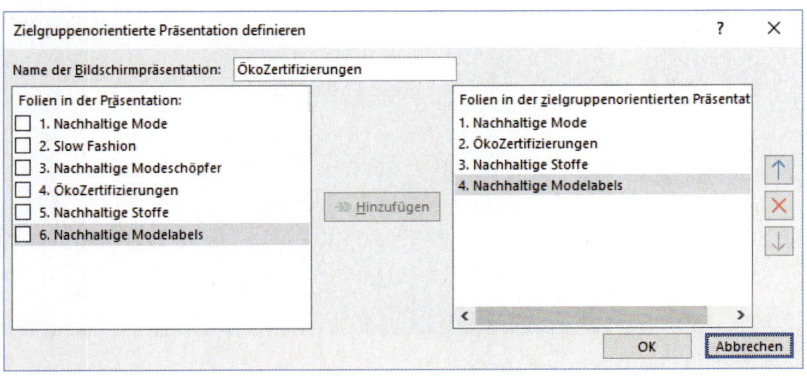

- Klicken Sie auf VORFÜHREN um direkt in die Bildschirmpräsentationsansicht zu wechseln oder auf SCHLIESSEN
- Ihre gespeicherte Präsentation können Sie abrufen unter BILDSCHIRMPRÄSENTATION – BILDSCHIRMPRÄSENTATION STARTEN – BENUTZERDEFINIERTE BILDSCHIRMPRÄSENTATION

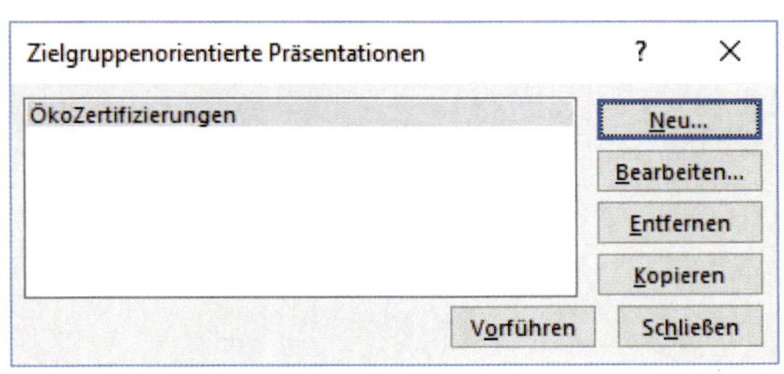

Übungen

1. Neues Design und Designfarben erstellen

a) Öffnen Sie eine leere Präsentation.
b) Erstellen Sie ein neues Design.
c) Legen Sie folgende Einstellungen im Office-Folienmaster fest:
- Hintergrundformat Formatvorlage 12;
- Grafik **Turnen1.gif** im unteren Folienbereich zweimal einfügen und nebeneinander anordnen;
- Titel fett formatieren.

d) Nehmen Sie die vier Farbtöne der Grafik **Turnen1.gif** ab.
e) Erstellen Sie neue Designfarben mit den Farbtönen der Grafik **Turnen1.gif:**
- Akzentfarbe 1: Farbton Grün;
- Akzentfarbe 2: Farbton Blau;
- Akzentfarbe 4: Farbton Gelb.
- Akzentfarbe 3: Farbton Orange;

f) Speichern Sie die Designfarben unter Turnen.
g) Wechseln Sie in den Office-Folienmaster:
- Titel: Gelb, Akzent 4;
- Aufzählungszeichenfarbe für die erste Ebene Dunkelgrün, Akzent 1;
- Aufzählungszeichen für die zweite Ebene: Silbentrennungs-Aufzählungszeichen, Aufzählungszeichenfarbe Orange, Akzent 3.

h) Speichern Sie das Design unter **Turnen2.thmx.**

2. Neu erstelltes Design anwenden

a) Öffnen Sie eine neue Präsentation mit dem Design **Turnen2.thmx.** Speichern Sie die Präsentation unter **Turnen4.pptx.**
b) Erstellen Sie die Titelfolie:
- Titel: »Ausdauersportarten«;
- Untertitel: »Vorname Nachname«.

c) Gestalten Sie folgende Folien (Grafik **Turnen3.jpg**):

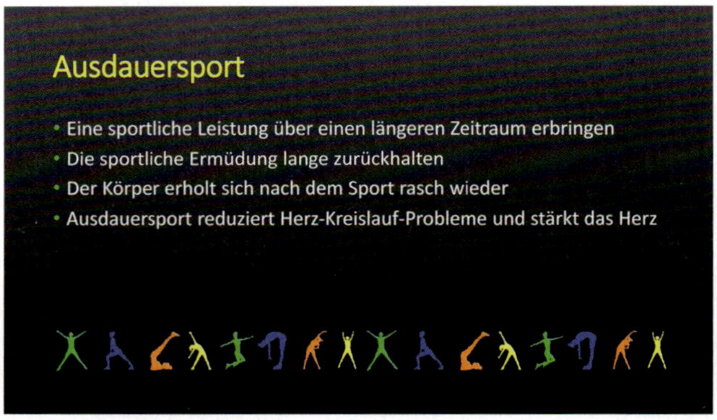

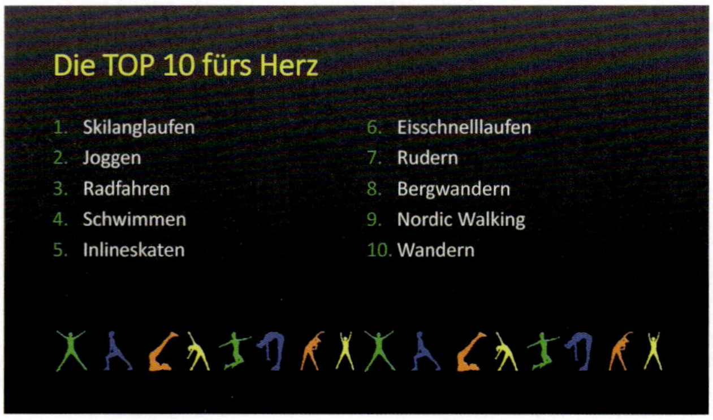

d) Fügen Sie eine neue Folie (Titel und Inhalt) hinzu:
- Titel: »Video zur Ernährung im Ausdauersport«;
- passendes Video aus YouTube einfügen.

e) Drucken Sie die Präsentation als Handzettel (sechs Folien) aus.
f) Speichern nicht vergessen!

4.6 Mit Abschnitten arbeiten

Wenn Sie Ihre Präsentation in Abschnitte unterteilen, wird sie automatisch gegliedert. Außerdem können Sie rascher einzelne Teilbereiche ein- und ausblenden. Das ist vor allem für umfangreiche Präsentationen wichtig. So bewahren Sie leichter den Überblick und können rascher in der Präsentation navigieren.

◢ Abschnitt ohne Titel

Abschnitt nach dem Einfügen

Abschnitt einfügen

- Kontextklick in der Normal- oder Foliensortierungsansicht auf die Folie, bei der der Abschnitt beginnen soll
- ABSCHNITT HINZUFÜGEN

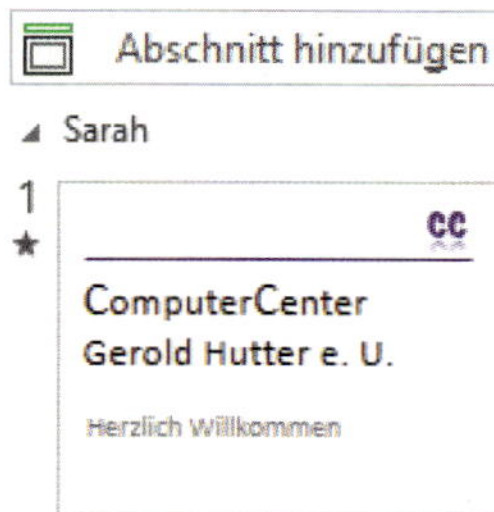

Abschnitt umbenennen

- Kontextklick auf ABSCHNITT OHNE TITEL
- ABSCHNITT UMBENENNEN

Tipp!
Benennen Sie die Abschnitte mit den Namen Ihrer Schulkolleginnen/Schulkollegen. Dadurch können Sie rascher zuordnen wer welchen Teil erstellt hat oder präsentieren wird.

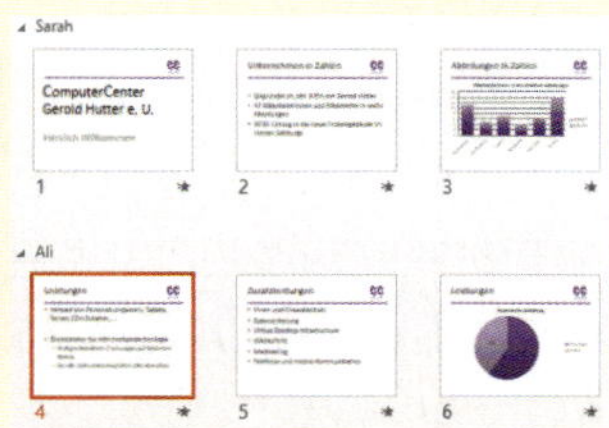

Abschnitt löschen

- Kontextklick auf den Abschnittsnamen
- ABSCHNITT ENTFERNEN

Abschnitt inkl. Folien löschen

- Kontextklick auf den Abschnittsnamen
- ABSCHNITT UND FOLIEN ENTFERNEN

Alle Abschnitte löschen

- Kontextklick auf einen Abschnittsnamen
- ALLE ABSCHNITT ENTFERNEN

Abschnitte verschieben

- Kontextklick auf den Abschnittsnamen
- ABSCHNITT NACH OBEN VERSCHIEBEN oder ABSCHNITT NACH UNTEN VERSCHIEBEN

Abschnitte ein- und ausblenden ▶ Sarah (3)

Mit einem Klick auf das Dreieck neben dem Abschnittsnamen können die einzelnen Abschnitte ein- und ausgeblendet werden. In der Klammer neben dem Abschnittsnamen steht die Anzahl der Folien.

Übung

- **Abschnitte erstellen**

a) Öffnen Sie die Präsentation **Fair2.pptx.**
b) Erstellen Sie sinnvolle Abschnitte und vergeben Sie passende Abschnittsnamen.
c) Speichern Sie die Präsentation unter **Fair3.pptx.**

4.7 Bildschirmpräsentation einrichten

Für eine professionelle Präsentation sollten Sie sich mit dem Einrichten der Bildschirmpräsentation vertraut machen.

Folie ein- und ausblenden
- Kontextklick auf die Folie in der Miniaturansicht
- FOLIE AUSBLENDEN

Bildschirmpräsentation einrichten	Legen Sie hier weitere Einstellungen fest.
Folie ausblenden	Die aktive Folie wird mit Klick auf FOLIE AUSBLENDEN ausgeblendet und mit einem erneuten Klick wieder eingeblendet.
Anzeigedauern testen	Die Dauer der Präsentation der einzelnen Folien sowie der gesamten Präsentation wird aufgezeichnet. Dies ist wichtig, wenn Sie eine Zeitvorgabe haben, z. B. Präsentationsdauer max. 10 Minuten.
Bildschirmpräsentation aufzeichnen	Die Dauer der Präsentation wird aufgenommen.

4.7.1 Bildschirmpräsentation einrichten

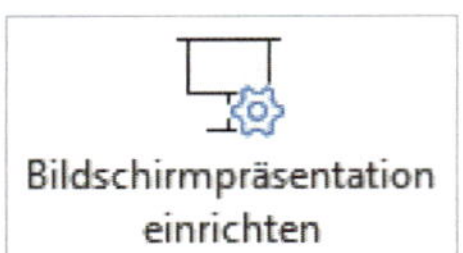

Treffen Sie hier zusätzliche Einstellungen für eine gelungene Präsentation.

- BILDSCHIRMPRÄSENTATION – EINRICHTEN – BILDSCHIRMPRÄSENTATION EINRICHTEN

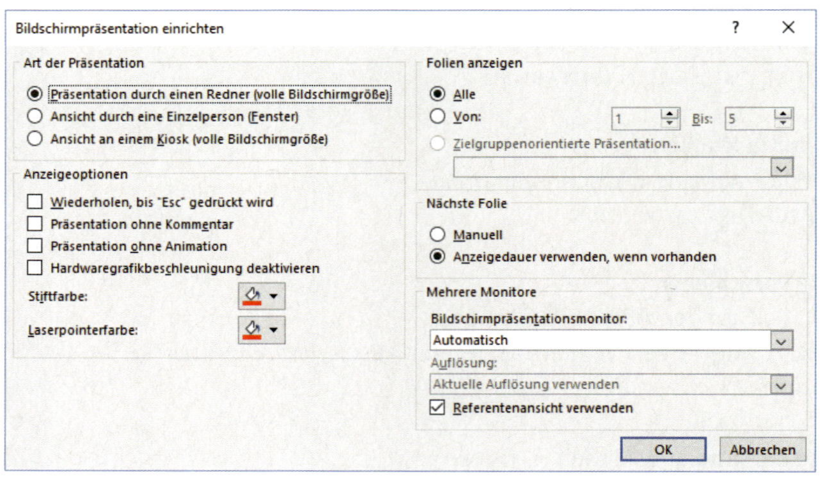

- Einstellungen vornehmen
- OK

Endlospräsentation: Die Präsentation beginnt solange von vorne, bis Esc gedrückt wird.

Art der Präsentation	Legen Sie fest, ob die Präsentation in voller Bildschirmgröße angezeigt werden soll oder nicht.
Optionen anzeigen	Für eine Endlospräsentation, aktivieren Sie das Kontrollkästchen WIEDERHOLEN, BIS Esc GEDRÜCKT WIRD. Möchten Sie, dass Kommentare und Animationen unterdrückt werden, aktivieren Sie die Kontrollkästchen. Verwenden Sie den Stift und/oder den Laserpointer beim Präsentieren, können Sie hier jeweils die Farbe festlegen.

Folien anzeigen	Stellen Sie ein, welche Folien präsentiert werden sollen. Haben Sie bereits eine zielgruppenorientierte Präsentation erstellt, können Sie diese hier hinzufügen.
Nächste Folie	Wählen Sie MANUELL aus, wenn Sie selbst weiterklicken oder verwenden Sie die Option ANZEIGEDAUER VERWENDEN, WENN VORHANDEN.
Mehrere Monitore	Wählen Sie beim Bildschirmpräsentationsmonitor HAUPTBILDSCHIRM aus, können Sie die Auflösung einstellen.

4.7.2 Bildschirmpräsentation aufzeichnen

Zeichnen Sie Ihre Bildschirmpräsentation als selbstablaufende Präsentation auf.

Aufzeichnen einer Bildschirmpräsentation

- BILDSCHIRMPRÄSENTATION – EINRICHTEN – BILDSCHIRMPRÄSENTATION AUFZEICHNEN
- AB AKTUELLER FOLIE AUFZEICHNEN ...
- oder VON ANFANG AN AUFZEICHNEN ...
- AUFZEICHNUNG BEGINNEN (links oben)

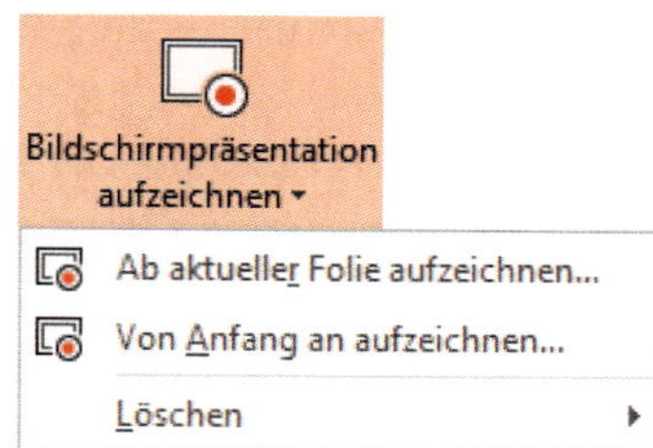

Sie können festlegen, ab wann die Aufzeichnung beginnen soll bzw. Ihre Aufzeichnungen wieder löschen.

Weitere Informationen zum Aufzeichnen einer Bildschirmpräsentation mit Kommentaren, Sound und Webcam finden Sie unter https://support.office.com.

Anzeigedauer testen

- BILDSCHIRMPRÄSENTATION – EINRICHTEN – ANZEIGEDAUER TESTEN
- Die Aufzeichnung startet sofort von Beginn an

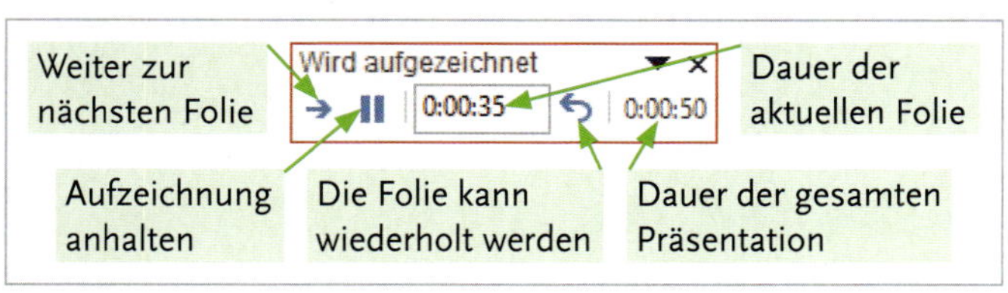

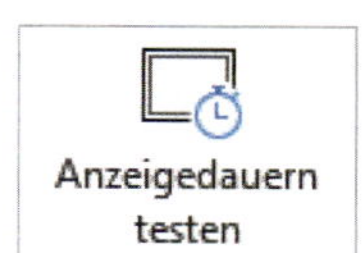

Sobald die Präsentation beendet ist, erscheint ein Dialogfeld mit dem Hinweis auf die Gesamtdauer der Präsentation und die Frage, ob die Anzeigedauer der Folien gespeichert werden soll.

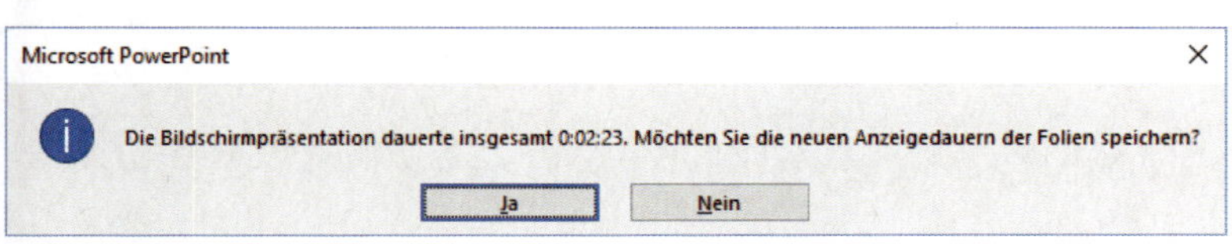

Klicken Sie auf JA, um die Anzeigedauern zu speichern. Sobald Sie Ihre Präsentation in der Bildschirmpräsentationsansicht ansehen, läuft sie automatisch ab.

Ziele erreicht? – „Zielgruppenorientiertes Präsentieren“

KOMPETENZ-ERWERB

1. Präsentation mit vorhandener Vorlage erstellen

a) Erstellen Sie eine neue Präsentation unter der Verwendung der Vorlage **Cupcake2.potx.**
b) Speichern Sie die Präsentation unter **Cupcake4.ppsx.**
c) Verwenden Sie als Grundlage für die Präsentation die Information der Datei **Cupcake3.docx.** Weitere Informationen können Sie auch aus dem Internet abrufen.
d) Gestalten Sie die Folien und versehen Sie sie mit Bildern, interaktiven Schaltflächen, Formen, Hyperlinks usw.
e) Animieren Sie die Präsentation passend.
f) Testen Sie die Präsentation inkl. Animation auf Ihre Dauer und speichern Sie die Anzeigedauer.

2. Präsentationsunterlagen erstellen – 80 min

a) Speichern Sie eine neue Präsentation unter **Firma1.pptx.**
b) Recherchieren Sie zu einem Unternehmen Ihrer Wahl und erstellen Sie dazu eine Präsentation.
c) Beachten Sie das Corporate Design bei der Gestaltung (Farbe, Schrift).
d) Verwenden Sie eine passende Onlinevorlage.
e) Gestalten Sie die Folien und versehen Sie sie mit Bildern, Tabellen, Audio- und Videodateien, Links usw.
f) Animieren Sie die Präsentation entsprechend.
g) Drucken Sie die Präsentation als Handzettel aus.
h) Speichern Sie die Präsentation zusätzlich unter **Firma2.pdf.**

3. Eigene Projektpräsentation erstellen

a) Erstellen Sie für Ihr Referat ein Design und speichern Sie es unter **Projekt1.thmx.**
b) Gestalten Sie Folien für Ihre Projektpräsentation.
c) Verwenden Sie Bilder, Tabellen, Diagramme, Videos etc. zur Visualisierung der Präsentation.
d) Die Präsentation soll via Beamer in der Aula der Schule endlos ablaufen. Bereiten Sie die Präsentation entsprechend auf.
e) Speichern Sie die Präsentation unter **Projekt2.ppsx.**

Einen interaktiven **Safety-Check** finden Sie in der TRAUNER-DigiBox.

I Tabellenkalkulation

Das Tabellenkalkulationsprogramm EXCEL ist ein vielfältiges und intelligentes Programm. Aus diesem Grund ist es aus Wirtschaft und Schule, aber auch aus dem privaten Leben nicht mehr wegzudenken. Im folgenden Kapitel werden Sie das Arbeitsprinzip von EXCEL kennenlernen und erkennen, dass es der Arbeitsweise in Ihrem Rechenheft sehr ähnlich ist. Mithilfe von praxisorientierten Beispielen erhalten Sie umfassende Einblicke in die Vielfalt der Anwendungsmöglichkeiten. Vielleicht können Sie die eine oder andere Anwendung in Ihrer Freizeit gebrauchen, wer weiß?

1 Das Tabellenkalkulationsprogramm EXCEL

Sarahs Mutter hat im Musikverein die Aufgabe der Kassiererin übernommen;Sarah hilft ihr. Bei Durchsicht der Unterlagen stellt Sarah fest, dass bisher alles auf einzelnen Zetteln aufgeschrieben wurde. Für den Jahresabschluss musste alles mühsam zusammengesucht und berechnet werden. Da Sarah von den Vorteilen von EXCEL gehört hat, beschließt sie, sich EXCEL näher anzuschauen und die Aufzeichnungen in Zukunft sauber und schnell mit EXCEL durchzuführen.

Haben Sie bereits Erfahrungen mit Tabellenkalkulationsprogrammen gemacht? Wenn ja, wo haben Sie EXCEL schon verwendet?

KOMPETENZ-ERWERB

Meine Ziele

Nach Bearbeitung dieses Kapitels kann ich

- das Arbeitsprinzip eines Tabellenkalkulationsprogramms erklären;
- die Elemente der Benutzeroberfläche von EXCEL bedienen und richtig einsetzen;
- Arbeitsmappen mit Blättern erstellen und speichern.

FILM AB!

Eine Antwort auf die Frage „was ist eigentlich Tabellenkalkulation?“ gibt Ihnen das Video unter www.trauner.at/aim_v6.aspx.

1.1 Arbeitsprinzip

Das Arbeitsprinzip eines Tabellenkalkulationsprogramms lässt sich ganz leicht erklären. Es funktioniert wie ein **elektronisches Rechenheft.** In einem Tabellenkalkulationsprogramm können verschiedene Arten von Berechnungen einfach und rasch durchgeführt werden. Bei Änderungen von Werten wird das Ergebnis sofort neu berechnet. Vergleichen Sie dazu die folgenden Abbildungen.

Rechenheft	Tabellenkalkulationsprogramm
 Kariertes Heft	 Arbeitsbereich
Ein Rechenheft besteht aus **karierten Seiten.**	Ein Tabellenkalkulationsprogramm besteht aus **Spalten** und **Zeilen.** Die Schnittpunkte werden **Zellen** genannt. Mehrere Zellen bilden einen **Bereich.**

Beim Rechnen im Heft läuft der **Rechenvorgang** im **Kopf** ab, während bei der Tabellenkalkulation der Rechenvorgang (die Formel) im **Arbeitsbereich** steht.

Rechenheft	Tabellenkalkulationsprogramm
	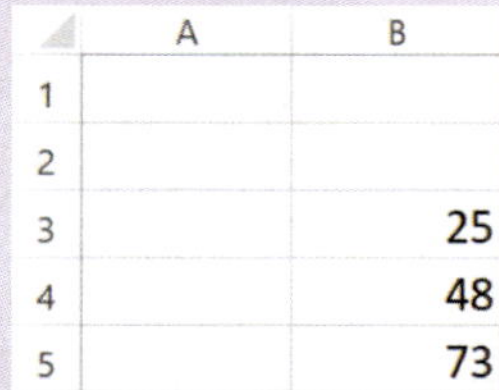
Rechnung	Formel
Ändert sich der Ausgangswert der **Rechnung,** muss alles nochmals berechnet werden.	Bei einer einmal eingegebenen **Formel** können Werte beliebig geändert werden. Das neue Ergebnis wird sofort angezeigt.

Eine **Datei** in einem Tabellenkalkulationsprogramm kann mit einer **Mappe,** die einzelne Blätter mit Mitschriften aus verschiedenen Gegenständen enthält, verglichen werden.

Mappe	Tabellenkalkulationsprogramm
	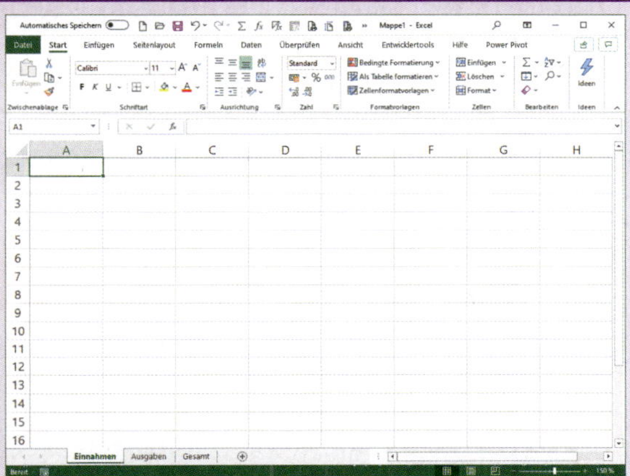
Mappe	Arbeitsmappe
Die Mitschriften aus den verschiedenen Gegenständen werden durch **Register** getrennt.	Eine **Datei** kann auch **Arbeitsmappe** genannt werden und besteht aus einzelnen **Blättern.**

Die Grundidee von Tabellenkalkulationsprogrammen ist, **manuelle Arbeitsweisen** auf Papier mit Stift und Taschenrechner durch den Computer **zu ersetzen** und dadurch diese Schritte zu rationalisieren.

EXCEL funktioniert wie ein **elektronisches Rechenheft.**

Der Arbeitsbereich ist mit Ihrem **Rechenheft** vergleichbar.

Eine EXCEL-Arbeitsmappe besteht aus mehreren Blättern. Sie ist daher Ihrer **Schulübungsmappe** sehr ähnlich!

1.2 Programmstart

Sie starten das Programm EXCEL bei einer Standardinstallation über die Schaltfläche START – EXCEL oder Sie geben in der WINDOWS-Suche den Begriff „Excel" ein.

1.3 Benutzeroberfläche

Je nach gewählter Installation und bereits geänderten Einstellungen sieht die Benutzeroberfläche unterschiedlich aus.

Eine interaktive Übung zur Benutzeroberfläche von EXCEL finden Sie in der TRAUNER-DigiBox.

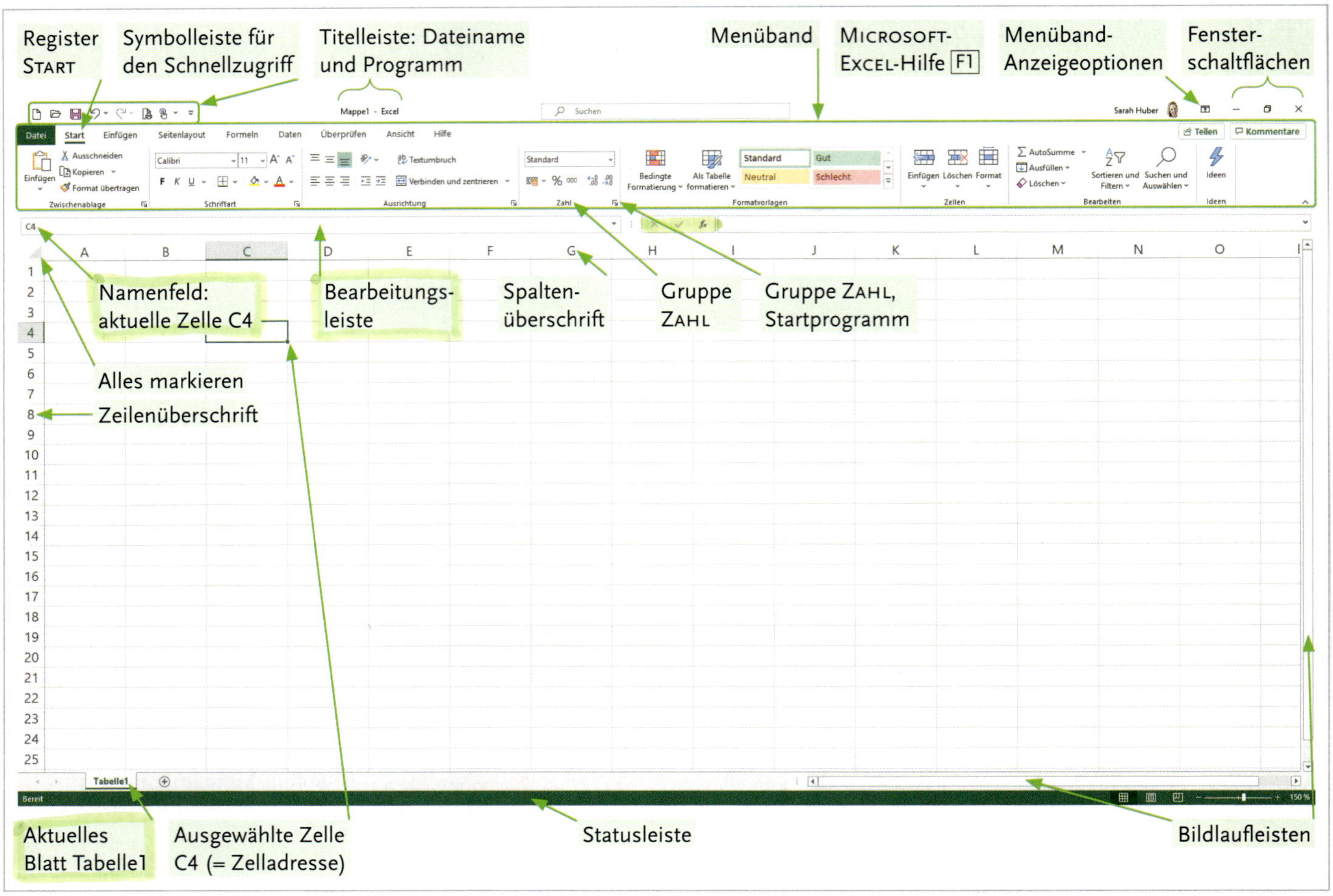

Menüband

Im **Menüband** werden **Befehle,** die für bestimmte Aufgaben und Funktionen notwendig sind, übersichtlich dargestellt. Die einzelnen Befehle sind in **Gruppen** gegliedert, die in unterschiedlichen **Registern,** z. B. START oder EINFÜGEN, aufgabenorientiert zusammengefasst sind.

Abhängig von der aktuellen Auswahl werden auch **kontextbezogen** weitere Registerkarten ein- bzw. ausgeblendet. Wählen Sie z. B. eine Grafik aus, wird die Registerkarte BILDTOOLS – FORMAT eingeblendet.

Das **Menüband** kann über DATEI – OPTIONEN – MENÜBAND ANPASSEN an Ihre Anforderungen angepasst werden. Sie können z. B. zusätzliche Registerkarten, Gruppen oder Befehle hinzufügen.

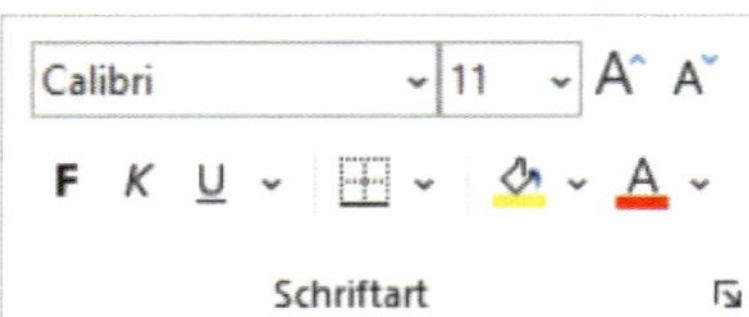

Gruppe Schriftart

Menüband anpassen
DATEI – OPTIONEN – MENÜBAND ANPASSEN

Ein Klick auf das Register DATEI öffnet die Backstage-Ansicht.

Menüband-Anzeigeoptionen		
	Menü automatisch ausblenden	Das Menüband wird automatisch ausgeblendet. Ein Klick auf die Titelleiste oder auf die Schaltfläche ··· blendet das Menüband wieder ein.
	Registerkarten anzeigen	Es werden nur die Registerkarten angezeigt. Durch einen Klick auf die gewünschte Registerkarte werden die Befehle eingeblendet.
	Registerkarten und Befehle anzeigen	Das Menüband wird vollständig angezeigt.

Das Menüband kann auch mit der Tastenkombination Strg + F1 ein- und ausgeblendet werden.

Symbolleiste, Bearbeitungsleiste, neue Arbeitsmappe

Befehle, die Sie sehr häufig benötigen, können zur Symbolleiste für den Schnellzugriff hinzugefügt werden.

Pfeilsymbol zum Ändern der Symbolleiste für Schnellzugriffe.

Die **Symbolleiste** kann über DATEI – OPTIONEN – SYMBOLLEISTE FÜR DEN SCHNELLZUGRIFF oder über das **Pfeilsymbol** geändert werden.

Ändern der Symbolleiste
DATEI – OPTIONEN – SYMBOLLEISTE FÜR DEN SCHNELLZUGRIFF

Die **Bearbeitungsleiste** dient der Eingabe von Daten in die ausgewählte Zelle. Änderungen können mit der ↵-Taste bestätigt oder mit Esc abgebrochen werden. Im **Namenfeld** wird die Adresse der Zelle angezeigt, in die die Daten eingegeben werden. Die gleichen Funktionen für die Eingabe von Daten haben auch die Schaltflächen neben dem Namenfeld.

Schaltfläche	Beschreibung
✓ Eingeben	Aktuelle Eingabe wird abgeschlossen, die aktuelle Zelle bleibt ausgewählt. ↵ schließt ebenfalls die Eingabe ab, wählt aber die nächste Zelle darunter aus.
✕ Abbrechen	Aktuelle Eingabe wird abgebrochen. Abbrechen ist auch mit Esc möglich.
fx Funktion einfügen	Der **Funktionsassistent** wird geöffnet.
D6 ⇔ ✕ ✓ fx Schieber	Der Schieber dient zum **Anpassen der Größe** des Namenfelds.
E4 Namenfeld	Das Namenfeld zeigt die Adresse der aktuellen Zelle bzw. den festgelegten Namen an. Mit dem Pfeilsymbol kann die Liste aufgeklappt werden ▾.
fx =D4+D5 Mehrzeilige Anzeige	Die Bearbeitungsleiste wird erweitert und mehrzeilig angezeigt.

Über DATEI – NEU können Sie neue Arbeitsmappen öffnen.

Sie können
- eine leere Arbeitsmappe oder
- eine neue Arbeitsmappe mit einer empfohlenen oder einer persönlichen Vorlage erstellen.

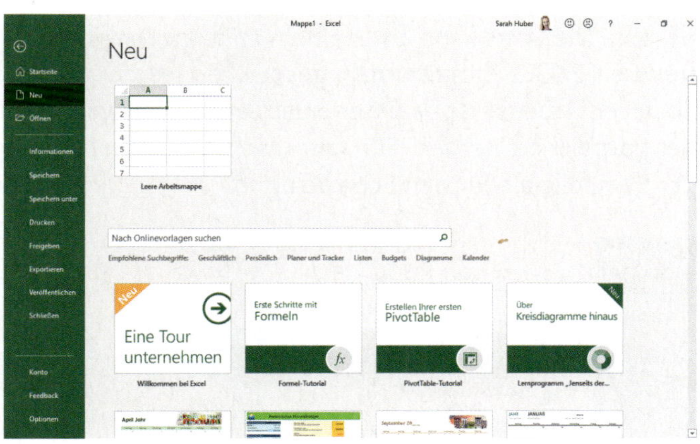

Neue Arbeitsmappe erstellen
DATEI – NEU

Um wertvolle Hinweise und Tipps zum Arbeiten mit EXCEL zu erhalten, können Sie beim Öffnen auch eine **Tour** „Willkommen bei EXCEL" auswählen.

Weiters kann eine neue Arbeitsmappe über die Symbolleiste für den Schnellzugriff erstellt werden.

Neue Arbeitsmappen können Sie auch über die Symbolleiste für den Schnellzugriff erstellen.

1.4 Arbeitsmappe

Eine Arbeitsmappe enthält ein oder mehrere Blätter. Um von einem Blatt zum nächsten zu gelangen, klicken Sie auf den Namen des gewünschten Blatts. Um am Ende der Blätter ein neues Blatt einzufügen, klicken Sie auf die Schaltfläche NEUES BLATT.

Um **vor** einem Blatt ein **neues** Blatt einzufügen:

- das Blatt auswählen
- START – ZELLEN – EINFÜGEN – BLATT EINFÜGEN
- Oder im **Kontextmenü** des Blatts den Befehl EINFÜGEN... wählen und anschließend TABELLENBLATT

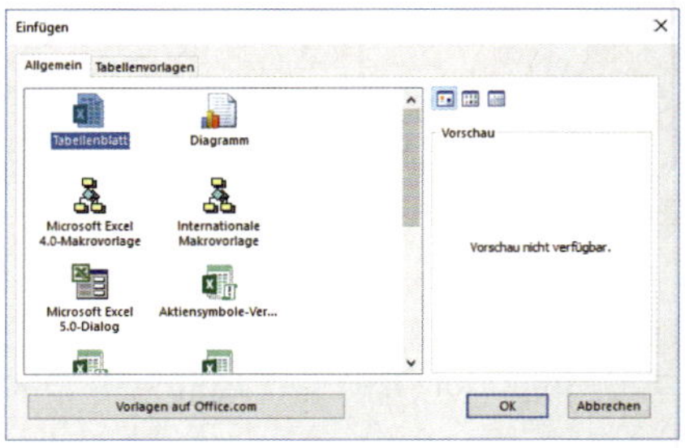

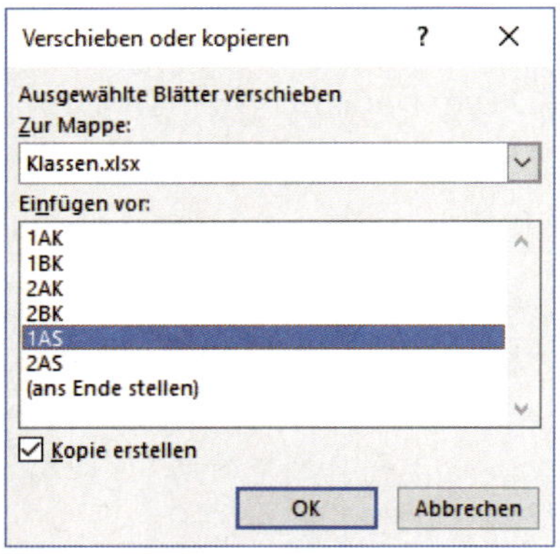

Blatt kopieren

Ein Rechtsklick auf die Pfeilschaltflächen ◀ ▶ zeigt die Blattübersicht an.

Mit einem Doppelklick auf den **Blattnamen** kann das Blatt umbenannt werden. Die **Anordnung** der Blätter kann durch **Ziehen** mit der Maus verändert werden. Über das Kontextmenü können Blätter auch gelöscht, verschoben oder kopiert werden. Beim Verschieben wird die entsprechende Position, wohin das ausgewählte Blatt verschoben wird, ausgewählt. Beim Kopieren muss die Aktion KOPIE ERSTELLEN ausgewählt werden.

Mit den Pfeilschaltflächen kann zwischen den Blättern gewechselt werden.

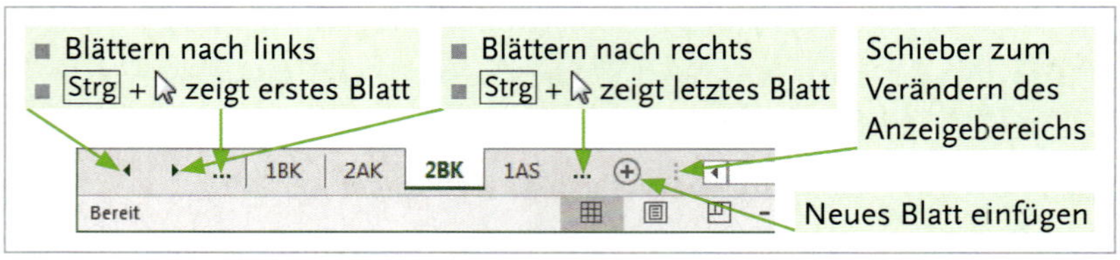

1.5 Speichern

Arbeitsmappen speichern
DATEI – SPEICHERN bzw. SPEICHERN UNTER

Alle Blätter einer Arbeitsmappe werden von EXCEL im **Dateityp .xlsx** gespeichert. Im Register DATEI kann mit dem Befehl SPEICHERN eine Arbeitsmappe gespeichert werden. Mit SPEICHERN UNTER können weitere Einstellungen gemacht werden. Wählen Sie zuerst den Speicherort, z. B. Computer, und den entsprechenden Ordner aus. Die Datei kann unter einem anderen Dateiformat, z. B. in einer Version von früheren EXCEL-Programmen, gespeichert werden. Außerdem kann eine Kopie der aktuellen Arbeitsmappe unter einem anderen Namen oder in einem anderen Ordner gespeichert werden. Für sehr rasches Speichern sorgt das **Speichernsymbol** in der Symbolleiste für den Schnellzugriff.

Arbeitsmappen können Sie auch über die Symbolleiste für den Schnellzugriff speichern.

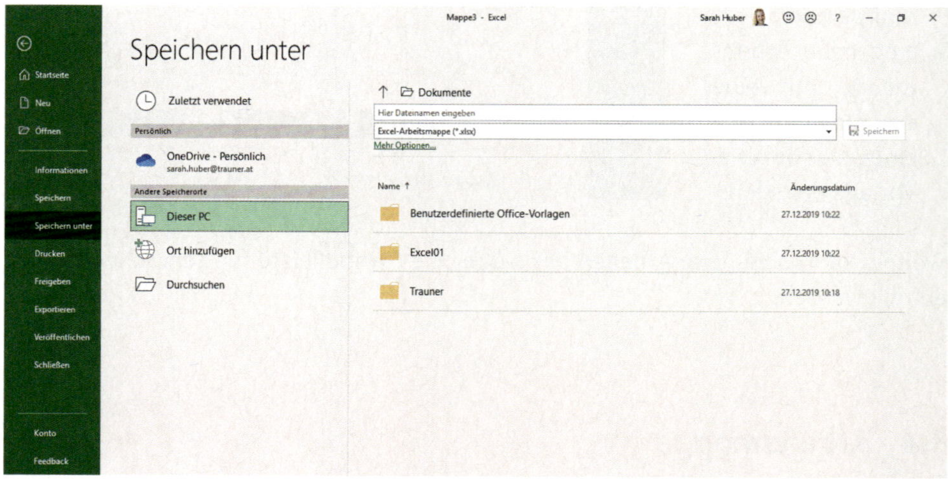

PDF = **P**ortable **D**ocument **F**ormat.
XPS = **X**ML **P**aper **S**pecification.

Mit SPEICHERN UNTER kann die Arbeitsmappe auch im **PDF-** und **XPS-Format** gespeichert werden. Diese Formate eignen sich zur Weitergabe von Dokumenten, da sie nicht weiterbearbeitet werden können und trotzdem auf den meisten Computern gleich aussehen und auch der Ausdruck gleich ist.

WissensCheck – „Das Tabellenkalkulationsprogramm EXCEL“

1. Nennen Sie den Unterschied zwischen einer Arbeitsmappe und einem Blatt.
2. Beschreiben Sie den Aufbau eines Blatts in EXCEL.
3. Erklären Sie die Funktion der Pfeilschaltflächen bei den Blattnamen.
4. Zählen Sie Formate auf, die sich zur Weitergabe von Dokumenten eignen, die nicht weiterbearbeitet werden sollen.

Ziele erreicht? – „Das Tabellenkalkulationsprogramm EXCEL“

KOMPETENZ-ERWERB

1. Blätter bearbeiten

a) Erstellen Sie in einer neuen Mappe die Blätter **Schweiz, Liechtenstein, Deutschland, Tschechei, Ungarn** und **Kroatien.** Speichern Sie die Mappe unter **Nachbarlaender1.xls** so ab, dass sie auch mit der EXCEL-Version 2003 bearbeitet werden kann.

b) Benennen Sie das Blatt **Tschechei** in **Tschechien** um.

c) Verschieben Sie das Blatt **Deutschland** an die erste Stelle.

d) Kopieren Sie das Blatt **Tschechien** und benennen Sie es in **Slowakei** um.

e) Löschen Sie das Blatt **Kroatien.**

f) Ergänzen Sie die fehlenden Blätter, damit jedes Blatt für ein Nachbarland von Österreich vorhanden ist.

g) Sortieren Sie die Blätter im Uhrzeigersinn mit den Nachbarländern von Österreich beginnend mit Deutschland.

j) Vergessen Sie nicht zu speichern!

2. Blätter bearbeiten

a) Öffnen Sie die Mappe **Unterricht_u.xls.** (Hinweis: Es handelt sich um EXCEL-2003-Mappe.) Speichern Sie die Mappe unter **Unterricht1.xlsx** als EXCEL-Arbeitsmappe mit dem aktuellen Dateiformat.

b) Verschieben Sie das Blatt **SJ2026-27** an die letzte Stelle.

c) Löschen Sie das Blatt **SJ2023-24.**

d) Benennen Sie das Blatt **SJ2024/25** in **SJ2027-28** um.

e) Verschieben Sie das Blatt **SJ2027-28** an die letzte Stelle.

f) Vergessen Sie nicht zu speichern!

3. Symbolleiste für den Schnellzugriff anpassen

Fügen Sie die folgenden Befehle in die Symbolleiste für den Schnellzugriff ein. Entfernen Sie jene Befehle, die Sie nur selten benötigen. Erstellen Sie mit einem Screenshot-Programm, z. B. SNIPPING TOOL aus dem Zubehör, einen Screenshot und speichern Sie ihn unter **Symbolleiste1.jpg.**

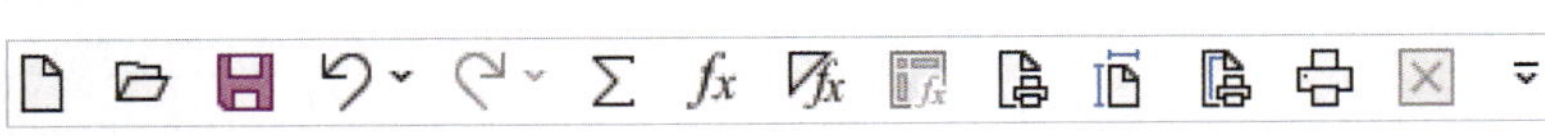

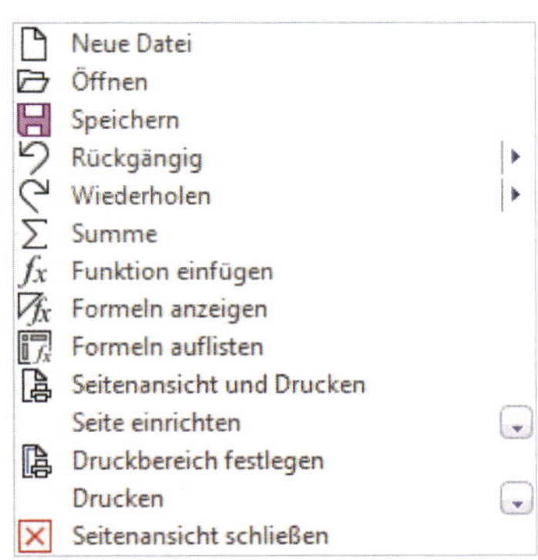

Einen interaktiven **Safety-Check** finden Sie in der TRAUNER-DigiBox.

Geben Sie Texte und Zahlen in eine EXCEL-Arbeitsmappe ein. Hat Ali mit seiner Feststellung recht?

2 Tabellen bearbeiten

Ali macht sich erstmals mit den Tabellen in EXCEL vertraut. Gleich zu Beginn fällt ihm auf, dass Zahlen und Texte in den Zellen links- oder rechtsbündig dargestellt werden. Woran kann das liegen?

Meine Ziele

Nach Bearbeitung dieses Kapitels kann ich

- Daten in ein EXCEL-Blatt eingeben;
- Daten mithilfe der unterschiedlichen Formatoptionen formatieren;
- Größenänderungen an Zeilen und Spalten vornehmen;
- Zellen und Zellbereiche kopieren und verschieben;
- die Option AutoAusfüllen verwenden;
- Kopf- und Fußzeilen festlegen und Tabellen ausdrucken.

Wenn Sie EXCEL gestartet haben, wird ein leeres Blatt angezeigt. Um mit Daten rechnen zu können (elektronisches Rechenblatt), sind einige Punkte zu beachten.

2.1 Eingabe von Daten

Nachdem die gewünschte **Zelle markiert** wurde, können Sie mit der **Eingabe** von Daten, z. B. von Texten, Zahlen, Formeln, direkt in die Zelle oder in die Bearbeitungsleiste beginnen.

Beispiel	Darstellung Zelle/ Bearbeitungsleiste	Erklärung
Texteingabe Stunde	Stunde ← *fx* Stunde	Standardeinstellung linksbündig.
Eingabe 25	25 → *fx* 25	Standardeinstellung rechtsbündig.
Eingabe 10 Std.	10 Std. ← *fx* 10 Std.	Standardeinstellung linksbündig. Durch die Eingabe von „Std." handelt es sich um einen Text. **Keine Berechnungen möglich!**
Eingabe 15 **Formatierung Std. über Zellen formatieren...**	15 Std. → *fx* 15	Ausgabe rechtsbündig. Geben Sie bei Zahlen für Berechnungen immer nur die Ziffern und **keine** Buchstaben ein. Die Formatierung, z. B. Std., erfolgt über Zellen formatieren... – Zahlen – benutzerdefiniert

Geben Sie bei Zahlen keine Texte, z. B. „Std.", sondern nur die Ziffern ein!

Um Zahlenformate zu ändern, wählen Sie im Kontextmenü einer Zelle die Befehle Zellen formatieren – Zahlen – benutzerdefiniert.

Vergleichen Sie zu den Zahlenformaten das Kapitel „Zahlenformate".

Eingabe 10,5 %	10,50% → *fx* 10,5%	Ausgabe rechtsbündig, Prozentzeichen wird als Zahl betrachtet. Geben Sie bei Prozentzahlen gleich das **„%"-Zeichen** ein.
Eingabe 20.10.2015	20.10.2017 → *fx* 20.10.2007	Standardeinstellung rechtsbündig. Ein Datum wird als Zahl betrachtet.
Eingabe 9:25:45	09:25:45 → *fx* 09:25:45	Standardeinstellung rechtsbündig. Eine Uhrzeit wird als Zahl betrachtet.
Eingabe =25+15	40 → *fx* =25+15	Formel oder Funktion: In der **Zelle** wird das **Ergebnis** angezeigt, in der **Bearbeitungsleiste** die dazugehörige **Formel** bzw. die **Berechnung.**

Werden #-Zeichen in einer Zelle angezeigt, ist die Spalte für die eingegebene **Zahl** zu klein.

Spaltenbreite

- **Spaltenbreite optimieren:** Doppelklick auf die Spaltenbegrenzungslinie
- **Verändern der Spaltenbreite:** Ziehen der Begrenzungslinie nach rechts oder links

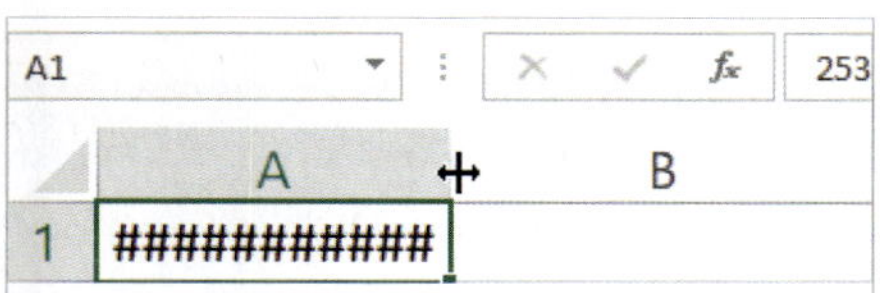

Reicht eine Spalte für den eingegebenen Text nicht aus, wird die rechte Nachbarzelle mit verwendet. Ist diese Zelle nicht leer, wird der **Text abgeschnitten** und nur in der **Bearbeitungszeile** zur Gänze angezeigt.

	A	B	C	D
1	Dieser Text wird auch in der Nachbarzelle angezeigt!			
2	Dieser Text wi	Hier steht ein Text in der Nachbarzelle!		

Allgemeine Darstellungs- und Berechnungsweisen von EXCEL

- Die letzte Dezimalstelle, die angezeigt wird, wird kaufmännisch gerundet.
- Für Berechnungen wird der ungerundete Wert einer Zelle verwendet.
- Soll eine Zahl als Text erkannt werden, muss die Eingabe mit einem Apostroph beginnen oder das Zahlenformat „Text" ausgewählt werden. Mit dieser Zahl kann dann allerdings in einer Formel nicht gerechnet werden, z. B. PLZ '4722.
- Große Zahlen werden in der Exponentialschreibweise dargestellt, z. B. 3,45E + 11 = $3{,}45 * 10^{11}$ = 345.000.000.000
- Um das aktuelle Datum einzugeben, drücken Sie [Strg] und [.].
- Um die aktuelle Uhrzeit einzugeben, drücken Sie [Strg] + [⇧] und [:].

EXCEL erkennt „%" als Zahlenformat.

Datum
„." → Datum = Zahl

Erfolgt die Eingabe eines Datums mit einem Punkt, erkennt EXCEL die Eingabe als eine Zahl.

Uhrzeit
„:" → Uhrzeit = Zahl

Erfolgt die Eingabe einer Uhrzeit mit einem Doppelpunkt, erkennt EXCEL die Eingabe als eine Zahl.

Eingaben können in der Bearbeitungszeile oder durch einen Doppelklick in der Zelle geändert werden.

Werden in einer Zelle #-Zeichen angezeigt, ist die Spalte für die eingegebene Zahl zu klein.

Hinweis:
Im Eingabemodus wird in der Zelle der Eingabecursor [Dieser Te] angezeigt. In der Bearbeitungsleiste sind die Schaltflächen ✓ und ✕ aktiviert.
Schließen Sie die Eingabe ab, z. B. durch einen Klick auf ✓, erhalten Sie den Ergebnismodus: Die Eingabe ist abgeschlossen und der Eingabecursor wird nicht mehr angezeigt.

Beim Zahlenformat **Text** werden Eingaben wie Text behandelt.

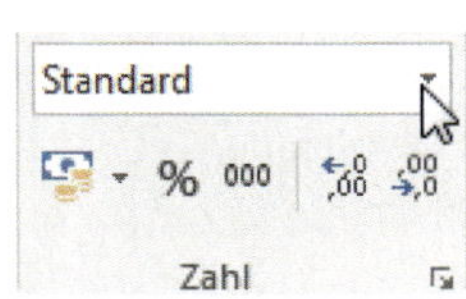

Gruppe Zahl

Tabellenkalkulation

Übung

- **Daten in Tabellen eingeben**
  a) Geben Sie folgende Daten in eine neue Arbeitsmappe im Blatt **Tabelle1** ein.
  b) Speichern Sie die Arbeitsmappe unter **Formatuebersicht1.xlsx.**

	A	B	C
1			Format
2	Mein Name	Sarah	Text
3	Datum Neujahr 2024	01.01.2024	Datum
4	Schulbeginn	07:30	Uhrzeit
5	Anzahl Schülerinnen	14	Zahl
6	Anzahl Schüler	9	Zahl
7	Anteil der männlichen Schüler	39,13%	Prozent

Eine markierte Zelle erkennen Sie am grünen Rahmen sowie am **Anfasser.**

2.2 Einfügen und Markieren von Zellen

Zeilen/Spalten können in EXCEL über das Kontextmenü der Zeile/Spalte mit den Funktionen ZELLEN EINFÜGEN... und ZELLEN LÖSCHEN... eingefügt oder gelöscht werden. Zeilen/Spalten werden immer **vor** der markierten Zeile/Spalte eingefügt.

Markiert ist die Zelle oder der Bereich, der von einem **grünen Rahmen** umgeben ist und in dessen rechter unterer Ecke sich ein kleines Quadrat **(Anfasser)** befindet.

Zellen markieren

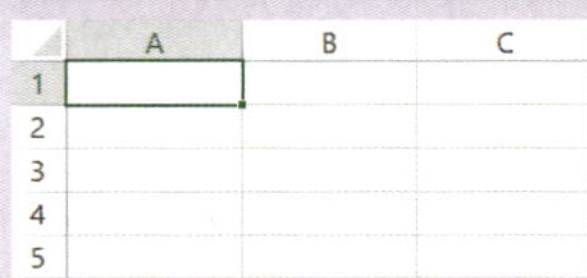

Markierte Zelle A1.

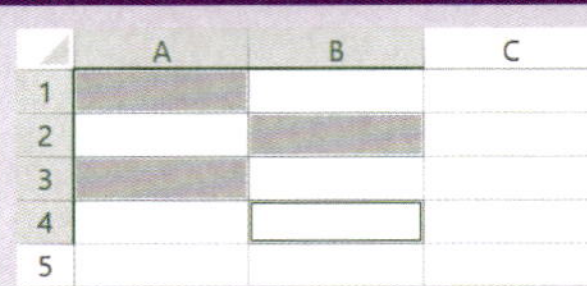

Markierte Zellen (A1; B2; A3; B4), aktuelle Zelle ist B4.

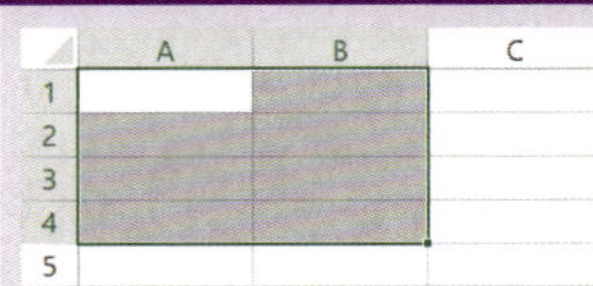

Markierter Bereich A1:B4, aktuelle Zelle ist A1.

Zellbereiche können mit gedrückter Maustaste ausgewählt werden, einzelne Zellen mit gedrückter Strg-Taste.

Ein Klick auf die Zeilen- bzw. Spaltenüberschrift markiert die ganze Zeile bzw. Spalte.

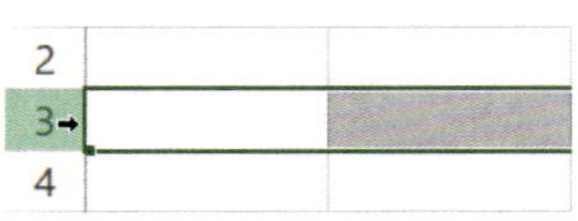

Klick auf die Zeilenüberschrift

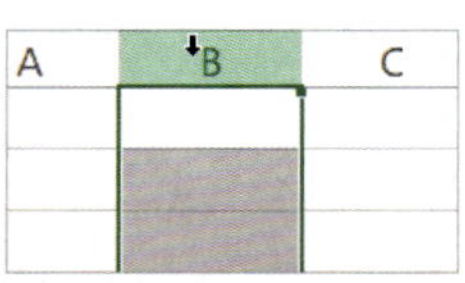

Klick auf die Spaltenüberschrift

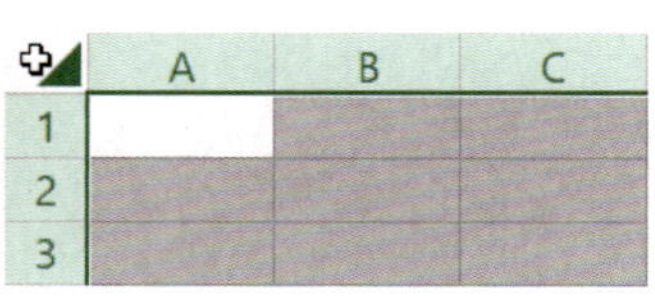

ALLES AUSWÄHLEN

Um eine Spalte/Zeile in ihrer gesamten Länge zu markieren, klicken Sie auf die **Spalten-/Zeilenüberschrift.**

Ein Bereich umfasst alle markierten Zellen und wird in EXCEL mit einem Doppelpunkt dargestellt. A1:B4 bedeutet, dass alle Zellen von A1 bis B4 ausgewählt sind. 1:5 bedeutet wiederum, dass die Zeilen 1 bis 5 ausgewählt sind.

Mit Strg können Sie voneinander entfernte Zellen markieren.

Um das gesamte Blatt auszuwählen, klicken Sie auf die Schaltfläche ALLES AUSWÄHLEN. Ist die gesamte Tabelle ausgewählt, können Sie mit einem Doppelklick auf die Spaltenbegrenzungslinie alle Spalten an eine optimale Breite bzw. mit einem Doppelklick auf die Zeilenbegrenzungslinie alle Zeilen an eine optimale Höhe anpassen.

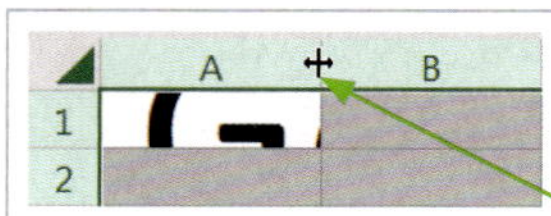

Klick auf Spaltenbegrenzungslinie

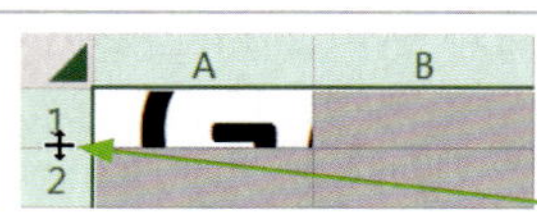

Klick auf Zeilenbegrenzungslinie

Übung

Zellen auswählen und formatieren

a) Speichern Sie eine neue Arbeitsmappe unter **Markieren1.xlsx.**

b) Suchen Sie in der EXCEL-Hilfe die Anleitung, wie einer Zelle eine Füllfarbe zugewiesen wird.

c) Markieren Sie in einer neuen Arbeitsmappe im Blatt **Tabelle1** die Spalte D und weisen Sie ihr eine graue Füllfarbe zu.

d) Markieren Sie die Zeile 8 und weisen Sie ihr eine graue Füllfarbe zu.

e) Markieren Sie den Zellbereich A11:B14 und weisen Sie ihm eine graue Füllfarbe zu.

f) Markieren Sie die Zelle B3 und die Zelle C5 und weisen Sie ihnen eine graue Füllfarbe zu.

g) Speichern nicht vergessen!

2.3 Kopieren, Verschieben und AutoAusfüllen von Texten

Das **Verschieben** von Zellinhalten ist durch das Ziehen der Zelle am Anfassrahmen zur gewünschten Zelle hin möglich **(Drag-and-drop).**

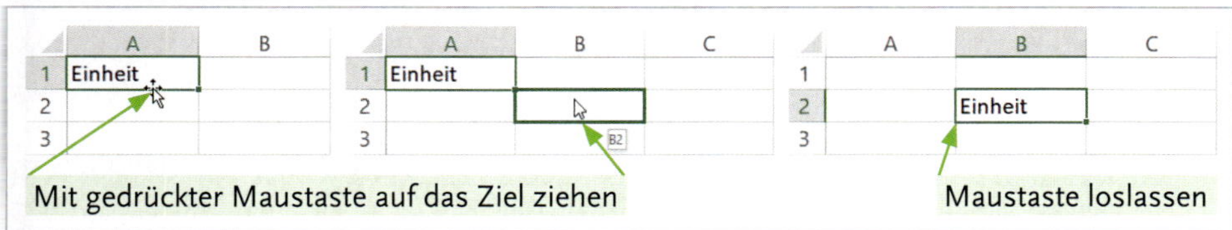

Durch das Drücken von [Strg] wird die entsprechende Zelle **kopiert.**

Wird beim **Kopieren** oder **Ausschneiden** der Befehl im Kontextmenü oder im Menüband verwendet, können beim Einfügen mit dem Befehl INHALTE EINFÜGEN... weitere Optionen ausgewählt werden.

Beispiel

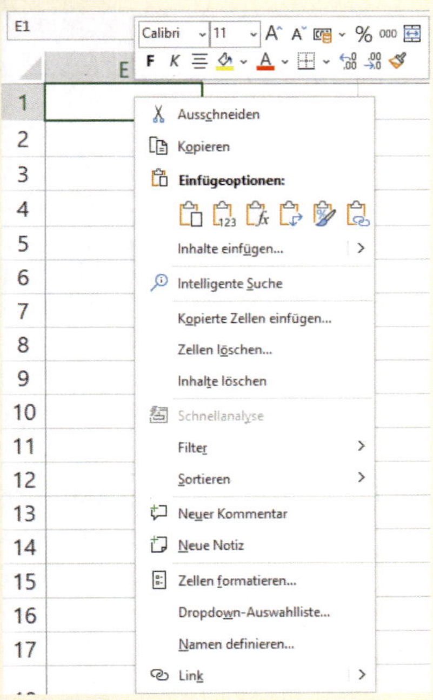

Kontextmenü – INHALTE EINFÜGEN...

Kopieren Sie den Bereich A1:C4 und wählen Sie die Zielzelle E1 aus. Dann können Sie mit dem Befehl INHALTE EINFÜGEN..., den Sie im Menüband oder im Kontextmenü finden, die gewünschten Optionen auswählen.

	A	B	C
1	Jahr/Monat	Jänner	Februar
2			
3	2023	15.000 €	13.500 €
4	2024	18.000 €	16.000 €

Zum Verschieben von Zellinhalten gibt es **mehrere** Möglichkeiten:

1. Fassen Sie die Zelle/den Zellbereich am Rahmen und ziehen Sie die Zelle/den Zellbereich auf das Ziel.
2. Drücken Sie [Strg] + [X] (Ausschneiden) und wählen Sie eine Zielzelle aus. Mit [Strg] + [V] (Einfügen) werden die Inhalte eingefügt.

Drei Möglichkeiten, Zellinhalte zu kopieren:

1. Fassen Sie die Zelle/den Zellbereich mit gedrückter [Strg]-Taste und ziehen Sie die Zelle/den Zellbereich auf das Ziel.
2. Drücken Sie [Strg] + [C] (Kopieren) und wählen Sie eine Zielzelle aus. Mit [Strg] + [V] (Einfügen) werden die Inhalte eingefügt.
3. Wählen Sie über das **Kontextmenü** den Befehl KOPIEREN. Mit dem Befehl INHALTE EINFÜGEN... werden die Inhalte eingefügt.

Einfügeoptionen zu Inhalte einfügen

Was soll eingefügt werden?
- ALLES: Formeln oder Werte und Formatierungen werden eingefügt.
- FORMELN: Nur die Formeln werden eingefügt, keine Formatierungen.
- WERTE: Nur die Werte werden eingefügt, nicht die Formeln zur Berechnung.
- FORMATE: Nur die Formate werden eingefügt, keine Formeln oder Werte.

Soll ein **Vorgang** beim Einfügen ausgeführt werden?
- KEINE: Der Inhalt im Zielbereich wird überschrieben.
- Bei ADDIEREN werden die vorhandenen Werte zu den Werten, die eingefügt werden, addiert bzw. bei SUBTRAHIEREN abgezogen.

Bei LEERZELLEN ÜBERSPRINGEN werden vorhandene leere Zellen im Zielbereich beim Einfügen übersprungen, d. h., sie werden einfach ausgelassen.

Bei VERKNÜPFEN wird ein Bezug eingefügt, ändert sich der Ursprungsbereich, z. B. A3:C4, werden diese Änderungen auch automatisch in den Zielbereich F1:I4 übernommen.

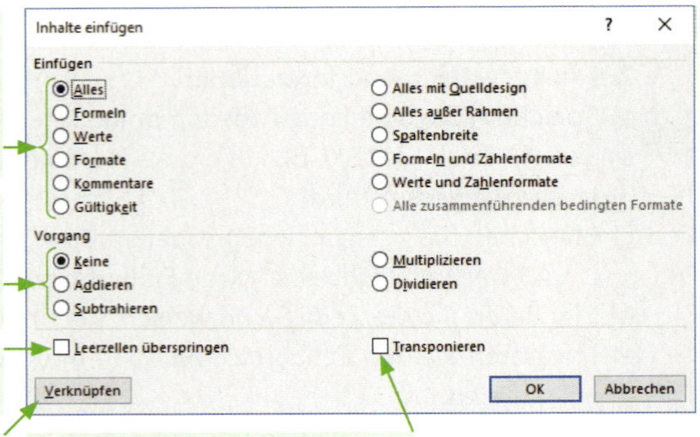

Beim TRANSPONIEREN werden beim Einfügen in den Zielbereich Zeilen und Spalten vertauscht.

Beispiel: Inhalte einfügen – Einfügeoptionen

	E	F	G
1	Jahr/Monat	Jänner	Februar
2			
3	2023	15000	13500
4	2024	18000	16000

Inhalte einfügen – WERTE

	E	F	G
1			
2			
3			
4			

Inhalte einfügen – FORMATE

	E	F	G	H
1	Jahr/Monat		2023	2024
2	Jänner		15.000 €	18.000 €
3	Februar		13.500 €	16.000 €

Inhalte einfügen – TRANSPONIEREN

Beispiel: Kopieren mit Vorgang Addieren
Der Zellbereich B3:C4 soll auf die Zellen F3:G4 mit einer Addition kopiert werden.

	A	B	C	D	E	F	G
1	Jahr/Monat	Jänner	Februar		Jahr/Monat	Jänner	Februar
2							
3	2023	15.000 €	13.500 €		2023	5.360 €	3.450 €
4	2024	18.000 €	16.000 €		2024	2.780 €	2.850 €

Zellen vor dem Einfügen und Addieren

	A	B	C	D	E	F	G
1	Jahr/Monat	Jänner	Februar		Jahr/Monat	Jänner	Februar
2							
3	2023	15.000 €	13.500 €		2023	20.360 €	16.950 €
4	2024	18.000 €	16.000 €		2024	20.780 €	18.850 €

Zellen nach dem Einfügen

AutoAusfüllen

Beim **AutoAusfüllen** wird der Inhalt der Zelle mit dem Ausfüllkästchen auf andere benachbarte Zellen gezogen. Erkennt EXCEL dabei eine vorhandene Liste bzw. Abfolge, wird der Bereich mit den Listenelementen ausgefüllt. Wird keine Liste erkannt, wird der Inhalt kopiert.

Beispiel: AutoAusfüllen von Text

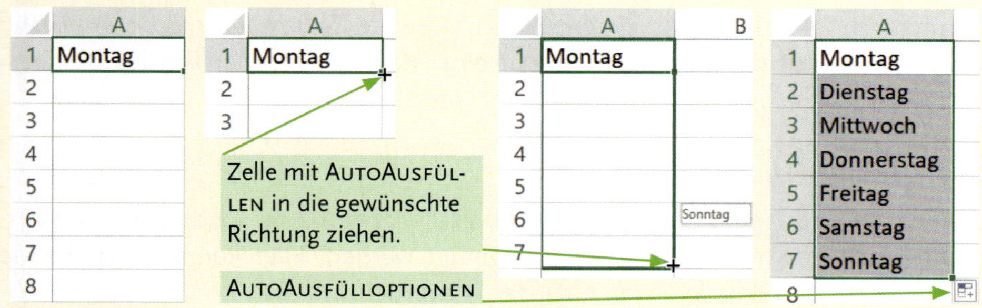

> Beim Anfasser wird der Mauszeiger zum Ausfüllkästchen.

Die Schaltfläche AutoAusfülloptionen wird unmittelbar unterhalb der **Füllauswahl** eingeblendet, nachdem Sie ein Blatt mit Text oder Zahlen gefüllt haben. Wenn Sie auf die Schaltfläche klicken, wird eine Liste angezeigt, die Optionen für den Umgang mit dem Text oder den Daten enthält. Es können z. B. weitere Einstellungen wie Nur Formate ausfüllen oder Ohne Formatierungen ausfüllen aktiviert werden. Bei der Tagesliste kann auch nur Arbeitstage ausfüllen gewählt werden.

> Mit einem Klick auf die Schaltfläche AutoAusfülloptionen können Sie weitere Einstellungen, wie z. B. Nur Formate ausfüllen oder Ohne Formatierungen ausfüllen, auswählen.

Beispiel: Ausfüllen der Wochentage

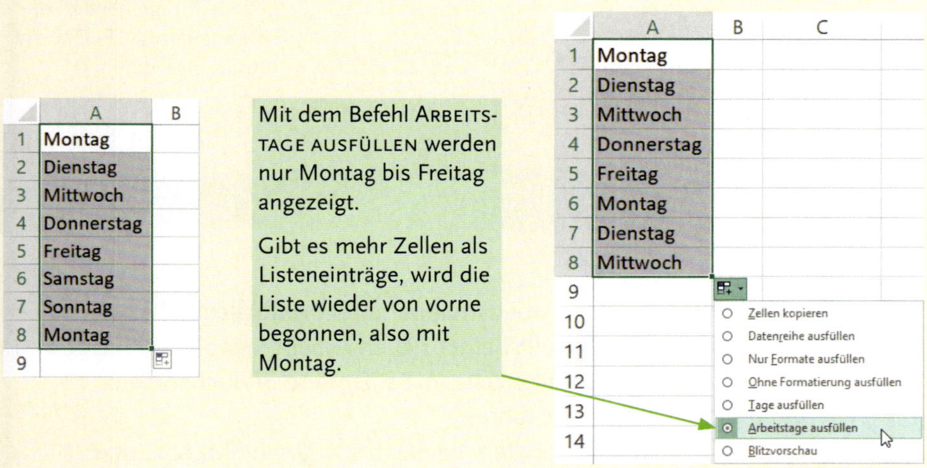

Die **angezeigten Befehle** der AutoAusfülloptionen hängen vom einzufüllenden Inhalt, vom Programm, aus dem die einzufüllenden Daten stammen, sowie vom Format des Textes bzw. der Daten, die Sie einfüllen möchten, ab.

Strg ändert die Funktion AutoAusfüllen. Drücken Sie beim AutoAusfüllen die Strg-Taste, wird der Eintrag Montag **nicht als Liste** (Montag, Dienstag usw.) ausgefüllt, sondern es wird der Inhalt der ersten Zelle, also Montag, wiederholt. **Umgekehrt** wird eine **Zahl,** z. B. 1, beim Drücken der Strg-Taste beim AutoAusfüllen nicht wiederholt, **sondern als Liste** (1, 2, 3 ...) ausgefüllt. Sie können dazu auch die angebotenen Optionen der Schaltfläche AutoAusfülloptionen verwenden.

> Durch das Drücken von Strg wird bei Textreihen wie den Wochentagen der erste Eintrag wiederholt.
>
> Bei der Zahleneingabe wird durch das Drücken von Strg eine Liste ausgefüllt, z. B. 1, 2, 3 ...

Sie können auch zuerst die Zahlen mit AutoAusfüllen ausfüllen und dann in den AutoAusfülloptionen Datenreihe ausfüllen wählen.

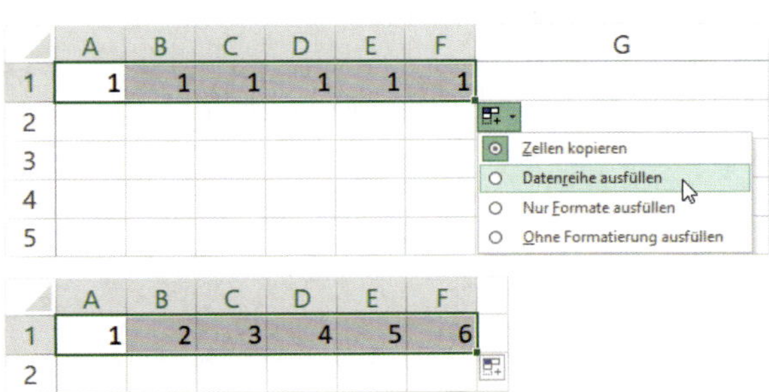

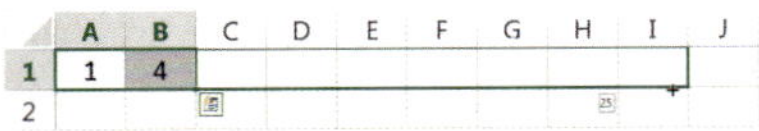

Sie können auch die ersten Zahlen einer Reihe eingeben. Wenn Sie diese Zellen auswählen und dann mit dem Ausfüllkästchen erweitern, wird die ausgewählte Reihe automatisch fortgesetzt. Dabei berechnet EXCEL die Reihe aufgrund der Auswahl. Es können auch drei oder mehr Elemente einer Reihe eingegeben werden.

Benutzerdefinierte Listen

Listen hinzufügen und ändern

DATEI – OPTIONEN – ERWEITERT – ALLGEMEIN – BENUTZERDEFINIERTE LISTEN BEARBEITEN...

Eigene Listen können unter DATEI – OPTIONEN – ERWEITERT – ALLGEMEIN – BENUTZERDEFINIERTE LISTEN BEARBEITEN... eingefügt werden. Hier können bestehende Listen geändert und neue Listen hinzugefügt werden.

Bei Monatsnamen entscheidet die Einstellung in Zeit, Sprache und Region und ob Jänner (Deutsch [Österreich]) oder Januar (Deutsch [Deutschland]) als Monatsname erkannt wird.

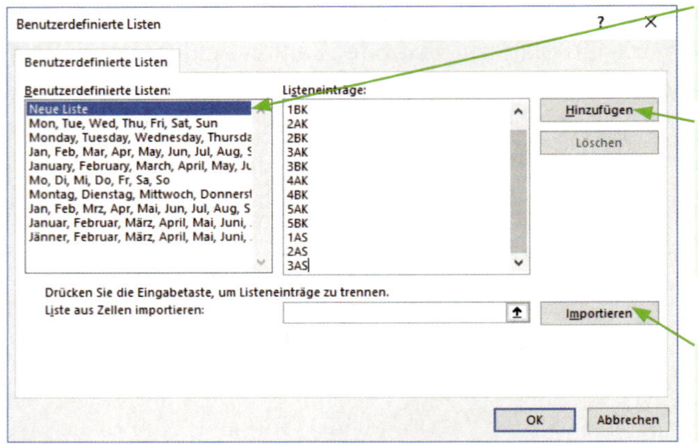

Wählen Sie NEUE LISTE aus und geben Sie die **neuen Listeneinträge** ein.

Mit ↵ springt der Cursor in die nächste Zeile. Mit HINZUFÜGEN wird die neue Liste angelegt.

Listeneinträge können direkt aus der EXCEL-Tabelle importiert werden.

Übung

- **AutoAusfüllen anwenden**

a) Speichern Sie eine neue Arbeitsmappe unter **Ausfuellen1.xlsx.**

b) Erstellen Sie im Blatt **Tabelle1** einer neuen Arbeitsmappe mithilfe der Funktion AutoAusfüllen eine Liste in Zahlen und in Buchstaben:
   - mit den Monaten eines Jahres,
   - mit den ungeraden Monaten eines Jahres (Jänner, März ... bzw. Januar, März, ...),
   - mit den geraden Monaten eines Jahres (Februar, April ...).

c) Erstellen Sie eine individuelle AutoAusfüllen-Liste mit den Nachnamen Ihrer Mitschüler und Mitschülerinnen.

d) Probieren Sie, ob AutoAusfüllen auch mit Datumswerten funktioniert.

e) Benennen Sie das Blatt **Tabelle1** in **AutoAusfüllen von Daten** um.

f) Speichern nicht vergessen!

2.4 Formatieren von Zellen

Möglichkeiten zur Textformatierung

START – SCHRIFTART bzw. AUSRICHTUNG – ZELLEN FORMATIEREN

Kontextmenü ZELLEN FORMATIEREN... – AUSRICHTUNG bzw. SCHRIFT

Formatierungen können für eine Zelle oder einen Zellbereich durchgeführt werden. Vor jeder Formatierung müssen Sie daher die entsprechenden Zellen oder Zellbereiche auswählen.

2.4.1 Textformate

Mithilfe der **Textformate** können Schriftart, Schriftgrad, Zeichenattribute und die Ausrichtung der Zellinhalte gewählt bzw. verändert werden.

Möglichkeiten, Texte zu formatieren

- START – SCHRIFTART bzw. AUSRICHTUNG – ZELLEN FORMATIEREN

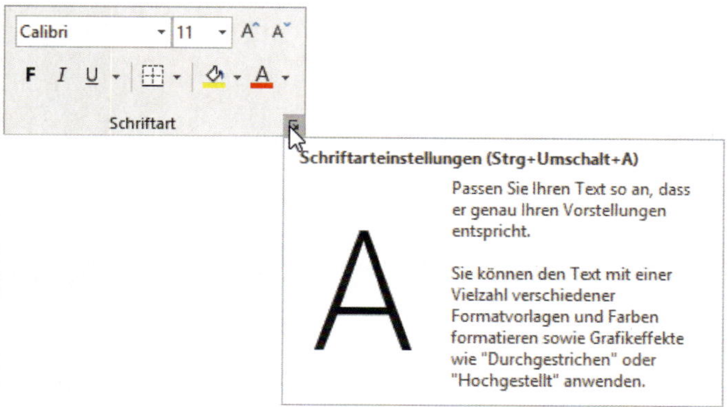

- Kontextmenü – ZELLEN FORMATIEREN...

Die wichtigsten Formatierungsmöglichkeiten werden mit einem Rechtsklick auf eine Zelle in der „Minisymbolleiste“ angezeigt.

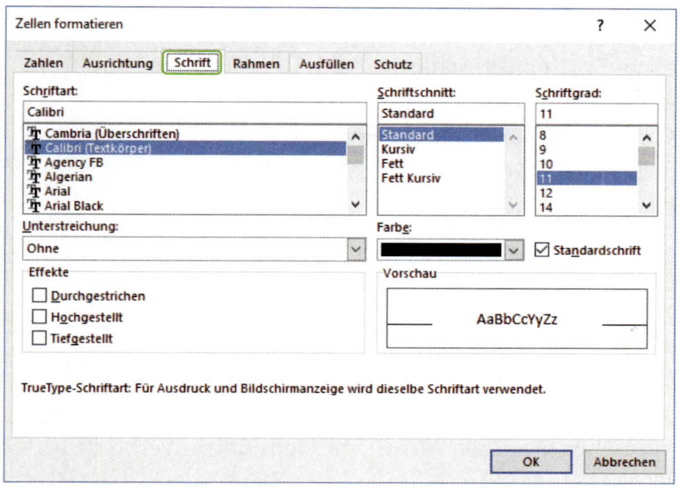

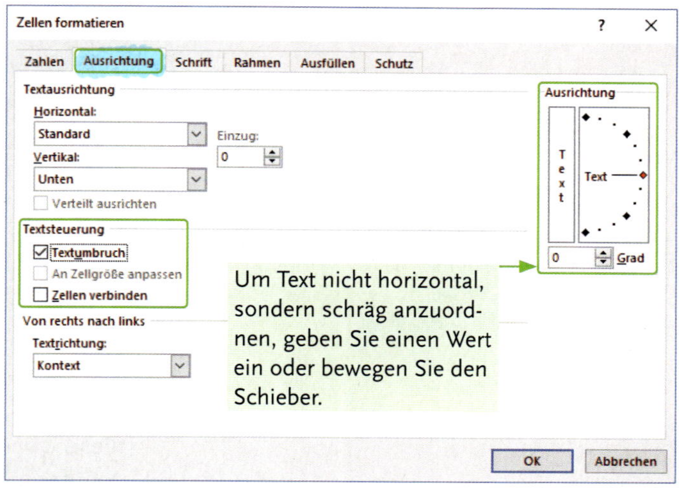

Durch die Auswahl von ☑ Textumbruch im Dialogfeld ZELLEN FORMATIEREN – AUSRICHTUNG – TEXTSTEUERUNG wird automatisch ein für eine Zelle zu langer Text mehrzeilig angezeigt. Sie können den Zeilenumbruch auch über das Umbruchssymbol Textumbruch einfügen. Der Zeilenumbruch wird dabei abhängig von der Spaltenbreite eingefügt. Ein Textumbruch kann auch mit der Tastenkombination Alt + ↵ oder mit dem **Umbruchsymbol** eingefügt werden. Mit Alt + ↵ fügen Sie einen fixen Zeilenumbruch ein. Unabhängig von der Spaltenbreite, wird der Zeilenumbruch immer an dieser Stelle eingehängt.

☑ An Zellgröße anpassen verkleinert die Schriftgröße automatisch so weit, dass der gesamte Text in einer Zelle angezeigt wird.

Für das Einfügen von Zeilenumbrüchen gibt es **drei** Möglichkeiten:

1. Wählen Sie die Tastenkombination Alt + ↵.
2. Klicken Sie auf das Umbruchsymbol.
3. Aktivieren Sie im Kontextmenü ZELLEN FORMATIEREN... das Kontrollkästchen ☑ Textumbruch.

Beispiel: Einstellungen für Ausrichtungen und ihre Ergebnisse

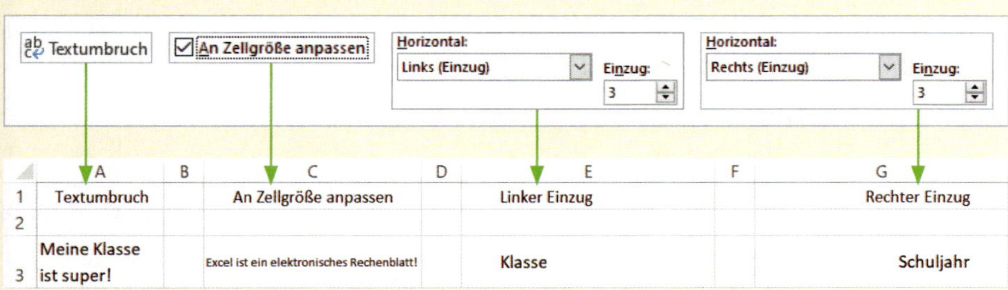

Damit die Überschrift in der Mitte einer Tabelle steht, verwenden Sie den Befehl VERBINDEN UND ZENTRIEREN. Sie finden ihn unter START – AUSRICHTUNG – VERBINDEN UND ZENTRIEREN.

Verbinden und zentrieren

START – AUSRICHTUNG –

Tabellenkalkulation

Wird z. B. in die Zelle A1 eine Überschrift eingegeben und werden anschließend die gewünschten Zellen ausgewählt, werden sie mit einem Klick auf das **Verbinden-und-Zentrieren-Symbol** zu einer Zelle verbunden. Ein nochmaliger Klick auf das Symbol hebt die Verbindung wieder auf.

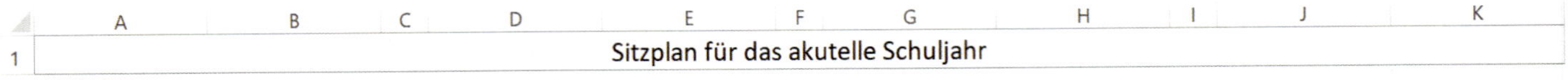

Übung

Zellen formatieren

Erstellen Sie eine neue Arbeitsmappe und speichern Sie sie unter **Textformate1.xlsx.** Lösen Sie im Blatt **Tabelle1** folgende Aufgaben. Achten Sie dabei auf die genaue Formatierung.

a) Schreiben Sie folgende Spaltenüberschriften:
- In B3 lautet die Spaltenüberschrift „Spalte B“.
- In C3 lautet die Spaltenüberschrift „Spalte C“.
- In D3 lautet die Spaltenüberschrift „Spalte D“.
- In E3 lautet die Spaltenüberschrift „Spalte E“.

b) Zentrieren Sie diese Spaltenüberschriften.

c) Schreiben Sie folgende Einträge:
- In A4 lautet der Eintrag „Füllfarbe“.
- In A5 lautet der Eintrag „Schriftfarbe“.
- In A6 lautet der Eintrag „Muster“.
- In A7 lautet der Eintrag „Rahmen“.

d) Weisen Sie diesen Einträgen eine Textausrichtung von 45 Grad zu.

e) Schreiben Sie das Wort „Überschrift“ in die Zelle A1. Zentrieren Sie diese Überschrift über den Zellen A1:E1 mit dem Befehl Verbinden und zentrieren.

f) Formatieren Sie die Überschrift:
- Schriftgrad: 14 Punkt
- Schriftart: Calibri fett

2.4.2 Zahlenformate

Durch Zahlenformatierungen ändert sich **nur die Darstellung** der Zahl. Der Wert der Zahl, der schließlich für die Berechnungen verwendet wird, bleibt gleich.

Möglichkeiten zur Zahlenformatierung

START – ZAHL – ZELLEN FORMATIEREN

Kontextmenü ZELLEN FORMATIEREN... – ZAHLEN

START – ZAHL –

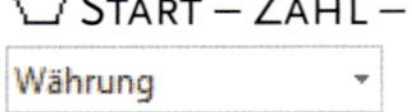

Möglichkeiten, Zahlen zu formatieren

- START – ZAHL – ZELLEN FORMATIEREN

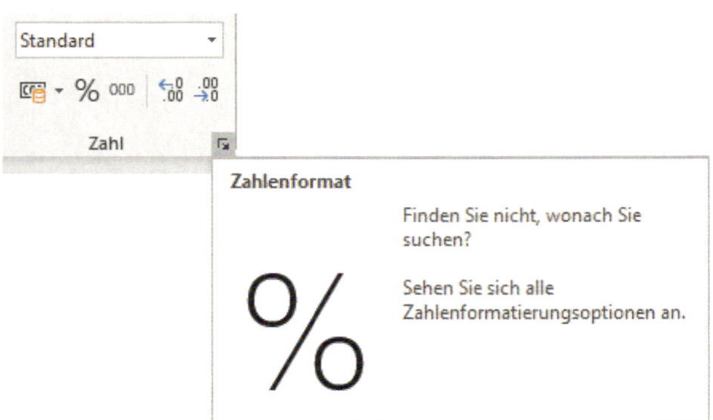

- Kontextmenü ZELLEN FORMATIEREN... – ZAHLEN

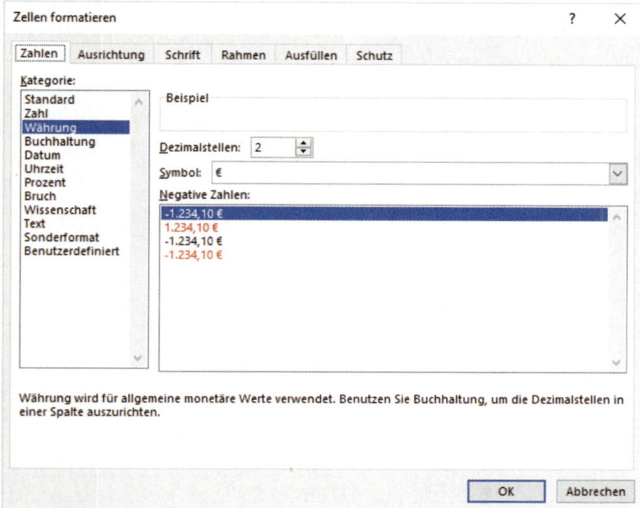

- Häufig verwendete Formatierungen sind auch direkt als Symbol verfügbar, z. B. über die Kombinationsliste ZAHLENFORMAT. Sie finden sie unter START – ZAHL.

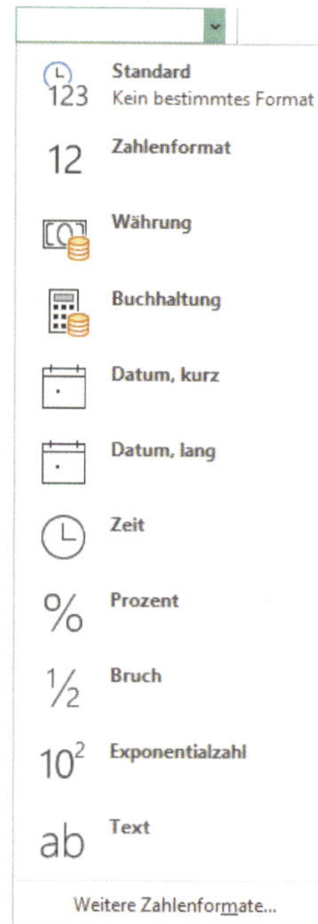

Kombinationsliste Zahlenformat

Benutzerdefinierte Zahlenformate

EXCEL bietet sehr viele vordefinierte Zahlenformate an. In bestimmten Fällen ist es aber notwendig, benutzerdefinierte Zahlenformate, wie z. B. Stück oder kg, zu verwenden. Diese Zahlenformate können Sie selbst unter START – ZAHL – ZELLEN FORMATIEREN – ZAHLEN – BENUTZERDEFINIERT festlegen.

Die wichtigsten Zeichen für **benutzerdefinierte Zahlenformate** sind:

Erklärung	Eingabe	Zahlenformat	Darstellung
0: Platzhalter für Ziffern, die immer anzuzeigen sind. Fehlende Ziffern werden durch 0 (führende Null) aufgefüllt.	25,234 25,255 25 12	0,00 0,00 0,00 00000	25,23 25,26 25,00 00012
#: Platzhalter für Ziffern. Das Zeichen, z. B. der Tausenderpunkt, wird nur dargestellt, wenn die Zahl entsprechend groß ist. #. zeigt nur Tausenderstellen an. Unbedeutende Nullen, z. B. Kommastellen, werden nicht angezeigt.	25,234 25 25 1253 4253	#,## #,## #.### #.### #.	25,23 25, 25 1.253 4
# und **0:** Häufig werden # und 0 kombiniert. Ist die Eingabe vierstellig, soll ein Tausenderpunkt angezeigt werden. Die Einerstelle und zwei Kommastellen sollen immer angezeigt werden.	25 1250,3 1250,355	#.##0,00 #.##0,00 #.##0,00	25,00 1.250,30 1.250,36
Ein Text sollte immer unter Anführungszeichen gestellt werden.	25 1250	0 „Std.“ #.##0 „kg“	25 Std. 1.250 kg
?: Bruchdarstellung	1/3 0,25	??/?? ??/??	1/3 1/4
Datum/Uhrzeit	1.1 9:30	TT.MM. hh:mm:ss	01.01. 09:30:00

Beim Festlegen eines benutzerdefinierten Zahlenformats wählen Sie zuerst jenes Zahlenformat aus, das dem Gewünschten am besten entspricht, z. B. #.##0,00, anschließend ergänzen Sie es.

Benutzerdefinierte Zahlenformate

START – ZAHL – ZELLEN FORMATIEREN – ZAHLEN – BENUTZERDEFINIERT

In der Bearbeitungsleiste wird immer die Eingabe ohne Formatierung angezeigt.

Übung

- **Zahlenformate erstellen und anwenden**
  a) Geben Sie in eine neue Arbeitsmappe folgende Zahlen ein und formatieren Sie sie laut Vorlage.
  b) Speichern Sie die Arbeitsmappe unter **Zahlenformate1.xlsx.**

	A	B	C	D	E
1			Zahlenformate		
2					
3	Zahlenformat	Darstellung		Zahlenformat	Darstellung
4	Währung	5.467,00 €		Datum, kurz	14.02.1963
5	Währung	253.652,25 €		Datum, lang	15.Februar 1963
6	Buchhaltung	€ 25.365,25		Zeit	12:25:00
7	Text	erste Übung		Zeit	14:25
8	Text	25 Stück		Benutzerdefiniert	25 km
9	Prozent	25%		Benutzerdefiniert	3.260,00 Liter
10	Prozent	10,25%		Benutzerdefiniert	00125
11	Bruch	25 3/4		Benutzerdefiniert	25,315 Tonnen
12	Bruch	1/4		Benutzerdefiniert	20 Stück

2.4.3 Rahmen und Ausfüllen

Mithilfe von unterschiedlichen Linien können Zellen voneinander abgegrenzt und mit unterschiedlichen Hintergründen hervorgehoben werden.

Möglichkeiten zur Zellformatierung

START – SCHRIFTART – ZELLEN FORMATIEREN

Kontextmenü ZELLEN FORMATIEREN... – RAHMEN bzw. AUSFÜLLEN

Möglichkeiten, Zellen zu formatieren

- START – SCHRIFTART – ZELLEN FORMATIEREN

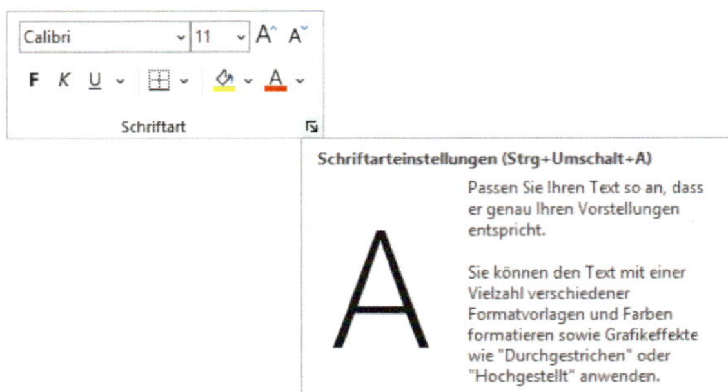

- Kontextmenü ZELLEN FORMATIEREN... – RAHMEN bzw. AUSFÜLLEN

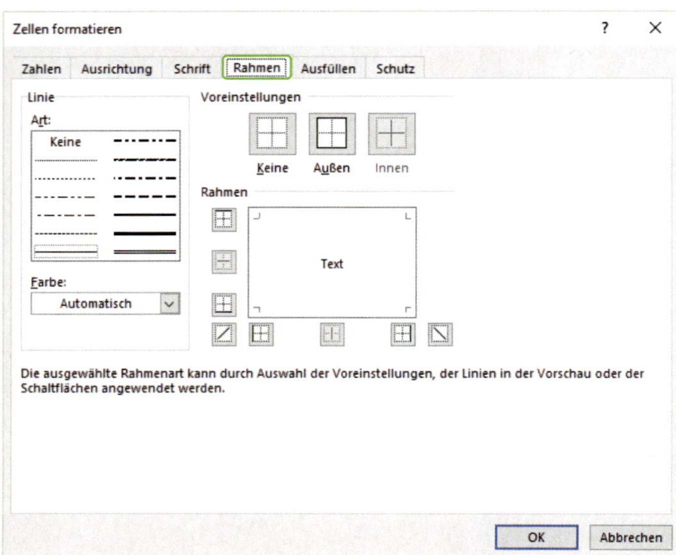

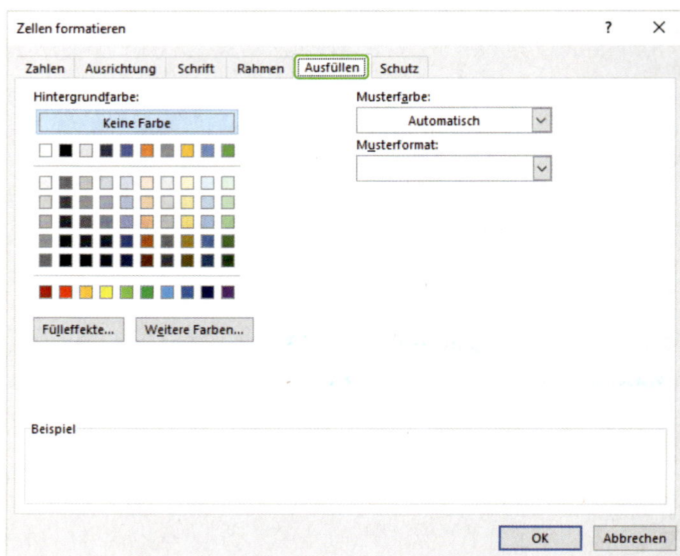

Übung

- **Tabellen mit Rahmen und Füllfarben gestalten**

a) Speichern Sie eine neue Arbeitsmappe unter **Rahmen und Ausfuellen1.xlsx.**
b) Ändern Sie den Namen eines Blatts auf **Rahmen und Ausfüllen.**
c) Geben Sie die Texte laut Vorlage ein.
d) Formatieren Sie diese Daten gemäß den Vorgaben der folgenden Abbildung und ergänzen Sie die fehlenden Daten.

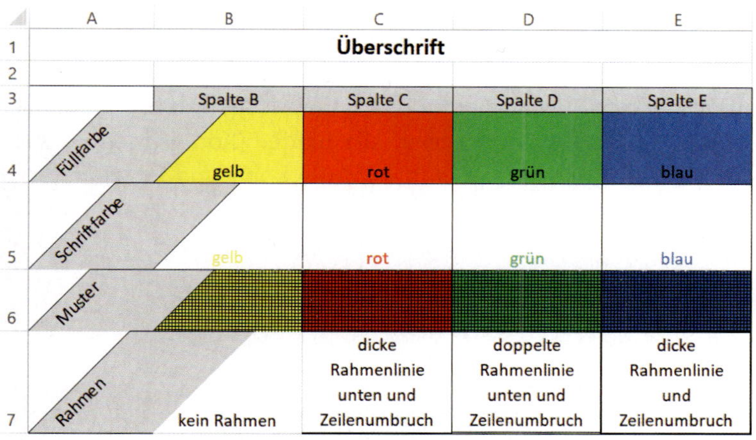

2.4.4 Formatierungen mit Formatvorlagen

Um Tabellen in eine ansprechende Form zu bringen, können **Formatvorlagen** verwendet werden. Dazu wird der gewünschte Bereich ausgewählt. Über START – FORMATVORLAGEN – ZELLENFORMATVORLAGEN können Formatierungen, Überschriften oder Zahlenformate festgelegt werden.

Formatierungen festlegen
START – FORMATVORLAGEN – ZELLENFORMATVORLAGEN –

Werden bestimmte Formatierungen oft benötigt, kann über NEUE ZELLENFORMATVORLAGE... eine Formatvorlage definiert werden. Dabei können alle gewünschten Formatierungen unter einem Namen als Vorlage festgelegt werden. Über START – FORMATVORLAGEN – ZELLENFORMATVORLAGEN – BENUTZERDEFINIERT kann die Formatvorlage ausgewählt werden.

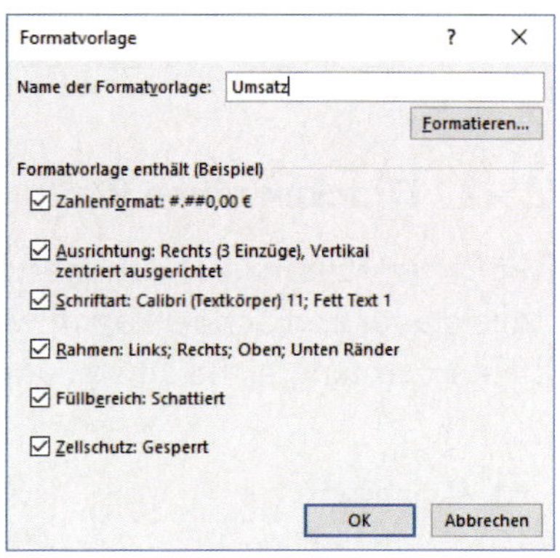

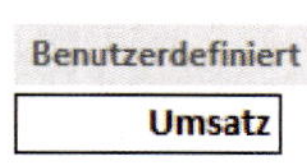

Mit START – BEARBEITEN – LÖSCHEN – FORMATE LÖSCHEN werden Formatierungen gelöscht, die Zelleninhalte bleiben jedoch erhalten.

Formate löschen
START – BEARBEITEN – LÖSCHEN – FORMATE LÖSCHEN

2.5 Drucken

Mit dem Befehl DATEI – DRUCKEN bzw. über das Symbol **Seitenansicht und Drucken** im Schnellzugriff können Sie eine Druckvorschau erstellen und sich überzeugen, ob das Erscheinungsbild der Tabelle Ihren Vorstellungen entspricht oder ob noch Änderungen vorzunehmen sind. Eine weitere Möglichkeit, das Erscheinungsbild der Tabelle für den Ausdruck anzupassen, bietet Ihnen das Register ANSICHT – ARBEITSMAPPENANSICHTEN – SEITENLAYOUT.

Blätter ausdrucken
DATEI – DRUCKEN

Mit dem Symbol **Seitenansicht und Drucken** können Sie Arbeitsmappen vor dem Drucken nochmals überprüfen.

Tabellenkalkulation

Kopf- und Fußzeile festlegen

EINFÜGEN – TEXT –

⚠ Vergessen Sie nicht, die Auswahl der Blätter wieder aufzuheben (Kontextmenü – GRUPPIERUNG AUFHEBEN)!

2.5.1 Kopf- und Fußzeile festlegen

In der **Kopf-** und der **Fußzeile** sind Informationen enthalten, die auf jeder Seite des Ausdrucks automatisch angezeigt werden. Die Kopf- und die Fußzeile sind in drei Bereiche, in links, Mitte und rechts, unterteilt. Sie finden die Kopf- und die Fußzeile unter EINFÜGEN – TEXT – KOPF- UND FUSSZEILE. In die Kopf- und die Fußzeile können Sie **individuelle Elemente,** wie Dateinamen, Seitenzahl, Datum etc., einfügen.

Kopf- und Fußzeile werden immer für das aktuell ausgewählte Blatt festgelegt. Wählen Sie mehrere (mit Strg) oder gleich alle Blätter (Kontextmenü – ALLE BLÄTTER AUSWÄHLEN) einer Arbeitsmappe aus, wird die Kopf- und Fußzeile für alle ausgewählten Blätter festgelegt.

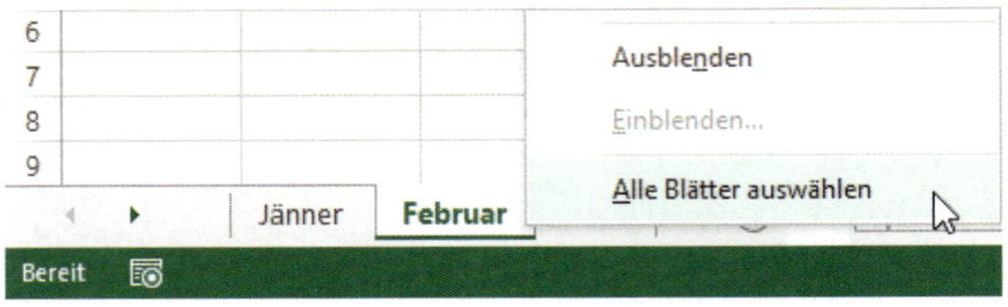

Übung

- **Kopf- und Fußzeile einfügen**

  a) Legen Sie in einer neuen Arbeitsmappe folgende Kopf- und Fußzeile fest:
  - **Kopfzeile:** links: Klassenbezeichnung; Mitte: Katalog-Nr.; rechts: Name
  - **Fußzeile:** Mitte: Seite Seitenzahl/Anzahl der Seiten; rechts: Dateiname

  b) Speichern Sie die Arbeitsmappe unter **Druck1.xlsx.**

2.5.2 Drucken eines Blatts

Mit DATEI – DRUCKEN oder über das Symbol **Seitenansicht und Drucken** in der Symbolleiste für den Schnellzugriff wird die Tabelle in der Seitenansicht angezeigt. Hier können umfangreiche Einstellungen für den Ausdruck durchgeführt werden.

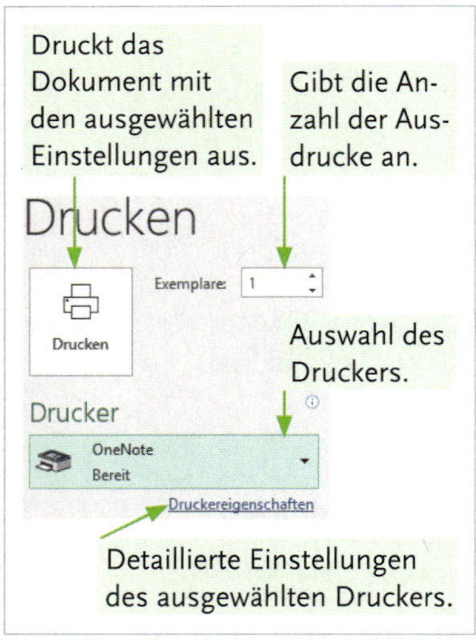

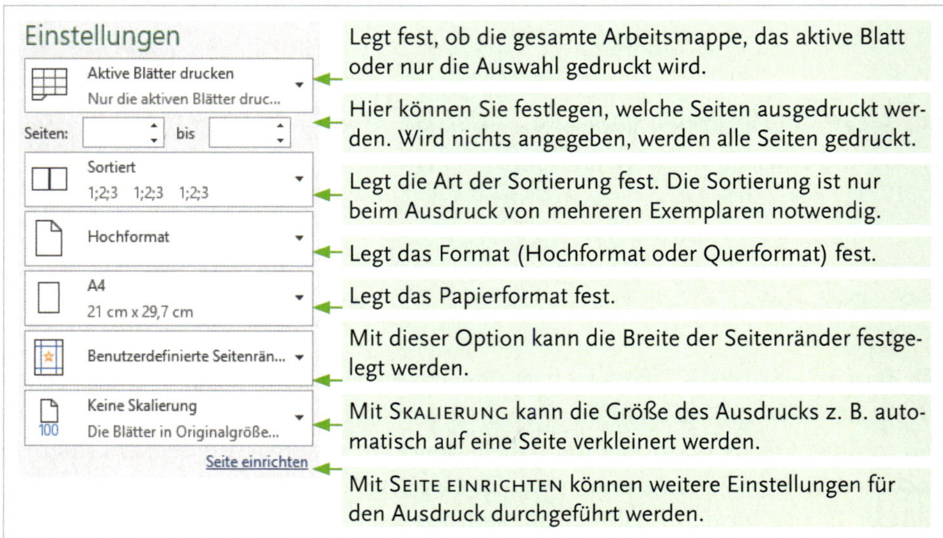

Umbruchvorschau und Seitenlayout

Zur Vorabansicht Ihres Ausdrucks können Sie die Optionen UMBRUCHVORSCHAU oder SEITENLAYOUT einstellen. Sie finden die Befehle über ANSICHT – ARBEITSMAPPENANSICHTEN – UMBRUCHVORSCHAU oder SEITENLAYOUT. Die Umbruchvorschau ermöglicht das Verschieben der Seitenumbrüche durch Ziehen des Seitenumbruchs (blaue Linie) an die gewünschte Position.

Skalierung

Mit SKALIERUNG wird der Ausdruck auf die Seitengröße eingestellt. Wichtig ist dabei, dass auch die Seitenränder entsprechend angepasst werden, z. B. SCHMAL, um ein unnötiges Verkleinern des Ausdrucks zu vermeiden.

Skalierungsoptionen	
Keine Skalierung	Das Blatt wird in Originalgröße ausgedruckt.
Blatt auf einer Seite darstellen	Das Blatt wird so verkleinert, dass es auf einer Seite Platz hat.
Alle Spalten auf einer Seite darstellen	Der Ausdruck wird so verkleinert, dass alle Spalten auf eine Seite passen.
Alle Zeilen auf einer Seite darstellen	Der Ausdruck wird so verkleinert, dass alle Zeilen auf eine Seite passen.
Benutzerdefinierte Skalierungsoptionen...	Die Verkleinerung bzw. die Vergrößerung des Ausdrucks kann individuell nach Prozenten eingegeben werden.

Seite einrichten

Im Register SEITENLAYOUT können Sie mit der Option SEITE EINRICHTEN im Register PAPIERFORMAT die Druckqualität, im Register SEITENRÄNDER die Zentrierung (horizontal und/oder vertikal) und im Register KOPFZEILE/FUSSZEILE die Einstellungen für die Kopf- und die Fußzeile zusätzlich festlegen.

Im Register BLATT sind zwei weitere Einstellungen wichtig. Hier können Sie festlegen, ob die Gitternetzlinien ausgedruckt werden. Sind Rahmen festgelegt, ist normalerweise kein Ausdruck der Gitternetzlinien notwendig. Außerdem können Sie festlegen, ob Zeilen- und Spaltenüberschriften ausgedruckt werden. Das ist wichtig, wenn das Blatt in der Formelansicht ausgedruckt wird. Die Einstellungen werden mit einem Klick auf die Schaltfläche OK übernommen. Die Seitenansicht verlassen Sie, indem Sie ein anderes Register im Menüband, z. B. START, auswählen.

Mit dem Befehl SEITENUMBRUCH EINFÜGEN unter SEITENLAYOUT – SEITE EINRICHTEN – UMBRÜCHE können neue Seitenumbrüche eingefügt werden. Das Löschen von Seitenumbrüchen ist über die Befehle SEITENUMBRÜCHE ENTFERNEN oder ALLE SEITENUMBRÜCHE ZURÜCKSETZEN möglich.

Mehrere Blätter drucken
Auswahl der Blätter mit
- Strg oder
- Kontextmenü – ALLE BLÄTTER AUSWÄHLEN.

Vergessen Sie nicht, die Auswahl der Blätter nach dem Drucken wieder aufzuheben!

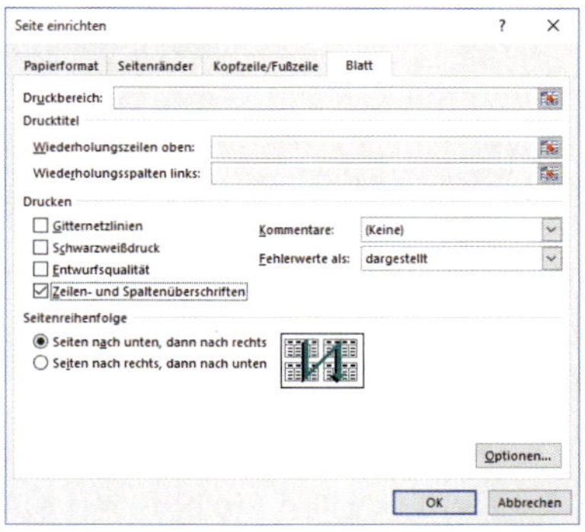

Ein Tipp für Ihre Ausdrucke: Achten Sie bei Hausübungen und Überprüfungen immer darauf, dass auf allen Seiten Zeilen- und Spaltenüberschriften vorhanden sind.

Tabellenkalkulation

WissensCheck – „Tabellen bearbeiten“

1. Nennen Sie die standardmäßige Ausrichtung von Text- und Zahleneingaben.
2. Erklären Sie, ob es möglich ist, eine Zahl als Text einzugeben.
3. Beschreiben Sie Ihr Vorgehen, wenn nach einer Dateneingabe #-Zeichen angezeigt werden.
4. Erläutern Sie, wie alle Zellen eines Blattes mit einem Klick ausgewählt werden können.
5. Geben Sie Möglichkeiten an, um Zellen, die sich nicht nebeneinander befinden, zu markieren.
6. Zählen Sie die AutoAusfüllen-Listen auf, die standardmäßig zur Verfügung gestellt werden.
7. Erklären Sie, wie ein langer Text in einer Zeile mehrzeilig angezeigt werden kann.
8. Beschreiben Sie worauf Sie achten sollten, bevor Sie in EXCEL eine Tabelle ausdrucken.
9. Erläutern Sie, ob immer das gesamte Blatt ausgedruckt werden muss.
10. Geben Sie an, wo Sie sehen können, wie viele Seiten Ihr Tabellenausdruck hat.
11. Beschreiben Sie Ihr Vorgehen, um Ihre Tabelle schnell auf einer Seite auszudrucken.

Ziele erreicht? – „Tabellen bearbeiten"

KOMPETENZ-ERWERB

1. Tabellen erstellen und gestalten

Erstellen Sie die Arbeitsmappe **Sitzplan1.xlsx** und gestalten Sie den Sitzplan laut Vorlage.

	B	C	D	E	F	G	H	I	J	K
1	Sitzplan für das akutelle Schuljahr									
2										
3	NACHNAME		NACHNAME	NACHNAME		NACHNAME	NACHNAME		NACHNAME	NACHNAME
4	Vorname		Vorname	Vorname		Vorname	Vorname		Vorname	Vorname
5										
6	NACHNAME		NACHNAME	NACHNAME		NACHNAME	NACHNAME		NACHNAME	NACHNAME
7	Vorname		Vorname	Vorname		Vorname	Vorname		Vorname	Vorname
8										
9	NACHNAME		NACHNAME	NACHNAME		NACHNAME	NACHNAME		NACHNAME	NACHNAME
10	Vorname		Vorname	Vorname		Vorname	Vorname		Vorname	Vorname
11										
12	NACHNAME		NACHNAME	NACHNAME		NACHNAME	NACHNAME		NACHNAME	NACHNAME
13	Vorname		Vorname	Vorname		Vorname	Vorname		Vorname	Vorname
14										
15–16	Klasse: IA									

2. Zahlenformate erstellen und anwenden – 15 min

Erstellen Sie in der Arbeitsmappe **Einkauf1.xlsx** eine Übersicht über die Einkäufe einer Woche laut Vorlage. Verwenden Sie zur Eingabe der Tage AutoAusfüllen.

	A	B	C
1	Einkäufe Kalenderwoche 25		
2			
3	Tag	Menge	Preis
4	Montag	2.500 Stück	23,50 € je Stück
5	Dienstag	3.500 Stück	21,20 € je Stück
6	Mittwoch	1.500 Stück	28,30 € je Stück
7	Donnerstag	3.500 Stück	20,95 € je Stück
8	Freitag	1.200 Stück	27,50 € je Stück

Mengen- und Maßangaben mit mehr als drei Stellen werden, vom Dezimalzeichen ausgehend, durch jeweils ein Leerzeichen in Gruppen zu je drei Ziffern gegliedert. In EXCEL wird dazu der Tausenderpunkt verwendet.

3. Tabellen erstellen und gestalten

a) Erstellen Sie eine neue Arbeitsmappe **Computer1.xlsx** und formatieren Sie die Tabelle laut Vorlage. Standardschrift: Calibri, 10 Punkt; Überschriften: 12 Punkt, fett; Teilüberschriften: 10 Punkt, fett.

b) Legen Sie die entsprechenden Rahmen und die Zellausrichtung fest.

c) Füllen Sie die Tabelle aus. Verwenden Sie dazu die Daten Ihres Schulcomputers und Ihres Computers zu Hause.

d) Legen Sie für die bessere Komponente eine grüne Füllfarbe fest, für die andere eine rote Füllfarbe.

e) Erklären Sie die einzelnen Komponenten.

f) Speichern nicht vergessen!

	A	B	C	D
1	PC-Vergleich			
2				
3		**Schul-PC**	**Heim-PC**	**Erklärung**
4	**PC-Hersteller**	Hewlett-Packard	Chili green	
5	**PC-Modell**	HP EliteDesk800 G2	Gaming PC BLAST XT1463	
6	**Hardware**			
7	**Prozessor**			
8	Prozessortyp	Intel® Core™ i7	AMD® FX-8350 AM3+	Der Prozessortyp ist die Bezeichnung des Herstellers für den Prozessor. Der Prozessor bestelt aus Register, dem Rechenwerk und dem Steuerwerk.
9	Anzahl Prozessorkerne	4	8	Gibt an, wieviele Prozessoren vorhanden sind.
10	Taktfrequenz	3,6 GHz	4 GHz	Die Taktfrequenz ist ein Massstab für die Geschwindigkeit eines Computers.
11	**Hauptspeicher**	32,00 GB	8 GB	Der Haupt- oder Arbeitsspeicher gibt die Größe des Speichers an, in dem Programme und Daten während der Verarbeitung abgelegt werden. Der Hauptspeicher ist ein "flüchtiger" Speicher.
12	**Festplatte**			
13	Größe	500 GB	2 TB	
14	**Grafik**			
15	Grafikkartentyp	Intel® HD Graphics	AMD® R9 270 Royal Queen	Die Grafikkarte steuert in einem PC die Bildschirmanzeige.
16	Grafikspeicher		2GB	
17	**Netzwerkadapter**	LANIntel® GbE i219M	1 GBitLAN	Der Netzwerkadapter oder die Netzwerkarte stellt die Verbindung des Computers zum Netzwerk her.
18	**Software**			
19	Computername	E25	MeinPC	
20	Arbeitsgruppe/Domäne	Schule	Workgroup	
21	Betriebssystem	MS WINDOWS 10	MS WINDOWS 10	
22	Office	MS OFFICE 2016	MS OFFICE 365	

4. Texte und Zahlen formatieren

a) Öffnen Sie die Arbeitsmappe **Kinopreise_u.xlsx** und benennen Sie das erste Blatt in **Preise** um.

b) Speichern Sie die Arbeitsmappe unter **Kinopreise1.xlsx.**

c) Formatieren Sie die Überschrift „Kinopreise" – Calibri 18 Punkt, fett, blau – und zentrieren Sie die Überschrift über den Spaltenüberschriften.

d) Fügen Sie über „Kinopreise" eine neue Zeile mit dem Text „Kino Eisenstadt" ein. Übertragen Sie das Format der Überschrift „Kinopreise".

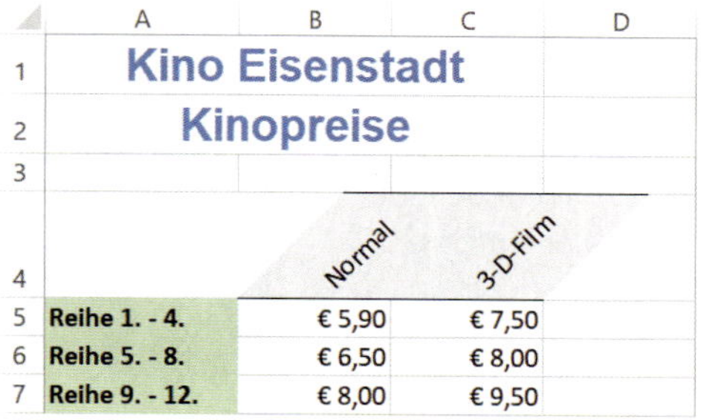

	A	B	C	D
1	Kino Eisenstadt			
2	Kinopreise			
3				
4		Normal	3-D-Film	
5	Reihe 1. - 4.	€ 5,90	€ 7,50	
6	Reihe 5. - 8.	€ 6,50	€ 8,00	
7	Reihe 9. - 12.	€ 8,00	€ 9,50	

e) Weisen Sie den Spaltenüberschriften „Normal" und „3-D-Film" eine Textausrichtung von 45 Grad zu. Hinterlegen Sie diese Überschriften mit hellgrauer Farbe und zentrieren Sie die Überschrift der Zelle.

f) Fügen Sie eine Rahmenlinie oberhalb und unterhalb der Spaltenüberschriften „Normal" und „3-D-Film" ein.

g) Formatieren Sie die Zeilenbeschriftungen „Reihe 1. – 4.", „Reihe 5. – 8." und „Reihe 9. – 12." fett und hinterlegen Sie sie mit grüner Farbe.

h) Formatieren Sie die Zahlen als **Währung.**

5. Tabellen drucken – 20 min

a) Öffnen Sie die Arbeitsmappe **Stundenplan_Tabelle_u.xlsx** und speichern Sie sie unter **Stundenplan_Tabelle1.xlsx.**

b) Fügen Sie zwei neue Blätter ein: **Stundenplan_klein** und **Stundenplan_groß.**

c) Kopieren Sie die Daten aus dem Blatt **Stundenplan** in die Blätter **Stundenplan_klein** und **Stundenplan_groß.**

d) Finden Sie für jedes Blatt individuell das optimale Erscheinungsbild mit folgenden Auflagen:

- **Stundenplan_klein** – 40 % der Normalgröße und dreimal auf einer Seite.
- **Stundenplan_groß** – 120 % der Normalgröße.
- Zentrieren Sie alle Tabellen auf der Seite horizontal.
- Fügen Sie bei allen Tabellen in der Kopfzeile im rechten Abschnitt Ihren Namen ein.
- Erstellen Sie eine Fußzeile nach folgender Vorlage.
  - **Linker Abschnitt:** Datei: aktueller Dateiname, z. B. Tabellen_bearbeiten_Uebung.xlsx
  - **Mittlerer Abschnitt:** Blatt: aktueller Blattname, z. B. Stundenplan_klein
  - **Rechter Abschnitt:** Ausgedruckt am: aktuelles Datum, z. B. 21. April ....

e) Drucken Sie die Blätter **Stundenplan_klein** und **Stundenplan_groß** aus.

Einen interaktiven **Safety-Check** finden Sie in der TRAUNER-DigiBox.

3 Formeln und Bezüge

Um herauszufinden, welches Vereinsmitglied beim Musikfest den größten Umsatz erzielt hat, erstellt Sarah zur Abrechnung eine EXCEL-Arbeitsmappe. Sie ist gespannt, wer am fleißigsten war.

Für welche Berechnungen könnten Sie oder Ihre Freunde eine EXCEL-Arbeitsmappe einsetzen?

KOMPETENZ-ERWERB

Meine Ziele

Nach Bearbeitung dieses Kapitels kann ich

- den Aufbau einer Formel erklären;
- Formeln erstellen;
- relative und absolute Bezüge in Berechnungen verwenden;
- für Zellen bzw. Zellbereiche Namen festlegen;
- Tabellen in der Formelansicht darstellen.

3.1 Aufbau einer Formel

Am Beginn einer **Formel** steht immer ein =-Zeichen.

Wenn Sie mit einem Taschenrechner eine Berechnung durchführen, geben Sie die entsprechende Formel, z. B. „3 * 4 =“, ein. Anschließend zeigt der Taschenrechner das Ergebnis der Berechnung an.

Bei einer Berechnung in EXCEL spricht man von einer Formel. Der Unterschied ist, dass eine Formel mit dem **=-Zeichen** beginnt. Das Ergebnis wird nach dem Drücken von ↵ in der Zelle angezeigt.

Wenn Sie in Formeln nur Zelladressen verwenden, können Berechnungen schnell mit unterschiedlichen Werten durchgeführt werden.

Eine weitere Besonderheit von EXCEL ist, dass in die Formel **nicht** die **Werte** eingegeben werden, sondern die **Zelladressen.** Ändern sich z. B. die Werte der Zellen, so muss die Formel **nicht** geändert werden. Die Formel muss daher nur ein **einziges Mal** eingegeben werden.

	A	B
1	Klasse 1A	
2		
3	Gruppe 1	11
4	Gruppe 2	13
5	Anzahl Schüler/innen	24

B5 = B3 + B4

3.1.1 Operationen mit konstanten Werten

Operationen

+ Addition
– Subtraktion
* Multiplikation
/ Division
∧ Potenz

Operationen, z. B. +; –; *; /; ∧ (Potenz), bestimmen die Rechenanweisung, die mit den Elementen einer Formel durchgeführt werden soll. Mithilfe von **Operationen** können grundlegende mathematische Rechenanweisungen durchgeführt werden.

	A	B	C	D
1	Rechenanweisung	Operation	Ergebnis	Formel
2				
3	Addition	+	15	=10+5
4	Subtraktion	-	5	=10-5
5	Multiplikation	*	50	=10*5
6	Division	/	2	=10/5
7	Potenz	^	100000	=10^5

Im Eingabemodus wird die Formel in der Zelle und in der Bearbeitungsleiste angezeigt.
Im Ergebnismodus wird in der Zelle das Ergebnis und in der Bearbeitungsleiste die Formel angezeigt.

Um eine Formel oder ein Rechenzeichen in eine Zelle einzugeben und anzeigen zu lassen, wählen Sie für diese Zelle das Zahlenformat **Text** aus! Es handelt sich dann nicht mehr um eine Formel.

Rechenregeln

- In EXCEL gilt die mathematische Regel, dass die **Punkt- vor der Strichrechnung** kommt.
- Um die **Rechenreihenfolge** zu ändern, wird der Teil der Formel, der zuerst berechnet werden soll, in Klammern geschrieben.

3.1.2 Operationen mit Zellbezügen

Anstelle von konstanten Werten, z. B. 15, 34, 5 547, sollten Sie in der Formel **Zellbezüge** verwenden. So wird das Ergebnis automatisch neu berechnet, sobald sich ein Wert ändert. Ein **Bezug** ist die Adresse einer Zelle oder einer Gruppe von Zellen und steht im Namenfeld. Die Zellbezüge werden bei der Formeleingabe durch Klicken auf die Zelle bestimmt.

	A	B	C	D	E	F
1	Rechenanweisung	Operation	Zahl 1	Zahl 2	Ergebnis	Formel
2						
3	Addition	+	10	5	15	=C3+D3
4	Subtraktion	-	10	5	5	=C4-D4
5	Multiplikation	*	10	5	50	=C5*D5
6	Division	/	10	5	2	=C6/D6
7	Potenz	^	10	5	100000	=C7^D7

Durch Zellbezüge können die Berechnungen schnell und einfach mit neuen Werten durchgeführt werden!

Verwenden Sie in Formeln Zellbezüge anstatt konstanter Werte!

Übung

- **Formeln mit Zellbezügen erstellen**

a) Öffnen Sie die Arbeitsmappe **Formeln_u.xlsx,** nennen Sie das Blatt **Tabelle1** in **Zellbezüge** um und erstellen Sie die Formeln für die Berechnungen. Speichern Sie die Arbeitsmappe unter **Formeln1.xlsx.**

	A	B	C	D
1	**Rechenanweisung**	**Zahl 1**	**Zahl 2**	**Ergebnis**
2	Addition	536	89	625
3	Subtraktion	385	125	260
4	Multiplikation	234	2	468
5	Division	155	5	31
6	Potenz	2	3	8

b) Nennen Sie das Blatt **Tabelle2** in **Berechnungen** um und erstellen Sie die Formeln für die angegebenen Berechnungen. Verwenden Sie dazu Zellbezüge. Berechnen Sie das Ergebnis vorher im Kopf.

	A	B	C	D	E
1	Zahl 1	Zahl 2	Zahl 3	Berechnung	Formel
2	255	100	25	Zahl 1 minus Zahl 2 minus Zahl 3	130
3	25	235	60	Zahl 1 plus Zahl 2 minus Zahl 3	200
4	785	250	335	Zahl 1 minus Zahl 2 minus Zahl 3	200
5	25	35	4	Zahl 1 plus Zahl 2, das Ergebnis mal Zahl 3	240
6	850	600	10	Zahl 1 minus dem Ergebnis von Zahl 2 mal Zahl 3	-5150
7	250	20	30	Zahl 1 dividiert durch das Ergebnis von Zahl 2 + Zahl 3	5

c) Nennen Sie das Blatt **Tabelle3** in **Kopfrechnen** um und geben Sie das Ergebnis der gewünschten Rechenoperation ein. Verwenden Sie zum Berechnen nur Ihren Kopf.

	A	B	C	D	F
1	Addition				
2	Zahl 1	Operation	Zahl 2	Ergebnis	Überprüfung
3	162	+	62	224	Richtig, sehr gut!
4	259	+	200	459	Richtig, sehr gut!
5	91	+	232	323	Richtig, sehr gut!

	H	I	J	K	M
1	Subtraktion				
2	Zahl 1	Operation	Zahl 2	Ergebnis	Überprüfung
3	15	-	117	-102	Richtig, sehr gut!
4	64	-	30	34	Richtig, sehr gut!
5	188	-	139	49	Richtig, sehr gut!

	O	P	Q	R	T
1	Multiplikation				
2	Zahl 1	Operation	Zahl 2	Ergebnis	Überprüfung
3	23	*	5	115	Richtig, sehr gut!
4	32	*	7	224	Richtig, sehr gut!
5	15	*	7	105	Richtig, sehr gut!

Bei der Eingabe eines %-Zeichens wird die Zahl automatisch durch 100 dividiert.
20 % → 0,2!

Das Zahlenformat **Prozent** multipliziert den Wert automatisch mit 100 und stellt ihn als %-Zahl dar. Es sind daher keine Berechnungen /100 oder *100 notwendig!

Tipp
Das Zahlenformat Prozent kann auch über % oder % Prozent festgelegt werden.

Digitale Lernkarten zum Rechnen mit Prozentwerten finden Sie in der TRAUNER-DigiBox.

3.1.3 Rechnen mit Prozentwerten

EXCEL erkennt durch die Eingabe des %-Zeichens automatisch, dass es sich um einen Prozentwert handelt. Daher wird diese Zahl von EXCEL durch 100 dividiert. Bei 20 % wird mit der Zahl 0,2 gerechnet. Es muss daher nicht mehr durch 100 dividiert werden. Das gilt auch umgekehrt. Ist das Ergebnis einer Berechnung 0,05, muss dieser Wert nicht mit 100 multipliziert werden, wenn das Zahlenformat **Prozent (%)** ausgewählt wird.

Bei der Prozentrechnung werden verschiedene Varianten (je nach gewünschtem Ergebnis) unterschieden:

- **Von Hundert:** Es sind 100 % gegeben. Gesucht ist ein bestimmter Prozentwert.

Beispiele
- Eine Ware kostet netto 240 Euro (= 100 %), gesucht sind 20 % Umsatzsteuer.
- Der Umsatz beträgt 25.000 Euro (= 100 %), gesucht sind 2 % Provision.

Berechnung: Betrag * Prozentsatz

- **Auf Hundert:** Es ist der Wert inkl. des Prozentbetrags gegeben; mehr als 100 %.

Beispiele
- Der Bruttobetrag ist gegeben (= 120 %), gesucht sind 20 % Umsatzsteuer.
- Eine Ware kostet brutto 288 Euro, gesucht sind 20 % Umsatzsteuer.

Berechnung: Betrag * Prozentsatz/(1 + Prozentsatz)

- **In Hundert:** Es ist der Wert abzüglich des Prozentbetrags gegeben; weniger als 100 %.

Beispiel
Ein Handyshop will für ein bestimmtes Handy 95 Euro bekommen (= 95 %). Da er normalerweise bis zu 5 % Rabatt gewährt, soll der Rabatt auf den Verkaufspreis zuerst aufgeschlagen werden.
Berechnung des Aufschlags in Euro: Betrag * Prozentsatz/(1 – Prozentsatz)

- **Prozentanteil:** Es sind der Gesamtbetrag (100 %) und ein Teilbetrag gegeben, gesucht ist der Prozentanteil des Teilbetrags.

Beispiel
Der Gesamtumsatz eines Unternehmens beträgt 150.000 Euro, davon entfallen 75.000 Euro auf Österreich. Wie hoch ist der Prozentanteil des österreichischen Umsatzes?
Berechnung: Teilbetrag / Gesamtbetrag (Ergebnis als % formatieren).

- **Zahl + Prozentanteil:** Es sind der Gesamtbetrag (100 %) und ein Prozentsatz gegeben; gesucht ist das Ergebnis in Euro.

Beispiel
Der Nettopreis ist gegeben, auch der Umsatzsteuersatz, gesucht ist der Bruttopreis.
Berechnung: netto + netto * USt-Satz

	A	B	C	D	E
1	Rechenanweisung	Zahl1	Zahl2	Ergebnis	Formel
2					
3	1. Von Hundert	240	20%	48	=B3*C3
4	2. Auf Hundert	288	20%	48	=B4*C4/(1+C4)
5	3. In Hundert	95	5%	5	=B5*C5/(1-C5)
6	4. Prozentanteil (Basis C6)	45.000	150.000	30%	=B6/C6
7	5. Zahl + Prozentanteil	100	10%	110	=B7+(B7*C7)

Übungen

1. Mit Prozentwerten rechnen

a) Speichern Sie eine neue Arbeitsmappe unter **Prozentwerte1.xlsx.**

b) Berechnen Sie 25 % von 12.600 Euro. Berechnen Sie das Ergebnis zuerst im Kopf.

c) Ein Autohändler will für einen Gebrauchtwagen mindestens 7.500 Euro erzielen. Welchen Verkaufspreis muss er anschreiben, wenn er mit einem maximalen Rabatt von 10 % rechnet?

d) Der Bruttopreis einer Ware beträgt 125 Euro. Wie hoch ist die Umsatzsteuer bei einem Steuersatz von 12 %?

e) In einer Klasse sind 28 Schüler/innen. 18 davon sind männlich, zehn weiblich. Berechnen Sie den Prozentsatz der Schüler und der Schülerinnen.

2. Formeln mit Bezügen erstellen

Öffnen Sie die Arbeitsmappe **Umsatzstatistik_u.xlsx.** Speichern Sie sie unter **Umsatzstatistik1.xlsx** und berechnen Sie die Spalten **Gesamtumsatz brutto, USt-Betrag** und **Gesamtumsatz netto.** Die Spalten **Artikelnummer, Preis pro Stück, Menge** und **USt-Satz** sind gegeben.

	A	B	C	D	E	F	G
1	Umsatzstatistik						
2							
3	**Artikelnummer**	**Preis pro Stück**	**Menge**	**Gesamtumsatz brutto**	**USt-Satz**	**USt-Betrag**	**Gesamtumsatz netto**
4	15236	241,62 €	1.465 Stk.	353.973,30 €	10,00%	32.179,39 €	321.793,91 €
5	15237	240,16 €	1.035 Stk.	248.565,60 €	20,00%	41.427,60 €	207.138,00 €
6	15238	334,80 €	1.349 Stk.	451.645,20 €	20,00%	75.274,20 €	376.371,00 €
7	15239	281,60 €	1.834 Stk.	516.454,40 €	20,00%	86.075,73 €	430.378,67 €
8	15240	232,08 €	1.956 Stk.	453.948,48 €	10,00%	41.268,04 €	412.680,44 €
9	15241	157,89 €	418 Stk.	65.998,02 €	10,00%	5.999,82 €	59.998,20 €
10	15242	148,84 €	1.386 Stk.	206.292,24 €	10,00%	18.753,84 €	187.538,40 €
11	15243	387,48 €	1.292 Stk.	500.624,16 €	20,00%	83.437,36 €	417.186,80 €
12	15244	272,32 €	1.502 Stk.	409.024,64 €	20,00%	68.170,77 €	340.853,87 €
13	15245	154,71 €	967 Stk.	149.604,57 €	20,00%	24.934,10 €	124.670,48 €

3.2 Kopieren einer Formel

Beim Kopieren von Formeln mit Zellbezügen wird die Zelle, in der die zu kopierende Formel steht, markiert. Der Mauszeiger wird auf den Anfasser platziert. Mit dem Ausfüllkästchen werden die Zellen in zusammenhängenden Bereichen mit der Formel ausgefüllt. Ansonsten kann die Formel mit **Drag-and-drop** kopiert werden. Dabei ist es wichtig, zwischen **relativen** und **absoluten Bezügen** zu unterscheiden.

	A	B	C
1	Zahl 1	Zahl 2	Ergebnis
2	25	40	65

Ausfüllkästchen

3.2.1 Relative Bezüge

Ein **relativer Bezug** berechnet Zellen **relativ zu ihrer Position.** Werden Zellen mit relativem Bezug kopiert, wird der Bezug angepasst.

Beispiel: Kopieren einer Formel von C3 nach C11

Die Formel in der Zelle C3 wird in die Zelle C11 kopiert. Dazu wird in der Zelle C3 der Befehl KOPIEREN im Kontextmenü ausgewählt. Anschließend wird in der Zelle C11 der Befehl EINFÜGEN im Kontextmenü ausgewählt. Die Zellbezüge verändern sich dabei wie dargestellt.

	A	B	C
1		Addition	
2	Zahl 1	Zahl 2	Ergebnis
3	25	40	=A3+B3
4	Die Formel "=A3+B3" in der Zelle C3		
5	wird in die Zelle C11 kopiert.		
6	C3 --> C11: Veränderung um 8 Zeilen, daher		
7	verändern sich die Zellbezüge in der Formel:		
8	A3 --> A11 (+ 8 Zeilen)		
9	B3 --> B11 (+ 8 Zeilen)		
10	Zahl 1	Zahl 2	Ergebnis
11	35	55	=A11+B11

Relative Zellbezüge werden beim Kopieren von Formeln angepasst!

Notizen

Beispiel: Kopieren einer Formel von C3 nach F11
Die Formel in der Zelle C3 wird in die Zelle F11 kopiert. Dabei verändern sich die Zellbezüge wie dargestellt.

	A	B	C	D	E	F
1		Addition				
2	Zahl 1	Zahl 2	Ergebnis			
3	25	40	=A3+B3			
4	Die Formel "=A3+B3" in der Zelle C3					
5	wird in die Zelle F11 kopiert.					
6	C3 --> F11: Veränderung um 8 Zeilen und um 3 Spalten, daher					
7	verändern sich die Zellbezüge in der Formel:					
8	A3 --> D11 (+ 8 Zeilen, + 3 Spalten)					
9	B3 --> E11 (+ 8 Zeilen, + 3 Spalten)					
10				Zahl 1	Zahl 2	Ergebnis
11				35	55	=D11+E11

Übungen

1. Formeln erstellen und kopieren

a) Öffnen Sie die Arbeitsmappe **Lieferungen_u.xlsx** und erstellen Sie die Berechnungen.

b) Formatieren Sie die Tabelle laut Vorlage und blenden Sie die Zeilen 7 bis 27 aus.

c) Speichern Sie das Ergebnis unter **Lieferungen1.xlsx.**

	A	B	C	D
1	Lieferungen			
2				
3	Artikelnummer	November	Dezember	Gesamt
4	1501	279 Stk.	359 Stk.	638 Stk.
5	1502	325 Stk.	423 Stk.	748 Stk.
6	1503	302 Stk.	470 Stk.	772 Stk.
28	1525	464 Stk.	335 Stk.	799 Stk.
29	1526	290 Stk.	368 Stk.	658 Stk.
30	1527	445 Stk.	266 Stk.	711 Stk.
31	1528	275 Stk.	416 Stk.	691 Stk.
32	1529	363 Stk.	480 Stk.	843 Stk.
33	1530	324 Stk.	469 Stk.	793 Stk.

2. Formeln erstellen und kopieren

a) Öffnen Sie die Arbeitsmappe **Monatsuebersicht_u.xlsx** und erstellen Sie die Berechnungen.

b) Formatieren Sie die Tabelle laut Vorlage und blenden Sie die Zeilen 7 bis 30 aus.

c) Speichern Sie das Ergebnis unter **Monatsuebersicht1.xlsx.**

	A	B	C	D
1	Monatsübersicht			
2				
3	Artikelnummer	Menge	Preis/Stk.	Gesamt
4	1501	279 Stk.	128,67 €	35.898,93 €
5	1502	325 Stk.	36,66 €	11.914,50 €
6	1503	302 Stk.	25,58 €	7.725,16 €
31	1528	275 Stk.	125,37 €	34.476,75 €
32	1529	363 Stk.	45,13 €	16.382,19 €
33	1530	324 Stk.	18,23 €	5.906,52 €

3.2.2 Absolute Bezüge

Um zu verhindern, dass ein Zellbezug beim Kopieren einer Formel angepasst wird, müssen Sie absolute Bezüge verwenden. Ein **$-Zeichen** vor einer Zeile/Spalte verhindert eine Veränderung des Bezugs. Mit F4 wird das **$-Zeichen** eingefügt.

Absolute Zellbezüge bleiben beim Kopieren von Formeln unverändert!

Beispiel: Relative und absolute Zellbezüge beim Kopieren
Eine Pizzeria will wissen, wie sich die Einnahmen prozentuell auf die verschiedenen Pizzen verteilen. Dazu wird der Umsatz je Pizza durch die Summe der Einnahmen dividiert. Diese Formel wird von E4 mit dem Ausfüllkästchen in die Zellen E5 und E6 kopiert.

	A	B	C	D	E
1	Kopieren von Formeln				
2					
3	Pizza	Preis pro St.	Anzahl	Umsatz	Umsatz in Prozent
4	Margherita	8,50 €	198	1.683,00 €	31,4%
5	Al Tonno	9,90 €	175	1.732,50 €	32,4%
6	Frutti di Mare	12,50 €	155	1.937,50 €	36,2%
7	Gesamteinnahmen		528	5.353,00 €	

Formelansicht

	E	F
1		
2		
3	Umsatz in Prozent	
4	=D4/$D$7	Beim Kopieren ändern sich die Zellbezüge:
5	=D5/$D$7	D5 --> D6 --> D7
6	=D6/$D$7	$D$7 bleibt aufgrund der absoluten Adresse gleich!

Steht der Mauszeiger in der Bearbeitungszeile auf dem Zellbezug (D7), wird jedes Mal, wenn Sie F4 drücken, die nächste Variante der Adresse ausgewählt:

- Absoluter Spalten- und absoluter Zeilenbezug ($D$7)
- Absoluter Spalten- und relativer Zeilenbezug ($D7)
- Relativer Spalten- und absoluter Zeilenbezug (D$7)
- Relativer Spalten- und relativer Zeilenbezug (D7)

Eingabe mit F4:

- **$ vor Zeile:** Zeile bleibt unverändert, z. B. B$5.
- **$ vor Spalte:** Spalte bleibt unverändert, z. B. $B5.
- **$ vor Zeile und Spalte:** Beide bleiben unverändert, z. B. $B$5.

B$5 bzw. $B5 bezeichnet man als gemischten Bezug: ein Teil der Zelladresse ist eine absolute, ein Teil ein relative Adresse.

Übungen

1. Absolute und relative Bezüge erstellen und kopieren

a) Erstellen Sie in einer neuen Arbeitsmappe **Verkaufsuebersicht1.xlsx** die Berechnungen für den Umsatzsteuerbetrag, den Bruttopreis und den prozentuellen Anteil des Bruttopreises.

b) Erstellen Sie für die Spalten **USt, Bruttopreis** und **Anteil in %** sowie für die **Zeile 16** benutzerdefinierte Zellenformatvorlagen.

c) Berechnen Sie in der Zeile 16 die Summen der Spalten.

d) Speichern nicht vergessen!

	A	B	C	D	E
1	Verkaufsübersicht				
2					
3	Nettopreis pro Stück	25,99 €			
4	USt-Satz	20%			
5					
6	Menge	Nettopreis	USt	Bruttopreis	Anteil in %
7	696 Stk.	18.089,04 €	3.617,81 €	21.706,85 €	7,22%
8	1.538 Stk.	39.972,62 €	7.994,52 €	47.967,14 €	15,95%
9	757 Stk.	19.674,43 €	3.934,89 €	23.609,32 €	7,85%
10	996 Stk.	25.886,04 €	5.177,21 €	31.063,25 €	10,33%
11	1.148 Stk.	29.836,52 €	5.967,30 €	35.803,82 €	11,91%
12	1.463 Stk.	38.023,37 €	7.604,67 €	45.628,04 €	15,17%
13	269 Stk.	6.991,31 €	1.398,26 €	8.389,57 €	2,79%
14	838 Stk.	21.779,62 €	4.355,92 €	26.135,54 €	8,69%
15	1.937 Stk.	50.342,63 €	10.068,53 €	60.411,16 €	20,09%
16	9.642 Stk.	250.595,58 €	50.119,12 €	300.714,70 €	100,00%

2. Absolute und relative Bezüge erstellen und kopieren

a) Öffnen Sie die Arbeitsmappe **Fahrtenbuch_u.xlsx** und berechnen Sie die Distanz in Kilometern sowie das Kilometergeld für die Fahrten.

b) Formatieren Sie die Tabelle laut Vorlage.

c) Überprüfen Sie im Internet den Kilometergeldbetrag. Falls dieser nicht korrekt ist, korrigieren Sie ihn.

d) Speichern Sie das Ergebnis unter **Fahrtenbuch1.xlsx.**

	A	B	C	D	E	F
1	Fahrtenbuch					
2						
3	km-Geld	0,42 €				
4						
5	Datum	Zweck	Beginn	Ende	Distanz	km-Geld
6	01. Aug	Kundenbesuch	65.398 km	65.464 km	66 km	27,72 €
7	02. Aug	Kundenbesuch	65.464 km	65.551 km	87 km	36,54 €
8	03. Aug	Kundenbesuch	65.551 km	65.632 km	81 km	34,02 €
9	04. Aug	Kundenbesuch	65.632 km	65.700 km	68 km	28,56 €
10	18. Aug	Kundenbesuch	66.101 km	66.138 km	37 km	15,54 €
11	19. Aug	Kundenbesuch	66.138 km	66.217 km	79 km	33,18 €
12	22. Aug	Kundenbesuch	66.217 km	66.232 km	15 km	6,30 €
13	23. Aug	Werkstatt	66.232 km	66.238 km	6 km	2,52 €
14	24. Aug	Kundenbesuch	66.238 km	66.325 km	87 km	36,54 €
15	25. Aug	Kundenbesuch	66.325 km	66.425 km	100 km	42,00 €
16	26. Aug	Kundenbesuch	66.425 km	66.489 km	64 km	26,88 €

⚠ Namen entsprechen absoluten Zelladressen, z. B. = Netto * USt-Satz. Es ist kein $-Zeichen für den absoluten Bezug nötig!

3.2.3 Namen

Eine weitere Möglichkeit, sich auf eine bestimmte Zelle bzw. einen Zellbereich zu beziehen, ist die Verwendung von Namen. Bezüge über **Namen** sind **absolute Bezüge.** Namen machen Formeln leichter lesbar.

Wählen Sie die Zelle oder den gewünschten Zellbereich aus und klicken Sie in das **Namenfeld** [USt ▾ | × ✓ fx | 20%]. Geben Sie den gewünschten Namen, z. B. „USt", ein und bestätigen Sie mit [↵].

EXCEL schlägt bei der Eingabe die Namen vor, die den schon eingegebenen Zeichen entsprechen. Der entsprechende Name kann mit der [⇄]-Taste übernommen werden.

Beispiel: Formeleingabe mit Namen
Legen Sie für die Zelle B9 den Namen „USt" fest.

	A	B	C	D
1	Preisliste Büromaterial			
2				
3	Artikel	Nettopreis	USt	Bruttopreis
4	Heft, kariert, A4	1,20 €	0,24 €	1,44 €
5	Notizblock	1,50 €	0,30 €	1,80 €
6	Heft, kariert, A5	0,80 €	0,16 €	0,96 €
7	Gesamt		0,70 €	4,20 €
8				
9	Umsatzsteuersatz	20%		

Formelansicht in der fertigen Tabelle

	C
1	
2	
3	USt
4	=B4*USt
5	=B5*USt
6	=B6*USt
7	=C4+C5+C6

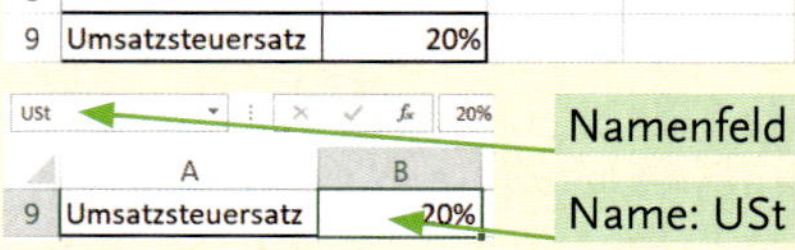

Namens-Manager aufrufen
FORMELN – DEFINIERTE NAMEN – NAMENS-MANAGER

Namen ändern und löschen

Änderungen von Namen können **nicht** über das **Namenfeld** durchgeführt werden. Verwenden Sie dazu den Befehl FORMELN – DEFINIERTE NAMEN – NAMENS-MANAGER.

3.3 Darstellung der Formelansicht

Tabellen können nicht nur in der Datenansicht, sondern auch in der Formelansicht ausgedruckt werden. Über FORMELN – FORMELÜBERWACHUNG – FORMELN ANZEIGEN wird auf die Formelansicht umgestellt.

	A	B	C	D
1	Preisliste Büromaterial			
2				
3	Artikel	Nettopreis	USt	Bruttopreis
4	Heft, kariert, A4	1,2	=B4*USt	=B4+C4
5	Notizblock	1,5	=B5*USt	=B5+C5
6	Heft, kariert, A5	0,8	=B6*USt	=B6+C6
7	Gesamt		=C4+C5+C6	=D4+D5+D6
8				
9	Umsatzsteuersatz	0,2		

Formelansicht

FORMELN – FORMELÜBERWACHUNG – Formeln anzeigen

Markieren Sie nach dem Umstellen auf die Formelansicht die gesamte Tabelle und passen Sie alle Spalten an eine optimale Breite an.

Sie können die Schaltfläche FORMELN ANZEIGEN auch in die Symbolleiste für den Schnellzugriff einfügen!

WissensCheck – „Formeln und Bezüge“

1. Beschreiben Sie den Vorteil von Zellbezügen beim Arbeiten mit Formeln gegenüber konstanten Werten.
2. Erklären Sie den Unterschied zwischen relativen und absoluten Bezügen.
3. Nennen Sie den Vorteil der Verwendung von Namen in Formeln.
4. Erläutern Sie, wie ein Name für eine Zelle festgelegt wird bzw. wie er geändert werden kann.
5. Beschreiben Sie Ihr Vorgehen, um in die Formelansicht zu wechseln.

Ziele erreicht? – „Formeln und Bezüge“ und „Tabellenkalkulation“

KOMPETENZ-ERWERB

1. Formeln mit Bezügen erstellen

Erstellen Sie die Arbeitsmappe **Tageslosung1.xlsx** und berechnen Sie den erzielten Umsatz für diese Woche.

	A	B	C	D	E
1	Tageslosung Veranstaltung "Comedy4You"				
2					
3	**verfügbare Karten pro Veranstaltung**			**300**	
4					
5	Wochentag	Preis pro Karte	Verkaufte Karten	Freie Plätze	Tagesumsatz
6	Montag	20,00 €	224	76	4.480,00 €
7	Dienstag	20,00 €	165	135	3.300,00 €
8	Mittwoch	25,00 €	145	155	3.625,00 €
9	Donnerstag	30,00 €	201	99	6.030,00 €
10	Freitag	30,00 €	295	5	8.850,00 €
11	Samstag	45,00 €	285	15	12.825,00 €
12	Sonntag	45,00 €	188	112	8.460,00 €
13	Gesamt		1.503	597	47.570,00 €

2. Formeln mit Bezügen erstellen und Prozentrechnungen anwenden

Erstellen Sie die Arbeitsmappe **Alte_Schmiede1.xlsx** und lösen Sie die folgende Aufgabe im Blatt **Speisen.**

	A	B	C	D	E	F
1	**Verkäufe**	**Speisen**	**Einzelpreis**	**Brutto**	**Steuer**	**Netto**
2			**Brutto**		**20,00 %**	
3	29	Kartoffelcremesuppe mit Pilzen	3,40 €	98,60 €	16,43 €	82,17 €
4	1	Alt-Wiener Suppentopf	4,80 €	4,80 €	0,80 €	4,00 €
5	3	Bauernsalat "Alte Schmiede"	6,50 €	19,50 €	3,25 €	16,25 €
6	22	Wurstsalat	5,20 €	114,40 €	19,07 €	95,33 €
7	50	Berner Würstel	6,20 €	310,00 €	51,67 €	258,33 €
8	2	Schlutzkrapfen	6,20 €	12,40 €	2,07 €	10,33 €
9	3	Pikanter Knödelteller	6,20 €	18,60 €	3,10 €	15,50 €
10	1	Germknödel	4,70 €	4,70 €	0,78 €	3,92 €
11	2	Topfenstrudel	3,30 €	6,60 €	1,10 €	5,50 €
12	4	Marillen-Topfen-Knödel	5,80 €	23,20 €	3,87 €	19,33 €
13		**TAGESLOSUNG**		**612,80 €**	**102,13 €**	**510,67 €**

3. Formeln mit Bezügen erstellen

Erstellen Sie die Arbeitsmappe **Busreisen1.xlsx** und lösen Sie die folgende Aufgabe.

	A	B	C
1	**Busreisen im März**		
2			
3	**Ziel**	**Anzahl der Fahrten**	**%-Anteil**
4	Graz	8 Fahrten	12,31%
5	Wien	15 Fahrten	23,08%
6	Eisenstadt	7 Fahrten	10,77%
7	Salzburg	18 Fahrten	27,69%
8	Innsbruck	6 Fahrten	9,23%
9	Linz	11 Fahrten	16,92%
10	Gesamt	65 Fahrten	

4. Tabellen und Formeln erstellen

a) Erstellen Sie eine neue Arbeitsmappe **Umsaetze1.xlsx,** die für die Monate Jänner bis Dezember Umsätze pro Monat zwischen 50.000 und 500.000 Euro ausweist.

b) Berechnen Sie den Umsatz pro Monat in Prozent.

c) Gestalten Sie die Ergebniszellen mithilfe von Zellenformatvorlagen.

d) Speichern nicht vergessen!

5. Tabellen mit Zellenformatvorlagen und Formeln erstellen – 20 min

a) Legen Sie in einer neuen Arbeitsmappe **Monatsumsatz1.xlsx,** ausgehend von einer kleinen ortsansässigen Bäckerei, für zehn Artikel Ihrer Wahl einen von Ihnen geschätzten Monatsumsatz pro Produkt fest.

b) Berechnen Sie, wie viel Prozent des Umsatzes jedes einzelne Produkt erwirtschaftet hat.

c) Gestalten Sie die Ergebniszellen mithilfe von Zellenformatvorlagen.

6. Tabellen und Formeln erstellen – 25 min

a) Erfassen Sie in einer neuen Arbeitsmappe **Schuelerzahlen1.xlsx** alle Klassenbezeichnungen Ihrer Schule und geben Sie für jede Klasse die Anzahl der Schüler und Schülerinnen in jeweils eine Spalte ein.

b) Berechnen Sie die Gesamtanzahl der Schüler/innen und die prozentuelle Verteilung für jede Klasse.

c) Gestalten Sie Ergebniszellen mithilfe von Zellenformatvorlagen.

7. Tabellen gestalten und Formeln mit Bezügen erstellen – 25 min

Erstellen Sie die Arbeitsmappe **Kalkulation1.xlsx** und lösen Sie die folgende Aufgabe im Blatt **Kalkulationsblatt.**

	A	B	C	D	E
1	**Lieferant**	Firma			
2	**Ware**	Produkt			
3					
4	Menge	10.000 Stk.		Rabatt	10 %
5	Einkaufspreis	104,99 €		Skonto	3 %
6				Bezugsspesen	950,00 €
7					
8	**Kalkulation**				
9	Einkaufspreis			1.049.900,00 €	
10	- Rabatt		10 %	104.990,00 €	
11	Zielpreis			944.910,00 €	
12	- Skonto		3 %	28.347,30 €	
13	Kassapreis			916.562,70 €	
14	+ Bezugspreis			950,00 €	
15	Einstandspreis für	10.000 Stk.		917.512,70 €	
16	Einstandspreis für	1 Stk.		91,75 €	

Einen interaktiven **Safety-Check** finden Sie in der TRAUNER-DigiBox.

4 Funktionen

Sarah möchte den durchschnittlichen Umsatz pro Vereinsmitglied berechnen. Sie beschließt, dazu die Funktion MITTELWERT zu verwenden.

Welche Berechnungen könnte Sarah mithilfe von EXCEL-Funktionen noch machen?

Meine Ziele

Nach Bearbeitung dieses Kapitels kann ich
- den Aufbau und die Bedeutung von Funktionen erklären;
- unterschiedliche EXCEL-Funktionen richtig einsetzen.

4.1 Aufbau einer Funktion

Funktionen sind **vordefinierte Formeln,** die Berechnungen mit bestimmten **Argumenten** in einer **bestimmten Struktur** durchführen.

Wie eine Formel beginnt auch eine Funktion mit dem **=-Zeichen,** es folgt der **Funktionsname** und anschließend stehen innerhalb der **Klammern** die notwendigen **Berechnungsargumente,** getrennt durch ein **Semikolon (;).** In Formeln und Funktionen dürfen **keine Leerzeichen** verwendet werden.

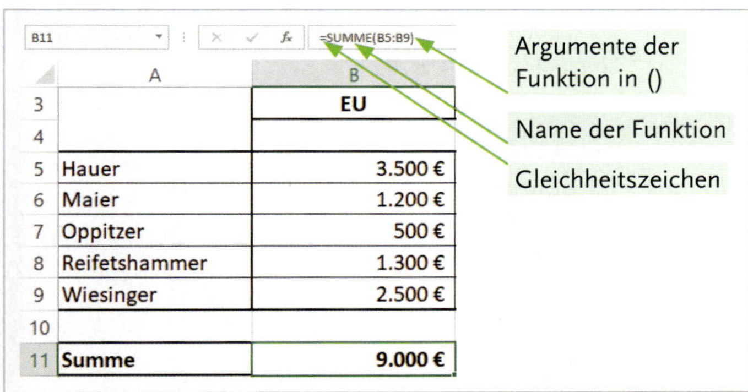

	A	B
3		EU
4		
5	Hauer	3.500 €
6	Maier	1.200 €
7	Oppitzer	500 €
8	Reifetshammer	1.300 €
9	Wiesinger	2.500 €
10		
11	**Summe**	**9.000 €**

Beachten Sie bei den Funktionen folgende Punkte:
- **Klammern** schließen Argumente ein.
- Ein **Semikolon** (Strichpunkt) trennt die einzelnen Argumente.
- In Formeln und Funktionen dürfen **keine Leerzeichen** verwendet werden.

Argumente sind die inhaltlichen Informationen, die eine Funktion dazu einsetzt, einen neuen Wert zu berechnen oder einen gewünschten Vorgang auszuführen.

Argumente können sein	Beispiele
Zahlen	20 %, 1.000 usw.
Texte	„Urlaub“, „Schularbeit“ usw.
Formeln	(A5+B9),(A9*6%)+120 usw.
Weitere Funktionen	=SUMME(A2:A8), =MIN(A2:B9) usw.
Zellbezüge	G6, A2:A8 etc. und Namen
Wahrheitswerte	WAHR, FALSCH usw.
Kombinationen aus diesen Elementen	=(SUMME(A2:A8)/3500)+C5

SUMME aufrufen
START – BEARBEITEN – ∑ AutoSumme ⌄.

Funktion Summe
1. Auswahl der Zelle, wo das Ergebnis stehen soll.
2. Klick auf ∑ AutoSumme ⌄.
3. Auswahl des Bereichs für die Summenbildung.
4. Abschließen der Eingabe mit ↵.

Hinweis: Auch ein erneuter Klick auf ∑ AutoSumme ⌄ schließt die Eingabe ab

Beenden Sie die Eingabe der Funktion entweder durch Drücken von ↵ oder durch einen Klick auf ✓ in der Bearbeitungsleiste.

Mit Esc oder mit einem Klick auf ✕ wird die Eingabe abgebrochen.

4.2 Die Funktion SUMME

Diese Funktion dient zum schnellen **Erstellen von Summen.** Da die Funktion SUMME oft verwendet wird, findet man sie unter START – BEARBEITEN – ∑ AutoSumme ⌄. Die Funktion bildet automatisch die Summe aus dem **angrenzenden Zellbereich.** Falls nicht der vorgeschlagene Bereich summiert werden soll, können Sie den gewünschten Zellbereich selbst auswählen.

Beispiel: Formel und Summenfunktion
Gegenüberstellung der Formel und der Funktion SUMME für eine Addition:

	A	B	C
1	**Umsatzübersicht**		
2			
3		**EU**	**Osteuropa**
4			
5	Hauer	3.500 €	1.500 €
6	Maier	1.200 €	1.300 €
7	Oppitzer	500 €	250 €
8	Reifetshammer	1.300 €	400 €
9	Wiesinger	2.500 €	1.400 €
10			
11	**Summe**	**9.000 €**	**4.850 €**
12			
13	Formel in B11 bzw. C11	=B5+B6+B7+B8+B9	=SUMME(C5:C9)

Bei der Funktion SUMME wird der gewünschte Bereich für die Summenbildung ausgewählt. Mit ↵ wird die Funktionseingabe beendet. Einzelne Zellen können mit gedrückter Strg-Taste ausgewählt werden. Sie können auch die gewünschten Bereiche durch die Eingabe eines Semikolons trennen.

Zeichen	Erklärung	Beispiel
„:"	Zusammenhängender Bereich	=SUMME(B5:B2500)
„;"	Einzelne Zellen oder unterschiedliche Bereiche	=SUMME (B3:B15;C4;D5:D25)

Übung

- **Funktion Summe anwenden**

Erstellen Sie die Arbeitsmappe **Umsatzübersicht1.xlsx** und lösen Sie im Blatt **Tabelle1** die folgende Aufgabe.

	A	B	C	D	E	F	G	H
1	**Umsatzübersicht**							
2								
3	in TSD	**EU**	**Osteuropa**	**Asien**	**Nordamerika**	**restl. Märkte**	**Summe**	**%-Anteil**
4								
5	Hauer	3.500 €	1.500 €	350 €		300 €	**5.650 €**	**23,44%**
6	Maier	1.200 €	1.300 €		2.500 €	400 €	**5.400 €**	**22,41%**
7	Oppitzer	500 €	250 €		3.400 €		**4.150 €**	**17,22%**
8	Reifetshammer	1.300 €	400 €	2.500 €		300 €	**4.500 €**	**18,67%**
9	Wiesinger	2.500 €	1.400 €			500 €	**4.400 €**	**18,26%**
10	**Summe**	**9.000 €**	**4.850 €**	**2.850 €**	**5.900 €**	**1.500 €**	**24.100 €**	**100,00%**

4.3 Arbeiten mit FUNKTION EINFÜGEN

Das Dialogfeld Funktion einfügen gibt einen Überblick über alle vordefinierten Funktionen und hilft bei der Auswahl einer Funktion bis hin zur Wahl der Argumente.

Sie können das Dialogfeld Funktion einfügen über das Symbol in der Bearbeitungsleiste oder über Formeln – Funktionsbibliothek – Funktion einfügen aufrufen. In der Gruppe Funktionsbibliothek können Sie die Funktionen auch nach unterschiedlichen Kategorien auswählen.

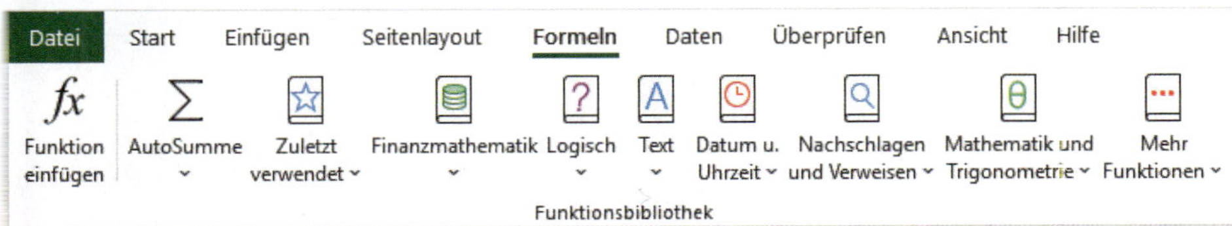

FUNKTION EINFÜGEN aufrufen

Formeln – Funktionsbibliothek – Funktion einfügen

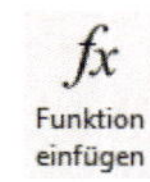

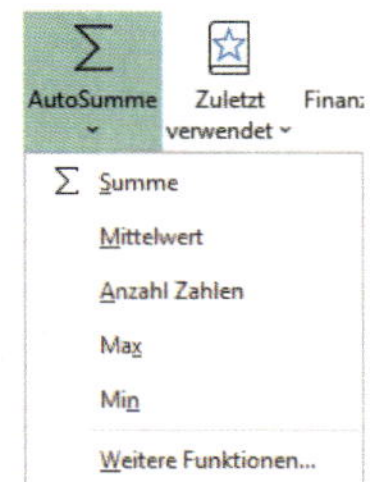

Funktionsauswahl

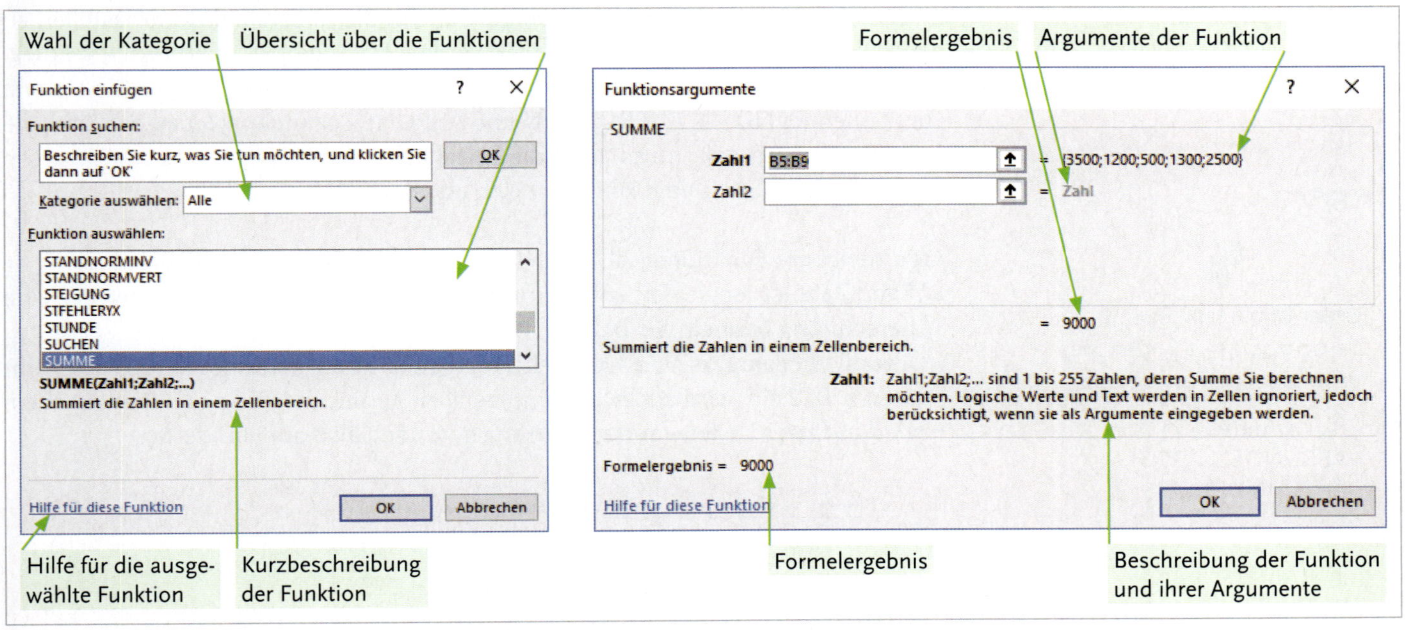

Fett gedruckte Argumente müssen immer eingegeben werden, die anderen sind optional, d. h., die Funktion liefert auch ohne Eingabe der Argumente ein Ergebnis.

4.4 MINIMUM, MAXIMUM und weitere Funktionen

Diese Funktionen sind wie die Funktion SUMME aufgebaut. Sie finden sie mit Formeln – Funktionsbibliothek – ∑ AutoSumme ⌄. Es wird ein Zellbereich oder es werden mehrere Zellbereiche angegeben, aus dem/denen bestimmte Berechnungen durchgeführt werden.

Beispiele für Bereichsfunktionen sind:
=MITTELWERT(C14:C75)
=ANZAHL(A23:A78)
=MIN(A5:A65)
=MAX(A1:C35)
=SUMME(D25:D65)

AUTOSUMME aufrufen

Formel – Funktionsbibliothek –

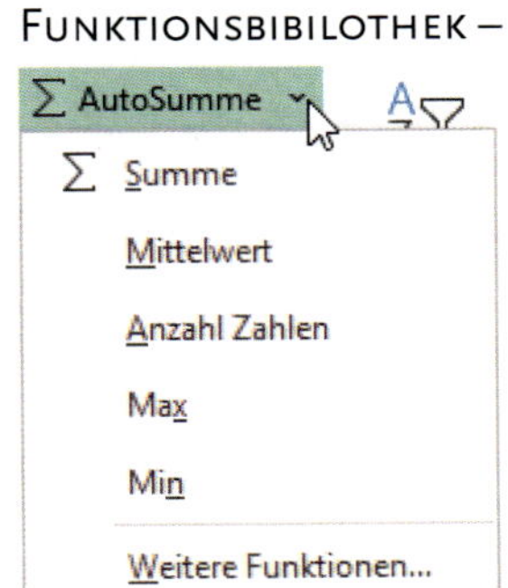

Tabellenkalkulation

	A	B	C	D	E
1	Funktionen der Kategorie "Statistik"				
2					
3	Umsatzübersicht 1. Halbjahr				
4	1. Quartal		2. Quartal		
5	Januar	3.500 €	April	2.230 €	
6	Februar	2.850 €	Mai	3.950 €	
7	März	3.680 €	Juni	2.750 €	
8					
9	Funktion		Ergebnis	Kategorie	Beschreibung
10	Summe	=SUMME(B5:B7;D5:D7)	18.960 €	Statistik	Summe des Bereichs
11	Mittelwert	=MITTELWERT(B5:B7;D5:D7)	3.160 €	Statistik	Durchschnitt (Mittelwert) des Bereichs
12	Minimum	=MIN(B5:B7;D5:D7)	2.230 €	Statistik	Kleinster Wert des Bereichs
13	Maximum	=MAX(B5:B7;D5:D7)	3.950 €	Statistik	Größter Wert des Bereichs
14	Anzahl	=ANZAHL(A5:D7)	6	Statistik	Anzahl der Zellen, die Zahlen enthalten (Anzahl Zahlen)
15	Anzahl2	=ANZAHL2(A5:D7)	12	Statistik	Anzahl der Zellen, die nicht leer sind (Anzahl2)

4.5 AUFRUNDEN, ABRUNDEN oder RUNDEN

Funktionen aufrufen

FORMEL – FUNKTIONSBIBLIOTHEK – Mathematik und Trigonometrie

EXCEL rechnet auf 15 Kommastellen genau. Um die Anzahl der Kommastellen zu beschränken, müssen Zahlen gerundet werden. Dazu gibt es in FORMELN – FUNKTIONSBIBLIOTHEK die **Kategorie** MATHEMATIK UND TRIGONOMETRIE, wo Sie die drei Funktionen RUNDEN, AUFRUNDEN und ABRUNDEN finden. Neben der Zahl, die gerundet werden soll, muss auch die **Anzahl der Stellen** angegeben werden. Die Funktion RUNDEN rundet kaufmännisch ab oder auf.

Unter MATHEMATIK UND TRIGONOMETRIE finden Sie u. a. folgende Funktionen:

=RUNDEN(A35;2)
=ABRUNDEN(A35;3)
=AUFRUNDEN(A35;-2)

Argumente der Funktionen AUFRUNDEN, ABRUNDEN und RUNDEN sind:

- **Zahl:** Zahl ist jener Wert, der gerundet werden soll. Die Zahl ist entweder eine Berechnung oder ein Zellbezug.
- **Anzahl_Stellen:** Das sind jene Stellen, auf die die Zahl gerundet werden soll. Gibt man z. B. **2** ein, wird auf zwei Kommastellen gerundet. Wird z. B. **–2** angegeben, wird auf zwei Stellen vor dem Komma gerundet, also auf Hunderter.

	A	B	C	D	E
1	Dividend	Divisor	Ergebnis	=RUNDEN(ZAHL;Anzahl_Stellen)	
2	7	3	2,33333333	=RUNDEN(C3;0)	2
3	15	9	1,66666667	=RUNDEN(C4;2)	1,67
4	22.349	7	3192,71429	=RUNDEN(C5;-2)	3.200
5					
6				=AUFRUNDEN(ZAHL;Anzahl_Stellen)	
7				=AUFRUNDEN(C3;0)	3
8				=AUFRUNDEN(C4;2)	1,67
9				=AUFRUNDEN(C5;-2)	3.200
10					
11				=ABRUNDEN(ZAHL;Anzahl_Stellen)	
12				=ABRUNDEN(C3;0)	2
13				=ABRUNDEN(C4;2)	1,66
14				=ABRUNDEN(C5;-2)	3.100

4.6 Fallunterscheidungen mit der WENN-Funktion

Bei Fallunterscheidungen mit der WENN-Funktion unterscheidet man folgende Argumente:

- Wahrheitstest
- Wert_wenn_wahr
- Wert_wenn_falsch

In vielen Bereichen ist die zu wählende Berechnung von einer Bedingung abhängig. Zum Beispiel: Werden von einem Artikel mehr als 1.000 Stück gekauft, **dann** wird ein Mengenrabatt von 10 % berücksichtigt, **sonst** nicht.

Die zu wählende Funktion muss also überprüfen, ob die Bedingung, dass mehr als 1.000 Stück gekauft wurden, **WAHR** oder **FALSCH** ist. Je nachdem, ob die Bedingung wahr oder falsch ist, wird von EXCEL eine andere Berechnung gewählt.

Für solche Berechnungen verwendet man die WENN-Funktion. Sie finden sie unter FORMELN – FUNKTIONSBIBLIOTHEK – LOGISCH.

1. Wahrheitstest (Menge > 1000)
Der Wahrheitstest muss mit WAHR oder FALSCH beantwortet werden.

WAHR → **2.** Die Berechnung **Wert_wenn_wahr** (10 % Rabatt) wird ausgeführt.

FALSCH → **3.** Die Berechnung **Wert_wenn_falsch** (kein Rabatt) wird ausgeführt.

Argumente einer WENN-Funktion:
=WENN(Wahrheitstest;Wert_wenn_wahr;Wert_wenn_falsch)
1. 2. 3.

1. Wahrheitswert (auch als Prüfung bezeichnet)

Zwei Werte werden mithilfe von **Vergleichsoperatoren** miteinander verglichen. Das Ergebnis des Wahrheitstests ist entweder der logische Wert **WAHR** oder **FALSCH.**

Vergleichsoperator	Man spricht	Beispiel	Ergebnis
=	ist gleich	3 = 4	FALSCH
>	ist größer	3 > 4	FALSCH
>=	ist größer oder gleich	3 >= 4	FALSCH
<	ist kleiner	3 < 4	WAHR
<=	ist kleiner oder gleich	3 <= 4	WAHR
<>	ist ungleich	3 <> 4	WAHR

2. Wert_wenn_wahr (wird auch als DANN-Wert bezeichnet)

Der Wert_wenn_wahr wird ausgeführt, wenn die Prüfung mit WAHR beantwortet wird. Der Wert_wenn_wahr kann auch leer sein, das heißt, er muss keine Berechnungen enthalten.

3. Wert_wenn_falsch (wir auch als SONST-Wert bezeichnet)

Der Wert_wenn_falsch wird ausgeführt, wenn die Prüfung mit FALSCH beantwortet wird. Der Wert_wenn_falsch kann auch leer sein, das heißt, er muss keine Berechnungen enthalten.

Aha!
Wenn im **Wert_wenn_wahr** oder im **Wert_wenn_falsch** ein Text ausgegeben wird, muss er unter Anführungszeichen angegeben werden, z. B. =WENN(Kontostand<0;"Konto überzogen";"Konto im Plus").

Übung

- **Formeln analysieren**
  Geben Sie an, welche Formel im nebenstehenden Screenshot in der angegebenen Zelle steht.

  B21: ______________________

  C22: ______________________

  D23: ______________________

WENN-Funktion aufrufen
FORMELN – FUNKTIONSBIBLIOTHEK – Logisch

Die Argumente einer WENN-Funktion können z. B. lauten: =WENN(Umsatz<5000,00; Umsatz*5%;Umsatz*10%).

Der **Wert_wenn_wahr** ist jene Berechnung, die bei **WAHR** ausgeführt wird.

Der **Wert_wenn_falsch** ist jene Berechnung, die bei **FALSCH** ausgeführt wird.

	A	B	C	D
1	Übersicht			
2				
3	Vorname	Punkte	Prozent	Note
4	Anita	30 Punkte	60,00%	4
5	Anna	31 Punkte	62,00%	4
6	Dominik	46 Punkte	92,00%	1
19	Stefanie	22 Punkte	44,00%	5
20				
21	Minimum	22 Punkte	44,00%	
22	Maximum	48 Punkte	96,00%	
23	Durchschnitt	35 Punkte	69,13%	3,38

Beispiel
Bei der Verkaufsabrechnung für Mountainbikes soll automatisch der Mengenrabatt berücksichtigt werden. Ab einer Verkaufsmenge von 25 Stück wird ein Mengenrabatt von 5 % gewährt.

	A	B	C	D	E
1	Übersicht Verkäufe März				
2					
3	Artikel	Mountainbike "StrongBike"			
4	Preis pro Stück	1.250,00 €			
5	Mengenrabatt	5,00%			
6	ab	25 Stk.			
7					
8	Datum	Menge	Listenverkaufspreis	Mengenrabatt	Zielpreis
9	40.969,00 €	10,00 €	12.500,00 €	0,00 €	12.500,00 €
10	40.970,00 €	15,00 €	18.750,00 €	0,00 €	18.750,00 €
11	40.971,00 €	35,00 €	43.750,00 €	2.187,50 €	41.562,50 €
12	40.972,00 €	30,00 €	37.500,00 €	1.875,00 €	35.625,00 €
13	40.973,00 €	10,00 €	12.500,00 €	0,00 €	12.500,00 €

Berechnung Mengenrabatt

	A	B	C	D	E
1	Übersicht Verkäufe März				
2					
3	Artikel	Mountainbike "StrongBike"			
4	Preis pro Stück	1250			
5	Mengenrabatt	0,05			
6	ab	25			
7					
8	Datum	Menge	Listenverkaufspreis	Mengenrabatt	Zielpreis
9	40969	10	=B9*$B$4	=WENN(B9>=$B$6;C9*$B$5;0)	=C9-D9
10	40970	15	=B10*$B$4	=WENN(B10>=$B$6;C10*$B$5;0)	=C10-D10
11	40971	35	=B11*$B$4	=WENN(B11>=$B$6;C11*$B$5;0)	=C11-D11
12	40972	30	=B12*$B$4	=WENN(B12>=$B$6;C12*$B$5;0)	=C12-D12
13	40973	10	=B13*$B$4	=WENN(B13>=$B$6;C13*$B$5;0)	=C13-D13

Berechnung Mengenrabatt – Formelansicht

Verwenden Sie zur Erstellung einer Formel oder Funktion Zellbezüge, so kann eine Veränderung der Werte, z. B., wenn ab einer Verkaufsmenge von 30 Stück ein Rabatt von 8 % gewährt wird, schnell und unproblematisch durchgeführt werden.

WissensCheck – „Funktionen“

1. Erklären Sie den Unterschied zwischen =SUMME(A1:B10) und =SUMME (A1;B10).
3. Erklären Sie den Unterschied zwischen den Funktionen ANZAHL und ANZAHL2. Verwenden Sie dazu die EXCEL-Hilfe.
4. Erklären Sie den Unterschied zwischen den Funktionen RUNDEN, ABRUNDEN und AUFRUNDEN.
5. Beschreiben Sie, was Argumente sind und was als Argument verwendet werden kann.
6. Erklären Sie den Aufbau einer Funktion anhand der ABRUNDEN-Funktion.

Notizen

Ziele erreicht? – „Funktionen“ und „Tabellenkalkulation“

KOMPETENZ-ERWERB

1. Funktionen anwenden

Erstellen Sie die Arbeitsmappe **Bestellungen1.xlsx,** benennen Sie das Blatt **Tabelle1** in **Obst** um und lösen Sie folgende Aufgabe.

	A	B	C	D	E	F
1	Bestellungen Obst				Zusammenfassung	
2						
3	Datum	Art	Gewicht		*Summe*	*7.224 kg*
4	5. Juni	Äpfel	1.250 kg		*Mittelwert*	*803 kg*
5	5. Juni	Birnen	758 kg		*Minimum*	*452 kg*
6	5. Juni	Kirschen	560 kg		*Maximum*	*1.250 kg*
7	6. Juni	Äpfel	985 kg		*Anzahl Verkäufe*	*9*
8	6. Juni	Birnen	658 kg			
9	6. Juni	Kirschen	452 kg			
10	7. Juni	Äpfel	1.152 kg			
11	7. Juni	Birnen	847 kg			
12	7. Juni	Kirschen	562 kg			

2. Funktionen anwenden

a) Ermitteln Sie in der neuen Arbeitsmappe **Temperatur1.xlsx** die Durchschnittswerte für das gesamte Jahr.

b) Ermitteln Sie die niedrigsten und die höchsten Werte für das gesamte Jahr.

c) Legen Sie eine Zellenformatvorlage unter dem Namen „Niederschlag“ für die Formatierungen der Zellen D4:D15 fest. Verwenden Sie die Formatvorlage auch bei der Jahresübersicht.

d) Speichern Sie die Arbeitsmappe.

	A	B	C	D	E	F	G
1	**TEMPERATURWERTE FÜR PARIS**						
2							
3	**Monate**	**Tiefsttemperatur Durchschnitt**	**Höchsttemperatur Durchschnitt**	**Niederschlag Durchschnitt**		**Jahresübersicht**	
4	Januar	4 °C	7 °C	0,72 cm		Tiefsttemperatur - Durchschnitt	9,58 °C
5	Februar	4 °C	9 °C	1,06 cm		Höchsttemperatur - Durchschnitt	16,08 °C
6	März	6 °C	13 °C	1,29 cm		Niederschlag - Durchschnitt	1,55 cm
7	April	8 °C	16 °C	3,33 cm		Tiefsttemperatur - Minimum	4,00 °C
8	Mai	12 °C	20 °C	2,71 cm		Höchsttemperatur - Minimum	7,00 °C
9	Juni	15 °C	23 °C	1,42 cm		Niederschlag - Minimum	0,72 cm
10	Juli	16 °C	24 °C	0,79 cm		Tiefsttemperatur - Maximum	16,00 °C
11	August	16 °C	25 °C	0,81 cm		Höchsttemperatur - Maximum	25,00 °C
12	September	14 °C	22 °C	1,54 cm		Niederschlag - Maximum	3,33 cm
13	Oktober	10 °C	16 °C	1,66 cm			
14	November	6 °C	10 °C	0,93 cm			
15	Dezember	4 °C	8 °C	2,32 cm			

3. Tabellen formatieren und Formeln erstellen

a) Öffnen Sie die Arbeitsmappe **Umsatzberechnung_u.xlsx** und speichern Sie sie unter **Umsatzberechnung1.xlsx.** Berechnen Sie den Gesamtumsatz je Niederlassung für das erste und zweite Halbjahr.

b) Ermitteln Sie den höchsten und den niedrigsten Gesamtumsatz, den Mittelwert des Gesamtumsatzes sowie die Anzahl der Niederlassungen.

c) Formatieren Sie die Zellen laut Vorlage und speichern Sie die Arbeitsmappe.

	A	B	C	D
1	Umsatzübersicht			
2				
3	**Niederlassung**	**1. Halbjahr**	**2. Halbjahr**	**Gesamt**
4	St. Pölten	8.799.000,00 €	8.479.786,00 €	17.278.786,00 €
5	Linz	8.700.567,00 €	7.000.753,00 €	15.701.320,00 €
6	Innsbruck	963.460,00 €	1.235.543,00 €	2.199.003,00 €
7	Salzburg	7.852.879,00 €	5.864.379,00 €	13.717.258,00 €
8	Kitzbühel	9.077.647,00 €	9.867.546,00 €	18.945.193,00 €
9		35.393.553,00 €	32.448.007,00 €	67.841.560,00 €
10				
11	Höchster Gesamtumsatz:		18.945.193,00 €	
12	Niedrigster Gesamtumsatz:		2.199.003,00 €	
13	Durchschnittlicher Gesamtumsatz:		13.568.312,00 €	
14	Anzahl der Niederlassungen:		5	

Tabellenkalkulation

4. Tabellen formatieren und Formeln erstellen

a) Legen Sie in einer neuen Arbeitsmappe **Rechnungsübersicht_Jänner.xlsx** für die Zelle B3 den Namen „Rabatt“ und für die Zelle B4 den Namen „Skonto“ fest.

b) Berechnen Sie die Spalten **Rabatt in €, Rechnungsbetrag abzüglich Rabatt, Skonto** und **Kassabetrag** und weisen Sie passende Zellenformatvorlagen zu.

c) Berechnen Sie in Zeile 15 die Summen der einzelnen Spalten.

d) Speichern Sie die Arbeitsmappe.

	A	B	C	D	E	F
1	Rechnungsübersicht Jänner					
2						
3	Rabatt in % ab	6.000,00 €	7,00%			
4	Skonto in %	3,00%				
5						
6						
7	Rechnungs-nummer	Rechnungsbetrag	Rabatt in €	Rechnungsbetrag abzüglich Rabatt	Skonto	Kassabetrag
8	1001	4.019,00 €	0,00 €	4.019,00 €	120,57 €	3.898,43 €
9	1002	4.582,00 €	0,00 €	4.582,00 €	137,46 €	4.444,54 €
10	1003	2.895,00 €	0,00 €	2.895,00 €	86,85 €	2.808,15 €
11	1004	8.001,00 €	560,07 €	7.440,93 €	223,23 €	7.217,70 €
12	1005	8.430,00 €	590,10 €	7.839,90 €	235,20 €	7.604,70 €
13	1006	3.187,00 €	0,00 €	3.187,00 €	95,61 €	3.091,39 €
14	1007	3.549,00 €	0,00 €	3.549,00 €	106,47 €	3.442,53 €
15	Gesamt	34.663,00 €	1.150,17 €	33.512,83 €	1.005,38 €	32.507,45 €

5. Zahlen runden

Erstellen Sie die Arbeitsmappe **Runden1.xlsx** und lösen Sie die folgende Aufgabe.

	A	B	C	D	E	F	G
1		**Runden**		**Aufrunden**		**Abrunden**	
2		**Anzahl Dezimalstellen**		**Anzahl Dezimalstellen**		**Anzahl Dezimalstellen**	
3	**Eingabe**	0	2	0	2	0	2
4	**45,6789**	46	45,68	46	45,68	45	45,67
5	**12,0236**	12	12,02	13	12,03	12	12,02
6	**33,3333**	33	33,33	34	33,34	33	33,33
7	**29,4567**	29	29,46	30	29,46	29	29,45

6. Berechnungen durchführen

Öffnen Sie die Arbeitsmappe **Ziegelwerk_u.xlsx** und speichern Sie sie unter **Ziegelwerk1.xslx.** Lösen Sie die folgenden Aufgaben.

a) Legen Sie Rahmen und Schriftart laut Vorlage fest.

b) Legen Sie das benutzerdefinierte Zahlenformat **Stück** ohne Dezimalstellen für die Spalte **Anzahl** fest.

c) Berechnen Sie die Anzahl der notwendigen Paletten. Auf eine Palette werden maximal 50 Stück Ziegel gestapelt, z. B. 48 Stk. → eine Palette, 51 Stk. → zwei Paletten. Verwenden Sie dazu die Formel AUFRUNDEN und beziehen Sie sich auf den Wert im Blatt „Paletten“.

d) Berechnen Sie den Paletteneinsatz und beziehen Sie sich auf den Wert im Blatt „Paletten“.

e) Formatieren Sie die Spalte **Anzahl Paletten** und **Einsatz Paletten** laut Vorlage.

f) Blenden Sie die Zeilen 11 bis 218 aus.

g) Speichern Sie die Arbeitsmappe.

	A	B	C	D
1	**Ziegelwerk "BauMitKöpfchen"**			
2				
3	**Verkaufsabrechnung**			
4				
5	**Typ**	**Anzahl**	**Anzahl Paletten**	**Einsatz Paletten**
6	Bio 50VZ	255 Stück	6 Pal.	60,00 €
7	Bio 38VZ	356 Stück	8 Pal.	80,00 €
8	Bio 50VZ	785 Stück	16 Pal.	160,00 €
9	Bio 20VZ	156 Stück	4 Pal.	40,00 €
10	Bio 50VZ	1.800 Stück	36 Pal.	360,00 €
219	Bio 50VZ	913 Stück	19 Pal.	190,00 €
220	Bio 10VZ	2.174 Stück	44 Pal.	440,00 €

7. Berechnungen durchführen

Öffnen Sie die Arbeitsmappe **Fahrten_u.xlsx** und speichern Sie sie unter **Fahrten1.xlsx.** Erstellen Sie folgende Tabelle.

a) Legen Sie Rahmen und Schriftart laut Vorlage fest.
b) Legen Sie das benutzerdefinierte Zahlenformat **kg** ohne Dezimalstellen für die Spalte **Menge** fest.
c) Berechnen Sie die Anzahl der notwendigen Fahrten. Ein Lkw kann bei einer Fahrt maximal neun Tonnen transportieren. Berechnen Sie die Anzahl der notwendigen Fahrten für die angegebene Menge.
d) Berechnen Sie den Preis für die Fahrten: Zone 1 150 EUR je Fahrt; Zone 2 275 EUR je Fahrt.
d) Formatieren Sie die Spalte **Anzahl Fahrten** laut Vorlage.
e) Legen Sie den Druckbereich für die Zellen A1:F9 fest.
f) Speichern Sie die Arbeitsmappe.

	A	B	C	D	E
1		**Transportunternehmen "Schnell und weg"**			
2				Preis pro Fahrt bei Zone	
3				1	2
4	Max. Nutzlast	9.000 kg		150,00 €	275,00 €
5					
6	**Fahrt**	**Menge**	**Zone**	**Anzahl Fahrten**	**Preis**
7	1255	12.284 kg	2	2 Fahrten	550,00 €
8	1256	30.926 kg	1	4 Fahrten	600,00 €
9	1257	13.158 kg	2	2 Fahrten	550,00 €
10	1258	12.551 kg	1	2 Fahrten	300,00 €

8. Absatzkalkulation mithilfe von EXCEL erstellen

Gestalten Sie mithilfe von EXCEL eine Absatzkalkulation nach Ihren Vorstellungen und speichern Sie die Arbeitsmappe unter **Absatzkalkulation1.xlsx.**

a) Der Einstandspreis wird vom Benutzer eingegeben.
b) Folgende Posten sind zu berücksichtigen:
   - 35 % Regien
   - 20 % USt
   - 20 % Gewinn
   - 5 % Sonderrabatt
   - 2 % Skonto
c) Erstellen Sie eine kurze Präsentation, um Ihren Mitschülern und Mitschülerinnen Ihre Absatzkalkulationstabelle zu erklären.

9. Funktionen anwenden

a) Für die tägliche Abrechnung des Kassenbestands soll eine Münzliste erstellt werden. Erledigen Sie diese Aufgabe mithilfe von EXCEL. Der Istbestand laut Münzliste soll automatisch berechnet werden.
b) Speichern Sie die Arbeitsmappe unter **Muenzliste1.xlsx.**
c) In der Kassa befinden sich am heutigen Tag folgende Banknoten und Münzen:

14 x 0,01 EUR	49 x 0,10 EUR	15 x 1,00 EUR	13 x 10,00 EUR	4 x 100,00 EUR
28 x 0,02 EUR	24 x 0,20 EUR	8 x 2,00 EUR	9 x 20,00 EUR	11 x 200,00 EUR
17 x 0,05 EUR	19 x 0,50 EUR	9 x 5,00 EUR	5 x 50,00 EUR	1 x 500,00 EUR

Berechnen Sie mithilfe der von Ihnen erstellten Münzliste, wie viel Geld sich in der Kassa heute befindet.

10. Entscheidungsfunktionen einsetzen

a) Speichern Sie eine neue Arbeitsmappe unter **Auslastung1.xlsx.**
b) Erfassen Sie die Arbeitsbereiche und Ist-Stunden lt. Vorlage.
c) Berechnen Sie die Soll-Stunden. Es sind 160 Stunden je Mitarbeiter/in geplant.
d) Berechnen Sie die Auslastung zu den geplanten Stunden (Soll) in Prozent.
e) Berechnen Sie ev. notwendige Personalmaßnahmen. Ist die Auslastung in Prozent größer als die vorgegebene maximale Auslastung, muss Personal angefordert werden (Anzeige: „Personal anfordern"), ansonsten sind „Keine Personalmaßnahmen notwendig".
e) Formatieren Sie die Tabelle lt. Vorlage und vergessen Sie nicht zu speichern!

	A	B	C	D	E	F
1			Personaleinsatz März			
2						
3	Maximale Auslastung	110%				
4	Geplante Stunden Soll	160 Stunden				
5						
6	Bereich	Mitarbeiter/innen	Soll	Ist	in Prozent	Personalmaßnahmen
7	Abwäsche	2	320 Stunden	345 Stunden	108%	Keine Personalmaßnahmen notwendig
8	Bar	2	320 Stunden	410 Stunden	128%	Personal anfordern
9	Küche	4	640 Stunden	695 Stunden	109%	Keine Personalmaßnahmen notwendig
10	Reinigung	3	480 Stunden	550 Stunden	115%	Personal anfordern
11	Rezeption	2	320 Stunden	325 Stunden	102%	Keine Personalmaßnahmen notwendig
12	Service	1	160 Stunden	168 Stunden	105%	Keine Personalmaßnahmen notwendig

Tabellenkalkulation

12. Wareneinsatz berechnen

In einer Konditorei soll der Wareneinsatz für eine Sachertorte in Excel berechnet werden.

a) Verwenden Sie die entsprechende Funktion bzw. Formel, um abhängig von den gewünschten Portionen, die benötigte Menge und den Gesamtpreis zu berechnen.

b) Runden Sie die Kosten pro Portion auf zwei Kommastellen auf. Beachten Sie, dass die Eier pro Stück und nicht in Gramm angegeben sind. Außerdem sind bei der benötigen Menge nur ganze Eier zu berechnen.

c) Speichern Sie die Arbeitsmappe unter **Sachertorte1.xlsx.**

	A	B	C	D	E
1	Wareneinsatz "Sachertorte"				
2					
3	**Gewünschte Portionen**	5			
4					
5	Zutaten	Menge für eine Portion	Einkaufspreis pro kg bzw. Stk.	benötigte Menge	Gesamtpreis
6	Butter	9 g	5,32 €	45 g	0,24 €
7	Zucker	10 g	1,12 €	50 g	0,06 €
8	Schokolade	11 g	5,05 €	55 g	0,28 €
9	Mehl	9 g	0,92 €	45 g	0,04 €
10	Marillenkonfitüre	6 g	10,17 €	30 g	0,31 €
11	Schokolade (Glasur)	10 g	7,20 €	50 g	0,36 €
12	Zucker (Glasur)	10 g	0,99 €	50 g	0,05 €
13	Eier	0,50 Stk.	0,17 €	3,00 Stk.	0,51 €
14	Wareneinsatz				1,33 €
15	Kosten pro Portion				0,27 €

Einen interaktiven **Safety-Check** finden Sie in der TRAUNER-DigiBox.

5 Diagramme

Überlegen Sie, welche Daten im Unternehmensalltag in Diagrammen dargestellt werden können.

„Ein Bild sagt mehr als tausend Zahlen!" liest Sarah in ihrem Buch, als sie im Unterricht versucht, ein geeignetes Diagramm für die Entwicklung von Schülerzahlen zu erstellen. „Je nach Zahlenmaterial werden unterschiedliche Diagrammtypen eingesetzt!", gibt Sarahs Lehrerin zu bedenken.

KOMPETENZ-ERWERB

Meine Ziele

Nach Bearbeitung dieses Kapitels kann ich

- die Bestandteile eines Diagramms aufzählen;
- das passende Diagramm auswählen, es erstellen und ändern;
- Diagramme formatieren;
- Aussagen zu Diagrammen analysieren.

Zur Darstellung von Umsätzen, Entwicklungen und Trends gilt: *„Ein Bild sagt mehr als tausend Zahlen!"*

Diagramme sind die grafische Darstellung von Zahlen, durch die die Aussagekraft einer EXCEL-Tabelle wesentlich erhöht werden kann. Diagramme erleichtern es z. B., aus Tabellen Trends abzulesen. Die Grundlagen für die Erstellung eines Diagramms sind Tabellen. Zwischen dem **Diagramm** und den **Daten** einer Tabelle wird eine **Verknüpfung** hergestellt. Eine Änderung der Daten in der Tabelle aktualisiert automatisch das Diagramm und umgekehrt.

Bestandteile eines Diagramms

- Die **X-Achse** wird als **Primär horizontal** bezeichnet. Auf dieser Achse werden die **Datenbezeichnungen** angegeben.
- Die **Y-Achse** wird als **Primär vertikal** bezeichnet. Auf dieser Achse sind die **Werte** zu den Datenbezeichnungen zu sehen.
- Bei zwei **Y-Achsen** wird eine Achse als die **Primär vertikal** und die zweite Achse als **Sekundär vertikal** bezeichnet. Zwei Y-Achsen können notwendig sein, wenn unterschiedliche Größen, z. B. Kreditvolumen in Millionen und Prozentsätze von Zinsen, dargestellt werden.

Eine interaktive Abbildung dazu finden Sie in der TRAUNER-DigiBox.

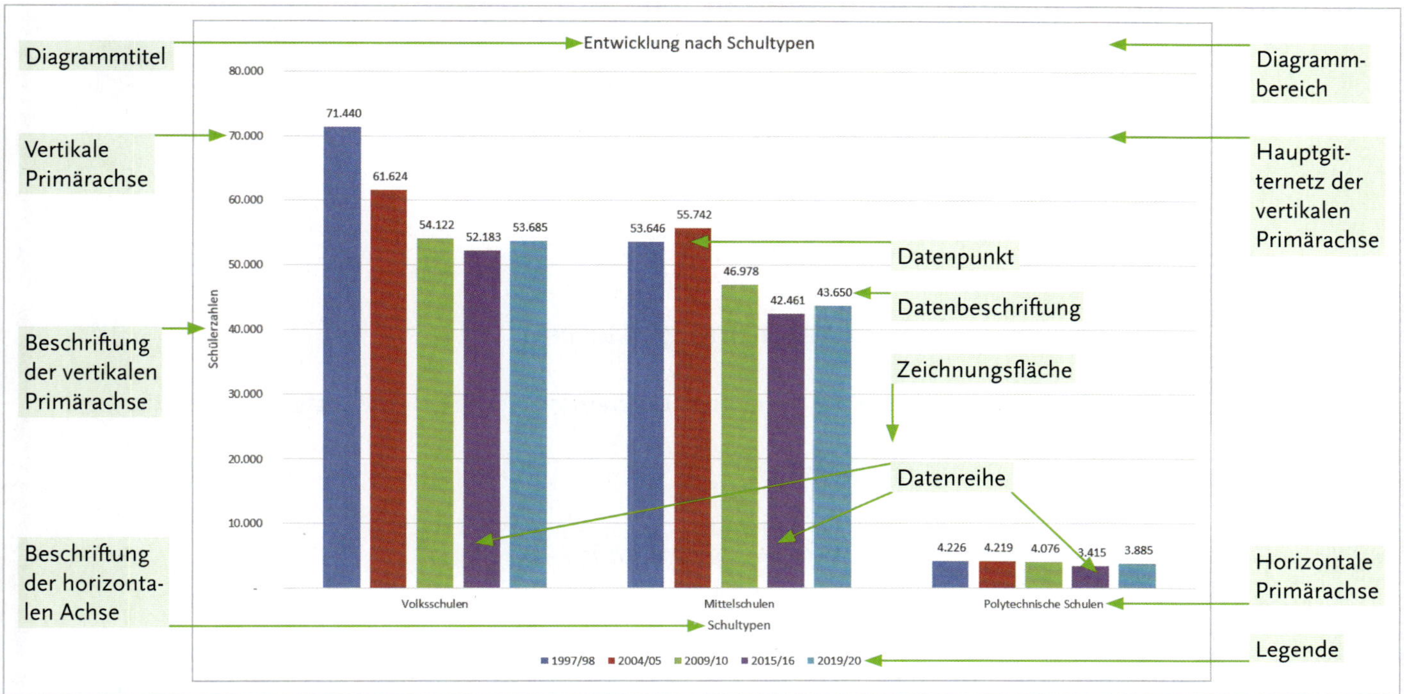

5.1 Diagramme erstellen

Die **Daten,** aus denen ein Diagramm erstellt werden soll, müssen vorab markiert werden. Der markierte Bereich umfasst die Werte für das Diagramm und die dazugehörigen Beschriftungen. Ein Klick auf das **Schnellanalyse-Symbol** schlägt unter DIAGRAMME geeignete Diagrammarten vor.

Überlegen Sie sich im Vorfeld, welche Werte in einem aussagekräftigen Diagramm dargestellt werden sollen. Eine Kombination von Detail- und Summenwerten verringert die Aussagekraft eines Diagramms, z. B. Monats- und Jahreswerte in einem Diagramm.

Beispiel

Die **Entwicklung der Schülerzahlen** der einzelnen Schultypen und Schuljahre soll in einem Diagramm dargestellt werden. Der entsprechende **Bereich** wird daher markiert. Das Diagramm wird mit einem Klick auf SCHNELLANALYSE – DIAGRAMME – GRUPPIERTE SÄULEN erstellt.

Entwicklung der Schülerzahlen der Pflichtschulen in Oberösterreich

	1997/98	2004/05	2009/10	2015/16	2019/20
Volksschulen	71440	61624	54122	52183	53685
Mittelschulen	53646	55742	46978	42461	43650
Polytechnische Schulen	4226	4219	4076	3415	3885

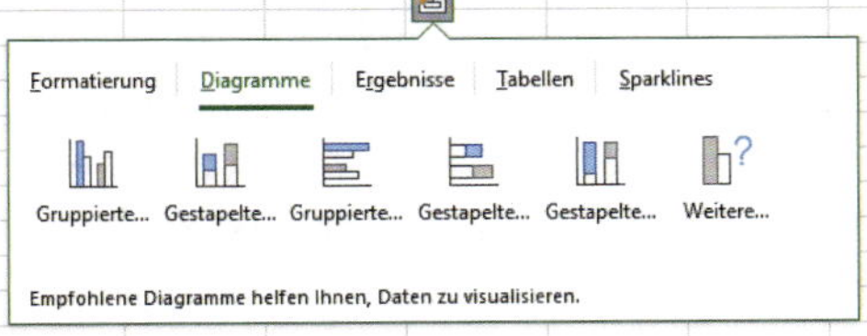

Das **Erstellen** eines Diagramms funktioniert auch über EINFÜGEN – DIAGRAMME –

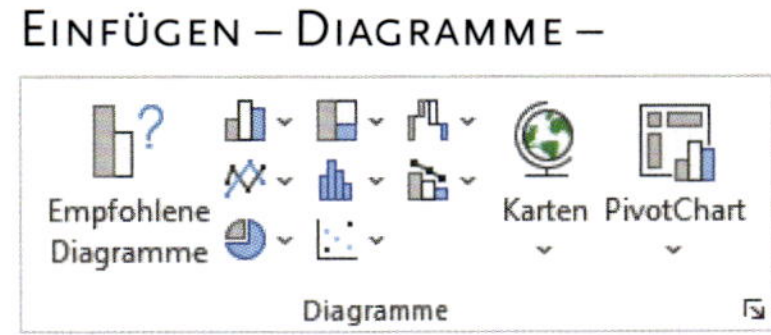

Tabellenkalkulation

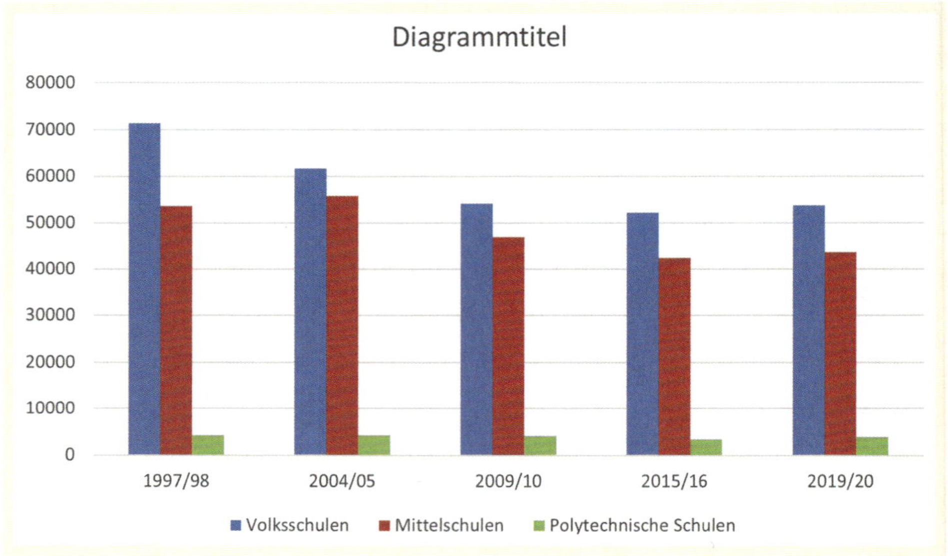

5.2 Diagramme gestalten

Mit einem Klick auf das Diagramm erscheinen drei Gestaltungsschaltflächen:

- Diagrammelemente
- Diagrammformatvorlagen
- Diagrammfilter

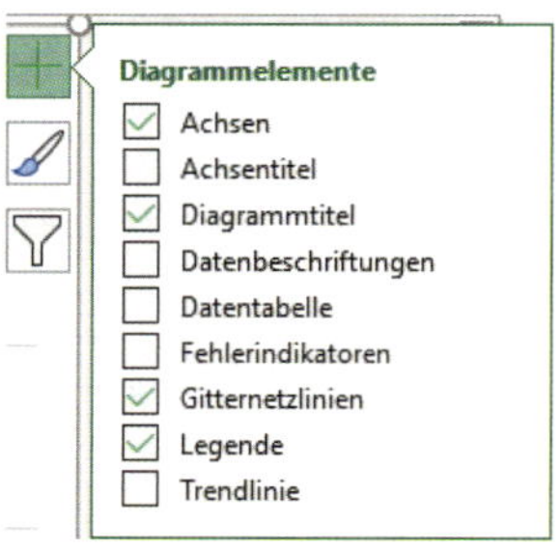

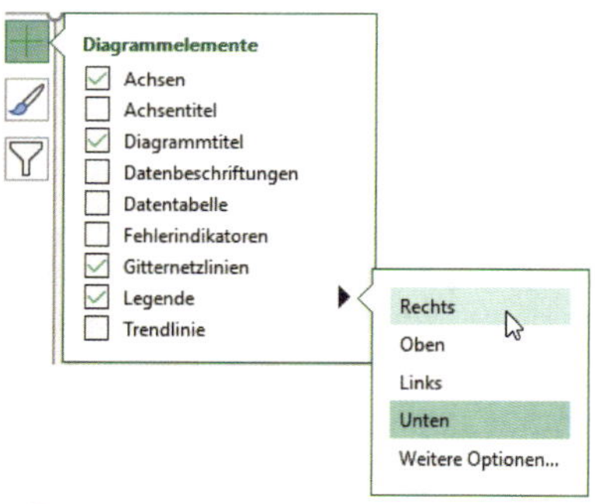

Die **Auswahl** von Diagrammelementen funktioniert auch über DIAGRAMMENTWURF – DIAGRAMMLAYOUTS –

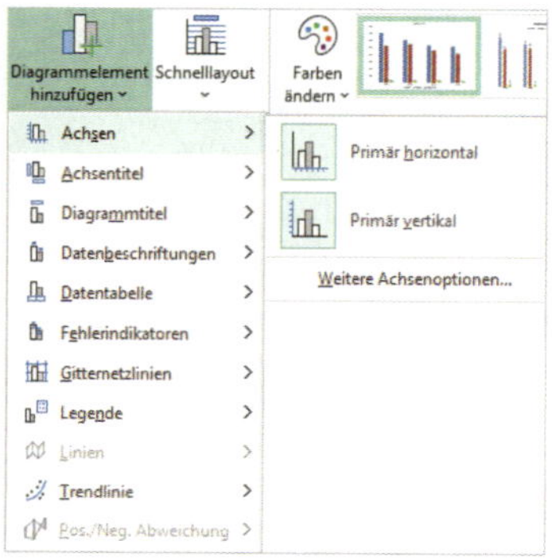

5.2.1 Diagrammelemente hinzufügen

Mit der Schaltfläche DIAGRAMMELEMENTE können Diagrammelemente rasch ein- und ausgeblendet werden. Abhängig vom ausgewählten Element, z. B. Legende, können weitere Einstellungen, z. B. die Position der Legende, festgelegt werden.

Die wichtigsten Diagrammelemente sind:

Diagrammelemente	Beschreibung
Achsen	Werden aus der Datentabelle übernommen, können nicht direkt im Diagramm verändert werden.
Achsentitel	Die Beschriftung der einzelnen Achsen kann mit einem Klick direkt im Diagramm geändert werden.
Diagrammtitel	Die Beschriftung des Diagramms kann mit einem Klick direkt im Diagramm geändert werden.
Datenbeschriftungen	Beschriftung der einzelnen Datenpunkte bzw. der jeweiligen Auswahl. Mit WEITERE OPTIONEN... kann festgelegt werden, ob z. B. der Wert oder der Datenreihenname angezeigt wird. Über die Option ZAHL kann die Formatierung für die Werte, z. B. Prozent, festgelegt werden. Für das Layout der Beschriftung gibt es viele Einstellungsmöglichkeiten.
Gitternetzlinien	Sie kennzeichnen die Achsenintervalle und tragen zur Übersichtlichkeit des Diagramms bei.

Legende	Die Legende erläutert, was in Datenreihen dargestellt wird, z. B. Mittelschule = rote Säule. Sie wird aus der Datentabelle übernommen. Es kann daher nur ihre Position verändert werden.
Datentabelle	Sie integriert die Ursprungstabelle in das Diagramm. Diese wird in der Regel nicht im Diagramm angezeigt.

Beispiel
Das Diagramm zur Entwicklung der Schülerzahlen mit den wichtigsten Diagrammelementen.

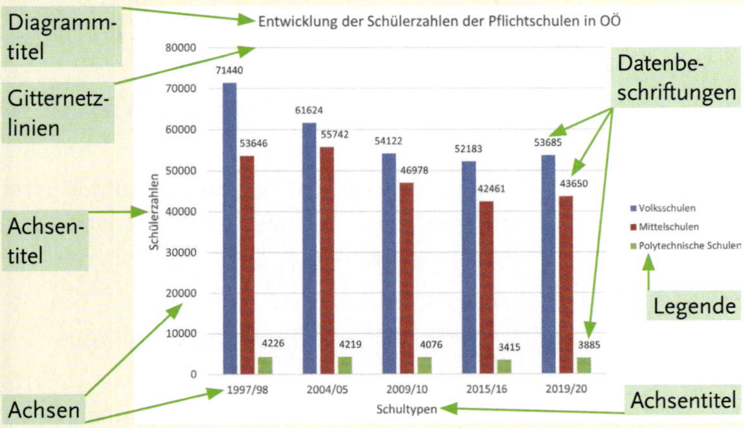

5.2.2 Diagrammformatvorlagen

Über die Schaltfläche DIAGRAMMFORMATVORLAGEN können Formatvorlagen und ein Farbschema für das Diagramm ausgewählt werden.

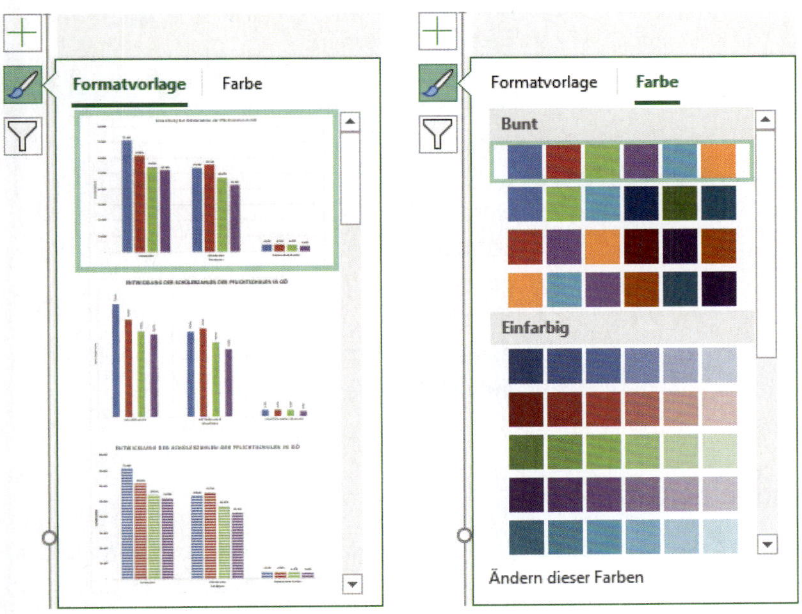

5.2.3 Diagrammelemente im Aufgabenbereich formatieren

Alle Diagrammelemente können im **Aufgabenbereich** umfassend formatiert werden. Der Aufgabenbereich öffnet sich, indem ein Diagrammelement, z. B. der Diagrammtitel, direkt im Diagramm angeklickt und im Kontextmenü der jeweilige Formatierungsbefehl aufgerufen wird, z. B. DIAGRAMMTITEL FORMATIEREN... Außerdem besteht die Möglichkeit, Formatvorlagen auszuwählen oder Füllung und Rahmen zu definieren.

Diagramme sollten gut lesbar und **selbsterklärend** sein. Dazu tragen

- ein aussagekräftiger **Diagrammtitel,**
- die **Legende** (bei der Darstellung von mehreren Datenreihen),
- die **Achsenbeschriftungen** und
- eine gute Lesbarkeit der **Skaleneinteilung** der Achse bei.

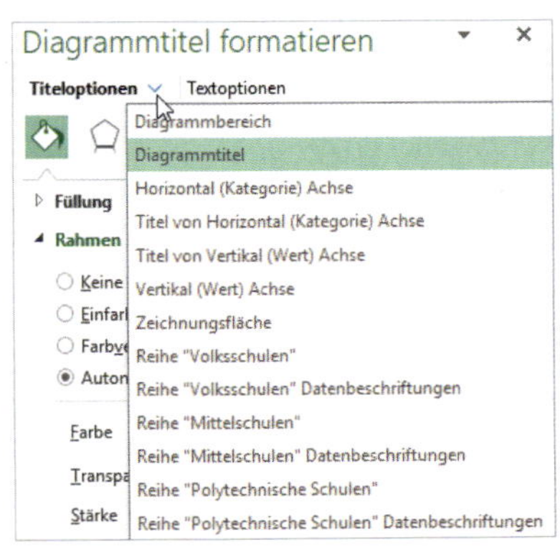

Aufgabenbereich zum Formatieren von Diagrammelementen

Diagrammhintergrund oder Säulen können unter DATENREIHENOPTIONEN – FÜLLUNG auch mit einem Bild gefüllt werden. Wählen Sie dazu bei BILD- ODER TEXTURFÜLLUNG das gewünschte Bild aus.

Mit einem verzögerten Doppelklick auf eine Säule kann diese allein formatiert werden.

Durch das Ändern der Grenzen kann die Aussagekraft eines Diagramms verändert werden. Vermeiden Sie **bewusste Veränderungen** der Grenzen, um die Aussagekraft eines Diagramms zu manipulieren.

Probieren Sie verschiedene Formatierungsmöglichkeiten aus! Im Kontextmenü können Sie über Auf Formatvorl. zurücks. die Formatierung wieder zurücksetzen.

Das **Formatieren** von Diagrammelementen funktioniert auch über DIAGRAMMENTWURF – FORMAT.

Im Aufgabenbereich wird zwischen **Titeloptionen** und **Textoptionen** unterschieden. Die jeweiligen Optionen sind vom ausgewählten Diagrammelement abhängig und können daher variieren. Die Tabelle zeigt die wichtigsten Formatierungsmöglichkeiten.

Option	Formatierung	Beschreibung
Titeloptionen	Füllung und Linie	Das jeweilige Element kann mit Farben, Farbverläufen oder mit Bildern ausgefüllt werden. In der Rubrik RAHMEN können Einstellungen für Rahmen definiert werden.
Titeloptionen	Effekte	Es können Schatten, Leuchteffekte, weiche Kanten und 3-D-Formate für das jeweilige Element ausgewählt werden.
Titeloptionen	Größe und Eigenschaften	Die Ausrichtung des Textes kann festgelegt werden.
Textoptionen	Textfüllung und -kontur	Es können Farben, Farbverläufe und Muster für die Texte festgelegt werden. Zusätzlich kann die Textkontur abgeändert werden.
Textoptionen	Texteffekte	Es können Schatten, Spiegelungen, Leuchteffekte oder 3-D-Drehungen des Textes festgelegt werden.
Textoptionen	Textfeld	Einstellungen für das Textfeld können vorgenommen werden.

Zur Formatierung der Achsen werden zusätzliche Achsenoptionen vorgeschlagen:

Achsenoptionen	Achsenoptionen	Es können die Grenzen der Achse festgelegt werden. Damit kann, z. B. bei Liniendiagrammen, der Verlauf der Linie verändert werden. Zusätzlich können die Anzeigeneinheit, die Beschriftung und das Zahlenformat definiert werden.

5.2.4 Diagramm platzieren

Diagramm platzieren

DIAGRAMMTOOLS – ENTWURF – ORT –

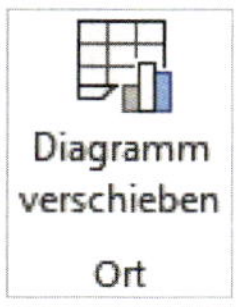

Über DIAGRAMMTOOLS – ENTWURF – ORT – DIAGRAMM VERSCHIEBEN kann ein Diagramm auf einem eigenen Blatt positioniert werden. Bei der Auswahl NEUES BLATT kann sofort der gewünschte Blattname eingegeben werden.

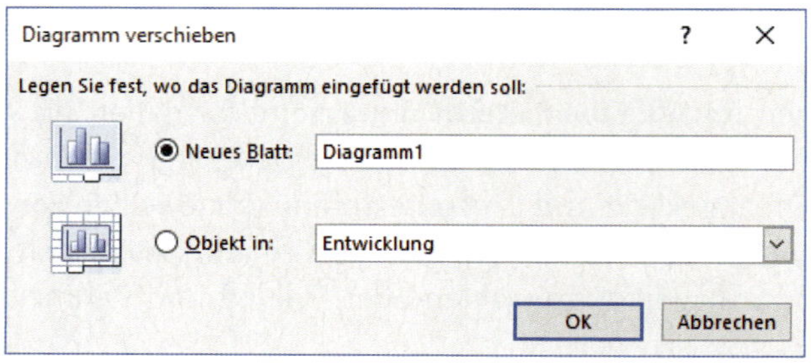

5.2.5 Diagrammdaten filtern

Mit der Schaltfläche DIAGRAMMDATENFILTER können einzelne Datenreihen und Kategorien aus- und wieder eingeblendet werden. Soll beispielsweise nur die Entwicklung der Volksschule dargestellt werden, können die Datenreihen Mittelschule und Polytechnische Schule ausgeblendet werden.

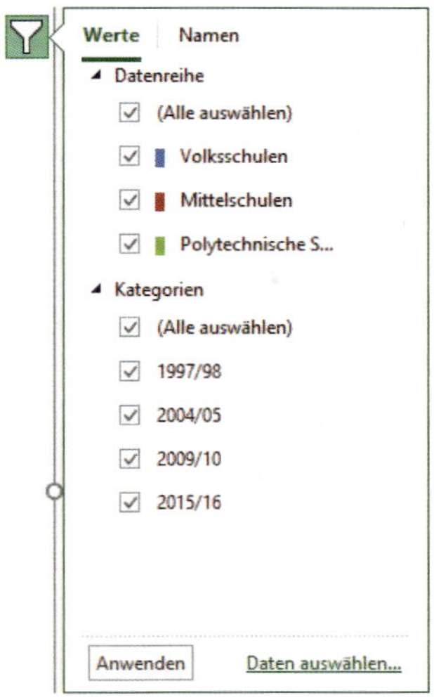

5.2.6 Zeile/Spalte wechseln

Mit dem Befehl ZEILE/SPALTE WECHSELN in DIAGRAMMENTWURF – DATEN können die Daten der einzelnen Achsen getauscht werden. Damit wird z. B. festgelegt, ob die unterschiedlichen Schultypen oder die Jahre auf der primären Horizontalachse dargestellt werden.

Zeilen und Spalten tauschen

DIAGRAMMENTWURF – DATEN –

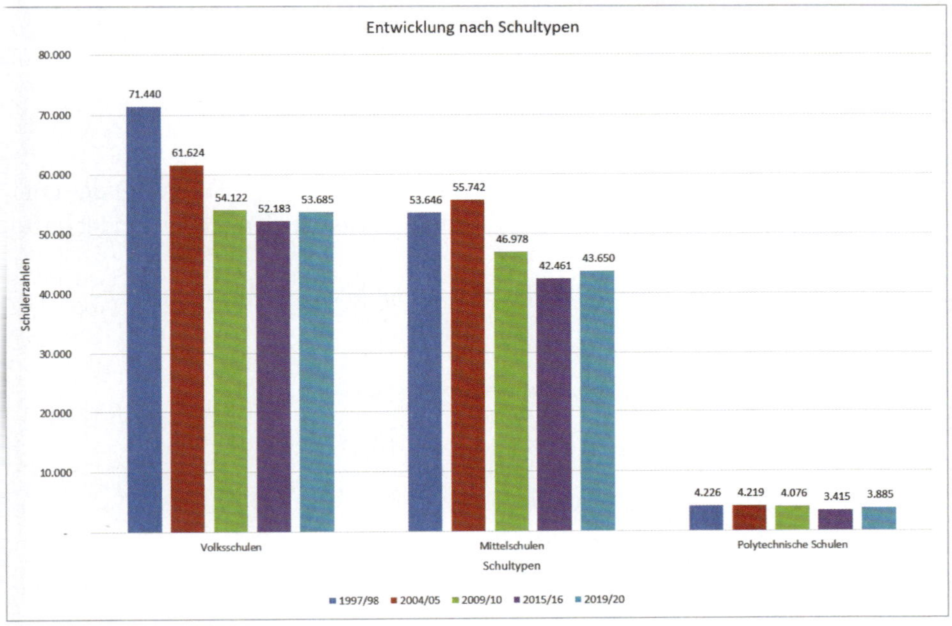

5.2.7 Daten hinzufügen

Wenn in ein Diagramm weitere Daten aufgenommen werden, z. B. wenn ein neuer Schultyp oder weitere Jahre ergänzt werden, ändert sich die **Datenquelle.** Über DIAGRAMMENTWURF – DATEN – DATEN AUSWÄHLEN kann in EXCEL die Datenquelle geändert werden.

Daten hinzufügen/ändern

DIAGRAMMENTWURF – DATEN –

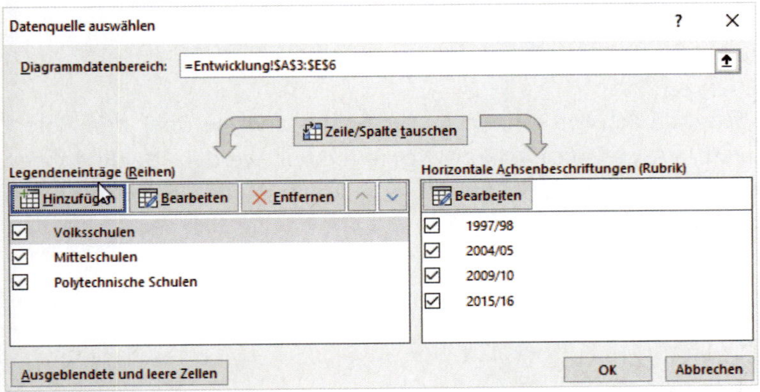

Zum Ändern der Datenquelle wird der Zellbezug im Feld DIAGRAMMDATENBEREICH ausgewählt und in der Tabelle der neue Bereich markiert. Durch einen Klick auf OK werden die neuen Daten, z. B. die Werte für das Jahr 2019/20, in das Diagramm übernommen.

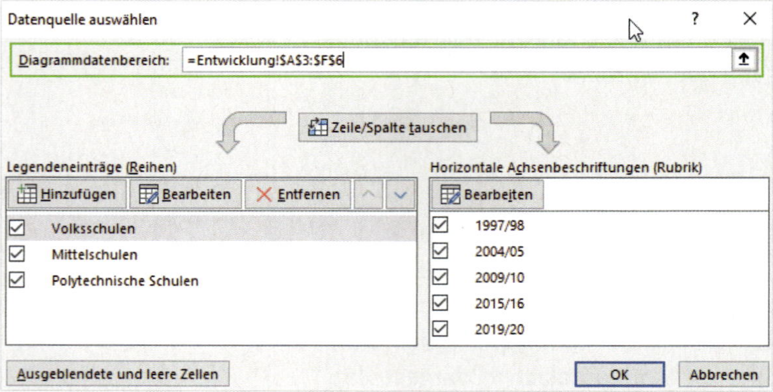

5.2.8 Arbeiten mit Sekundärachsen

Manchmal ist es notwendig, Diagramme mit **zwei Achsen** zu verwenden.

Beispiel: Spareinlagen und Sparbuchzinsen
Ein Bankangestellter möchte die Spareinlagen einer Bank (große Werte) der Entwicklung der Sparbuchzinsen (kleine Werte) gegenüberstellen. Er verwendet dazu ein Diagramm mit zwei Achsen:

- **Primärachse** für die Sparbucheinlagen von vier bis acht Millionen Euro
- **Sekundärachse** für den Zinssatz von 0 % bis 4 %

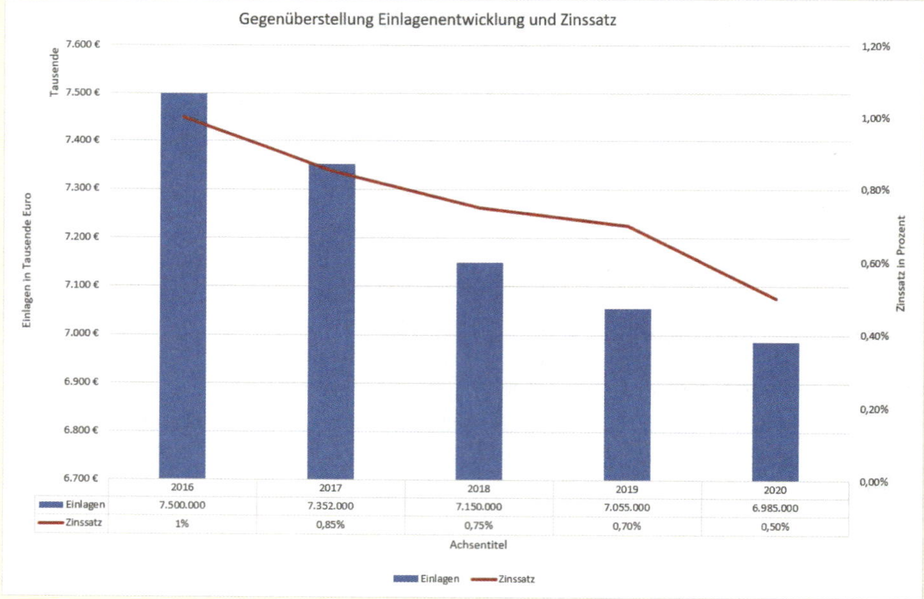

Kombidiagramme werden auch als Verbunddiagramme bezeichnet.

Diagramme mit Sekundärachsen können in der Schnellanalyse über den Befehl WEITERE DIAGRAMME – ALLE DIAGRAMME – KOMBI erstellt werden. Beide Achsen können mit unterschiedlichem Zahlenformat oder unterschiedlichen Achsenbeschriftungen formatiert werden.

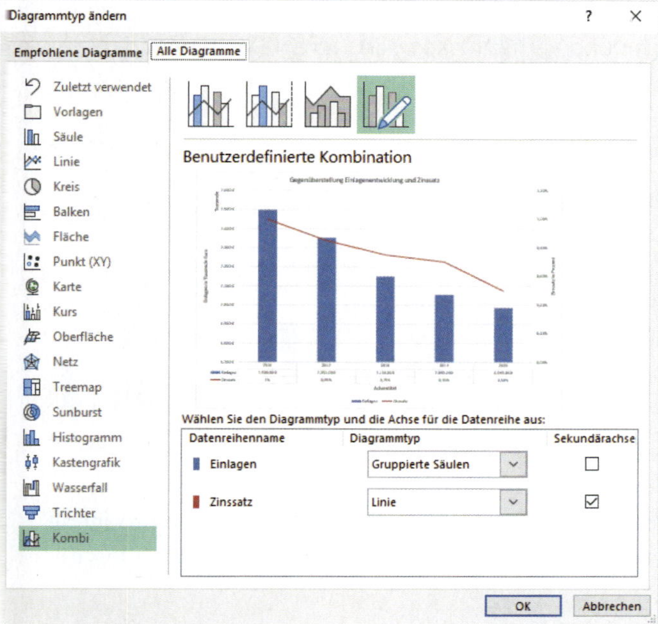

Ein nachträgliches Ändern der Diagrammart ist auch bei Verbunddiagrammen möglich: DIAGRAMMENTWURF – TYP –

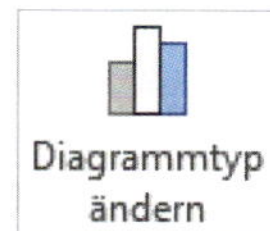

5.3 Diagrammtypen

Im Folgenden lernen Sie nur die wichtigsten Diagrammtypen kennen. Es gibt weitere Typen, die jedoch im alltäglichen Gebrauch weniger von Bedeutung sind.

Säulen- oder Balkendiagramm
Mit einem Säulen- bzw. Balkendiagramm können Sie Daten darstellen, die in Spalten oder Zeilen angeordnet sind. Beide Diagrammtypen eignen sich, um verschiedene Werte zu vergleichen.

In einem Säulendiagramm werden die Kategorien entlang der horizontalen Primärachse und die Werte entlang der vertikalen Primärachse angezeigt. Im Balkendiagramm ist es umgekehrt: Die Kategorien werden entlang der vertikalen und die Werte entlang der horizontalen Primärachse angeordnet.

Anhand der ausgewählten Daten werden Ihnen in EXCEL EMPFOHLENE DIAGRAMME vorgeschlagen.

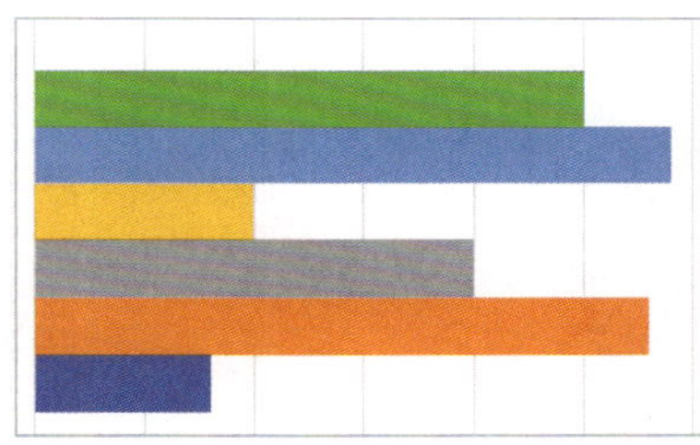
Balkendiagramm

Tipp!
Wählen Sie ein Balkendiagramm, wenn
- Sie lange Achsenbeschriftungen haben;
- die Werte eine Dauer darstellen.

Beispiele:

- **Verhältnis bzw. Vergleich:** Der Ausgang von Wahlen wird häufig mithilfe von Säulendiagrammen dargestellt. Je höher die Säulen, desto mehr Stimmen hat die Partei bekommen.

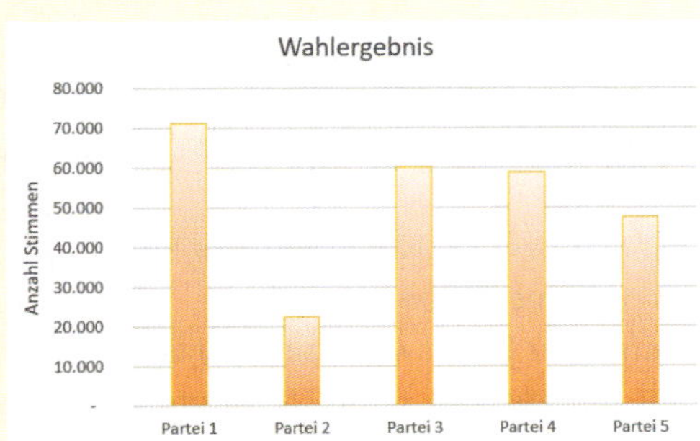

- **Trends und Entwicklungen:** Daten, die Aufschluss darüber geben, wie viele Schülerinnen und Schüler in den letzten Jahren einen Mopedführerschein gemacht haben, könnten in einem Säulen- oder Balkendiagramm dargestellt werden.

Trend: Muster anhand dessen eine künftige Entwicklung vorausgesagt werden kann.

Tabellenkalkulation

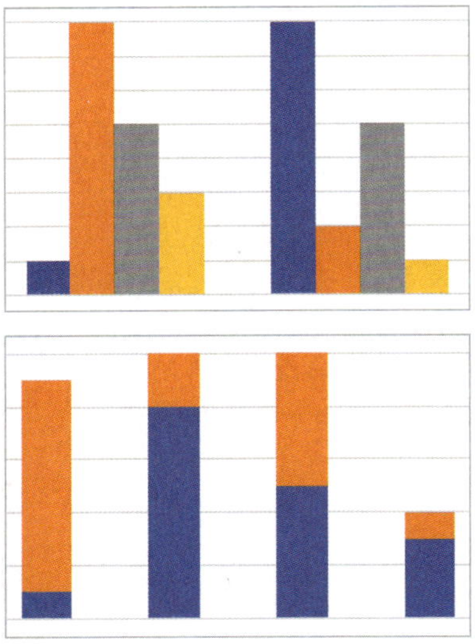

Gruppiertes bzw. Gestapeltes Säulendiagramm

Eine Variation stellen gruppierte und gestapelte Säulen- und Balkendiagramme dar. Mit ihnen können Vergleiche und Verhältnisse noch um eine weitere Variable erweitert werden.

Beispiele:

- **Gruppiertes Säulen-/Balkendiagramm:** Die Nutzung verschiedener Verkehrsmittel je nach Geschlecht soll dargestellt werden. Für jedes Verkehrsmittel gibt es dann zwei Säulen, eine für männlich und eine für weiblich.

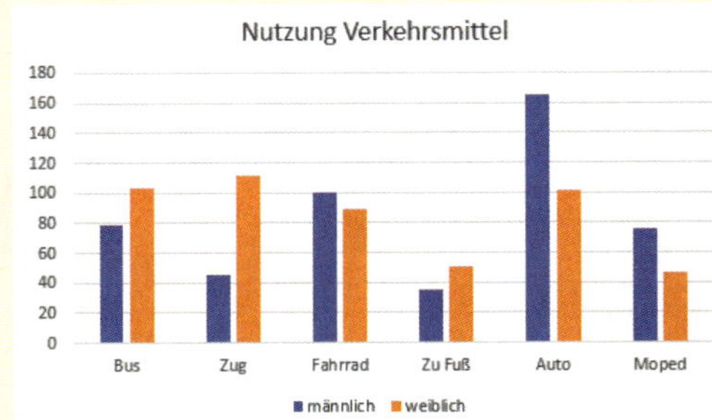

- **Gestapeltes Säulendiagramm:** Klimatabellen werden häufig durch gestapelte Säulendiagramme visualisiert. Jedes Land hat eine eigene Säule, die Temperaturen im Sommer und Winter werden übereinandergestapelt.

Liniendiagramm

Ein Liniendiagramm wird vor allem zur Veranschaulichung eines Verlaufs über einen bestimmten Zeitraum eingesetzt. Es eignet sich, um Trends und Entwicklungen aufzuzeigen.

Für Daten die in Spalten oder Zeilen angeordnet sind, können Sie ein Liniendiagramm verwenden. Alle Kategorien werden dabei gleichmäßig an der horizontalen Primärachse und die Werte entlang der vertikalen Primärachse angeordnet.

Verwendungsmöglichkeiten für Liniendiagramme
Finden Sie weitere Beispiele in denen Liniendiagramme zur Visualisierung geeignet wären.

Wählen Sie ein Liniendiagramm, wenn
- Sie mehrere Datenreihen darstellen wollen;
- Sie einen zeitlichen Verlauf visualisieren wollen.

Beispiel: Entwicklung Verkaufszahlen

In einem Liniendiagramm könnten die Verkaufszahlen von verschiedenen Produkten im Jahresverlauf dargestellt werden.

An dem Liniendiagramm kann beispielsweise abgelesen werden, dass Produkt 1 vor allem im Sommer gekauft wird und die Umsätze im Winter stark sinken. Während Produkt 2 hauptsächlich im Winter gekauft wird.

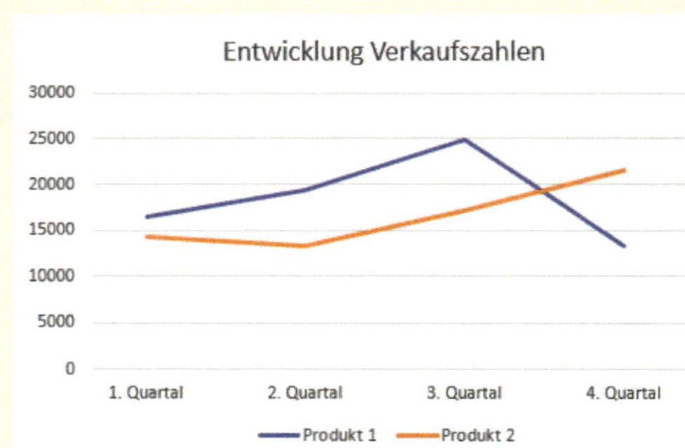

Kreisdiagramm

Ein Kreisdiagramm ist ideal, um prozentuale Verteilungen und Verhältnisse darzustellen. Es eignet sich für Daten, die in **einer** Zeile oder Spalte angeordnet sind.

Wählen Sie ein Kreisdiagramm, wenn
- es nur eine Datenreihe gibt;
- keiner der Datenwerte negativ ist;
- nur wenige bzw. keine Nullwerte vorhanden sind.

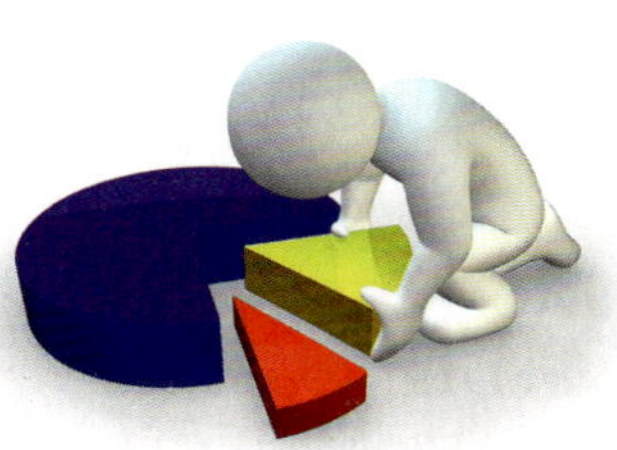

Beispiele:

- **Prozentuale Verteilung:** Die Altersverteilung in einem Verein lässt sich mithilfe eines Kreisdiagramms sehr gut visualisieren.
- **Verteilung:** Wenn Sie die Verteilung der von Männern genutzten Verkehrsmittel visualisieren möchten, eignet sich das Kreisdiagramm ebenfalls.

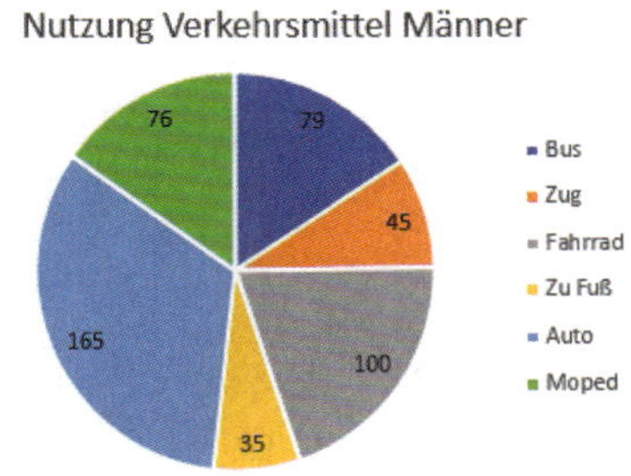

Flächendiagramm

Ähnlich wie Liniendiagramme, können Flächendiagramme eingesetzt werden, um Trends zu veranschaulichen. Sie werden für die Visualisierung einer Änderung im Zeitverlauf eingesetzt.

Flächendiagramme eignen sich für Daten, die in Spalten oder Zeilen angeordnet sind.

Beispiel:

- **Verkaufsentwicklung:** Mithilfe eines Flächendiagramms können Sie visualisieren, wie sich die Verkaufszahlen über einen gewissen Zeitraum hinweg verändert haben. Die Farben können für verschiedene Regionen oder Verkaufsmitarbeiterinnen und -mitarbeiter stehen.

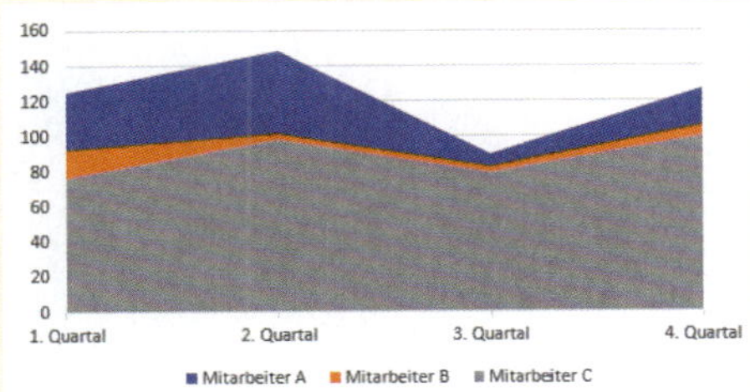

Notizen

WissensCheck – „Diagramme"

1. Nennen Sie die Möglichkeiten, um ein erstelltes Diagramm in einer Arbeitsmappe zu speichern.
2. Erläutern Sie, wie ein eingebettetes Diagramm auf einem eigenen Blatt eingefügt werden kann.
3. Erklären Sie die Begriffe horizontale Primärachse und vertikale Primärachse.
4. Beschreiben Sie, was eine Legende ist.
5. Nennen Sie die Möglichkeiten, um eine Legende zu positionieren.
6. Erklären Sie, wieso es notwendig sein kann, dass zwei vertikale Achsen in einem Diagramm angezeigt werden müssen.

Ziele erreicht? – „Diagramme"

KOMPETENZ-ERWERB

1. Aussagen beurteilen

Kreuzen Sie die richtige(n) Aussage(n) an.

Aussage	Richtig	Falsch
Werden die Daten der Tabelle geändert, die die Grundlage für ein Diagramm sind, muss das Diagramm neu erstellt werden.		
Kreisdiagramme können zur Darstellung der prozentuellen Verteilung verwendet werden.		
Der Hintergrund eines Diagramms kann durch ein Bild ersetzt werden.		
Die ausgewählte Diagrammart kann nicht mehr geändert werden.		
Das Diagramm kann als eigenes Blatt oder als Objekt in einem Blatt eingefügt werden.		

2. Bestandteile benennen

Ergänzen Sie die Bezeichnung der einzelnen Elemente. Sie können dazu auch die EXCEL-Hilfe verwenden.

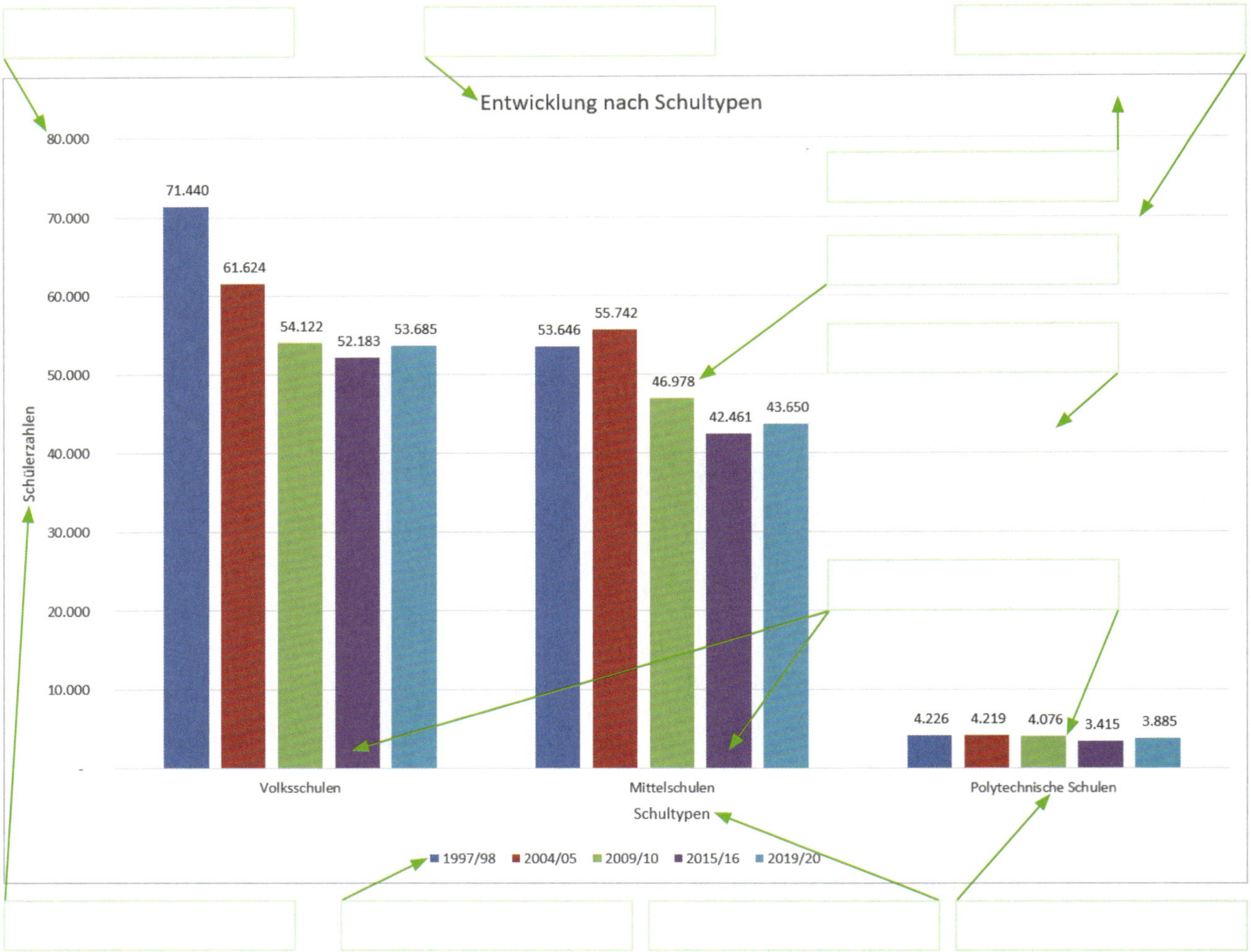

3. Mitgliederübersicht erstellen

a) Erstellen Sie ein Diagramm, das die prozentuelle Verteilung der Mitglieder darstellt. Fügen Sie als Hintergrund ein passendes Bild ein. Erstellen Sie auch die notwendige Tabelle.

b) Speichern Sie das Diagramm unter **Feuerwehr1.xlsx.**

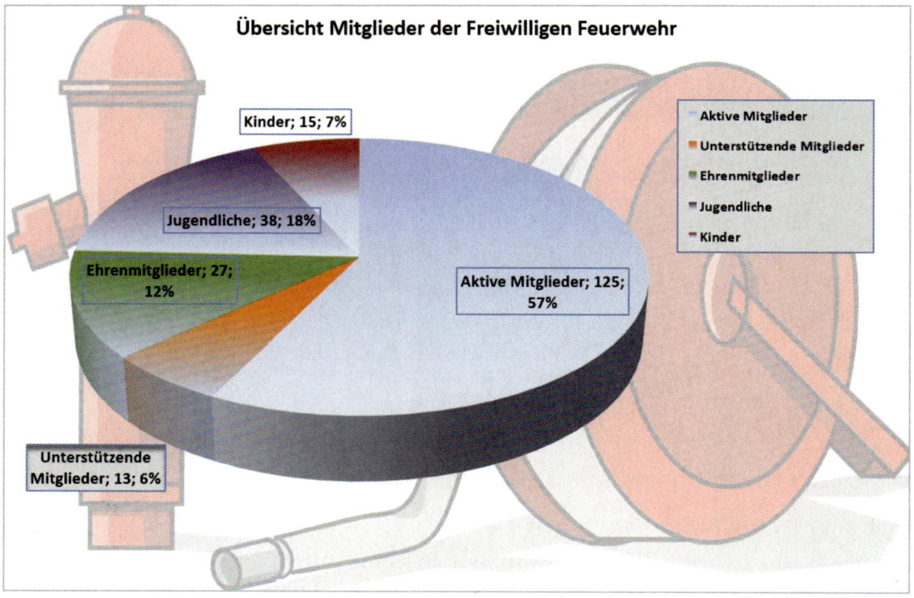

	A	B
1	Freiwillige Feuerwehr	
2		
3	Aktive Mitglieder	125
4	Unterstützende Mitglieder	13
5	Ehrenmitglieder	27
6	Jugendliche	38
7	Kinder	15
8	Gesamt	218

4. Kreisdiagramm erstellen

Öffnen Sie die Arbeitsmappe **Transport_u.xlsx** und speichern Sie sie unter **Transport1.xlsx.** Erstellen Sie aus dem Blatt **Transport** ein Kreisdiagramm. Verwenden Sie zur Lösung die EXCEL-Hilfe.

a) Formatieren Sie das Diagramm laut Vorlage.
b) Suchen Sie im Internet nach aktuellen Daten und aktualisieren Sie die Werte.
c) Speichern Sie das Diagramm.

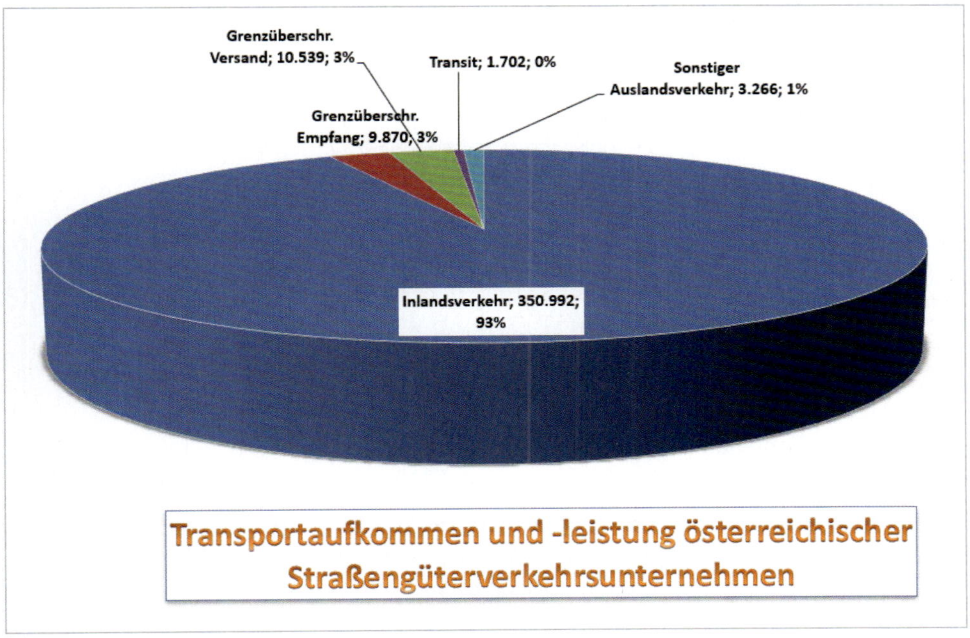

Quelle: Statistik Austria

5. 3-D-Diagramm erstellen

Öffnen Sie die Arbeitsmappe **Tourismus_u.xlsx** und speichern Sie sie unter **Tourismus1.xlsx.** Erstellen Sie ein 3-D-Diagramm für die Beherbergungsbetriebe aus dem Blatt **Tourismus.** Verwenden Sie zur Lösung die EXCEL-Hilfe.

a) Ändern Sie die Einstellungen in 3-D-Ansicht.
b) Beurteilen Sie die Aussagekraft dieses Diagramms und speichern Sie es.

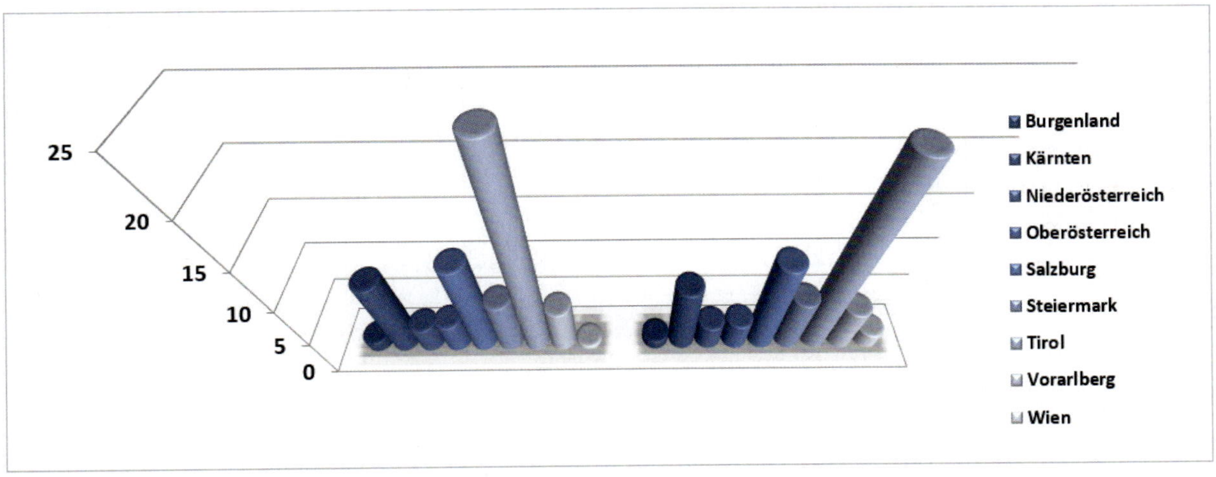

Quelle: Statistik Austria

6. Säulendiagramm erstellen

Öffnen Sie die Arbeitsmappe **Naechtigungen_u.xlsx** und speichern Sie sie unter **Naechtigungen1.xlsx.** Erstellen Sie aus dem Blatt **Statistik** das folgende Diagramm. Verwenden Sie zur Lösung die EXCEL-Hilfe.

a) Formatieren Sie das Diagramm laut Vorlage.
b) Suchen Sie im Internet nach aktuellen Daten und ändern Sie die Daten im Blatt **Statistik.**
c) Speichern Sie das Diagramm.

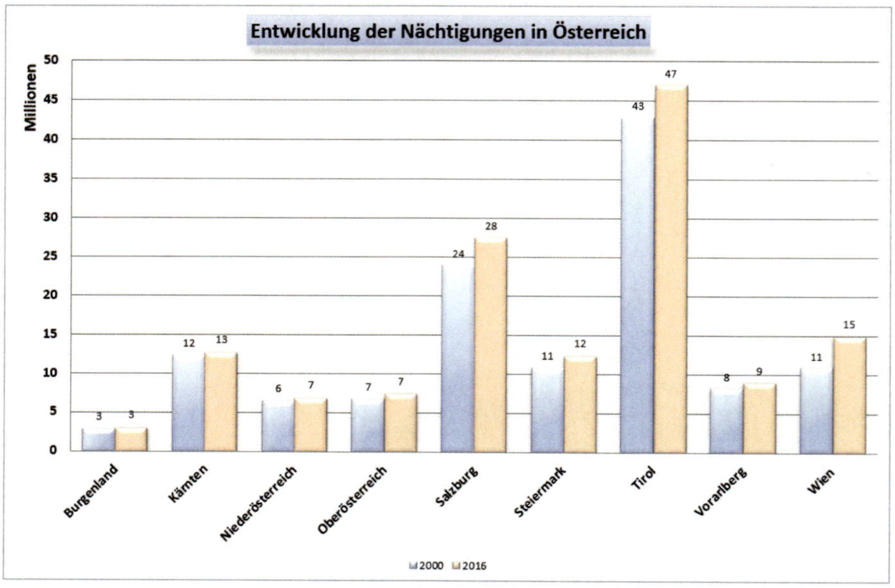

Quelle: Statistik Austria

7. Einlagenentwicklung mit Diagramm darstellen

a) Öffnen Sie die Arbeitsmappe **Einlagenentwicklung_u.xlsx** und speichern Sie sie unter **Einlagenentwicklung1.xlsx.** Erstellen Sie ein Diagramm, das die Einlagenentwicklung der Zinssatzentwicklung gegenüberstellt. Das Diagramm soll in der Tabelle eingebettet sein. Da die Zinssätze im Verhältnis zur Einlagenentwicklung als Wert sehr klein sind, muss eine Diagrammart mit zwei Vertikalachsen erstellt werden.

b) Speichern Sie die Arbeitsmappe.

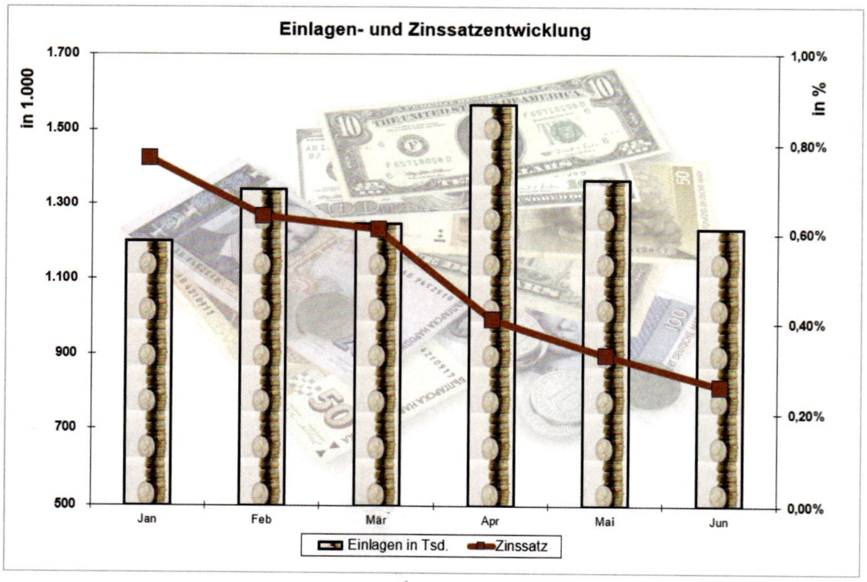

8. Steueraufkommen grafisch darstellen

a) Öffnen Sie die Arbeitsmappe **Steuern_u.xlsx** und speichern Sie sie unter **Steuern1.xlsx.** Sie enthält das Steueraufkommen der wichtigsten Steuern: Umsatzsteuer, Körperschaftsteuer, Schenkungsteuer und Kapitalertragsteuer.

b) Erstellen Sie eine Präsentation, in der Sie die einzelnen Steuern kurz erklären.

c) Erstellen Sie für jede Steuer ein aussagekräftiges Diagramm.

d) Stellen Sie die Entwicklung von Schenkungsteuer und Kapitalertragsteuer in einem aussagekräftigen Diagramm gegenüber.

e) Speichern Sie die Diagramme mit den entsprechenden Tabellen.

Einen interaktiven **Safety-Check** finden Sie in der TRAUNER-DigiBox.

Business-Case 3. Semester – „Abenteuer Management"

AUSGANGSSITUATION

AM Abenteuer Management bietet RuckXbob-Schneeschuhwanderungen an. Da die Nachfrage nach diesen Events laufend steigt, gestalten Sie den Geschäftsbrief mit dem Logo **Business-Case-AM.jpg** und formulieren Sie als Mitarbeiterin der Firma AM Abenteuer Management eine Anfrage an den Anbieter von RuckXBobs und Zubehör.

abenteuer management
outdoor - training BEwirkt.

Am Wur 7
4582 SPITAL AM PYHRN
ÖSTERREICH/AUSTRIA
Mobil: 0664 125 75 10
E-Mail: office@abenteuer-management.at
Web: www.abenteuer-management.at

Notizen

Datum:
25. Jänner ....

Empfänger:
RuckXBob
Kelleräckerstraße 7
82467 GARMISCH-PARTENKIRCHEN
DEUTSCHLAND

Beförderungsvermerk:
☐ Einschreiben
☒ Priority
☐ Keiner
Sonstiger:

Betreff:
☒ Anfrage
☐ Angebot
☐ Auftragsbestätigung
Sonstiges:

Beilagen:
☐ Prospekt
☐ Flyer
☐ Preisliste
☐ Zahlungsanweisung
☐ Eventprogramm
☐ Fitness-Fragebogen
☒ Keine Beilage/n
Sonstige:

Text:

25 Stück RuckXBob-Schlitten – Modell TOUR 3 XL mit Tragesystem, Farbe Blau
25 Stück RuckXBob-Schlitten – Modell TOUR 3 mit Tragesystem, Farbe Rot
10 Stück RuckXBob-Schlitten TOUR 3 light ohne Tragesystem mit Alu-Kufen, Farbe Gelb
10 Stück Tragesystem für Modell TOUR und FREERIDE

Business-Case 3. Semester – „Urlaubsangebote“

AUSGANGSSITUATION
Um Urlaubsangebote arbeitssparend zu erstellen, beauftragt Sie Ihr Vorgesetzter Schnellbausteine mit Formulierungen anzulegen, die häufig in Urlaubs-Serienbriefen an Stammkunden vorkommen. Dazu haben Sie aus der Ablage einige bereits früher erstellte Angebote geholt. Nun beginnen Sie, Schnellbausteine aus darin häufig vorkommenden Formulierungen zu erstellen und mit einfach zu merkenden Namen zu speichern, die in zukünftige Angebote universell einsetzbar sind. Bei dem Gespräch mit Ihrem Vorgesetzten haben Sie sich folgendes notiert:

Schnellbausteine betreffend ...
Zimmer – alle mit Z und einer Ziffer benennen
Getränke – alle mit G + Ziffer
Kinder – alle mit K + Ziffer
Wellness – alle mit W + Ziffer
Halbpension – alle mit HP + Ziffer
Vollpension – alle mit VP + Ziffer
Preise – alle mit P + Ziffer

Urlaub mit Wohlfühlcharakter

vom 1. bis 30. Juni ... und vom 1. bis 30. September ....

- Übernachtung im komfortablen 4****-Familienzimmer
- Begrüßungsgetränk
- Genießer-Halbpension mit 3-gängigem Menü
- Nachmittags Kuchen vom Buffet
- Kinderbetreuung im Pumuckl-Mini-Club (mit Mittagsimbiss und Saftbar)
- Zaubernachmittag mit Ronnie Rauber
- Wellness-Bereich mit Frei- und Hallenbad sowie Panoramasaunalandschaft

Preis pro Person und Tag im Doppelzimmer
Pro Vollzahler ist ein Kind unter 9 Jahren kostenlos im Elternzimmer

Urlaub „Nur für uns“

vom 1. Juli bis 31. August ...

- Übernachtung im modernen Appartement oder Häuschen
- Selbstversorger
- Jede Wohneinheit verfügt über eine voll ausgestattete Küchenzeile
- Kinderbetreuung von Montag bis Freitag im Schmetterlingsklub
- Wellness-Bereich mit Frei- und Hallenbad sowie Aromasauna in der Panoramasaunalandschaft, Relaxarium und Sonnenterrasse

Preis pro Nacht im 2-bis-3-Personen-Appartement zuzüglich Endreinigungskosten und Nächtigungsabgabe

Urlaub „All Inclusive“

vom 25. bis 30. Juni ... und vom 3. bis 17. September ....

- Unterkunft im gemütlichen Appartement oder Haus
- Frühstück vom Buffet, Mittag- und Abendessen
- Getränke von 10 bis 22 Uhr
- Nachmittags Kuchen vom Buffet
- Jede Wohneinheit verfügt über eine voll ausgestattete Küchenzeile
- Kinderbetreuung von Montag bis Freitag im Schmetterlingsklub
- Wellness-Bereich mit Frei- und Hallenbad sowie Panoramasaunalandschaft

Preis pro Person und Nacht
Kinder unter 7 Jahren sind im Elternzimmer kostenlos

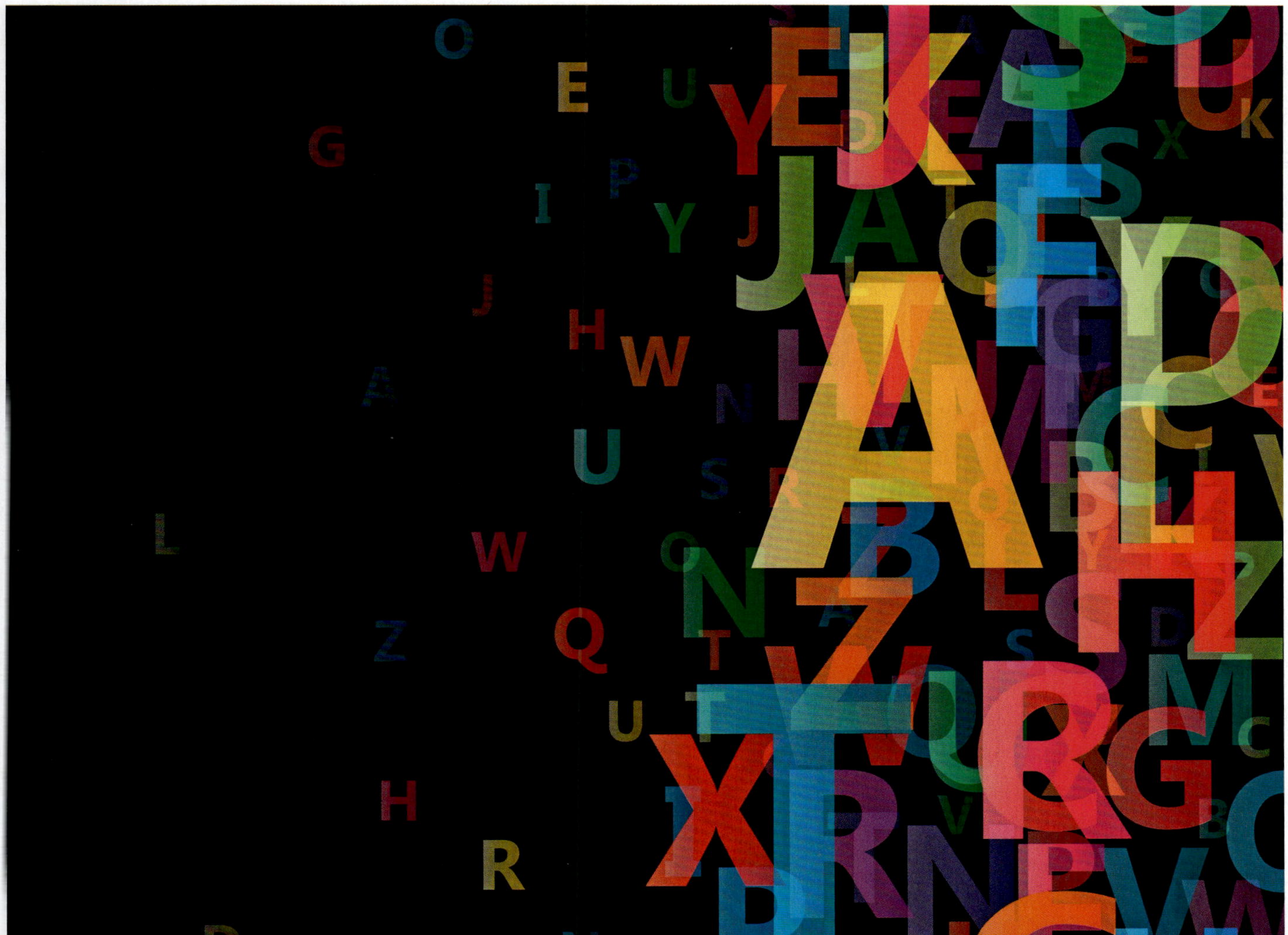

I Textdesign

In diesem Kapitel erfahren Sie, wie Sie Serienbriefe und Serienmails mit vorhanden Datenquellen erzeugen und aktualisieren bzw. neue Datenquellen erstellen. Außerdem lernen Sie, wie Sie im Seriendruck variable Briefelemente gestalten oder akademische Grade bzw. verliehene Titel in der Empfängeranschrift angeben können. Abschließend erhalten Sie Einblick in die Funktionen des OLE (Object Linking and Embedding), wie das Einbetten bzw. Verknüpfen von EXCEL-Tabellen, POWERPOINT-Folien und sonstigen Objekten. Darüber hinaus erstellen Sie programmübergreifende Designs und Verknüpfungen zu anderen Programmen.

1 Seriendokumente – Grundlagen

Welche Schriftstücke könnten im Schriftverkehr eines Unternehmens als Serienbrief gestaltet werden?

Sarah ist Schulsprecherin. Sie lädt monatlich die Klassensprecherinnen und Klassensprecher zu einer Besprechung ein. Dafür teilt sie Einladungen an die geladenen Personen aus. Darin möchte sie jede Klassensprecherin und jeden Klassensprecher persönlich ansprechen. Relativ schnell bemerkt sie, dass es mühsam ist, jedes Mal die Personen händisch in die Einladung einzutippen. Sie beschließt, sich die Vorteile des Seriendrucks näher anzusehen.

KOMPETENZ-ERWERB

Meine Ziele

Nach Bearbeitung dieses Kapitels kann ich

- die einzelnen Teile eines Serienbriefes nennen und erklären;
- eine Adressliste erstellen und Daten eingeben;
- eine vorhandene Adressliste verwenden;
- die Adressliste bearbeiten;
- Seriendruckfelder einfügen;
- eine Grußzeile und einen Adressblock anpassen und einfügen;
- einen Serienbrief erstellen;
- ein Serienmail versenden;
- Datensätze filtern.

1.1 Seriendruck

1.1.1 Allgemeines

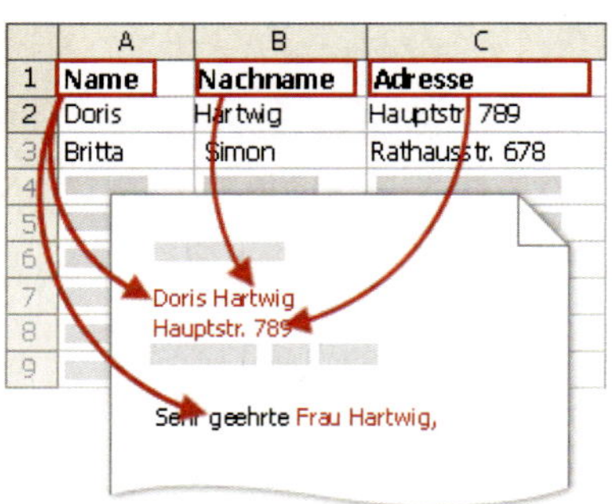

Wenn Sie einen Brief mit kleinen Abänderungen an viele Empfängerinnen und Empfänger senden möchten, eignet sich der Seriendruck am besten dafür. Sie können die Daten verwenden, die in der Datenbank, in EXCEL-Dateien usw. erfasst sind. Diese können individuell, z. B. für Etiketten, Serienbriefe oder E-Mails verwendet werden.

Zum Erstellen eines Seriendokumentes benötigen Sie zwei Dateien:

Adressliste → **Serienbrief** ← Hauptdokument

Adressliste	Die Adressliste, auch **Datenquelle** genannt, enthält alle Teile der Empfängeranschrift. Sie ist tabellarisch aufgebaut. Sie kann aus einer EXCEL-Tabelle, aus dem OUTLOOK-Adressbuch, aus einer ACCESS-Datenbank oder aus anderen Datenbanken kommen bzw. neu erstellt werden. Die einzelnen Teile der Adressliste für den Serienbrief werden **Seriendruckfelder** genannt.
Hauptdokument	Das **Hauptdokument** wird druckfertig formatiert. Die Seriendruckfelder werden in dieses Dokument eingefügt.
Serienbrief	Die Adressliste und das Hauptdokument werden miteinander verknüpft. Das Ergebnis ist der Serienbrief.

Seriendruck erstellen

- Registerkarte SENDUNGEN

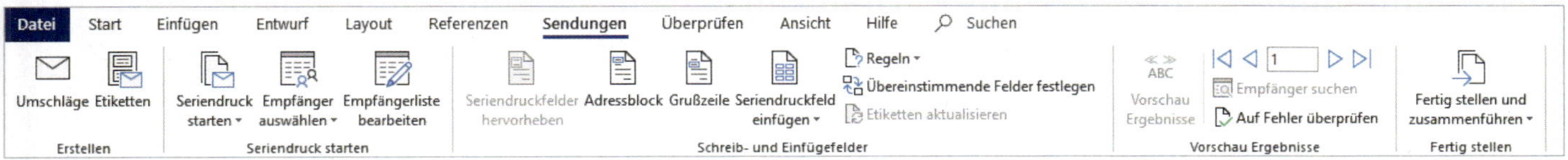

Mit wenigen Klicks können Sie einen Serienbrief erstellen.

Seriendruck erstellen	
SERIENDRUCK STARTEN	Wählen Sie das Schriftstück aus, das Sie erstellen möchten.
EMPFÄNGER AUSWÄHLEN	Wählen Sie die Empfängerinnen und Empfänger aus einer vorhandenen Datei aus oder geben Sie sie neu ein.
EMPFÄNGERLISTE BEARBEITEN	Sie können die Empfängerliste bearbeiten, z. B. Fehler korrigieren oder Empfängerinnen/Empfänger deaktivieren.
SERIENDRUCKFELDER HERVORHEBEN	Eingefügte Seriendruckfelder können im Text optisch (grau hinterlegt) hervorgehoben werden. Dies wird jedoch nicht ausgedruckt.
ADRESSBLOCK	Fügen Sie eine Adresse ein. Position und Formatierung können Sie selbst vorgeben. Wenn Sie den Seriendruck fertigstellen, ersetzt WORD diese Stellen durch die tatsächlichen Adressen aus der Empfängerliste.
GRUSSZEILE	Fügen Sie eine geschlechtsspezifische persönliche Anrede ein.
SERIENDRUCKFELD EINFÜGEN	Fügen Sie die Seriendruckfelder in das Hauptdokument ein.
REGELN	Geben Sie Regeln für den Seriendruck an, um Unterschiede im Brieftext aufzuzeigen.
ÜBEREINSTIMMENDE FELDER FESTLEGEN	Definieren Sie die Bedeutung verschiedener Felder Ihrer Empfängerliste. Legen Sie z. B. fest, dass das benutzerdefinierte Feld „Zuname" dem integrierten Feld „Nachname" entspricht.
ETIKETTEN AKTUALISIEREN	Beim Erstellen von Etiketten spielt diese Schaltfläche eine wichtige Rolle.
VORSCHAU ERGEBNISSE	Die Seriendruckfelder zeigen die tatsächlich eingegebenen Daten. Navigieren Sie mit den Vorwärts- und Rückwärts-Schaltflächen zum nächsten bzw. vorherigen Datensatz.
AUF FEHLER ÜBERPRÜFEN	Prüfen Sie Ihr Dokument auf Fehler im Seriendruck.
FERTIG STELLEN UND ZUSAMMENFÜHREN	Senden Sie Ihr Dokument an ausgewählte E-Mail-Empfängerinnen und -Empfänger, exportieren Sie es in ein neues Dokument oder drucken Sie es aus.

Der **Seriendruck-Assistent** begleitet Sie Schritt für Schritt und gibt Ihnen vor, welche Einstellungen zu treffen sind.

- SENDUNGEN – SERIENDRUCK STARTEN – SERIENDRUCK STARTEN – SERIENDRUCK-ASSISTENT MIT SCHRITT-FÜR-SCHRITT-ANWEISUNGEN...

Eine interaktive Übung dazu finden Sie in der TRAUNER-DigiBox.

1.1.2 Hauptdokument für Seriendruck erstellen

- Leeres WORD-Dokument öffnen
- SENDUNGEN – SERIENDRUCK STARTEN – SERIENDRUCK STARTEN – BRIEFE
- Brief im Dokument schreiben (Platz für Empfängerinnen und Empfänger freilassen) und gestalten

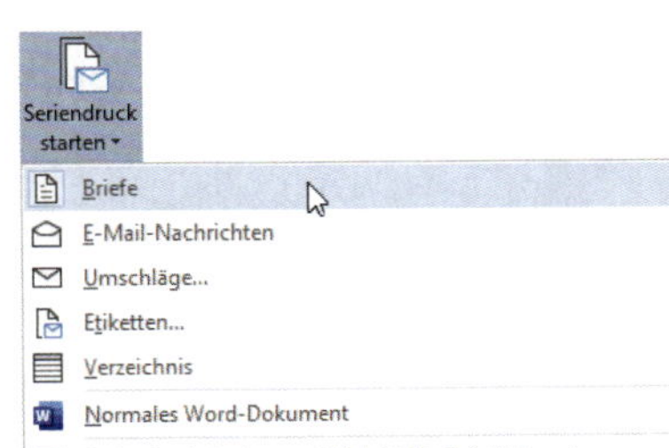

Erstellen Sie für jedes Feld eine eigene Spalte. Dies ermöglicht Ihnen das Auswählen aller Daten für diverse Zwecke.

1.1.3 Adressliste

Die Adressliste kann neu eingegeben oder eine vorhandene Liste verwendet werden.

Adresslisten aus OFFICE-Programmen

Wenn Sie eine neue Liste eingeben, wird sie automatisch als ACCESS-Datei **(*.mdb)** gespeichert. Sie können diese Liste in ACCESS oder in WORD bearbeiten.

Sie können aber auch Daten aus einer EXCEL-Liste oder aus den OUTLOOK-Kontakten zum Erstellen eines Seriendokumentes verwenden.

Wenn Sie eine Liste in WORD eingeben, achten Sie darauf, dass die Tabelle in der ersten Zeile Spaltenüberschriften (Anrede, Vorname, Nachname ...) aufweist. Diese Bezeichnungen werden im Seriendruck bei den Seriendruckempfängerinnen und Seriendruckempfängern als Seriendruckfelder verwendet.

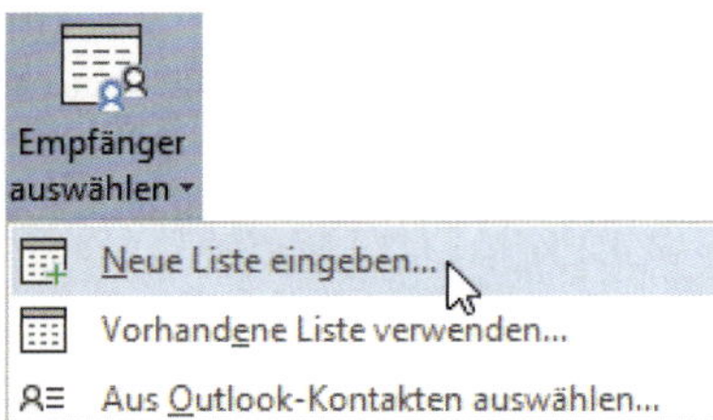

Wenn Sie am Ende eines Datensatzes die ↵-Taste drücken, werden Sie aufgefordert, die Liste zu speichern.

Neue Adressliste erstellen

- Hauptdokument
- SENDUNGEN – SERIENDRUCK STARTEN – EMPFÄNGER AUSWÄHLEN – NEUE LISTE EINGEBEN...
- Häufig verwendete Feldnamen werden angezeigt
- Datensätze eingeben
- Durch Drücken der ⇄-Taste springen Sie in die nächste Zelle
- Fügen Sie einen neuen Datensatz durch Drücken der ⇄-Taste am Ende eines Datensatzes ein oder wählen Sie NEUER EINTRAG
- Nach dem Eingeben der Daten wählen Sie OK
- Speicherort auswählen und Adressliste speichern

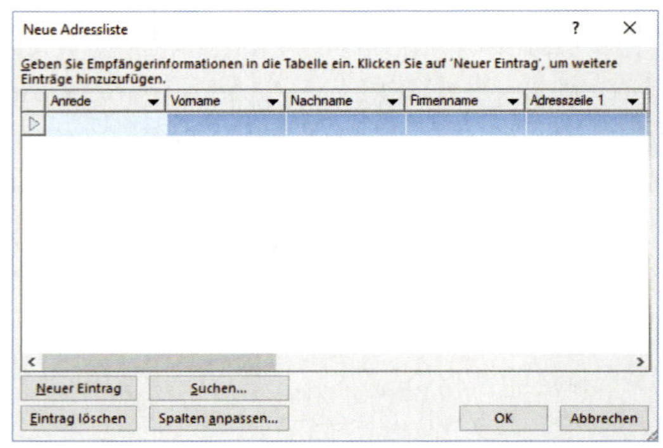

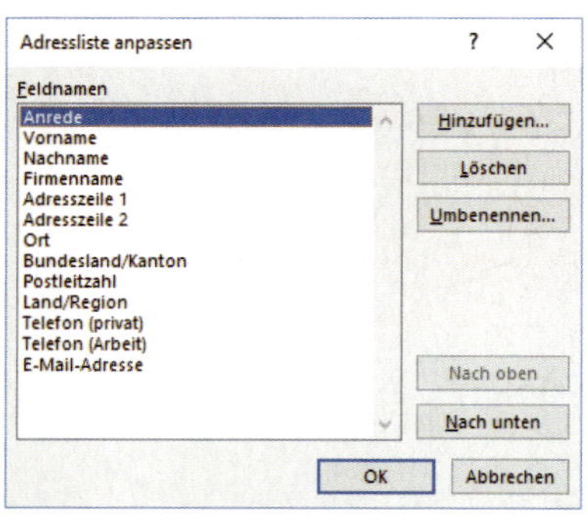

Adressliste anpassen

Möchten Sie andere als die vorgegebenen Feldnamen verwenden, die Liste ergänzen oder Felder löschen, wählen Sie SPALTEN ANPASSEN...

- Feld, das geändert werden soll, markieren
- HINZUFÜGEN, LÖSCHEN oder UMBENENNEN auswählen

Felder verschieben Sie nach oben oder unten, indem Sie das Feld markieren und NACH OBEN oder NACH UNTEN auswählen.

Übung

Serienbrief und Adressliste erstellen

a) Erstellen Sie ein neues Dokument im Standarddesign Office.
b) Gestalten Sie den Brief mit Aufzählungszeichen als Serienbrief-Hauptdokument.
c) Logo Absender: Calibri 36 Punkt, fett, Rahmenlinie schwarz 1,5 Punkt, Schriftfarben laut Vorlage, Schattierung rot.
d) Erstellen Sie nebenstehende Adressliste.
e) Speichern Sie die Adressliste unter **Lutz Adr.mdb.**
f) Speichern Sie das Hauptdokument unter **Lutz HD.docx.**

Anrede	Vorname	Nachname	Adresszeile 1	Postleitzahl	Ort
Frau	Michaela	Kerraus	Anemonenstraße 21	4481	Asten
Herr	Detlef	Ohlsen	Pegasusstraße 16/2	4030	Linz
Frau	Marina	Bozic	Schmieding 4	4484	Kronstorf
Frau	Sonja	Hagenauer	Greiner Straße 78	4320	Perg
Herr	Norbert	Gußner	Kirchenberg 33	4310	Mauthausen

XXXLutz

Im Astenfeld 3 | 4490 St. Florian
Tel.: 07224 660 22-0 | Fax: 07224 660 23
E-Mail: info@lutz.at | Internet: www.lutz.at

Name:	Thomas Meissl
Telefon:	07224 660 22-6859
E-Mail:	meissl@lutz.at
Datum:	….-03-15

Einladung zum exklusiven VIP-Shopping

die Pflege unserer Stammkundinnen und Stammkunden ist eine der wichtigsten Aufgaben im Unternehmen XXXLutz. Ihrer Treue verdanken wir unseren Erfolg.

Wir freuen uns daher, Sie zu unserem exklusiven VIP-Shopping vom **22. bis 24. März ….** beim XXXLutz in St. Florian einladen zu dürfen. Dazu haben wir uns einiges für Sie einfallen lassen.

- Wählen Sie in unserem XXXLutz-Restaurant aus drei angebotenen Gratismenüs samt Nachspeise und Getränk.
- Es erwartet Sie an unserer Bar ein Glas Prosecco.
- Für Kinder gibt es einen eigenen Kindergutschein, ebenfalls mit Gratisbewirtung und Kindergeschenk.
- Für diese drei Tage haben wir erhebliche Preisreduktionen vorgenommen. Sie erhalten einen Rabatt von 10 % auf alle Markenprodukte bei XXXLutz.

Bitte kommen Sie zu unserem Informationsstand, wo Sie entsprechende Gutscheine und Ihr VIP-Band als Eintrittsmarke erhalten.

Wir freuen uns sehr auf Ihr Kommen.

Freundliche Grüße

Wolfgang Treumann
Filialleiter

Bank Austria | BIC: BKAUATWE | IBAN: AT11 2012 0512 3654 0149
Firmenbuchgericht: Wels | Firmenbuch-Nr.: FN 125698 b | UID-Nr.: ATU12345789

Vorhandene Adressliste verwenden

- Serienbrief-Hauptdokument
- SENDUNGEN – SERIENDRUCK STARTEN – EMPFÄNGER AUSWÄHLEN – VORHANDENE LISTE VERWENDEN...
- Datenquelle auswählen
- ÖFFNEN

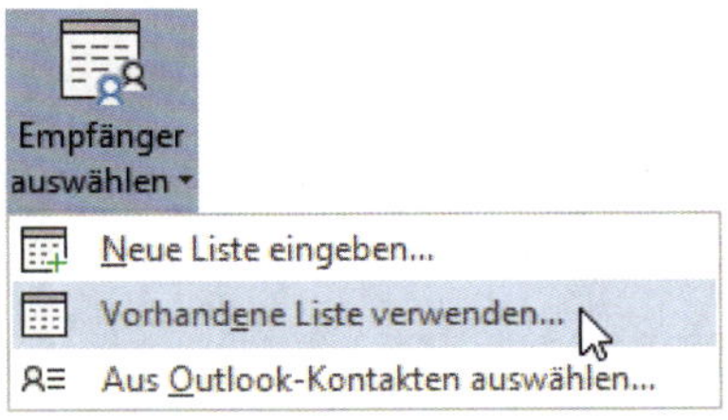

1.1.4 Empfängerinnen und Empfänger auswählen

Das Hauptdokument ist mit den Adressen verbunden. Um das Dokument nur an bestimmte Personen zu senden, können Sie Empfängerinnen und Empfänger auswählen, denen Sie das Dokument schicken möchten:

- Serienbrief-Hauptdokument
- SENDUNGEN – SERIENDRUCK STARTEN – EMPFÄNGERLISTE BEARBEITEN
- Das Kontrollkästchen aktivieren, wenn der Brief an diese Empfängerin/diesen Empfänger geschickt werden soll

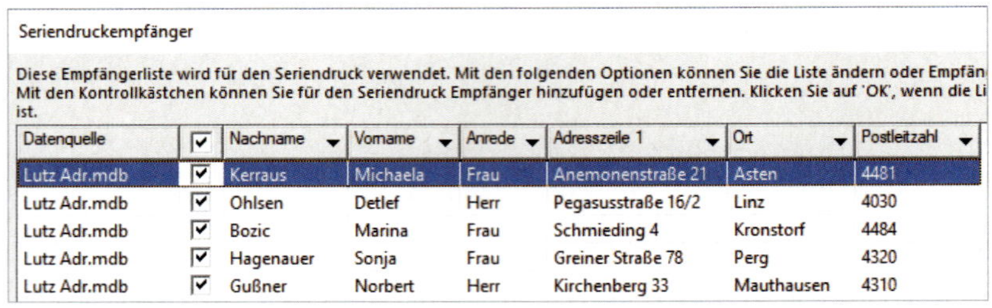

1.1.5 Datensätze filtern

Auf einfache Weise können Sie Empfängeranschriften auswählen, indem Sie sie filtern.

- Serienbrief-Hauptdokument
- SENDUNGEN – SERIENDRUCK STARTEN – EMPFÄNGERLISTE BEARBEITEN
- EMPFÄNGERLISTE VERFEINERN – FILTERN...

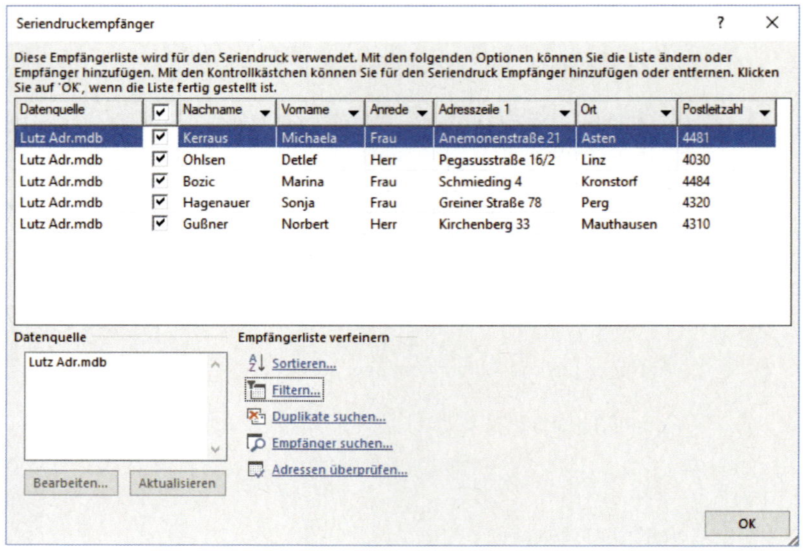

- Geben Sie hier Ihre Bedingungen für die Empfängerinnen und Empfänger ein.

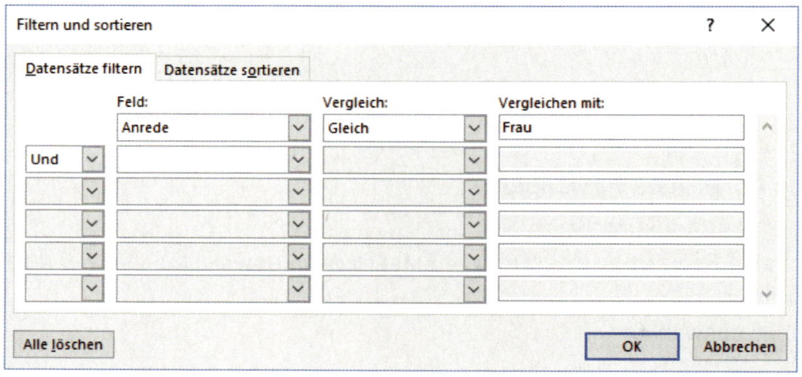

Beispiel:
Es sollen alle Frauen diesen Brief erhalten.

- Es werden alle Frauen angezeigt.

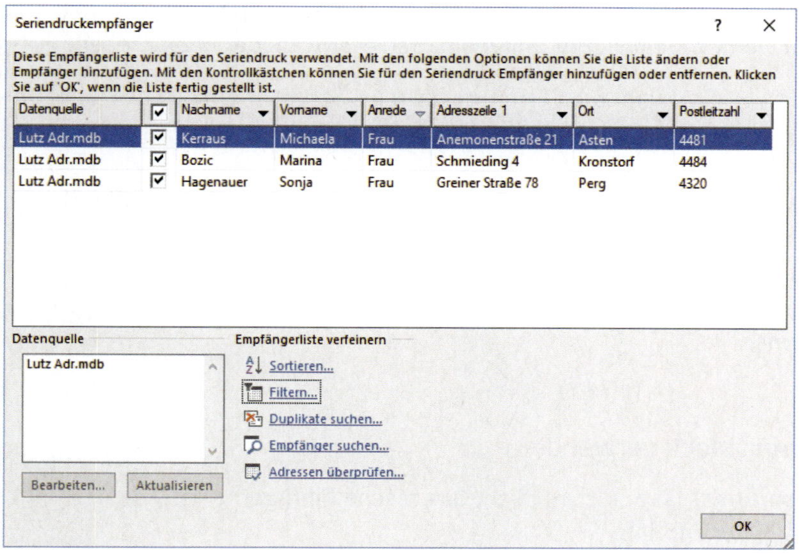

- Die anderen Datensätze werden lediglich ausgeblendet, aber nicht gelöscht. Sobald Sie die Bedingung bei FILTERN... löschen, werden wieder alle Datensätze angezeigt.

1.1.6 Seriendruck fortsetzen

Sie können Ihren Serienbrief speichern und zu einem späteren Zeitpunkt daran weiterarbeiten. Beim Öffnen erscheint eine Meldung, in der Sie aufgefordert werden, die Adressliste wieder in den Serienbrief einzufügen. Klicken Sie auf NEIN, wird die Verknüpfung zwischen dem Serienbrief und der Datenquelle entfernt.

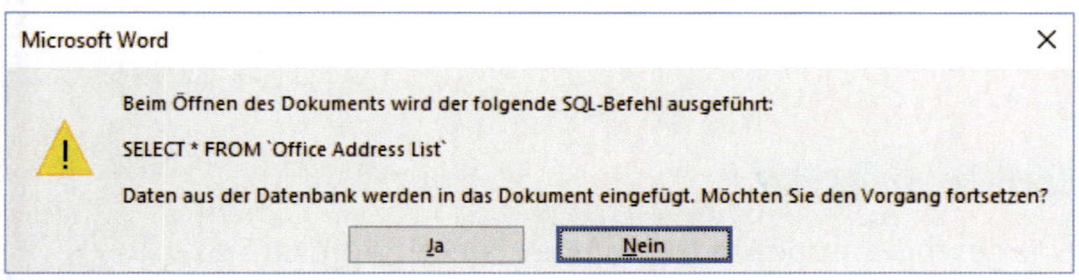

Diese Meldung erscheint beim Öffnen eines Hauptdokuments, wenn die Quelle bereits hinzugefügt wurde.

Findet WORD die Verknüpfung zur Datenquelle nicht automatisch, werden Sie aufgefordert, den Speicherort der Datenquelle aufzurufen.

1.1.7 Seriendruckfelder einfügen

Fügen Sie die Seriendruckfelder ein, um Empfängerinnen und Empfänger Ihres Schreibens persönlich anzusprechen:

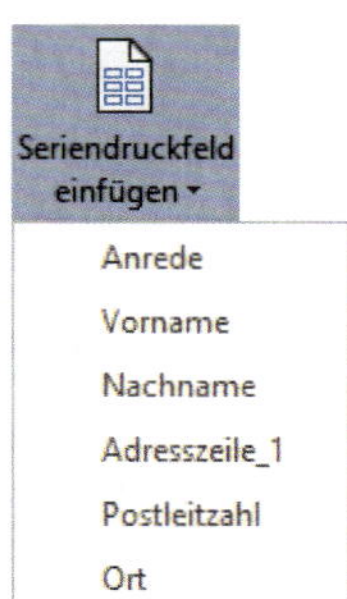

- Serienbrief Hauptdokument
- Einfügemarke an die Position stellen, wo Sie ein Seriendruckfeld einfügen möchten
- SENDUNGEN – SCHREIB- UND EINFÜGEFELDER – SERIENDRUCKFELD EINFÜGEN
- Felder auswählen

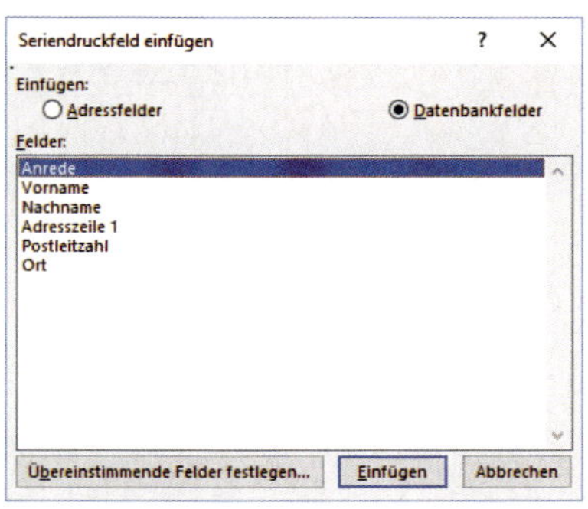

Sie können auch auf die Schaltfläche SERIENDRUCKFELD EINFÜGEN klicken und die Seriendruckfelder mittels Doppelklick auf ein Feld einfügen.

Seriendruckfelder können formatiert werden. Setzen Sie Leerzeichen dazwischen, wenn Sie mehrere nebeneinander einfügen.

1.1.8 Seriendruckfelder anzeigen, bearbeiten und löschen

Ansicht ohne Feldfunktion
«Anrede»

Ansicht mit Feldfunktionen
Alt + F9
{MERGEFIELD "Anrede"}

Seriendruckfelder werden mit Spitzklammern (Chevrons) eingefügt. Mit einem Klick darauf werden sie hellgrau hinterlegt. Seriendruckfelder hervorheben:

- SENDUNGEN – SCHREIB- UND EINFÜGEFELDER – SERIENDRUCKFELDER HERVORHEBEN

Achten Sie beim Formatieren von Seriendruckfeldern darauf, dass Sie die Spitzklammern mitmarkiert haben.

Seriendruckfelder löschen Sie, indem Sie das gesamte Feld inklusive Spitzklammern entfernen.

1.1.9 Adressblock verwenden

Die Funktion ADRESSBLOCK ermöglicht das rasche Einfügen einer Adresse in einen Serienbrief.

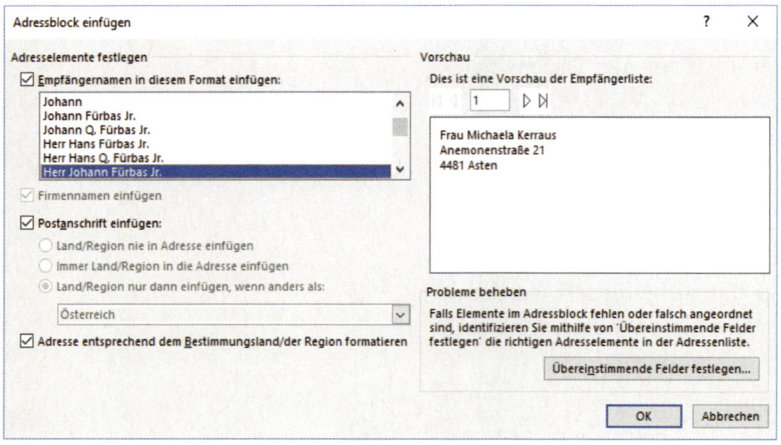

- An die Einfügeposition stellen
- SENDUNGEN – SCHREIB- UND EINFÜGEFELDER – ADRESSBLOCK
- Vorschläge bei EMPFÄNGERNAMEN IN DIESEM FORMAT EINFÜGEN ansehen und in der Vorschau kontrollieren
- Vorschlag auswählen
- OK

Ist kein passender Vorschlag angeführt, wählen Sie
- ÜBEREINSTIMMENDE FELDER FESTLEGEN...
- Bestimmen Sie, welche Felder zur Postanschrift hinzugefügt oder gelöscht werden sollen

1.1.10 Grußzeile verwenden

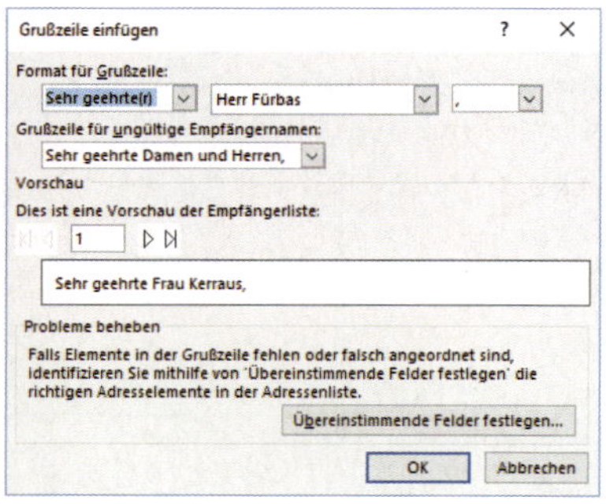

Möchten Sie eine geschlechtsspezifische Anrede erstellen, können Sie sie mit der Schaltfläche GRUSSZEILE einfügen. Die Voraussetzung dafür ist jedoch ein Seriendruckfeld, aus dem hervorgeht, ob es sich um einen Herrn oder eine Frau handelt.

- An die Einfügeposition stellen
- SENDUNGEN – SCHREIB- UND EINFÜGEFELDER – GRUSSZEILE
- Anredeformat auswählen und in der Vorschau kontrollieren
- OK

1.1.11 Vorschau – Ergebnisse

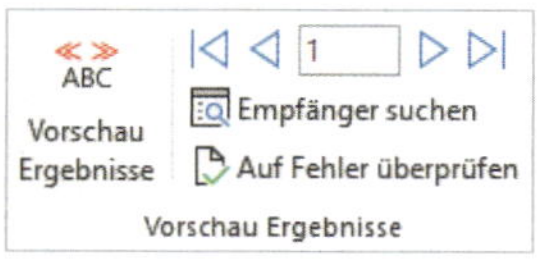

Sie können sich die Vorschau Ihres Serienbriefes im Hauptdokument ansehen, um Fehler vor dem Zusammenführen zu korrigieren.

- SENDUNGEN – VORSCHAU ERGEBNISSE – VORSCHAU ERGEBNISSE
- Anstelle Ihrer Seriendruckfelder werden die Daten aus der Adressliste angezeigt
- Mit den Navigationsschaltflächen können Sie zum nächsten Datensatz und wieder zurückspringen

1.1.12 Auf Fehler überprüfen

Bevor Sie Ihr Hauptdokument mit den Adressen verbinden, können Sie die automatische Fehlerüberprüfung durchführen. Diese simuliert die Zusammenführung.

- SENDUNGEN – VORSCHAU ERGEBNISSE – AUF FEHLER ÜBERPRÜFEN
- Die Zusammenführung wird simuliert, eventuell auftretende Fehler werden aufgezeichnet
- Korrigieren Sie die Fehler, bevor Sie weiterarbeiten

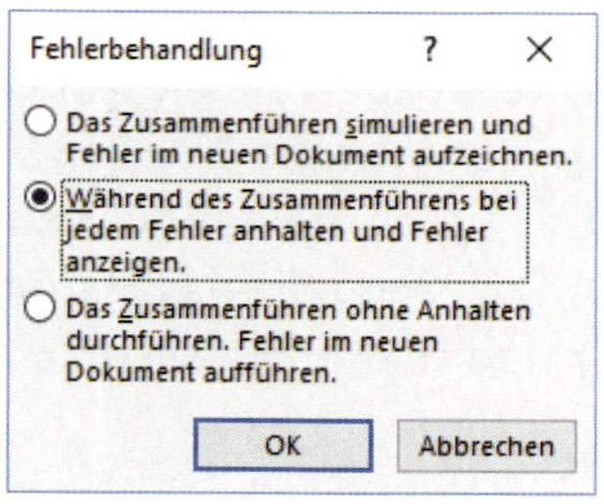

1.1.13 Seriendruck fertigstellen und zusammenführen

Ihren fertigen Serienbrief können Sie in einem neuen Dokument öffnen, an den Drucker senden oder per E-Mail versenden.

- SENDUNGEN – FERTIG STELLEN – FERTIG STELLEN UND ZUSAMMENFÜHREN

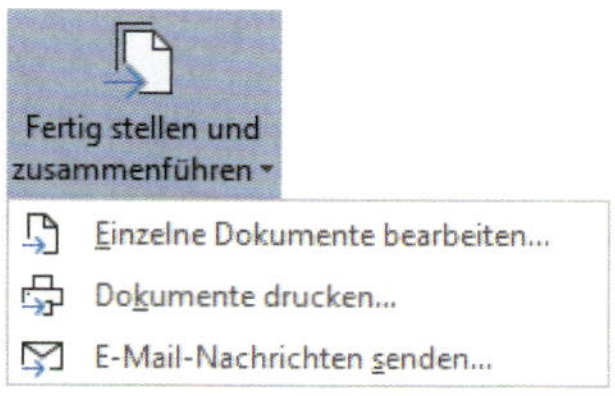

Seriendruck in neues Dokument

Wenn Sie diese Option wählen, erscheint ein Dialogfeld, in dem Sie auswählen, ob Sie den Serienbrief mit allen Datensätzen, nur mit dem aktuell ausgewählten oder von … bis erstellen möchten.

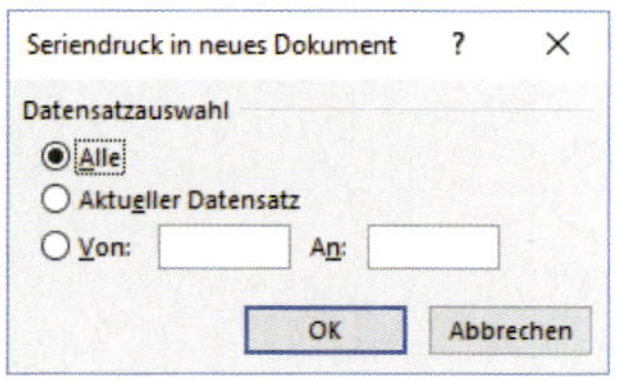

Die Lösung sieht wie ein normales WORD-Dokument aus. Es ist keine Datenquelle verbunden.

Seriendruck an Drucker senden

Sie können Ihren fertigen Serienbrief direkt an den Drucker senden.

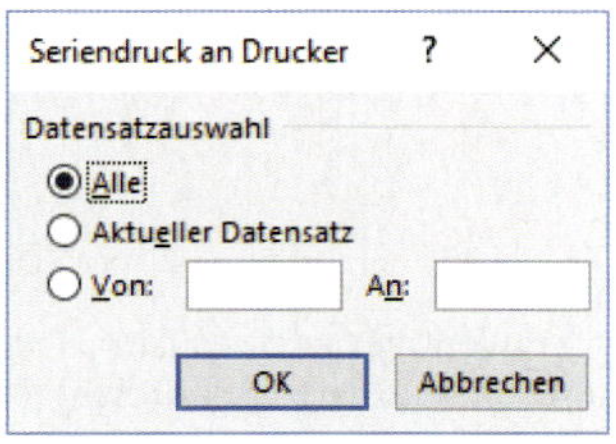

Seriendruck per E-Mail senden

Wenn Sie eine E-Mail-Adresse in der Datenquelle angegeben haben, können Sie den fertigen Serienbrief sofort an Ihre E-Mail-Kontakte versenden.

- Seriendruckfeld im Listenfeld bei Zu auswählen
- Gegebenenfalls Betreff in die BETREFFZEILE eingeben
- E-MAIL-FORMAT auswählen
- DATENSATZAUSWAHL treffen
- OK

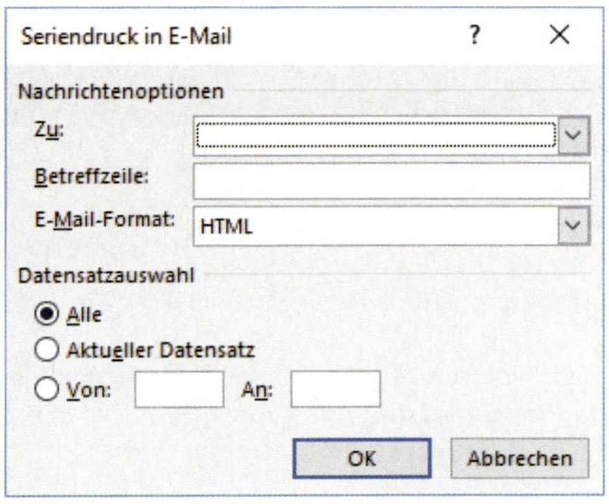

Kontrollieren Sie den Serienbrief auf Fehler, bevor Sie den Brief per E-Mail versenden. Sobald Sie auf OK klicken, wird der Brief verschickt.

Übungen

1. Seriendruckfelder einfügen und Serienbrief fertigstellen

a) Öffnen Sie das Dokument **Lutz HD.docx.**
b) Fügen Sie die Seriendruckfelder für die Empfängeranschrift ein.
c) Fügen Sie die persönliche Anrede mithilfe der Grußzeile ein.
d) Kontrollieren Sie Ihren Serienbrief in der Vorschau.
e) Führen Sie die Datenquelle mit dem Hauptdokument zusammen.
f) Speichern Sie das neue erstellte Dokument, die Lösung, unter **Lutz SD.docx.**

«Anrede»
«Vorname» «Nachname»
«Adresszeile 1»
«Postleitzahl» «Ort»

2. Serienbrief erstellen

a) Erstellen Sie einen Serienbrief in einem neuen Dokument.
b) Verwenden Sie die Adressliste **Actioncamp Adr.mdb.**
c) Fügen Sie die Empfängeranschrift als Adressblock und die persönliche Anrede mit der Grußzeile ein.
d) Drucken Sie das Hauptdokument aus.
e) Speichern Sie das Hauptdokument unter **Actioncamp HD.docx.**
f) Speichern Sie den zusammengeführten Serienbrief unter **Actioncamp SD.docx.**

ActionCamp Oberpullendorf

Hauptstraße 14 ◆ 7350 OBERPULLENDORF ◆ ÖSTERREICH/AUSTRIA
Tel.: +43 2612 423 23-0 ◆ Fax: +43 2612 423 24
E-Mail: office@actioncamp.at ◆ Internet: www.actioncamp.at

«Firmenname»
«Adresszeile_1»
«Postleitzahl» «Ort»

Name: Sonja Hoster
Telefon: +43 2612 523 23-4
E-Mail: hoster@actioncamp.at

Datum: ...-03-01

Die Klassengemeinschaft stärken

«Anrede»

verbringen Sie mit Ihren Schülerinnen und Schülern ein paar Tage im schönen Burgenland. Bei Schulveranstaltungen sollen die pädagogischen Aspekte sowie der Spaß nicht zu kurz kommen. Deshalb bieten wir für Schulen drei Klassenprogramme an. Diese wurden von Sportlerinnen und Sportlern und Freizeitpädagoginnen und -pädagogen speziell für Jugendliche im Alter zwischen 14 und 19 Jahren ausgearbeitet.

Programm	Dauer	Anzahl der Schüler/innen
Seid ihr stark genug?	1 Woche	Max. 30
Geht an die Grenzen!	2 – 4 Tage	Max. 25
Bewegt euch!	1 Woche	Max. 28

Details zu den einzelnen Programmen sowie die Kosten finden Sie in der beiliegenden Broschüre.

Die Programme können auch individuell geändert und an die derzeitige Klassensituation angepasst werden. Die Planung sowie die Umsetzung übernehmen gerne wir. Setzen Sie sich einfach mit uns in Verbindung.

Wir freuen uns, Sie und Ihre Klasse begrüßen zu dürfen.

Freundliche Grüße

ActionCamp Oberpullendorf

i. A. Sonja Hoster

1 Broschüre

BKS Oberpullendorf ◆ BIC: BKSOPBGI ◆ IBAN AT78 1700 0000 0541 2879 ◆ UID: ATU14714714 ◆ FN 1254789 b

Sarah hat das Design Fundament und die Farben Grün verwendet. Den Absender hat sie mit einem Textfeld formatiert.

1.1.14 Seriendruckfelder im Brieftext einfügen

Seriendruckfelder können nicht nur für die persönliche Anrede und die Empfängeranschrift verwendet werden, sondern individuell in einen Brieftext eingebaut werden. Diese Funktionen werden vorwiegend für Direct Mailings genutzt. Sie können in Ihrer Datenquelle weitere Daten speichern, beispielsweise die Kundennummer, Mitglied seit, Jahresumsatz. Diese Kriterien können Sie nutzen, um die Kundinnen und Kunden persönlich anzusprechen. Beispiel: „Sie haben seit dem Jahr 2017 nicht mehr bei uns eingekauft."

SA

Direct Mailings sind Dokumente, die vom Unternehmen direkt an die Kundin bzw. an den Kunden gesendet werden.

Textdesign

Übung

- **Direct Mailing erstellen**

a) Erstellen Sie ein Direct Mailing als Serienbrief in einem neuen Dokument im Design Rückblick oder verwenden Sie die Vorlage **Styriahome_v.dotx.**
b) Logo Absender: Fülleffekt Struktur Walnuss, Schriftgrößen 22 und 10 Punkt.
c) Textgestaltung: Schriftgrößen 9 und 11 Punkt.

Absender:	**Styriahome GmbH** Burgfried 102 | 8342 GNAS | ÖSTERREICH/AUSTRIA Telefon +43 3151 52 89-0 | Fax +43 3151 52 90 E-Mail office@styriahome.at | Internet www.styriahome.at
Empfänger:	Herr Alfred Köster, Neutorgasse 81, 8010 Graz, E-Mail Herr Fatih Güner, Raning 9, 8342 Gnas, Fax Frau Samira Helml, Friedhofweg 30, 8345 Straden, Telefon Herr Markus Krieger, Brunnenstraße 26, 8344 Bad Gleichenberg, E-Mail Frau Andrea Schausberger, Stefansberg 34, 8083 St. Stefan/Rosental, E-Mail
Bezugszeichen:	....-03-17, st-my, Yvette Mayrwöger, +43 3151 52 89-35, mayrwoeger@styriahome.at
Betreff:	**Ihr Katalog zum Wunschhaus**
Anlage Gestaltungsvorschlag von Sarah	Katalog
Am Ende der Seite	**Alles aus einer Hand** **Planung – Durchführung – Montage** Zentriert, 24 Punkt, Texteffekt Füllung – Braun, Akzent 4; Sanfte Abschrägung
Weitere Firmeninformationen:	Raiffeisenbank Gnas | BIC RZSTAT00 | IBAN AT68 3810 0000 0432 5100 | UID-Nr. ATU44710236 | Landesgericht Leibnitz |FN 521478 b

Briefinhalt: Passende Anrede! Vielen Dank für Ihre Kataloganfrage per «Anfrage». Sie halten Ihr persönliches Exemplar nun in Händen und wir wünschen Ihnen viel Freude beim Durchsehen. Für nähere Informationen stehen wir Ihnen jederzeit zur Verfügung. / Gerne laden wir Sie zu einem unverbindlichen, kostenlosen Erstgespräch ein, um all Ihre Fragen zu beantworten. / Unsere Baufamilienabende haben sich bewährt. Erfahren Sie mehr rund um das Bauen mit Holz und stellen Sie die Fragen, die Sie schon längst beantwortet haben wollen. Melden Sie sich gleich dafür an. Der nächste Abend findet bereits am 18. April statt. Freundliche Grüße

d) Fügen Sie die Empfängeranschrift und die Briefanrede sowie das im Briefinhalt passende Seriendruckfeld ein.
e) Kontrollieren Sie die Serienbriefe und drucken Sie sie aus.
f) Speichern Sie das Hauptdokument unter **Styriahome HD.docx.**
g) Speichern Sie die Adressen unter **Styriahome Adr.mdb.**
h) Speichern Sie das zusammengeführte Dokument unter **Styriahome SD.docx.**

1.1.15 Adressliste bearbeiten

EXCEL-Dateien bearbeiten Sie, indem Sie die Liste in EXCEL öffnen und die Datensätze ändern und speichern. Die Daten werden automatisch im Hauptdokument aktualisiert. Im fertigen Serienbrief werden diese Änderungen nicht wirksam.

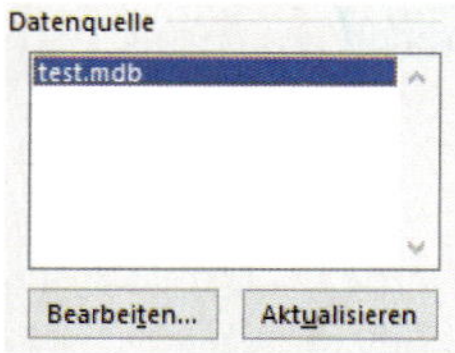

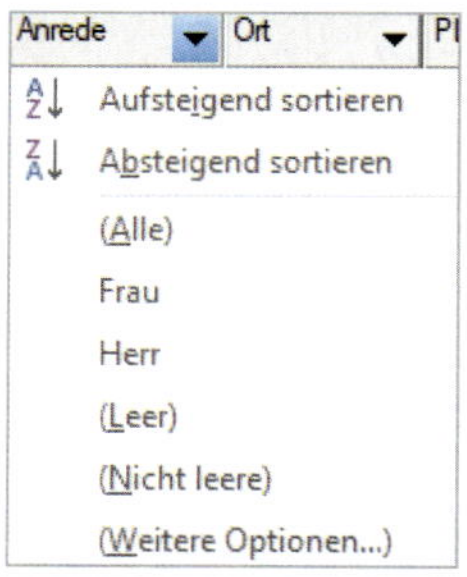

Mdb-Adressliste

- SENDUNGEN – SERIENDRUCK STARTEN – EMPFÄNGERLISTE BEARBEITEN
- Links unten den Dateinamen markieren
- BEARBEITEN...
- Änderungen durchführen und speichern

Neuer Eintrag	Ein neuer Datensatz wird hinzugefügt.
Eintrag löschen	Der markierte Datensatz wird gelöscht.
Suchen...	Einträge können gesucht werden.
Spalten anpassen...	Fügen Sie Felder hinzu, löschen Sie sie oder benennen Sie sie um.

Übung

- **Adressliste bearbeiten**

a) Öffnen Sie das Dokument **Styriahome HD.docx.**
b) Fügen Sie zwei neue Empfänger in die Adressliste ein:
  - Herr Norbert Freller, Buchwallner Weg 7, 8093 Draschen, Telefon;
  - Frau Carolina Stoiß, Teichweg 21, 8324 Schönberg, E-Mail.
c) Löschen Sie den ersten Eintrag.
d) Korrigieren Sie den Nachnamen von »Helml« auf »Helml-Böhm«.
e) Sortieren Sie die Empfängerinformationen nach dem Nachnamen aufsteigend.
f) Speichern Sie alle Änderungen.

1.2 Serienmails

WORD bietet die Möglichkeit, Serienbriefe per E-Mail zu versenden. Die E-Mail-Adressen können aus den OUTLOOK-Kontakten oder aus einer eigenen Liste verwendet werden.

1.2.1 Serienmail verfassen und OUTLOOK-Kontakte einbinden

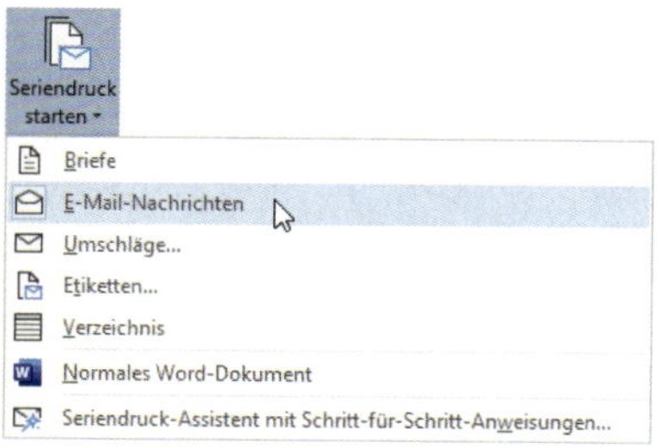

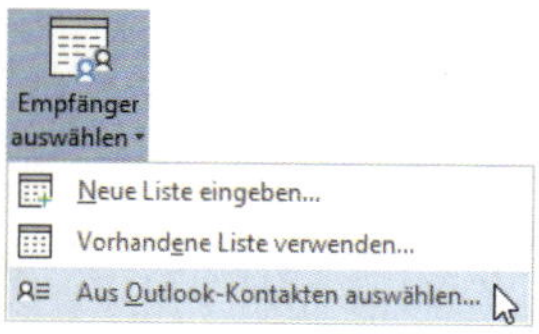

- SENDUNGEN – SERIENDRUCK STARTEN – SERIENDRUCK STARTEN – E-MAIL-NACHRICHTEN
- Die Ansicht in WORD ändert sich auf die WEBLAYOUT-Ansicht
- Text für die E-Mail-Aussendung verfassen und formatieren
- Empfänger auswählen: SENDUNGEN – SERIENDRUCK STARTEN – EMPFÄNGER AUSWÄHLEN – AUS OUTLOOK-KONTAKTEN AUSWÄHLEN...
- Kontakteordner zum Importieren auswählen
- Im Dialogfeld SERIENDRUCKFELD EINFÜGEN die Kontakte bestimmen, an die die Serienmail gesendet werden soll

1.2.2 Serienmail senden

- SENDUNGEN – FERTIG STELLEN – FERTIG STELLEN UND ZUSAMMENFÜHREN – E-MAIL-NACHRICHTEN SENDEN...
- Betreff eingeben
- Datensätze auswählen
- OK

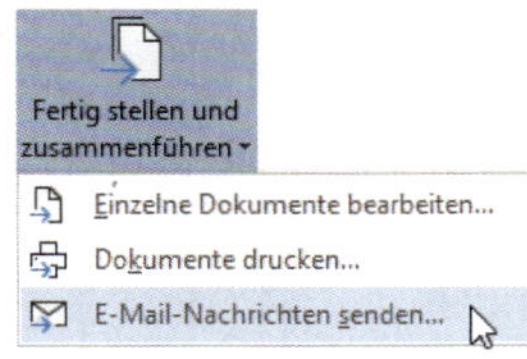

Die E-Mail wird nun an alle ausgewählten OUTLOOK-Kontakte verschickt.

Verwenden Sie dazu das vordefinierte Feld E-MAIL-ADRESSE.

Hinweise zum Versenden von Serienmails

- Die E-Mail kann als fertige Nachricht vor dem Senden nicht mehr kontrolliert werden.
- Die E-Mail kann nur bei aktiver Internetverbindung gesendet werden.
- Wählen Sie ein passendes E-Mail-Format für Ihr Serienmail aus: Text-E-Mails eignen sich sehr gut, da HTML-Formate oftmals nicht korrekt angezeigt werden können. Möchten Sie dennoch einen Brief mit Bildern und aufwendiger Formatierung versenden und möchten, dass die Formatierung ordnungsgemäß angezeigt wird, erstellen Sie den Brief im PDF-Format und senden Sie ihn als Anlage.
- Wählen Sie einen aussagekräftigen Betreff.
- Beachten sie auch die gesetzlichen Regelungen.

Auszug aus dem Telekommunikationsgesetz:
§ 107 (2) Die Zusendung einer elektronischen Post – einschließlich SMS – ist ohne vorherige Einwilligung des Empfängers unzulässig, wenn die Zusendung zu Zwecken der Direktwerbung erfolgt.

§ 107 Telekommunikationsgesetz 2003
www.ris.bka.gv.at

1.2.3 E-Mail-Adresse aus Datenquelle verwenden

Sie können Serienmails an E-Mail-Adressen versenden, die Sie in die Datenquelle eingegeben haben.

- Im Dialogfeld SERIENDRUCK IN E-MAIL – ZU: – das Seriendruckfeld auswählen, in dem die E-Mail-Adresse eingetragen ist

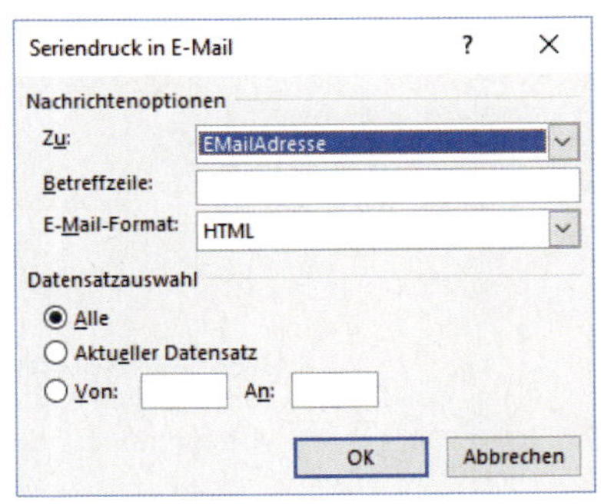

Übung

- **Serienmail erstellen und versenden – 25 min**
  a) Erfassen Sie in einer Datenquelle die Namen und E-Mail-Adressen Ihrer Mitschülerinnen und Mitschüler.
  b) Speichern Sie die Datenquelle unter **Party Adr.xlsx.**
  c) Gestalten Sie eine persönliche Einladung zu einer Party (Geburtstag, Silvester, Fasching, Sommerfest ...).
  d) Fügen Sie in die Einladung die Seriendruckfelder für den Namen ein.
  e) Speichern Sie die Einladung unter **Party SM.docx.**
  f) Senden Sie die Einladung an alle Ihre Mitschülerinnen und Mitschüler.

Serienmails werden direkt aus dem Dokument versendet, d. h. es gibt keine zusammengeführte Datei (Lösungsdatei).

Ziele erreicht? – „Seriendokumente – Grundlagen“

KOMPETENZ-ERWERB

1. Serienbrief erstellen

a) Erstellen Sie ein Direct Mailing als Serienbrief in einem neuen Dokument im Standarddesign Office.

b) Verwenden Sie für den Absender die Grafik **Exquizit1.png.**

Event Partner Austria
Kulturservice AG
Kwizdastraße 11 | 2100 Korneuburg
Telefon: +43 2262 64 827 | **Ticket Line: 0820 820 606**
E-Mail: office@eventpartner.at | Internet: www.eventpartner.at

event partner AUSTRIA

Unser Zeichen: EP-mac

«Anrede»
«Vorname» «Nachname»
«Adresszeile_1»
«Postleitzahl» «Ort»

Name: Christoph Macher
Telefon: +43 2262 827-66
E-Mail: mac@eventpartner.at

Datum: ....-04-16

exQUIZit – das kriminelle Dinnerquiz

«Anrede»

Sie möchten einen formidablen Abend der Extraklasse genießen? Avec plaisir! Hier ist die neue und außergewöhnliche Art einen Spieleabend zu genießen.

Die Zutaten: Raffinierte Quizfragen, interaktiv per iPad serviert. Garniert mit formidablen Showeinlagen. Vollendet abgerundet durch ein exklusives Menü. E voilà. So köstlich haben Sie sich bestimmt noch nie amüsiert.

Pfiffigkeit und Hausverstand sind gefragt. Très bien! Sie können nur brillieren – aber sich niemals blamieren. Denn Sie spielen unter einem Pseudonym. Miteinander, gegeneinander oder im Team. Ganz wie es Ihnen schmeckt ... pardon, gefällt.

Besuchen Sie uns auf unserer Webseite **www.exquizit.at.**

Freundliche Grüße nach «Ort»

i. A. ...

Übersetzungstipps

Avec plaisir!	Mit Vergnügen!
Formidable	Toll
E voilà	Bitte sehr
Très bien	Sehr gut

c) Verwenden Sie die Adressliste **Exquizit Adr.mdb.**
d) Fügen Sie die Seriendruckfelder für die Empfängeranschrift ein.
e) Erstellen Sie die persönliche Anrede mithilfe der Grußzeile.
f) Fügen Sie das im Brieftext benötigte Seitendruckfeld ein.
g) Speichern Sie den Serienbrief unter **Exquizit HD.docx.**
h) Führen Sie die Adressen mit dem Hauptdokument zusammen und kontrollieren Sie die Lösung.
i) Speichern Sie die Lösung unter **Exquizit SD.docx.**
j) Speichern Sie das Hauptdokument als Vorlage unter **Exquizit_v.dotx.**

2. Serienbrief mit Stichwörtern erstellen und per E-Mail versenden

a) Erstellen Sie ein Direct Mailing als Serienmail mit Stichwörtern in einem neuen Dokument in einem Design Ihrer Wahl.
b) Gestalten Sie den Absender mit Formatierungs- und Gestaltungselementen eigener Wahl.

Absender:	JUNA GmbH, Stahldesign, Fasanenweg 20, 7100 VÖLKERMARKT, ÖSTERREICH/AUSTRIA, Tel. +43 4232 25 78-0, Fax +43 4232 25 79, E-Mail: office@junastahl.at, Internet: www.junastahl.at
Bezugszeichen:	....-02-27, ju-ame, Elvira Amminger, +43 4232 25 78-19, amminger@junastahl.at
Betreff:	**Angebot – Catering**
Weitere Firmen-informationen:	Hypo Alpe-Adria Bank, BIC HAABAT2K, IBAN AT36 5200 0000 1145 2367 Firmenbuchgericht Völkermarkt, FN 27156 a, UID ATU77458928
Briefinhalt: Persönliche Anrede! Unsere Firma feiert ihr 50-jähriges Bestandsjubiläum. Dazu benötigen wir ein dreigängiges Menü in Buffetform und ersuchen daher um eine unverbindliche Angebotslegung: / Datum: 30. Mai .... um 19:30 Uhr / Ort: Veranstaltungszentrum K3 in St. Kanzian am Klopeiner See / Anzahl: 100 Personen / Bitte senden Sie uns ebenso Speisenvorschläge. Wäre es auch möglich, die Getränke von Ihnen zu beziehen? / Im Voraus vielen Dank für Ihr Angebot. Freundliche Grüße	

c) Verwenden Sie die Adressliste **Juna Adr.xlsx.**
d) Fügen Sie die Seriendruckfelder für die Empfängeranschrift und die Grußzeile ein.
e) Kontrollieren Sie die Serienbriefe in der Vorschau.
f) Senden Sie die Serienbriefe an die E-Mail-Adressen.
g) Speichern Sie das Serienmail unter **Juna SM.docx.**
h) Speichern Sie das Hauptdokument zusätzlich als Vorlage unter **Juna_v.dotx.**

3. Direct Mailing erstellen

a) Erstellen Sie ein Direct Mailing als Serienbrief oder verwenden Sie die Vorlage **Schnell_v.dotx.**
b) Gestalten Sie den Brief mit Formatierungs- und Gestaltungselementen eigener Wahl.

Absender:	Zweirad Schnell, Kög 16, 6600 REUTTE, ÖSTERREICH/AUSTRIA, +43 5672 723 14-0, office@zweiradschnell.at
Bezugszeichen:	12. April ...., Judith Schnell, jschnell@zweiradschnell.at, +43 5672 723 14-6
Betreff:	**Einladung zum Jahresservice**
Weitere Firmen-informationen:	Sparkasse Reutte, IBAN: AT71 2050 9000 0012 7458, BIC SPREAT22, FN: 86012 w, UID-Nr.: ATU12345677

Briefinhalt: Passende Anrede! Ihr «Fahrzeug» mit dem Kennzeichen «Kennzeichen», das am «Zulassung» erstmals zum Verkehr zugelassen wurde, feiert bald Geburtstag, d. h., es muss zur Pickerlüberprüfung. / Ein guter Grund, viele wichtige Funktionen im Rahmen eines Jahresservices überprüfen zu lassen. Ein umfassender Servicecheck gibt Ihnen Gewissheit, dass Sie sich weiterhin zu 100 % auf Ihr Fahrzeug verlassen können. / Bitte vereinbaren Sie in unserem Büro unter der Telefonnummer 05672 723 14-14 einen Termin für die Begutachtung nach § 57a. / Wir wünschen Ihnen eine gute Fahrt! Freundliche Grüße

c) Erstellen Sie eine Adressliste mit folgenden Informationen und speichern Sie sie unter **Schnell Adr. mdb:**

Anrede	Vorname	Nachname	Adresszeile1	PLZ	Ort	Fahrzeug	Kennzeichen	Zulassung
Herr	Thomas	Seibert	Fernpassstraße 6	6600	Reutte	Moped	RE-2PCA	26. Mai 2017
Frau	Nora	Hofmeister	Wiesenweg 32	6600	Reutte	Microcar	RE-1AFL	24. Mai 2017
Herr	Jonas	Gstöttner	Weidasiedlung 79	6610	Hinterbichl	Motorrad	RE-528IR	12. Mai 2016
Herr	Moritz	Reisinger	Auweg 4	6671	Weißenbach am Lech	Moped	RE-2FEW	30. Mai 2018
Frau	Emma	Moser	Nesselwängle 101	6672	Nesselwängle	Motorrad	RE-2BPO	15. Mai 2018

d) Fügen Sie im Brieftext die benötigten Seriendruckfelder ein.
e) Erstellen Sie die Empfängeranschrift mit dem Adressblock.
f) Erstellen Sie eine Grußzeile für die persönliche Anrede.
g) Speichern Sie das Hauptdokument unter **Schnell HD.docx.**
h) Führen Sie die Adressen 1 bis 3 mit dem Hauptdokument zusammen.
i) Speichern Sie das zusammengeführte Dokument unter **Schnell SD.docx.**
j) Drucken Sie das Hauptdokument aus.

Einen interaktiven **Safety-Check** finden Sie in der TRAUNER-DigiBox.

Textdesign

2 Fortgeschrittene Seriendruckfunktionen

Ali wurde beauftragt, die Einladungen für die Projektpräsentation zu erstellen. Dabei stellt er fest, dass manche der eingeladenen Personen einen akademischen Grad, Mastergrad oder verliehenen Titel haben. Um den Serienbrief rationell erstellen zu können, beschließt er, sich die entsprechenden Regeln anzueignen.

FILM AB!

Zur Vorbereitung auf diese Kapitel können Sie sich das Video unter www.trauner.at/aim_v7.aspx ansehen.

KOMPETENZ-ERWERB

Meine Ziele

Nach Bearbeitung dieses Kapitels kann ich

- akademische Grade, Mastergrade und verliehene Titel einfügen;
- Regeln gezielt einfügen;
- Wenn... Dann... Sonst...-Bedingungen erstellen;
- eine Empfängeranschrift mit Bedingungen einfügen;
- eine persönliche Briefanrede mit akademischen Graden und verliehenen Titeln erstellen;
- die Daten aus einer ACCESS-Datenbank verwenden und bearbeiten;
- Etiketten erstellen;
- Umschläge bzw. ein Verzeichnis erstellen;
- Seriendokumentvorlagen erstellen;
- eigenständig eine Datenbank sowie einen Serienbrief mit Bedingungen erstellen.

2.1 Regeln im Seriendruck erstellen

Seriendokumente haben Sie bereits kennengelernt und erstellt. Oftmals ist es notwendig, Textbausteine die austauschbar sind bzw. sich von Person zu Person individuell verändern, in einen Brieftext einzubinden. Dazu gibt es in WORD Regeln, die für Seriendruckfelder oder variable Briefpassagen verwendet werden können.

Die am häufigsten verwendete Regel ist die **Wenn... Dann... Sonst...** .

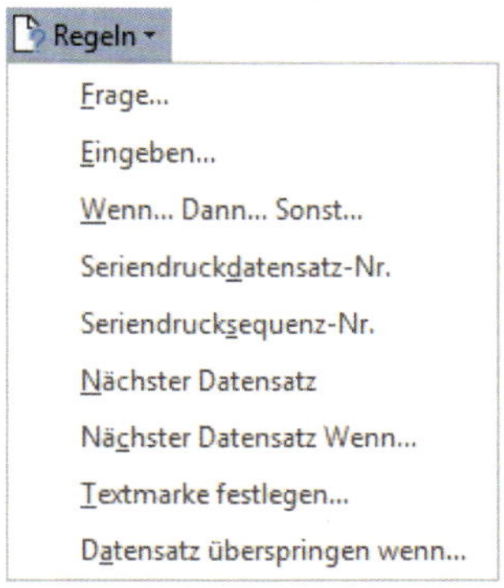

Regeln im Seriendruck

Befehl	Erklärung	Beispiel
FRAGE... EINGEBEN...	Ermöglicht die Abfrage und die Eingabe von Informationen, die nicht in der Datenquelle gespeichert sind. Beide Felder haben die gleiche Funktion. Der wesentliche Unterschied besteht darin, dass der Text mit der EINGEBEN...-Funktion direkt im Dokument angezeigt wird. Über die FRAGE...-Funktion wird der Text einer Textmarke zugewiesen.	Bei monatlichen Einladungen zu einem Meeting wird die Vorlage angefertigt und mithilfe des Frage-Feldes werden das Datum und die Uhrzeit des Meetings abgefragt. Mithilfe des Eingeben-Feldes werden das Datum und die Uhrzeit eingegeben. So kann die Vorlage immer wieder verwendet werden.

Befehl	Erklärung	Beispiel
Wenn... Dann... Sonst...	Mithilfe der Wenn... Dann... Sonst...-Funktion können Textpassagen oder Wörter individuell, jedoch automatisch, eingegeben werden. Es wird eine Bedingung geprüft. Ist sie wahr, wird der Text aus dem Feld Dann... eingefügt, ist die Bedingung falsch, wird der Text aus dem Feld Sonst... eingefügt.	Briefanrede: Sehr geehrter Herr bzw. sehr geehrte Frau. Wird der Brief an einen Herrn geschickt, soll geehrter, ansonsten geehrte angezeigt werden.
Datensatz zusammenführen	Ermöglicht das automatische Weiternummerieren von Datensätzen. Beginnend bei eins, wird die Zahl immer um eins erhöht.	Rechnungsnummern werden automatisch weiternummeriert.
Sequenz zusammenführen	Im Gegensatz zu Datensatz zusammenführen werden die Datensätze beim Filtern nicht neu nummeriert.	Rechnungsnummern werden automatisch weiternummeriert.
Nächster Datensatz	Der nächste Datensatz wird ohne Seiten- oder Abschnittswechsel eingefügt.	Wird bei Etiketten verwendet.
Nächster Datensatz Wenn...	Wenn die Bedingung erfüllt ist, wird der nächste Datensatz ausgegeben und ohne Seiten- oder Abschnittswechsel eingefügt.	Kann zum Erstellen einer Adressliste verwendet werden.
Textmarke festlegen...	Eine Textmarke wird bestimmt, auf die mit Feldfunktionen zugegriffen werden kann.	Rabattsätze, die händisch eingegeben werden müssen.
Datensatz überspringen Wenn...	Wenn eine Bedingung erfüllt ist, wird der Datensatz übersprungen und nicht ausgegeben.	Mahnungen: Wurde die Rechnung bereits bezahlt, wird die Mahnung nicht ausgedruckt.

Beim Filtern werden die Datensätze neu nummeriert.

2.1.1 Eingeben-Funktion (Fill in)

Mithilfe der Eingeben-Funktion können Sie Daten eingeben, die in der Datenquelle nicht gespeichert sind.

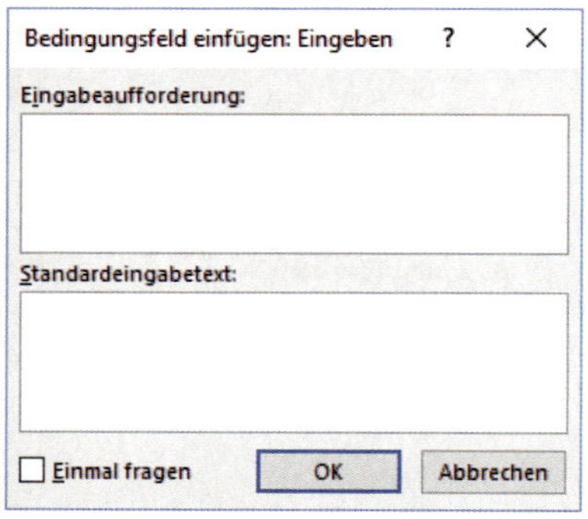

Fill-in-Felder werden in Kombination gerne im Seriendruck verwendet. Der Vorteil: Als Expertin/Experte können Sie eine mit Fill-in-Feldern erstellte Seriendruckvorlage an Dritte weitergeben. Die Bearbeiterin/Der Bearbeiter muss dabei den Serienbrief nicht so gut beherrschen, sie/er muss nur die Dialogfelder ausfüllen.

Stellen Sie die Einfügemarke an die Position, an der Sie einen Text eingeben möchten, der nicht in der Datenquelle vorhanden ist, und wählen Sie

- Sendungen – Schreib- und Einfügefelder – Regeln
- Eingeben...
- Fügen Sie in das Textfeld Eingabeaufforderung den Text ein, der angezeigt werden soll, z. B. geben Sie Ihr Geburtsdatum ein
- Fügen Sie in das Textfeld Standardeingabetext den Text ein, der vorgegeben ist und lediglich geändert werden soll, oder geben Sie Anweisungen, wie der Text einzugeben ist, z. B. Datum tt.mm.yyyy, ein; dieses Feld müssen Sie nicht ausfüllen

Das Eingeben-Feld funktioniert nur, wenn Sie eine Datenquelle ausgewählt haben. D. h. Sie benötigen eine Datenquelle, auch wenn Sie die Daten nicht aus der Datenquelle abrufen.

- EINMAL FRAGEN: Möchten Sie nicht bei jedem Datensatz gefragt werden, ob der Text eingefügt werden soll, aktivieren Sie das Kontrollkästchen; ansonsten wird der Text in allen Briefen eingefügt
- OK
- Das Dialogfenster erscheint – geben Sie hier Ihren Text, z. B. das Datum, ein
- OK

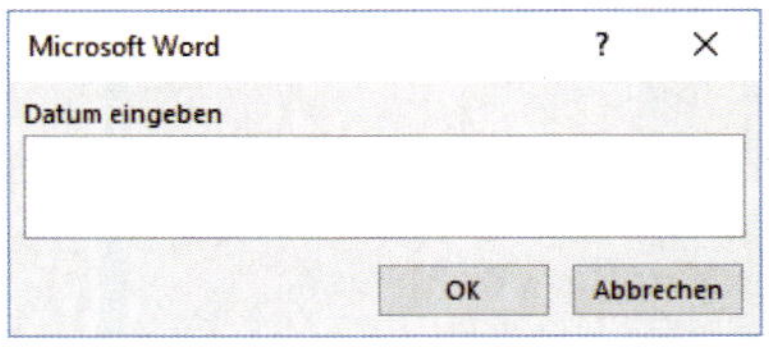

Ihr eingegebener Text steht nun im Hauptdokument. Wenn Sie den Seriendruck zusammenführen, werden Sie wieder aufgefordert, den Text einzugeben. Der Vorteil eines Eingeben-Feldes besteht darin, dass Sie eine Dokumentvorlage für den Seriendruck anlegen können und lediglich Teile aktualisieren.

Übung

- **Eingeben-Feld erstellen**

a) Öffnen Sie das Dokument **Tennis HD.docx.**
b) Legen Sie die Datenbank **Tennis Adr.accdb** als Datenquelle fest.
c) Fügen Sie die persönliche Anrede mit der Grußzeile ein.
d) Erstellen Sie neben den Leitwörtern Datum und Beginn die Regel EINGEBEN... Geben Sie bei der Eingabeaufforderung Datum »Geben Sie das Datum der Jahreshauptversammlung ein.« und bei Beginn »Geben Sie den Beginn der Jahreshauptversammlung ein.« ein. Wählen Sie einmal fragen.
e) Geben Sie in das Dialogfeld „Geben Sie das Datum der Jahreshauptversammlung ein." »30. März ....« und in das Dialogfeld „Geben Sie den Beginn der Jahreshauptversammlung ein." »19:00 Uhr« ein.
f) Führen Sie das Hauptdokument mit den Adressen zusammen.
g) Speichern Sie das zusammengeführte Dokument unter **Tennis SD.docx.**

Feldfunktion anzeigen
Alt + F9

2.1.2 Wenn... Dann... Sonst...-Bedingung

SA

Die Wenn... Dann... Sonst...-Regel prüft eine Bedingung. Ist sie wahr, wird der Wert, der im Feld „Dann" steht, wiedergegeben. Ist die Bedingung falsch, wird der Wert aus dem Feld „Sonst" verwendet.

```
{ IF { MERGEFIELD Anrede } = "Frau" "Kundin" "Kunde" }
                              Wenn    Dann     Sonst
```

Die Angaben für die Bedingung werden automatisch zwischen zwei Anführungszeichen gesetzt.

Diese Regel eignet sich hervorragend dazu, individuelle Textpassagen zu erstellen.

Erläuterung	Beispiele für veränderte Textpassagen
Alle Frauen werden mit „Kundin", alle Herren mit „Kunde" angesprochen.	Als **Kundin** unseres Hauses genießen Sie das ganze Jahr über viele Vorteile. Als **Kunde** unseres Hauses genießen Sie das ganze Jahr über viele Vorteile.
Alle Frauen werden mit „liebe", alle Herren mit „lieber" angesprochen. Das Geschenk ist ebenso geschlechterspezifisch.	Wir freuen uns, Ihnen, **liebe Frau** Maier, Ihr persönliches Weiterempfehlungsgeschenk – eine Flasche **Sekt** – übergeben zu dürfen. Wir freuen uns, Ihnen, **lieber Herr** Maier, Ihr persönliches Weiterempfehlungsgeschenk – eine Flasche **Wein** – übergeben zu dürfen.
Alle Ostösterreicherinnen und Ostösterreicher wenden sich an den Standort in Wien, alle Westösterreicherinnen und Westösterreicher an den Standort in Salzburg.	Bitte wenden Sie sich an unseren Standort in Wien. Bitte wenden Sie sich an unseren Standort in Salzburg.

Sehen Sie sich die Beispiele gut an und überlegen Sie, welches Feld Sie verwenden müssen, um die Wenn... Dann... Sonst...-Regel zu erstellen.

Operatoren bei Vergleich

- Gleich
- Ungleich
- Kleiner als
- Größer als
- Kleiner oder gleich
- Größer oder gleich
- Ist nicht leer
- Ist leer

Stellen Sie die Einfügemarke an die Position, an der Sie die Bedingung erstellen möchten.

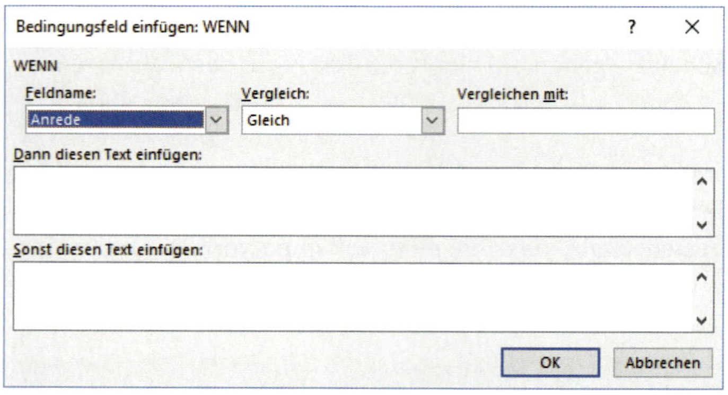

- SENDUNGEN – SCHREIB- UND EINFÜGEFELDER – REGELN
- WENN... DANN... SONST...
- Wählen Sie den FELDNAMEN aus, mit dem Sie prüfen möchten
- Wählen Sie einen Operator im Feld VERGLEICH aus
- Schreiben Sie in das Feld VERGLEICHEN MIT Ihren Vergleichstext
- Schreiben Sie in das Feld DANN DIESEN TEXT EINFÜGEN den Text, der ausgegeben werden soll, wenn die Prüfung wahr ist
- Schreiben Sie in das Feld SONST DIESEN TEXT EINFÜGEN den Text, der ausgegeben werden soll, wenn die Prüfung falsch ist

Wenn... Dann... Sonst...-Regeln der vorherigen Beispiele erstellen:

a) Alle Frauen werden mit „Kundin“, alle Herren mit „Kunde“ angesprochen.

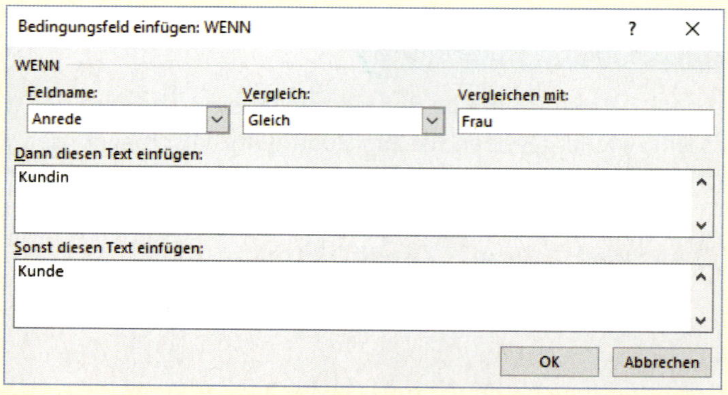

b) Alle Herren bekommen eine Flasche Wein, alle Frauen eine Flasche Sekt.

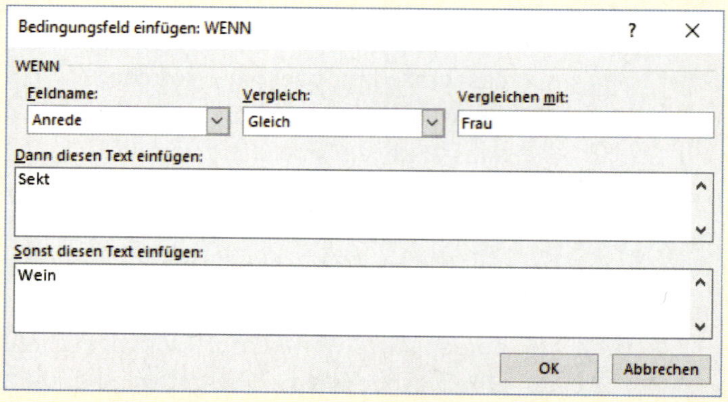

c) Alle Wienerinnen und Wiener, Niederösterreicherinnen und Niederösterreicher sowie Oberösterreicherinnen und Oberösterreicher wenden sich an den Standort in Wien, alle Bewohnerinnen und Bewohner der anderen Bundesländer wenden sich an den Standort in Salzburg.

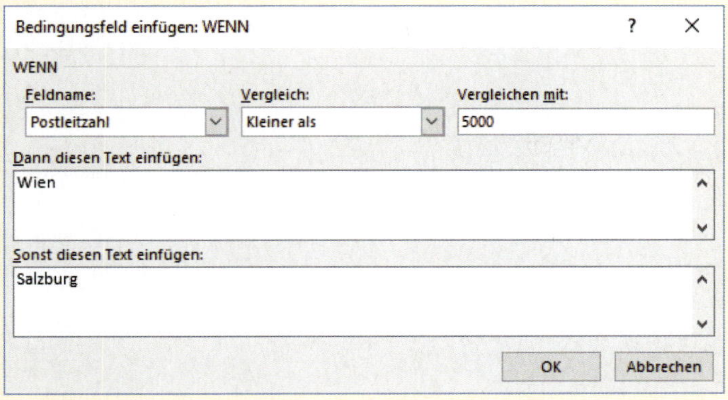

Denken Sie mit Ihrer Sitznachbarin/Ihrem Sitznachbarn die Wenn... Dann... Sonst...-Bedingung für die geschlechtsspezifische Briefanrede durch.

Textdesign

Übungen

1. Wenn... Dann... Sonst...-Bedingung für die Briefanrede erstellen

a) Erstellen Sie ein neues Dokument. Ali hat das Design Facette gewählt.
b) Gestalten Sie den folgenden Brief mit mehrzeiliger Zentrierung als Serienbrief-Hauptdokument.
c) Formatierungs- und Gestaltungselemente nach eigener Wahl.

Absender:	Tennisverein „Flinke Hände“, Obmann: Kurt Weingartner, Heimschuh 100, 8451 HEIMSCHUH, ÖSTERREICH/AUSTRIA, Telefon: +43 3452 82 70, E-Mail: flinke_haende@gmx.at
Datum:	15. Juni ....
Betreff:	**Einladung zum Sommerfest**
Weitere Firmeninformationen:	ZVR-Zahl 123456789, Sparkasse Heimschuh, IBAN AT05 2394 2000 0012 3212, BIC SPST2200
Briefinhalt: Briefanrede mit Bedingung! Wir laden Sie, Ihre Familie, Freundinnen und Freunde sehr herzlich zu unserem traditionellen Tennisfrühschoppen ein. / *Es folgt eine mehrzeilige Zentrierung* Sonntag, 8. Juli .... / 9:00 Uhr Feldmesse vor dem Vereinshaus / anschließend Frühschoppen mit den „Guad-drauf-Musikern“ / Moderation durch Gaudi-Traudi *Ende Zentrierung* / Wir verwöhnen Sie mit Steckerlfischen, Grillwürsteln, Koteletts und hausgemachten Mehlspeisen. / Für unsere kleinen Gäste haben wir eine Hüpfburg organisiert. Ein weiteres Highlight ist das Kinderschminken. / Auf Ihr Kommen freut sich das Organisationsteam. Sportliche Grüße	

d) Verwenden Sie die Adressliste **Sommerfest Adr.accdb.**
e) Gestalten Sie die Empfängeranschrift mit den Seriendruckfeldern.
f) Erstellen Sie die persönliche Briefanrede mit einer Wenn... Dann... Sonst...-Bedingung.

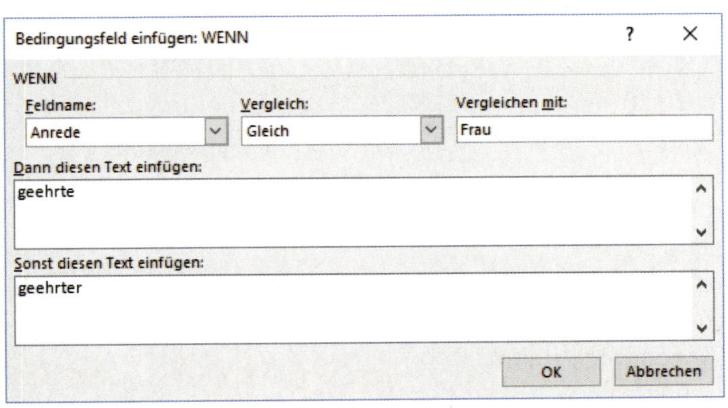

ZVR-Zahl = Zentrales Vereinsregister
Die ZVR-Zahl ist im Rechtsverkehr nach außen zu führen.

g) Speichern Sie das Hauptdokument unter **Sommerfest HD.docx.**
h) Führen Sie die Adressen mit dem Hauptdokument zusammen.
i) Speichern Sie das zusammengeführte Dokument unter **Sommerfest SD.docx.**
j) Drucken Sie das Dokument aus.

2. Wenn... Dann... Sonst...-Bedingung für die Briefanrede und im Brieftext erstellen
Gestalten Sie den folgenden Brief mit Absätzen als Serienbrief-Hauptdokument.

Wein- und Sektkellerei Walter Hirscher
Glanz 204, 8463 GLANZ AN DER WEINSTRASSE, ÖSTERREICH/AUSTRIA
Telefon +43 3454 70 26-0, Fax +43 3454 70 27
E-Mail office@hirscher-wein.at, Internet www.hirscher-wein.at

«Anrede»
«Vorname» «Nachname»
«Straße»
«Postleitzahl» «Ort»

7. März ....

Danke fürs Weiterempfehlen

Sehr geehrte «Anrede» «Nachname»!

Treue Kundinnen und Kunden sind wichtig für uns. Nicht nur, weil sie unsere Produkte gerne kaufen, sie empfehlen uns auch weiter. Dies stärkt uns in unserem Tun und Handeln. Somit wissen wir, dass sich unsere Arbeit lohnt.

Sie, liebe «Anrede» «Nachname», haben uns ebenso weiterempfohlen und dafür möchten wir uns mit einer Flasche Sekt bedanken. Diese können Sie gerne selbst bei uns abholen oder wir legen sie Ihrer nächsten Bestellung kostenlos bei.

Seit Ihrem letzten Besuch im Jahr «Jahr» hat sich Vieles getan. Im Jänner d. J. haben wir vier Exklusivzimmer neu errichtet und alle Winzerzimmer renoviert. Auch die neu gebaute Terrasse über den Weinreben lässt sich sehen. Details dazu entnehmen Sie dem beigelegten Prospekt.

Kommen Sie doch wieder einmal vorbei und überzeugen Sie sich selbst. Wir freuen uns auf Ihren Besuch.

Freundliche Grüße

Walter Hirscher jun.

1 Prospekt

Steiermärkische Sparkasse
IBAN: AT04 2965 8000 0000 6327
BIC: STSPOLSS
DVR-Nr.: 1111125

Firmenbuchgericht: Leibnitz
Firmenbuch-Nr.: FN 630021 b
UID-Nr.: ATU23201258
ARA-Nr.: 1222

Ali hat für diese Lösung das Design Fetzen verwendet.

a) Erstellen Sie die Adressliste **Hirscher Adr.mdb.**

Anrede	Vorname	Nachname	Straße	Postleitzahl	Ort	Jahr
Frau	Miriam	Gstöttner	Fridtjof-Nansen-Straße 2	9800	Spittal an der Drau	2014
Herr	Alvin	Seyer	Minorgasse 12	1140	Wien	2008
Frau	Stefanie	Mayerdorfer	Staudgasse 78	1180	Wien	2010
Herr	Roman	Dirnberger	Sebastian-Scheel-Straße 22/1	6020	Innsbruck	2012
Frau	Ivana	Korovac	Mühlweg 8	8332	Edelsbach	2010
Herr	René	Wagner	Adlerweg 34	8331	Widenwinkel	2011
Frau	Sabrina	Freiseder	Dornburggasse 9	7400	Oberwart	2016
Herr	Nico	Topolovic	Schafflerweg 20	8230	Unterlungitz	2012
Frau	Irina	Stolz-Pichler	Linzer Straße 74	4202	Hellmonsödt	2014

b) Fügen Sie das im Brieftext benötigte Seriendruckfeld ein.
c) Gestalten Sie im Brieftext zwei Wennbedingungen:
- ***Bedingung 1:** Bei einer Frau soll »liebe« und bei einem Herrn »lieber« eingefügt werden.
- ***Bedingung 2:** Alle Frauen erhalten eine Flasche Sekt, alle Herren eine Flasche Wein.

d) Gestalten Sie die Empfängeranschrift mit den Seriendruckfeldern.
e) Erstellen Sie die persönliche Anrede.
f) Speichern Sie das Hauptdokument unter **Hirscher HD.docx.**
g) Führen Sie die Datensätze 1 – 5 mit dem Hauptdokument zusammen.
h) Speichern Sie das zusammengeführte Dokument unter **Hirscher SD.docx.**
i) Drucken Sie das Dokument aus.

2.1.3 Regeln bei der Empfängeranschrift

Bisher haben Sie die Empfängeranschrift ohne akademische Grade, verliehene Titel und Mastergrade gelernt. In einer korrekten Empfängeranschrift sind sie anzuführen.

Beispiel

«Anrede» «Verliehener_Titel»
«Akademischer_Grad»«Vorname» «Nachname» «Mastergrad»
«Straße»
«Postleitzahl» «Ort»

Es werden immer alle vorhandenen Seriendruckfelder in der Empfängeranschrift verwendet, egal ob sie ausgefüllt sind oder nicht. Die Stelle bleibt dann leer.

Ein **Leerzeichen** wird **zwischen** der **Anrede** und dem **verliehenen Titel** gesetzt.

Zwischen dem **akademischen Grad** und dem **Vornamen** wird **kein Leerzeichen** gesetzt, hier wird eine WENN... DANN... SONST...-BEDINGUNG erstellt oder die Funktion FELD BEARBEITEN... verwendet.

Beispiel: Wenn... Dann... Sonst...-Bedingung für den akademischen Grad

Wenn im Seriendruckfeld «Akademischer_Grad» etwas eingetragen ist, dann soll ein Leerzeichen gesetzt werden, sonst nicht.

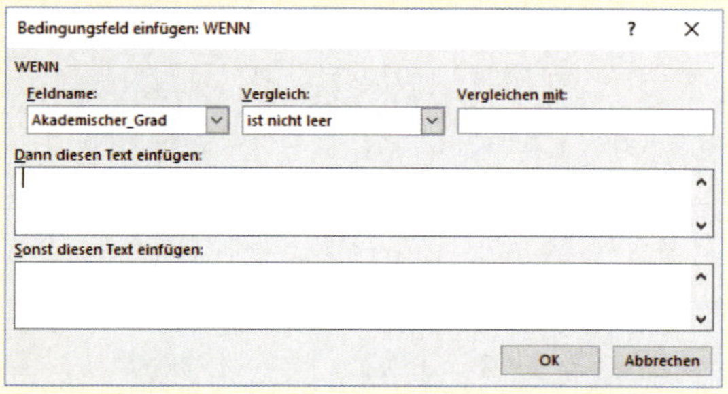

Beispiel: Feld bearbeiten beim akademischen Grad

- Kontextmenü im Feld «Akademischer_Grad»
- FELD BEARBEITEN...
- FELD AUSWÄHLEN – FELDNAMEN: MERGEFIELD
- In den FELDEIGENSCHAFTEN den Feldnamen kontrollieren, ob Akademischer_Grad
- FORMAT: SATZANFANG GROSS
- FELDOPTIONEN – DANACH EINZUFÜGENDER TEXT: aktivieren
- Leerzeichen im Textfeld setzen
- OK

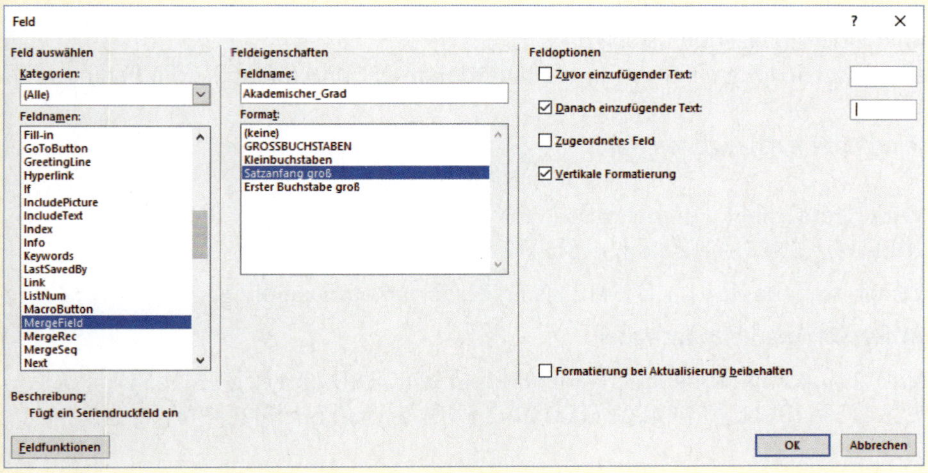

Bachelorgrade wie BSc, BEd, Mastergrade wie MSc, MAS und Doktorgrade wie PhD werden dem Nachnamen mit Leerzeichen nachgestellt.

Bachelor-, Master- und Doktorgrade werden wegen der einfacheren Lesbarkeit und Umsetzung in der EDV unter dem Begriff „Mastergrad" geführt.

Wenn Sie zwischen dem akademischen Grad und dem Vornamen ein Leerzeichen setzen, bleibt es auch erhalten, wenn es keinen akademischen Grad gibt. Standesbezeichnungen, wie Ing. und Diplomgrade, wie Dipl.-Päd. etc., können Sie im Feld «Akademischer Grad» einfügen.

Einfügemarke zwischen die Seriendruckfelder «Akademischer_Grad» und «Vorname» stellen.

Akademischer Grad mit Leerzeichen einfügen

- DANN DIESEN TEXT EINFÜGEN: Ein Leerzeichen setzen
- OK

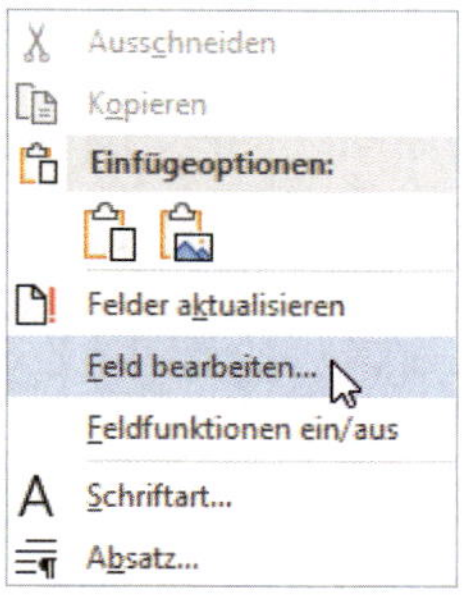

FILM AB!

Wie einfach und unkompliziert die Regeln bei der Empfängeranschrift eigentlich sind, sehen Sie im Video unter www.trauner.at/aim_v8.aspx.

Seriendruckfeld

{ MERGEFIELD Anrede }

Anstatt die Bedingung zu bearbeiten, ist es oftmals einfacher, sie zu löschen und neu zu erstellen.

Wenn... Dann... Sonst...-Bedingungen bearbeiten

Mit der Tastenkombination [Alt] + [F9] können Sie die Seriendruckfelder und Bedingungen ansehen und bearbeiten.

Wenn... Dann... Sonst...-Bedingung für das Leerzeichen beim akademischen Grad

{ IF { MERGEFIELD Akademischer_Grad }<> "" " " "" }

Stellen Sie die Einfügemarke an die Position, an der Sie korrigieren möchten, und geben Sie die Änderungen ein.

Übungen

1. Wenn... Dann... Sonst...-Bedingung für die Empfängeranschrift erstellen

a) Öffnen Sie das Dokument **Saft_v.dotx.**

b) Erstellen Sie eine Adressliste für die Empfängerinnen und Empfänger und speichern Sie sie unter **Saft Adr.accdb.**

Datensatz	Anrede	Verliehener_Titel	Akademischer_Grad	Vorname	Nachname
1	Frau	Kommerzialrätin		Sabine	Kuscher-Marx
2	Herr		Dr.	Johannes	Markart
3	Frau			Monika	Baierl
4	Herr		DI	Norbert	Niederhammer
5	Frau	Direktorin	Mag.	Renée	Schwingenschuh
6	Frau			Alma Mirjam	Husic

Datensatz	Mastergrad	Adresszeile 1	Postleitzahl	Ort
1		Raxstraße 52	1100	Wien
2	MSc	Waldweg 11	3482	Fels am Wagram
3	BEd	Schluiferstraße 49	6330	Kufstein
4		Abtenau 106	5441	Abtenau
5		Faserstraße 4	4860	Lenzing
6		Gallizien 60	9132	Gallizien

c) Fügen Sie die Seriendruckfelder für die Empfängeranschrift und die Wenn... Dann... Sonst...-Bedingungen ein und kontrollieren Sie die Anschriften in der Vorschau.

d) Ergänzen Sie die persönlichen Daten im Brief.

e) Speichern Sie das Dokument unter **Saft HD.docx.**

2. Feld bearbeiten-Funktion in der Empfängeranschrift anwenden

a) Erstellen Sie ein neues Dokument in einem passenden Design.

b) Gestalten Sie den folgenden Brief mit Aufstellung als Serienbrief-Hauptdokument und fügen Sie die Bedingungen ein.

c) Formatierungs- und Gestaltungselemente nach eigener Wahl.

Absender:	Auto Weidlinger GmbH, Hauptstraße 9, 5600 SANKT JOHANN IM PONGAU, ÖSTERREICH/AUSTRIA, Telefon: +43 6412 80 12-0, Fax: +43 6412 80 19
Bezugszeichen:	....-02-28, we-zo, Jana Zorn, +43 6412 80 12-12, zorn@auto-weidlinger.at
Betreff:	**Angebot für Sommerkompletträder**
Weitere Firmeninformationen:	Volksbank St. Johann, Firmenbuchgericht: St. Johann, UID-Nr.: ATU77412547, BIC: VBSBAT5A, IBAN: AT74 4501 0000 0123 5474, Firmenbuch-Nr.: FN 41254b

Briefinhalt: Ihr «Auto» braucht neue Sommerreifen? Mit unserem Angebot für Sommerkompletträder sind Sie bestens gerüstet. Ein Kontingent an Sommerreifen haben wir bereits disponiert. Dieses steht ab Mitte März für Sie bereit. / Alle Sommerreifen sind auf original VW-Leichtmetallfelgen montiert – auf Anfrage bieten wir Ihnen die Sommerreifen auch auf Stahlfelgen an.

Auto	**Reifen**	**Dimension**	**Preis je Stück**
Golf VII	Bridgestone Potenza S001	225/45 R17 91Y	239,00 €
Amarok	Bridgestone Turanza T005	255/55 R19 111V XL	519,00 €
Polo	Falken Ziex ZE-310EC	195/55 R16 91V XL	219,00 €
Touran	Pirelli Cinturato P7	215/55R 17 94W	349,00 €

Alle angegebenen Preise sind **Endpreise inkl. USt** und **Wuchten.** Für die Radmontage stellen wir 10,00 €/Rad (inkl. USt) in Rechnung. / Bei Interesse an unserem attraktiven Sommerkomplettrad-Angebot ersuchen wir um telefonische Terminvereinbarung für die Montage. / Freundliche Grüße und gute Fahrt

PS: Möchten Sie Ihre Winterreifen ***Bedingung 1** bei uns einlagern? ***Bedingung 2**

d) Fügen Sie das im Brieftext benötigte Seriendruckfeld ein.
e) Erstellen Sie zwei weitere Wennbedingungen:
- ***Bedingung 1:** Bei allen Kundinnen und Kunden, die die Reifen bereits eingelagert haben, soll das Wort »wieder« eingefügt werden.
- ***Bedingung 2:** Bei allen Kundinnen und Kunden, die die Reifen noch nicht eingelagert haben, soll »Sichern Sie sich Ihren Platz um nur 35,00 €/Saison.« eingefügt werden. Bei allen anderen, die bereits eingelagert haben, soll kein Text eingefügt werden.

f) Erstellen Sie eine Adressliste für die Empfängerinnen und Empfänger in EXCEL und speichern Sie sie unter **Weidlinger Adr.xlsx.**

Datensatz	Anrede	Verliehener_Titel	Akademischer_Grad	Vorname	Nachname
1	Frau	Direktorin	Mag.	Marion	Hintringer-Mair
2	Herr		DDr.	Ernest	Hoffmann
3	Frau		DI	Marianne	Karlhuber
4	Herr	Stadtrat		Josef Karl	Ebner
5	Frau			Valentina	Feichtinger

Datensatz	Mastergrad	Adresszeile 1	Postleitzahl	Ort	Eingelagert	Auto
1		Urbar 36	5651	Lend	Ja	Golf
2		Kirchboden 103	5602	Kirchboden	Nein	Touran
3		Merlgasse 47	5600	St. Johann im Pongau	Nein	Polo
4		Markt 96	5621	St. Veit im Pongau	Ja	Amarok
5	MSc	Neue Heimat 8/1	5620	Schwarzach im Pongau	ja	Golf

g) Fügen Sie die Seriendruckfelder für die Empfängeranschrift ein, verwenden Sie die Funktion Feld bearbeiten. Kontrollieren Sie die Anschriften in der Vorschau.
h) Speichern Sie das Hauptdokument unter **Weidlinger HD.docx.**

FILM AB!

Ein Video dazu finden Sie unter www.trauner.at/aim_v9.aspx.

2.1.4 Persönliche Briefanrede mit akademischen Graden und verliehenen Titeln

Akademische Grade und verliehene Titel werden, wie Sie bereits wissen, auch in der persönlichen Briefanrede verwendet. Mit Wenn... Dann... Sonst...-Bedingungen ist es möglich, die unterschiedlichen Briefanreden zu erstellen.

Beispiele: Persönliche Briefanreden

Herr Mag. Thorsten Theurer	Sehr geehrter Herr Mag. Theurer,
Frau Bürgermeister Elvira Sommer	Sehr geehrte Frau Bürgermeister,
Herr Ardijan Goran, BEd	Sehr geehrter Herr Goran,
Frau Stephanie Neuhauser	Sehr geehrte Frau Neuhauser,

Positionieren Sie die Einfügemarke an der Stelle, an der Sie die Briefanrede erstellen möchten:

- Schreiben Sie das Wort »Sehr«
- Leerzeichen einfügen
- SENDUNGEN – FELDER SCHREIBEN UND EINFÜGEN – REGELN – WENN... DANN... SONST...: Bedingung vom Bild eingeben
- OK
- Leerzeichen einfügen
- Seriendruckfeld «Anrede» einfügen
- Leerzeichen einfügen
- Seriendruckfeld «Verliehener_Titel» einfügen
- SENDUNGEN – FELDER SCHREIBEN UND EINFÜGEN – REGELN – WENN... DANN... SONST...: FELDNAME: Verliehener_Titel – VERGLEICH: ist nicht leer
- OK
- Alt + F9

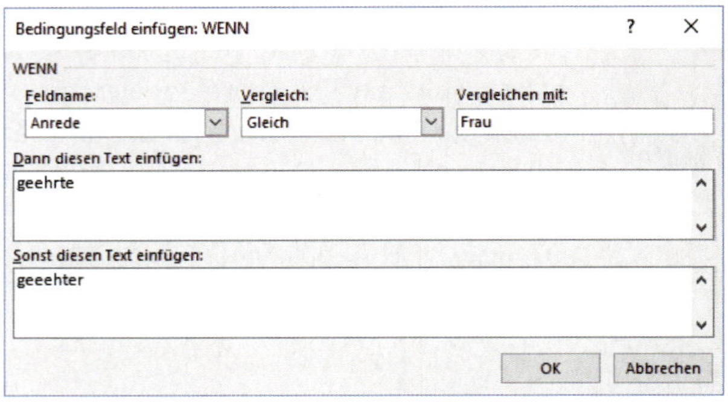

{ IF { MERGEFIELD Verliehener_Titel }<> "" "" "|" }

- Einfügemarke in das SONST der Wenn... Dann... Sonst...-Bedingung stellen
- Seriendruckfeld «Akademischer_Grad» einfügen
- SENDUNGEN – FELDER SCHREIBEN UND EINFÜGEN – REGELN – WENN... DANN... SONST...: Bedingung vom Bild eingeben
- Seriendruckfeld «Nachname» einfügen
- Am Ende (außerhalb aller Klammern) Satzzeichen setzen
- Alt + F9

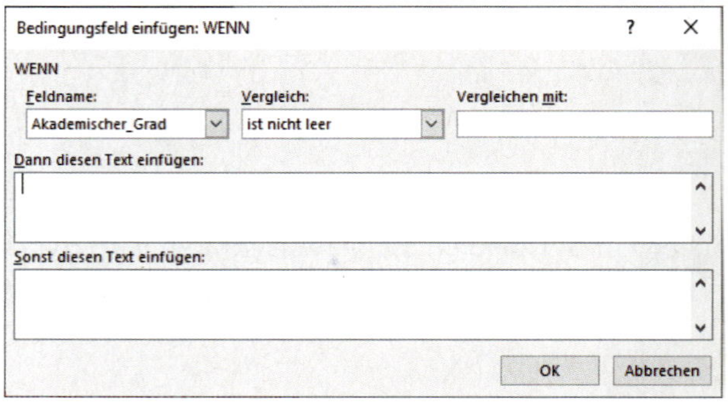

Bedingung für Akademischen Grad erstellen

- DANN DIESEN TEXT EINFÜGEN: Leerzeichen setzen
- OK

Kontrollieren Sie die Briefanreden in der Vorschau.

Wenn Sie einen Fehler in der Briefanrede haben, ist es oftmals einfacher, die Briefanrede neu zu erstellen, als den Fehler zu suchen.

So sieht Ihre fertige Briefanrede aus:

Sehr { IF { MERGEFIELD Anrede } = "Frau" "geehrte" "geehrter" } { MERGEFIELD Anrede } { MERGEFIELD Verliehener_Titel }{ IF { MERGEFIELD Verliehener_Titel }<> "" "" "{ MERGEFIELD Akademischer_Grad }{ IF { MERGEFIELD Akademischer_Grad }<> "" " " "" }{ MERGEFIELD Nachname }" },

Vergleichen Sie Ihre Anrede mit dieser Vorgabe.

Übungen

1. Persönliche Briefanrede mit Wenn... Dann... Sonst...-Bedingungen erstellen und Datenbank bearbeiten

a) Öffnen Sie das Dokument **Saft HD.docx.**
b) Löschen Sie die Kundin Monika Baierl.
c) Fügen Sie bei Frau Husic den akademischen Grad »DDr.« ein.
d) Erstellen Sie einen neuen Datensatz mit Ihren persönlichen Daten.
e) Erstellen Sie die persönliche Briefanrede mit Bedingungen und kontrollieren Sie sie in der Vorschau.
f) Alle Herren sollen diesen Brief erhalten.
g) Speichern Sie das zusammengeführte Dokument unter **Saft SD.docx.**
h) Drucken Sie die Lösung mit Feldinhalten aus.

2. Persönliche Briefanrede mit Wenn... Dann... Sonst...-Bedingungen erstellen

a) Öffnen Sie das Dokument **Weidlinger HD.docx.**
b) Erstellen Sie die persönliche Briefanrede mit Bedingungen und kontrollieren Sie sie in der Vorschau.
c) Führen Sie die Adressen mit dem Hauptdokument zusammen.
d) Speichern Sie das zusammengeführte Dokument unter **Weidlinger SD.docx.**
e) Drucken Sie die Serienbriefe 1 – 3 aus.

2.2 Adressetiketten und Umschläge erstellen

Die Datenbank kann nicht nur für Serienbriefe, sondern auch für Adressetiketten und Umschläge verwendet werden. Das Dokument für die Etiketten bzw. Umschläge besteht ebenso aus einem Hauptdokument, in dem die Seriendruckfelder eingefügt, Bedingungen und Regeln erstellt und Formatierungen vorgenommen werden. Die fertigen Etiketten bzw. Umschläge werden in einem neuen WORD-Dokument ausgegeben.

2.2.1 Seriendruckdokument für Etiketten erstellen

- Leeres WORD-Dokument, in dem die Etiketten erstellt werden sollen, öffnen
- SENDUNGEN – SERIENDRUCK STARTEN – ETIKETTEN...
- ETIKETTENLIEFERANTEN und ETIKETTENNUMMER auswählen
- OK

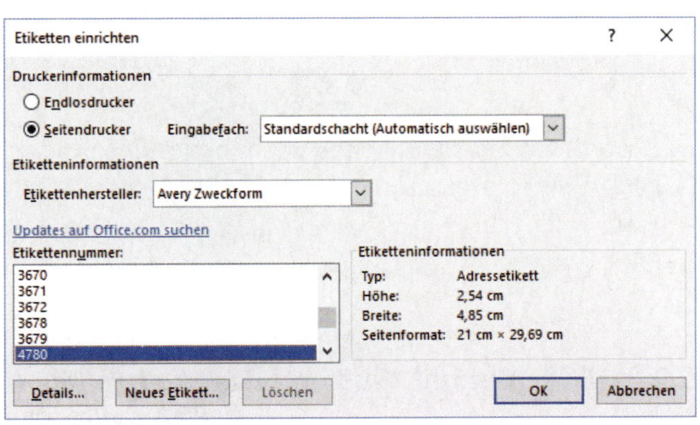

Die Einfügemarke steht im ersten Etikett links oben. Dies ist das Musteretikett, d. h., dieses Etikett wird mit Seriendruckfeldern, Texten, Bedingungen, Formatierungen usw. eingerichtet und diese Formatierung wird dann auf alle anderen Etiketten übertragen.

Etiketten erstellen
SENDUNGEN – ERSTELLEN – ETIKETTEN

Kaufen Sie das Etikettenpapier, bevor Sie die Etiketten erstellen. Sie können dann den Hersteller und die Etiketteninformation in WORD auswählen. Es erscheint auf dem Bildschirm eine Tabelle in der Größe der Etiketten, die Sie gekauft haben.

Benötigen Sie ein anderes Format als die vorgegebenen, können Sie alle Maße händisch eingeben:

- Sendungen – Seriendruck starten – Etiketten
- Neues Etikett...
- Informationen eingeben
- OK

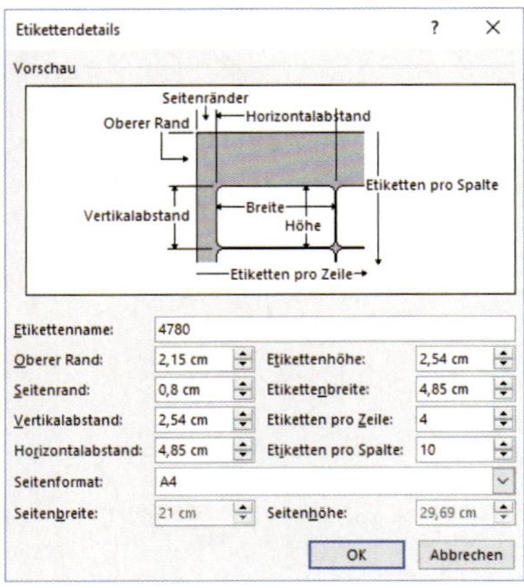

- Sendungen – Seriendruck starten – Empfänger auswählen – Neue Liste eingeben... oder Vorhandene Liste verwenden... auswählen
- Seriendruckfelder für die Empfängeranschrift einfügen: Sendungen – Schreib- und Einfügefelder – Seriendruckfeld einfügen

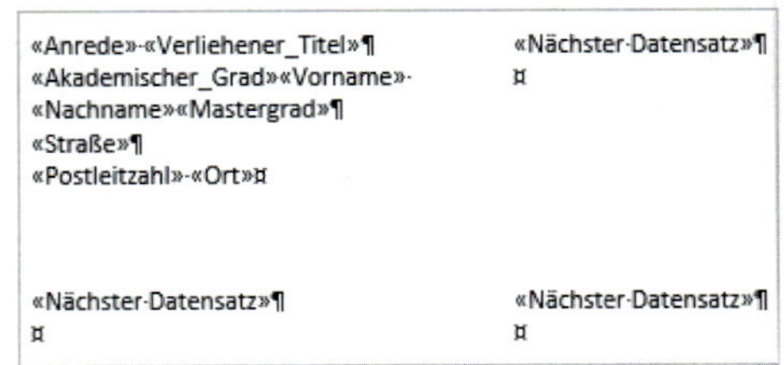

- Evtl. Kurzabsender hinzufügen, Bedingungen erstellen, Felder bearbeiten, Leerzeichen einfügen und formatieren
- Oder die Adresse mithilfe des Adressblocks einfügen

Nachdem Sie Ihr Musteretikett eingefügt und formatiert haben, übertragen Sie den Inhalt und das Layout auf alle anderen Etiketten:

- Sendungen – Schreib- und Einfügefelder – Etiketten aktualisieren

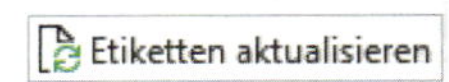

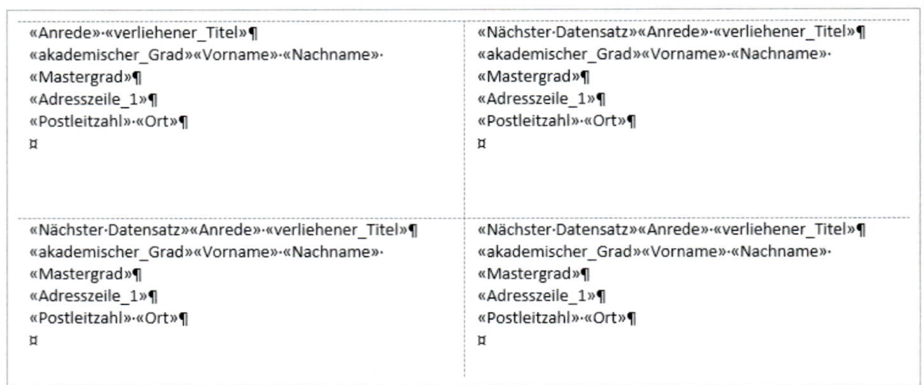

- Sehen Sie sich die Empfängeranschriften in der Vorschau an: Sendungen – Vorschau Ergebnisse – Vorschau Ergebnisse

- Exportieren Sie die Etiketten in ein neues Dokument: Sendungen – Fertig stellen – Fertig stellen und zusammenführen – Einzelne Dokumente bearbeiten...
- OK

2.2.2 Etiketten mit Mustervorlagen erstellen

Auf OFFICE.com gibt es eine Vielzahl an Vorlagen für Etiketten. Sobald Sie die Vorlage ausgewählt haben, führen Sie dieselben Schritte durch wie ohne Vorlage.

- Datei – Neu
- Suchbegriff »Etiketten« eingeben
- Vorlage auswählen

2.2.3 Eine Seite desselben Etiketts erstellen

Oftmals ist es notwendig, eine Seite desselben Etiketts zu drucken. Dazu benötigen Sie nur ein paar einfache Schritte.

- Sendungen – Erstellen – Etiketten
- Legen Sie in den Optionen den Etikettenlieferanten und die Etikettennummer fest
- Geben Sie im Textfeld Adresse den Etikettentext ein

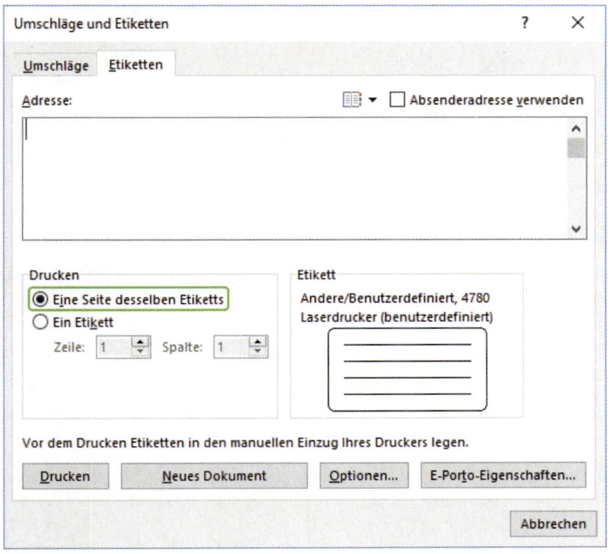

- Wählen Sie die Option Eine Seite desselben Etiketts aus
- Wählen Sie Drucken, um das Etikett direkt an den Drucker zu senden, oder Neues Dokument, um es in ein neues Dokument zu exportieren und anschließend bearbeiten und ausdrucken zu können

Sie können die Etikettenfunktion auch für Visitenkarten verwenden.

SA

Textdesign

Übungen

1. Adressetiketten erstellen und ausdrucken

a) Erstellen Sie in einem neuen Dokument Adressetiketten für die Empfängeranschrift zum Aufkleben auf Briefkuverts.
b) Verwenden Sie die Adressliste **Saft Adr.accdb.**
c) Wählen Sie den Etikettenlieferanten Avery Zweckform, Etikettennummer 3477.
d) Fügen Sie den Kurzabsender ein: »Saft GmbH, Alpenstraße 156, 5020 SALZBURG, ÖSTERREICH/AUSTRIA«. Formatieren Sie ihn nach Ihrem Geschmack.
e) Fügen Sie die Seriendruckfelder und Bedingungen für die Empfängeranschrift ein.
f) Kontrollieren Sie die Etiketten in der Vorschau.
g) Führen Sie die Adressen mit dem Etiketten-Hauptdokument zusammen.
h) Speichern Sie das Etiketten-Hauptdokument unter **Saft ET HD.docx.**
i) Speichern Sie die Lösung unter **Saft ET.docx.**
j) Drucken Sie die Lösung aus.

Lösungsvorschlag:

2. Eine Seite desselben Etiketts mit Mustervorlage erstellen

a) Erstellen Sie in einem neuen Dokument Adressetiketten für Visitenkarten mit der Mustervorlage Adressetiketten (Bärchen) oder öffnen Sie die Vorlage **Visitenkarten_u.dotx.**
b) Füllen Sie ein Etikett mit Ihrem Vor- und Nachnamen sowie Ihrer Adresse aus – alle anderen Etiketten werden automatisch ausgefüllt.
c) Speichern Sie die Lösung unter **Visitenkarten SD.docx.**
d) Drucken Sie die Lösung aus.

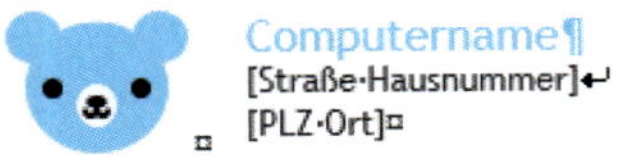

Ändern Sie dieses Musteretikett, indem Sie Ihre persönlichen Daten in die Inhaltssteuerelemente einfügen. Der Text wird automatisch auf allen anderen Etiketten geändert.

3. Adressliste und Adressetiketten erstellen

a) Erstellen Sie in einem neuen Dokument Adressetiketten mit den Namen Ihrer Professorinnen und Professoren für Ihre Abschlussfeier in 20 Minuten.

b) Erstellen Sie eine neue ACCESS-Datenbank für die Adressen. Speichern Sie sie unter **Feier Adr.accdb.**

c) Fügen Sie in die Datenbank die Namen, verliehenen Titel, akademischen Grade und Mastergrade Ihrer Professorinnen und Professoren ein. Wählen Sie die Adresse Ihrer Schule für die Anschrift.

d) Verwenden Sie einen Etikettenhersteller und eine Etikettennummer Ihrer Wahl.

e) Fügen Sie die Seriendruckfelder und Bedingungen für die Empfängeranschrift ein.

f) Speichern Sie das Etiketten-Hauptdokument unter **Feier ET HD.docx.**

g) Speichern Sie die Lösung unter **Feier ET.docx.**

2.2.4 Seriendruckdokument für Umschläge erstellen

Umschläge erstellen
SENDUNGEN – ERSTELLEN – UMSCHLÄGE

Umschläge werden hauptsächlich mit den Empfängeranschriften und dem Firmenabsender bedruckt. Das Erstellen des Dokuments ist ähnlich wie das Erstellen eines Dokuments für Etiketten.

Ansicht im Hauptdokument:

- Leeres WORD-Dokument, in dem die Umschläge erstellt werden sollen, öffnen
- SENDUNGEN – SERIENDRUCK STARTEN – UMSCHLÄGE...
- Registerkarte UMSCHLAGOPTIONEN
- UMSCHLAGFORMAT, d. h. Kuvertformat, auswählen
- Für die EMPFÄNGERADRESSE und die ABSENDERADRESSE Schriftart und Position eingeben

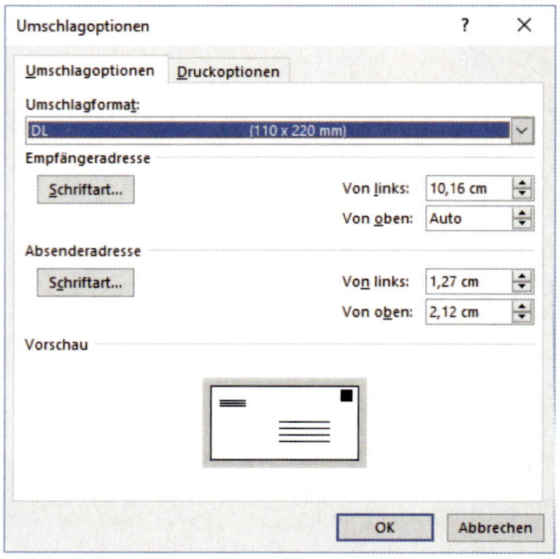

Wechseln Sie in die Registerkarte DRUCKOPTIONEN:

- Wählen Sie die Zufuhrmethode – wie das Kuvert in den Drucker eingezogen werden soll – aus
- Einzugsschacht auswählen
- OK

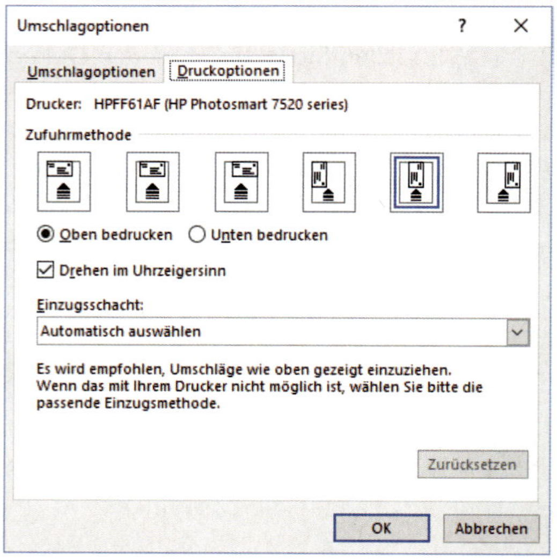

Es können auch Grafiken auf dem Umschlag eingefügt werden.

Seriendruckdokument mit Adressdatei verknüpfen:

- SENDUNGEN – SERIENDRUCK STARTEN – EMPFÄNGER AUSWÄHLEN
- Schreiben Sie die Absenderadresse in das dafür vorgesehene Textfeld und formatieren Sie diese passend
- Fügen Sie in das Textfeld für die Empfängeranschrift die entsprechenden Seriendruckfelder und Bedingungen ein
- Kontrollieren Sie die Ergebnisse in der Vorschau
- Seriendruck FERTIG STELLEN UND ZUSAMMENFÜHREN

Übung

- **Umschläge erstellen**

a) Erstellen Sie in einem neuen Dokument Umschläge mit der Empfängeranschrift und dem Absender.
b) Verwenden Sie die Adressliste **Hofstadler Adr.accdb.**
c) Wählen Sie das Umschlagformat DL.
d) Fügen Sie den Absender in das dafür vorgesehene Textfeld ein: »Hofstadler Industriereiniger GmbH, Kleegasse 59, 7041 WULKAPRODERSDORF, ÖSTERREICH/AUSTRIA, Telefon: +43 2687 622 20-0, Fax: +43 2687 622 30« sowie das Firmenlogo **Hofstadler.jpg;** formatieren Sie den Absender nach Ihrem Geschmack.
e) Fügen Sie die Seriendruckfelder und Bedingungen in das Textfeld für die Empfängeranschrift ein.
f) Kontrollieren Sie die Umschläge in der Vorschau.
g) Führen Sie die Adressen mit dem Umschlag-Hauptdokument zusammen.
h) Speichern Sie das Umschlag-Hauptdokument unter **Hofstadler Umschlag HD.docx.**
i) Speichern Sie die Lösung unter **Hofstadler Umschlag.docx.**

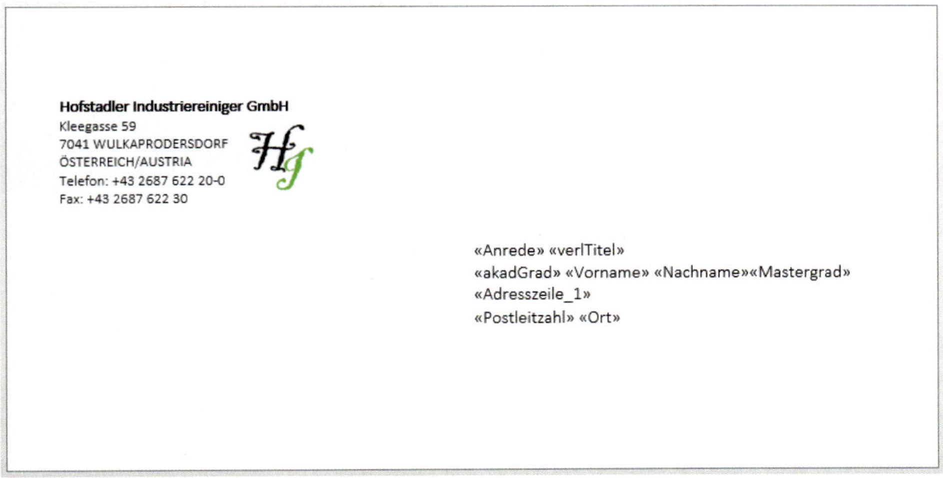

2.3 Verzeichnis erstellen

Ein Verzeichnis, auch Katalog genannt, entspricht einer Liste in Tabellenform oder mit Tabulatoren. Dazu wird eine Datenquelle benötigt. In der Praxis wird ein Verzeichnis meist mit Empfängeranschriften erstellt. Das Verzeichnis besteht ebenso wie die anderen Seriendruckdokumente aus einem Hauptdokument und einem Seriendruck-Lösungs-Dokument.

- Leeres WORD-Dokument, in dem das Verzeichnis erstellt werden soll, öffnen
- SENDUNGEN – SERIENDRUCK STARTEN – VERZEICHNIS
- Texte und Grafiken einfügen, die sich auf jeder Seite wiederholen sollen, z. B. Name, Datum, Überschrift, wofür die Liste verwendet werden soll
- Verzeichnis-Seriendruckdokument mit Datenquelle verknüpfen: SENDUNGEN – SERIENDRUCK STARTEN – EMPFÄNGER AUSWÄHLEN
- Verzeichnis gestalten, z. B. in Tabellenform, und gewünschte Seriendruckfelder in einer Zeile einfügen

INVENTURLISTE: SCHREIBWAREN				[DATUM]
«Artikelnummer»	«Artikel»	«Hersteller»	«SollBestand»	«IstBestand»

Eine Liste in Tabellenform ist übersichtlich. Die Daten können auf einfache Weise sortiert werden.

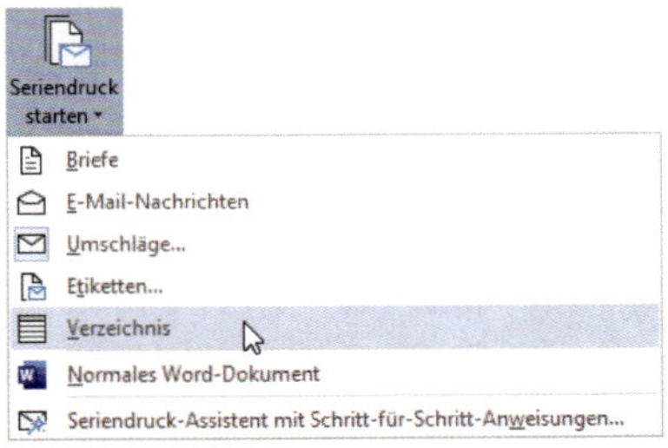

Nur eine Zeilenschaltung durchführen, damit keine unnötigen leeren Zeilen bzw. Absätze eingefügt werden.

- Anschließend eine Zeilenschaltung (Absatz oder neue Zeile) durchführen
- Gestalten Sie Ihr Verzeichnis entsprechend
- SENDUNGEN – FERTIG STELLEN – FERTIG STELLEN UND ZUSAMMENFÜHREN
- Option auswählen
- Das Verzeichnis wird in einem neuen Dokument geöffnet und kann bearbeitet und formatiert werden

INVENTURLISTE: SCHREIBWAREN [DATUM]

52365231	Füllhalter Jotter Edelstahl	Parker	10	
25896582	Füllhalter Vector F03 Edelstahl	Parker	11	
47856933	Schönschreibfüller Best Writer Rose 0,8 mm	Online	9	
12503674	Füllfederhalter AMBITION Edelharz, Feder M	Faber-Castell	1	
74520365	Griffix 4, Schreiblernfüllhalter für Rechtshänder, Blau	Pelikan	11	
41200366	Füllfederhalter Luxus, Feder 22k gold plated!	Monte Lovis	26	
90003257	Füllfederhalter David Livingstone	Gusswerk	32	
74523368	Füllfederhalter BICOLORE	Cerruti	14	
95885109	Füllfederhalter aus Metall FOUNTAIN PEN, RELATIV	Troika	6	
745203210	Frixion-Tintenroller (radierbar), drei Stück, farbig sortiert	Pilot	2	

Übungen

1. Inventurliste erstellen und drucken

a) Erstellen Sie in einem neuen Dokument ein Verzeichnis in Tabellenform für die Inventurliste.
b) Verwenden Sie die Datenbank **Inventurliste.accdb.**
c) Fügen Sie die Kopfzeile Rückblick ein:
- Dokumenttitel: »Inventurliste: Schreibwaren«;
- Datum: »heutiges Datum«.

d) Erstellen Sie eine Fußzeile:
- Seitenzahlen – fett formatierte Zahlen, zentriert;
- einfache Rahmenlinie oben.

e) Fügen Sie eine Tabelle mit einer Zeile und fünf Spalten ein.
f) Fügen Sie in je eine Zelle die Seriendruckfelder «Artikelnummer», «Artikel», «Hersteller», «SollBestand» und «IstBestand» ein.
g) Führen Sie die Datenbank mit dem Hauptdokument zusammen.
h) Speichern Sie das Hauptdokument unter **Inventurliste VZ HD.docx.**
i) Speichern Sie das Verzeichnis-Lösungsdokument unter **Inventurliste VZ.docx.**
j) Drucken Sie das fertige Verzeichnis aus.

2. Klassenliste erstellen

a) Erstellen Sie in einem neuen Dokument ein Verzeichnis mit den Namen und Adressen Ihrer Mitschülerinnen und Mitschüler. Fertigstellung in 20 min.
b) Wählen Sie ein passendes Design.
c) Erstellen Sie die Datenbank **Klassenliste.accdb.**
d) Fügen Sie die Seriendruckfelder passend ein und erstellen Sie das Verzeichnis.
e) Formatieren Sie das Lösungsverzeichnis ansprechend.
f) Speichern Sie das Hauptdokument unter **Klassenliste VZ HD.docx.**
g) Speichern Sie das Verzeichnis-Lösungsdokument unter **Klassenliste VZ.docx.**
h) Drucken Sie die Lösung aus.

2.4 Seriendokument als Vorlage speichern

Um einen Serienbrief mit eingefügten Bedingungen öfter verwenden zu können, eignet sich das Speichern als Vorlage.
Das Speichern von Vorlagen kennen Sie bereits. Das Seriendokument wird genauso abgespeichert:

- DATEI – SPEICHERN UNTER
- DURCHSUCHEN
- DATEITYP ändern auf WORD-VORLAGE
- WORD wechselt automatisch in den Vorlagenordner. Sie können jedoch auch einen anderen Speicherort auswählen
- DATEINAME eingeben
- SPEICHERN

*.dotx

Wird die Vorlage im Vorlagenordner gespeichert, erscheint diese automatisch, wenn Sie ein neues Dokument erstellen möchten zur Auswahl.

Textdesign

Ziele erreicht? – „Fortgeschrittene Seriendruckfunktion"

KOMPETENZ-ERWERB

1. Direct Mailing und Etiketten erstellen

a) Erstellen Sie ein Direct Mailing als Serienbriefdokumentvorlage im Design Zitierfähig.
b) Absendergestaltung:
- Grafik **Douglas.png;**
- Firmenname: Schnellformatvorlage Überschrift 2, kursiv;
- Anschrift: Schriftgröße 10 Punkt.

Absenderangabe:	*Parfümerie Douglas GmbH* Rotenturmstraße 11 1010 WIEN, ÖSTERREICH/AUSTRIA Tel.: +43 1 532 10 70-0 Fax: +43 1 535 66 77 E-Mail: kontakt@douglas.at Internet: www.douglas.at DOUGLAS
Bezugszeichen:	....-04-20, dou-rik, Karin Riegler, +43 1 532 10 70-40, rik@douglas.at
Betreff:	**Alles Gute zum Geburtstag**
Anlage:	Siehe Briefinhalt
Weitere Firmeninformationen:	Handelsgericht Wien, Firmenbuch-Nr. FN 123658 i, UID-Nr. ATU12987404, Erste Bank Wien, BIC GIBAATWX, IBAN AT77 2011 1000 1101 2870

Briefinhalt: Briefanrede mit Bedingung! Sie feiern am «Datum» Ihren Geburtstag. Wir gratulieren Ihnen dazu recht herzlich und wünschen Ihnen für das neue Lebensjahr viel Freude und alles Gute. / Als kleine Überraschung haben wir Ihnen einen Douglas-Geschenkgutschein in Höhe von 10,00 € beigelegt. Mit diesem Gutschein können Sie sich in jeder Douglas-Parfümerie in ganz Österreich einen kleinen Wunsch erfüllen. / Kommen Sie doch einfach vorbei und gönnen Sie sich ***Bedingung 1.** Wir wünschen Ihnen viel Spaß beim Aussuchen. / Grußformel, Unterzeichnerin: Mag. Rebecca Panzenböck, Geschäftsführerin

PS: Besuchen Sie auch unseren Onlineshop und kaufen Sie rund um die Uhr ein.

c) Verwenden Sie die Adressliste **Douglas Adr.accdb.**
d) Fügen Sie das im Brieftext benötigte Seriendruckfeld ein.
e) Fügen Sie die Seriendruckfelder und die Bedingungen für die Empfängeranschrift ein.
f) Erstellen Sie die persönliche Briefanrede mit Bedingungen.
g) Fügen Sie in den Brieftext eine Bedingung ein:
- ***Bedingung 1:** Text bei den Frauen: »eine duftende Freude, verwöhnende Pflege oder trendiges Make-up.« Text bei den Herren: »die neue Herrenpflege vom Duschgel bis zur Bodylotion oder ein herrlich duftendes Parfum und das dazugehörige Aftershave.«

h) Speichern Sie das Hauptdokument als Serienbrief-Dokumentvorlage unter **Douglas_v.dotx.**
i) Alle Niederösterreicherinnen und Niederösterreicher sollen den Brief erhalten.

j) Speichern Sie das zusammengeführte Dokument unter **Douglas SD.docx** und drucken Sie es aus.
k) Erstellen Sie mit der Adressliste **Douglas Adr.accdb** Etiketten mit der Empfängeranschrift.
l) Legen Sie einen Etikettenlieferanten und eine Etikettennummer fest.
m) Wählen Sie die benötigten Seriendruckfelder aus und fügen Sie die richtigen Bedingungen ein.
n) Speichern Sie das Etiketten-Hauptdokument unter **Douglas ET HD.docx.**
o) Speichern Sie die Etikettenlösung unter **Douglas ET.docx.**

2. Serienbrief filtern und Verzeichnis erstellen

a) Erstellen Sie ein Direct Mailing als Serienbrief.
b) Öffnen Sie das Serienbrief-Hauptdokument **Hollywood HD.docx.**
c) Verwenden Sie die Adressliste **Hollywood Adr.accdb.**
d) Fügen Sie die Seriendruckfelder für die Empfängeranschrift ein.
e) Erstellen Sie die persönliche Briefanrede:
- »Herzlich willkommen«;
- Bedingung: bei einem Mädchen »liebe«, bei einem Buben »lieber«;
- Vornamen-Seriendruckfeld einfügen.

f) Vervollständigen Sie den Brief.
g) Es sollen alle den Brief erhalten, die heuer 7 Jahre alt werden.
h) Speichern Sie das zusammengeführte Dokument unter **Hollywood SD.docx** und drucken Sie es aus.
i) Erstellen Sie mit der Adressliste **Hollywood Adr.accdb** ein Verzeichnis mit den Seriendruckfeldern «Vorname», «Nachname», «Postleitzahl», «Ort» und «Geburtsdatum».
j) Formatieren Sie das Verzeichnis passend.
k) Speichern Sie das Verzeichnis-Hauptdokument unter **Hollywood VZ HD.docx.**
l) Speichern Sie das fertige Verzeichnis unter **Hollywood VZ.docx.**

3. Serienmail mit Eingeben-Feld erstellen und versenden

a) Erstellen Sie die Einladung zu den Ballkomiteebesprechungen in einem neuen Dokument als Serienmail in einem Design Ihrer Wahl.
b) Wählen Sie für die Absendergestaltung die Daten und das Logo Ihrer Schule.
c) Erstellen Sie in EXCEL die Adressliste mit den Namen, Adressen und E-Mail-Adressen Ihrer Mitschülerinnen und Mitschüler.
d) Speichern Sie die Adressliste unter **Einladung Adr.xlsx.**
e) Fügen Sie die Seriendruckfelder für die Empfängeranschrift ein.
f) Erstellen Sie eine passende Anrede.
g) Formatierung und Gestaltung nach eigener Wahl.
h) Fügen Sie beim Datum und bei der Uhrzeit ein Eingeben-Feld ein und wählen Sie einen passenden Eingabetext.
i) Füllen Sie die Eingeben-Felder aus und speichern Sie das Hauptdokument unter **Einladung SM.docx.**
j) Senden Sie die Einladung an Ihre Mitschülerinnen und Mitschüler.

Liebe «Vorname»!

Zur Ballkomiteebesprechung laden wir Dich recht herzlich ein.

Datum	
Uhrzeit	
Ort	Raum 125

Die Tagesordnungspunkte werden in einer gesonderten E-Mail an Dich gesendet.

Wir ersuchen um pünktliches und verlässliches Erscheinen. Wer nicht teilnehmen kann, möge sich bitte per E-Mail ballkomitee@schule.at oder telefonisch entschuldigen.

4. Direct Mailing erstellen

a) Erstellen Sie ein Direct Mailing als Serienbrief. Verwenden Sie die Vorlage **Zeitschrift_v.dotx.**
b) Ergänzen Sie fehlende Briefteile.
c) Verwenden Sie die Adressliste **Zeitschrift Adr.mdb** für die Empfänger/innen.
d) Gestalten Sie den Coupon mit Tabulatoren und Füllzeichen.
e) Fügen Sie die benötigten Seriendruckfelder in den Brieftext ein.
f) Fügen Sie die Seriendruckfelder und die Bedingungen für die Empfängeranschrift ein.
g) Erstellen Sie die persönliche Briefanrede mit Bedingungen.
h) Fügen Sie in den Brieftext weitere Bedingungen ein:
   - ***Bedingung 1:** Bei einem Herrn soll »lieber« und bei einer Frau »liebe«, die Anrede und der Nachname eingefügt werden.
   - ***Bedingung 2:** Alle Kundinnen und Kunden, die länger als 20 Jahre ein Abo haben, erhalten einen Zeitschriftenhalter aus Holz. Alle Kundinnen und Kunden, die ein Abo zwischen 10 und 20 Jahren haben, erhalten einen Zeitschriftenstehsammler aus Hartpappe.
   - ***Bedingung 3:** Bei allen Frauen soll »Kundin«, bei allen Herren »Kunde« eingefügt werden.

i) Speichern Sie das Hauptdokument unter **Zeitschrift HD.docx.**
j) Führen Sie die Adressen mit dem Hauptdokument zusammen.
k) Speichern Sie das zusammengeführte Dokument unter **Zeitschrift SD.docx** und drucken Sie es aus.
l) Gestalten Sie passende Umschläge. Wählen Sie die nötigen Seriendruckfelder für die Empfängeranschrift aus.
m) Speichern Sie die Lösung unter **Zeitschrift U.docx.**

Gestaltungsvorschlag von Ali:

✂ --

☐ **Ja,** ich will die ausgewählte Zeitschrift sechs Wochen kostenlos testen. Anschließend endet das Testabo automatisch.

Das will ich testen:
☐ WOMAN – Das Frauen- und Lifestylemagazin
☐ Men's Health
☐ GO! Das Motormagazin
☐ Cosmopolitan

Zustelladresse:
Anrede/Titel: ____________________
Vorname: ____________________
Nachname: ____________________
Straße: ____________________
Postleitzahl, Ort: ____________________

Ausgefüllten Coupon senden an: Österreichische Zeitschriftenverlags AG, Brahmsplatz 16, 1040 Wien *oder* abo@zeitschriften.at

5. Direct Mailing mit Etiketten und Verzeichnis – 50 min

a) Erstellen Sie ein Direct Mailing als Serienbrief in einem neuen Dokument im Standarddesign Office, Designfarben Ganymed.
b) Verwenden Sie für das gesamte Dokument die Schriftart Arial Narrow, 11 Punkt.
c) Gestalten Sie den Absender passend.

Absenderangabe:	STYLE IN – Fashion for all Outletstraße 1 | 7111 PARNDORF | ÖSTERREICH/AUSTRIA | Tel: +43 2166 35 14-0 **STYLE IN Fashion for all**
Bezugszeichen:	1. März ...., Elvira Arnetzeder, +43 2166 35 14-36, arnetzeder@stylein.at
Betreff:	**Vielen Dank für Ihre Treue**
Anlage:	Siehe Briefinhalt
Weitere Firmeninformationen:	Firmenbuchgericht Wien, Firmenbuchnummer FN 15700 o, ARA-Nr. 5520, UID-Nr. ATU 11123541, Bank Austria, BIC BKAUATWW, IBAN AT63 1200 0003 6521 4520
Briefinhalt: Briefanrede mit Bedingung! Treue wird in unserem Haus großgeschrieben. Dafür bedanken wir uns auf diesem Weg ganz besonders bei Ihnen. Als STYLE-IN-***Bedingung 1** genießen Sie das ganze Jahr über viele Vorteile. Einmal im Jahr vergüten wir Ihnen einen Teil Ihrer Einkäufe in Form einer Bonusgutschrift. Trennen Sie den Gutschein ab und lösen Sie ihn bei Ihrem nächsten Einkauf im STYLE IN ein. / Für Schnellentschlossene, die in den nächsten sieben Tagen bei uns einkaufen, gibt es zusätzlich ein kleines Dankeschön gratis. Kommen Sie also rasch vorbei und sichern Sie sich ***Bedingung 2.** / Wir freuen uns auf Ihr Kommen. / Grußformel	

Gestaltungsvorschlag von Ali:

d) Verwenden Sie die Adressliste **STYLE IN Adr.mdb.**
e) Fügen Sie die Seriendruckfelder und die Bedingungen für die Empfängeranschrift ein.
f) Erstellen Sie die persönliche Briefanrede mit Bedingungen.
g) Fügen Sie in den Brieftext folgende Bedingungen ein:
- ***Bedingung 1:** Bei allen Frauen soll »Kundin«, bei allen Männern »Kunde« eingefügt werden;
- ***Bedingung 2:** Alle Frauen erhalten flauschig warme Lederhandschuhe, alle Herren erhalten einen trendigen, eleganten Schal.

h) Gestalten Sie unterhalb der Grußformel den Gutschein mit Textfeldern lt. Abbildung und fügen Sie das passende Seriendruckfeld ein.
i) Speichern Sie das Hauptdokument unter **STYLE IN HD.docx.**
j) Speichern Sie das zusammengeführte Dokument unter **STYLE IN SD.docx** und drucken Sie es aus.
k) Erstellen Sie mit der Adressliste **STYLE IN Adr.mdb** Etiketten mit der Empfängeranschrift für den Versand per Post.
l) Speichern Sie das Etiketten-Hauptdokument unter **STYLE IN ET HD.docx.**
m) Speichern Sie die Etikettenlösung unter **STYLE IN ET.docx.**
n) Erstellen Sie ein Verzeichnis mit passenden Seriendruckfeldern und formatieren Sie es ansprechend.
o) Speichern Sie das Verzeichnis-Hauptdokument unter **STYLE IN VZ HD.docx.**
p) Speichern Sie das Lösungsverzeichnis unter **STYLE IN VZ.docx.**

Einen interaktiven **Safety-Check** finden Sie in der TRAUNER-DigiBox.

3 Datenaustausch

Ali muss bei seinem Job eine Rechnung in WORD schreiben. Die Mengenangaben und Beträge stammen aus einer EXCEL-Tabelle. Es wäre doch praktisch, wenn er die Daten einfach übernehmen könnte, ohne sie noch einmal abschreiben zu müssen.

In welchen Bereichen haben Sie bereits Daten (Bilder, Texte, Grafiken etc.) in verschiedene Programme übernommen?

Meine Ziele

Nach Bearbeitung dieses Kapitels kann ich

- im Datenaustausch übliche Dateiformate nennen und deren Symbole zuordnen;
- Datenaustausch über die Zwischenablage, verknüpfte oder eingebettete Objekte durchführen;
- programmübergreifende Designs erstellen;
- Diagramme und Hyperlinks einfügen.

KOMPETENZ-ERWERB

FILM AB!

Ein Video zum Kapitel Datenaustausch finden Sie unter www.trauner.at/aim_v3.aspx.

3.1 Grundbegriffe

In diesem Kapitel werden nur die wichtigsten Verfahren des Datenaustausches, die wichtigsten Dateitypen (auch jene, die nicht für OFFICE-Programme von Bedeutung sind) und gemeinsam nutzbare Funktionen aus EXCEL, POWERPOINT und WORD beschrieben.

3.1.1 OLE – Object Linking and Embedding

Mit OLE können Sie Objekte (Daten) aus WINDOWS-Programmen verknüpfen oder einbetten.

Verknüpfte Objekte	Eingebettete Objekte
Verknüpfte Objekte sind in der Quelldatei gespeichert und im WORD-Dokument zu sehen. Dort wird nur ein Link (Verweis) auf den Speicherplatz der Datei gespeichert. Durch Doppelklick auf das verknüpfte Objekt kann die Quelldatei im Quellprogramm verändert werden. Änderungen an der Quelldatei werden **automatisch** im verknüpften WORD-Objekt **aktualisiert.** Dokumente mit verknüpften Objekten benötigen **weniger Speicherplatz.** ■ Start ■ Inhalte einfügen ■ Verknüpfung einfügen	Unter Einbetten versteht man das Einfügen von Daten, die in einem anderen Programm erstellt wurden. Eingebettete Objekte werden im WORD-Dokument gespeichert. Sie sind von der Quelldatei unabhängig. Wird die ursprüngliche Quelldatei im Quellprogramm verändert, ändert sich das eingebettete Objekt nicht! Dokumente mit eingebetteten Objekten benötigen **mehr Speicherplatz.** ■ Start ■ Inhalte einfügen ■ Einfügen

Bevor Sie Daten aus anderen Programmen übernehmen, sollten Sie immer speichern. Der Datenaustausch ist ein sehr leistungsintensives Verfahren, das manchmal Fehler im Betriebssystem auslöst.

Eingebettete Objekte können auch dann durch Doppelklick bearbeitet werden, wenn die ursprüngliche Quelldatei nicht mehr vorhanden ist!

Enthält eine Datei verknüpfte Objekte, muss beim Übertragen auf einen anderen Computer die Quelldatei mitübertragen werden.

3.1.2 Dateiformate

Beim Datenaustausch (nicht nur mit OFFICE-Anwendungen) werden Sie immer wieder mit unterschiedlichen Dateiformaten konfrontiert. Häufig kommen folgende Dateiformate vor:

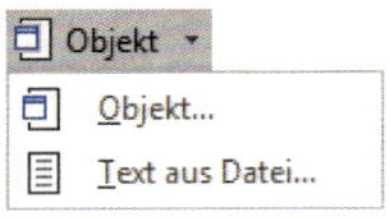

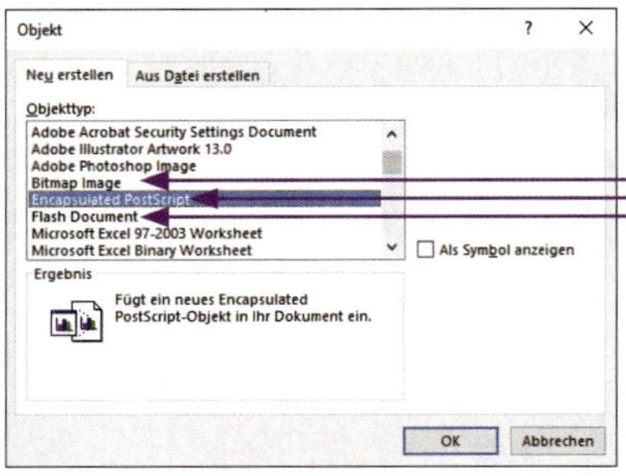

Grafikformate			
gif	Graphics Interchange Format, max. 256 Farben, Animation und transparente Darstellung möglich, Standardformat für Grafiken im Webdesign. Eigenschaften (z. B. Transparenz) bleiben beim Einfügen in OFFICE-Programme erhalten	**png**	Portable Network Graphic, verlustfreie Komprimierung, transparente Darstellung, für Webdesign. Transparenz bleibt beim Einfügen in OFFICE-Programme erhalten
		jpg	Joint Photographic Experts Group, 16,7 Mio. Farben, komprimiert, verlustbehaftet, Standardformat für Fotos im Webdesign
bmp	Bitmap, pixelorientierte Rastergrafik		
eps	Encapsulated Post-Script, Vektor- und Pixelgrafiken zum Datenaustausch	**tif(f)**	Tagged Image File Format, universelles Bildformat zum Austausch zwischen unterschiedlichen Programmen
swf	Interaktive Vektorgrafiken und Animationen (Flash)		
Textformate			
docx	WORD-Dokumente ab Version 2007	**dotx**	Vorlage für WORD ab Version 2007
txt	Reine Textdatei im ASCII-Code, keine Formatierung	**rtf**	Rich Text Format, ASCII-Texte mit Formatierung zum Austausch zwischen Textverarbeitungsprogrammen
html	Hypertext Markup Language, Text, der im Browser dargestellt werden kann	**pdf**	Plattformunabhängiges und programmübergreifendes Dateiformat für Text und Grafiken
csv	Textformat für den Austausch zwischen Tabellenkalkulation und Datenbanken, Daten werden durch Komma oder Semikolon getrennt	**xml**	Extensible Markup Language, universelles Dateiformat, Trennung von Darstellung und Inhalt, für unterschiedliche Betriebssysteme und Anwendungen
Formate diverser Anwendungsprogramme			
avi	Audio Video Interleave-Datei für Windows-Multimediaanwendungen	**wav**	Audiodatei, unkomprimiert, verlustfrei, hohe Wiedergabequalität
mp3	Sounddatei, komprimiert, nicht hörbare Soundteile werden ausgefiltert	**wmv**	WINDOWS-Media-Video-Datei für WINDOWS-MEDIA-PLAYER, hohe Kompression, verlustbehaftet
mpg	Videodatei, komprimiert, verlustbehaftet	**accdb**	Microsoft-ACCESS Datenbank
xlsx	EXCEL-Tabellenkalkulation	**ppx**	POWERPOINT-Präsentation
xltx	EXCEL-Vorlagedatei	**ppsx**	Selbststartende POWERPOINT-Präsentation

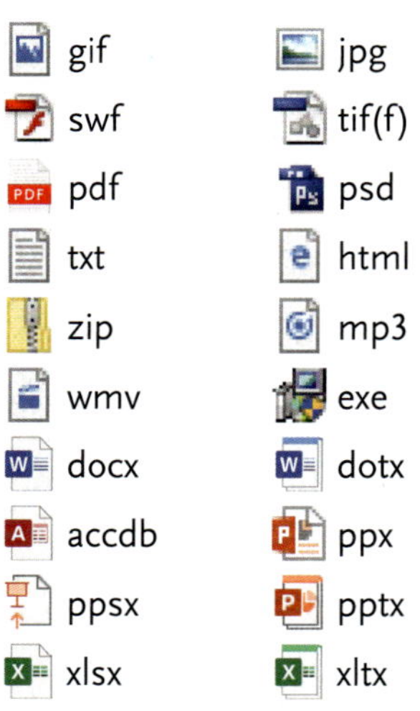

zip	Komprimiertes Dateiarchiv	**psd**	PHOTOSHOP-Bilddateiformat kann nicht in OFFICE-Dateien eingefügt werden
exe	Ausführbare Programmdatei	**drv**	Gerätetreiberdatei

Übungen

1. Dateityp – Symbole
Ordnen Sie die Dateitypen gif, jpg, docx, xlsx, dotx, txt, zip, exe, mp3, pdf den abgebildeten Symbolen zu:

2. Definition von Dateiformaten
Nennen Sie die Definition folgender Dateiformate:

ppsx ....

html ....

dotx ....

3.2 Zwischenablage

Die einfachste Art, um Daten aus anderen Programmen zu übernehmen, ist das KOPIEREN bzw. AUSSCHNEIDEN und EINFÜGEN über die Zwischenablage.

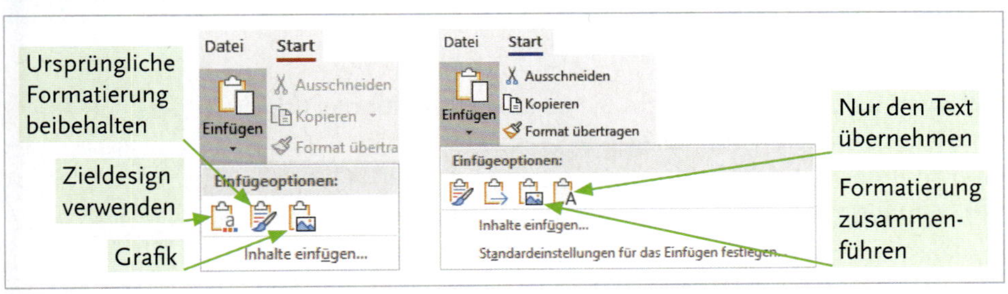

KOPIEREN bzw. AUSSCHNEIDEN und EINFÜGEN über die Zwischenablage haben Sie bereits in WORD erlernt. Der Vorgang ist auf alle OFFICE-Programme übertragbar.

Digitale Lernkarten dazu finden Sie in der TRAUNER-DigiBox.

Abhängig vom kopierten Element, stehen verschiedene Einfügeoptionen zur Verfügung.

3.3 Hyperlinks

Sobald Sie auf einen Hyperlink (Textteil oder Grafik) klicken, öffnet sich der damit verknüpfte Zielort des Hyperlinks. Dieser kann sich an einer bestimmten Stelle innerhalb einer Datei auf der lokalen Festplatte, auf einem Computer im lokalen Netzwerk oder im Internet befinden.

Hyperlink einfügen

- Text erstellen und markieren bzw. Bild oder Grafiken einfügen und markieren – EINFÜGEN – LINK – LINK ZU:
- Oder Kontextmenü LINK
- DATEI ODER WEBSEITE: SUCHEN IN: Ordner und Datei auswählen

Internet- oder E-Mail-Adresse automatisch in einen Hyperlink umwandeln

- DATEI – OPTIONEN – WORD-OPTIONEN – DOKUMENTPRÜFUNG
- AUTOKORREKTUR-OPTIONEN... – AUTOFORMAT WÄHREND DER EINGABE – WÄHREND DER EINGABE ERSETZEN: INTERNET- UND NETZWERKPFADE DURCH LINKS

Bevor Sie einen Hyperlink manuell in Ihr Dokument einfügen, sollten Sie es immer speichern!

Linkfarben für das gesamte Dokument ändern

Entwurf – Dokumentformatierung – Farben – Farben anpassen... – Farbe für Link und Besuchten Hyperlink auswählen – Namen eingeben – Speichern

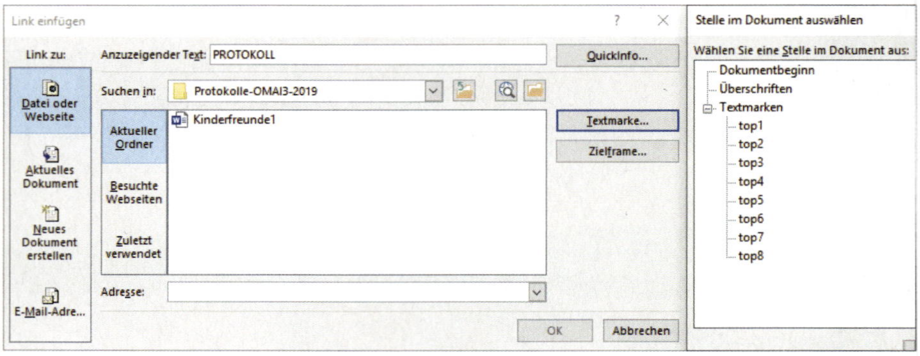

- Oder Symbol: Web durchsuchen und Website auswählen
- Oder Adresse: vollständige URL der Website einfügen, z. B. https://www.trauner.at
- Aktuelles Dokument: Dokumentbeginn, Überschriften oder Textmarken
- Neues Dokument erstellen: Namen vergeben und Dokument erstellen
- E-Mail-Adresse: Adresse und Betreff einfügen

Textmarke = Positionen innerhalb eines Dokuments, auf die ein Hyperlink verweisen kann.

Nur das Verlinken zu Textmarken, nicht das Erstellen von Textmarken ist Inhalt dieses Kapitels.

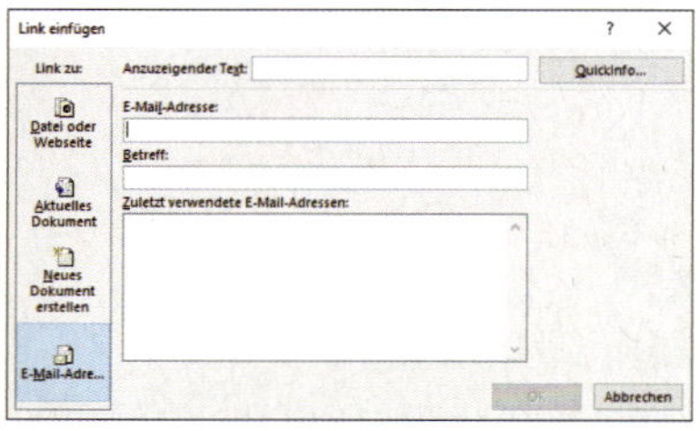

Hyperlink bearbeiten, auswählen, kopieren oder löschen

- Hyperlink markieren – Kontextmenü Hyperlink bearbeiten... bzw. Hyperlink kopieren bzw. Link entfernen

Hyperlink öffnen

- Mit Strg und Klick auf den Hyperlink
- Oder Kontextmenü Link öffnen

Übung

- **Hyperlinks automatisch und manuell erstellen**

a) Öffnen Sie die Dokumente **Definitionen_u.docx** und speichern Sie es unter **Definitionen3.docx.**
b) Öffnen Sie die Dateien **Definitionen1.docx** und **Definitionen2.docx.**
c) Verlinken Sie das Wort „Akquisition" mit der Datei **Definitionen1.docx.**
d) Verlinken Sie das Wort „Kick-off-Präsentation" mit der Datei **Definitionen2.docx.**
e) Ändern Sie bei Bedarf die Hyperlinkfarbe.
f) Recherchieren Sie mit einer Partnerin/einem Partner im Internet nach Definitionen für die anderen Wörter im Dokument **Definitionen3.docx** und speichern Sie Ihre Antworten mit Quellenangabe jeweils in weiteren WORD-Dokumenten.
g) Achten Sie darauf, dass Ihre Quellenangaben jeweils als Hyperlink in Ihre Dokumente eingefügt werden. Ändern Sie evtl. die AutoKorrektur-Optionen.
h) Verlinken Sie die Wörter aus dem Dokument **Definitionen3.docx** mit den von Ihnen erstellten Dateien.
i) Speichern Sie das Dokument unter **Definitionen4.docx.**

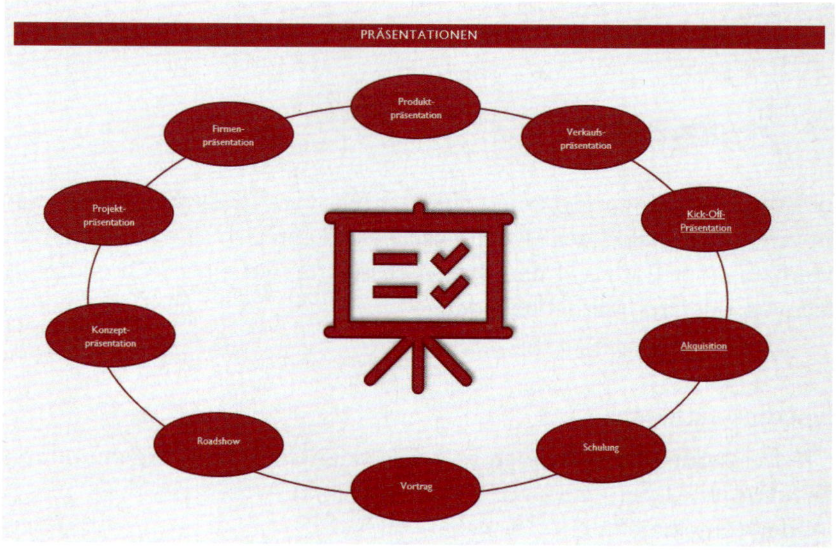

3.4 Programmübergreifende Designs

Einheitliche benutzerdefinierte Designs, die in mehreren OFFICE-Programmen genutzt werden sollen, müssen nur in einem OFFICE-Programm erstellt und gespeichert werden. Dies ist vor allem für komplexe Aufgaben interessant, wenn z. B. Präsentationen und umfangreiche Dokumente oder Briefe schnell mit einem einheitlichen, selbst gestalteten Layout erstellt werden sollen.

Selbst erstellte benutzerdefinierte Designs werden nach der Speicherung automatisch von einem OFFICE-Programm ins andere übertragen.

Design in POWERPOINT erstellen und in WORD verwenden

- Präsentation in POWERPOINT neu erstellen oder öffnen – ENTWURF – DESIGNS – DESIGN und VARIANTEN auswählen
- Wenn gewünscht, Vorschläge für die Gestaltung über ENTWURF – DESIGNER – DESIGN IDEEN anzeigen lassen.

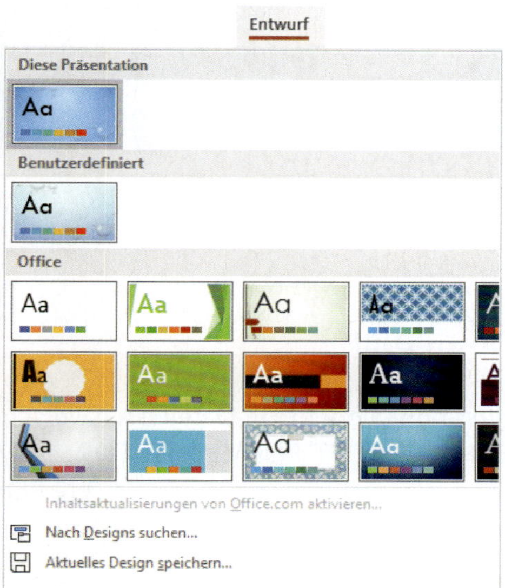

- VARIANTEN – FARBEN – FARBEN ANPASSEN... – NEUE DESIGNFARBEN ERSTELLEN – Farben ändern und umbennen
- VARIANTEN – SCHRIFTARTEN – SCHRIFTARTEN ANPASSEN... – NEUE DESIGNSCHRIFTARTEN ERSTELLEN... und benennen
- HINTERGRUNDFORMATE – HINTERGRUND FORMATIEREN... – FÜLLUNG – Füllung auswählen, z. B. Bild- oder Texturfüllung – EINFÜGEN AUS: DATEI..., Bild auswählen – FÜR ALLE ÜBERNEHMEN
- BILDTOOLS – KORREKTUREN, FARBE, KÜNSTLERISCHE EFFEKTE passend wählen – FÜR ALLE ÜBERNEHMEN
- DESIGN – AKTUELLES DESIGN SPEICHERN...
- Bei Bedarf weitere Änderungen im FOLIENMASTER durchführen
- Texte und Bilder in Präsentation einfügen und speichern
- Dokument in WORD öffnen oder neu erstellen – LAYOUT – DESIGNS – BENUTZERDEFINIERT – Neu erstelltes Design auswählen

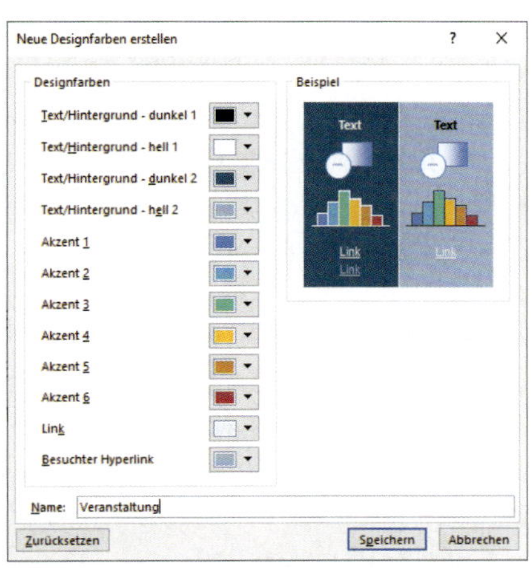

Designideen werden nur bei aufrechter Internetverbindung angezeigt.

Übung

- **Veranstaltungsorganisation – Programmübergreifendes Design**
  a) Erstellen Sie für die POWERPOINT-Präsentation **Veranstaltung_u.pptx** eine Präsentation im Rahmen einer Veranstaltung zu einem Thema eigener Wahl, z. B. Charity-Gala. Erzeugen Sie im Folienmaster ein eigenes Design auf Basis des Designs Tropfen. Verwenden Sie bei Bedarf das Bild **Veranstaltung5.png.** Speichern Sie das Design und das Dokument unter **Veranstaltung1.pptx.**
  b) Erstellen Sie einen Programmfolder (oder öffnen Sie **Veranstaltung2.docx**) und formatieren Sie den Einladungsbrief für die Ehrengäste oder einen Brief zum Sammeln von Tombolapreisen in WORD zu dieser Veranstaltung. Verwenden Sie zur Formatierung Formatvorlagen, bei Bedarf das Bild **Veranstaltung5.png** und das von Ihnen erstellte Design.
  c) Speichern Sie Ihre Dokumente unter **Veranstaltung3.docx** und **Veranstaltung4.docx.**

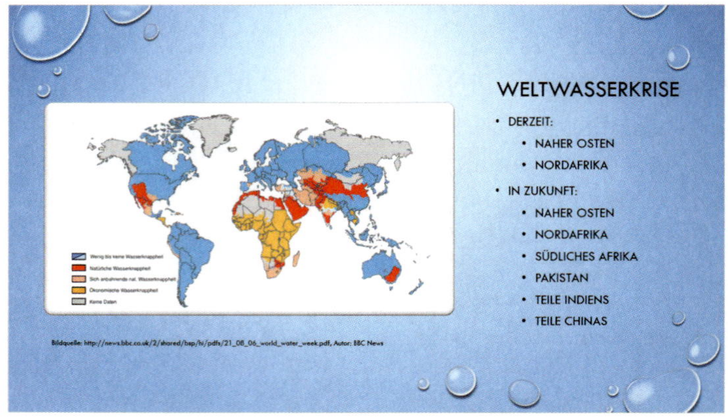

3.5 Objekte einbetten und verknüpfen

Objekte (Dateien wie BitmapImages, Animationen oder PDF-Dateien aus verschiedenen Quellprogrammen, z. B. ADOBE, MICROSOFT FORMEL EDITOR, OPEN-DOCUMENT-Dateien, Dateien aus alten und neuen Versionen von EXCEL, POWERPOINT und WORD) lassen sich mit WORD-Dokumenten verknüpfen.

⚠ Ist das Anwendungsprogramm, das Sie zum Erstellen der Verknüpfung mit dem Objekt benötigen, nicht installiert, erscheint eine Fehlermeldung.

Neue Objekte verknüpfen

- Einfügen – Objekt – Objekt... – Neu erstellen
- Objekttyp auswählen – Sie erhalten in WORD Register und Menüs jenes Anwendungsprogramms, dessen Objekttyp Sie ausgewählt haben, und/oder das Anwendungsprogramm wird parallel zu WORD geöffnet
- Objekt erstellen und positionieren

Bestehende Objekte verknüpfen

- Einfügen – Objekt – Objekt... – Aus Datei erstellen – Verknüpfen aktivieren – Durchsuchen...
- Datei auswählen
- Sie erhalten in WORD Register und Menüs jenes Anwendungsprogramms, dessen Objekttyp Sie ausgewählt haben, und/oder das Anwendungsprogramm wird parallel zu WORD mit Doppelklick auf das Objekt geöffnet
- Objekt bei Bedarf bearbeiten und positionieren

Beispiel: Einfügen eines Objektes aus dem MICROSOFT FORMEL EDITOR

$$\lim_{n\to\infty}\int_{\frac{1}{n}}^{1} 1/\sqrt{x}\,dx$$

Piktogramme in Bitmap-Bild-Objekte umwandeln und einfügen/verknüpfen

- Ein beliebiges Piktogramm in WORD einfügen und kopieren
- Einfügen – Objekt – Objekt... - Neu Erstellen – Bitmap Image
- PAINT wird geöffnet – Start – Zwischenablage – Einfügen
- Das Piktogramm kann in PAINT verändert werden und wird in ein Bitmap-Bild-Objekt umgewandelt
- Nachträgliches Bearbeiten – Kontextmenü – Bitmap-Bild-Objekt – Bearbeiten

Übung

- **Neues Objekt in Datei einfügen**

a) Fügen Sie in die Datei **Kindergarten_u.docx** ein BitmapImage ein. Sie erhalten die Werkzeuge des Programms PAINT.
b) Speichern Sie das Dokument unter **Kindergarten1.docx.**
c) Zeichnen Sie mehrere zum Thema passende Motive und positionieren Sie die fertigen Objekte neben der Überschrift. Formatieren Sie den Text mit Formatvorlagen und Aufzählungszeichen. Wählen Sie ein passendes Design.
d) Setzen Sie zur Quellenangabe einen passenden Hyperlink.

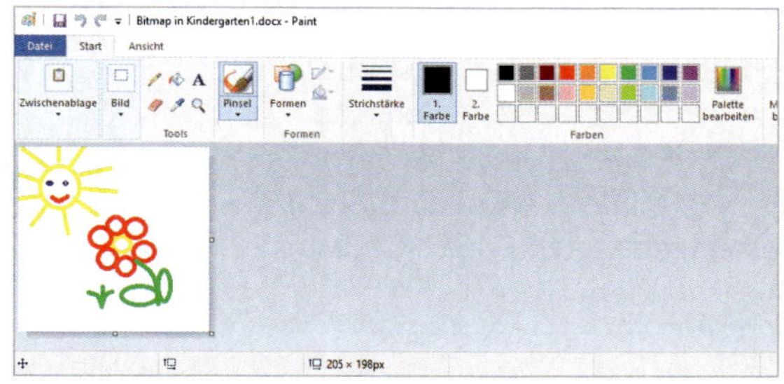

KINDERGARTEN

Der Kindergarten ist eine Einrichtung der frühen Bildung des Kindes sowie zur Kindertagesbetreuung/Kinderbetreuung. Der Kindergarten ergänzt die Erziehung in der Familie; er eröffnet den Kindern erweiterte und umfassendere Erfahrungs- und Bildungsmöglichkeiten über das familiäre Umfeld hinaus.

HINSICHTLICH DER ÖFFNUNGSZEITEN KANN MAN GROB DREI FORMEN UNTERSCHEIDEN:

- Teilzeitbetreuung, am Vor- und/oder am Nachmittag
- Verlängertes Vormittagsangebot, von morgens bis nach dem Mittagessen
- Ganztagsbetreuung, von morgens bis zum Spätnachmittag.

3.6 EXCEL-Objekte einbetten und verknüpfen

Neues EXCEL-Objekt einbetten und bearbeiten

- WORD Dokument erstellen oder öffnen – EINFÜGEN – OBJEKT – NEU ERSTELLEN – OBJEKTTYP: MICROSOFT EXCEL-Worksheet oder
- WORD Dokument erstellen oder öffnen – EINFÜGEN – TABELLE – EXCEL-KALKULATIONSTABELLE
- Die Tabelle erscheint im EXCEL-Format, das Menüband steht in WORD zur Verfügung
- Tabellendaten eingeben und formatieren
- Mit Klick außerhalb des EXCEL-Arbeitsblattes kehren Sie zu WORD zurück

Ausblenden der Gitternetzlinien
ANSICHT – ANZEIGEN – GITTERNETZLINIEN DEAKTIVIEREN

Das WORD-Menüband wird durch das EXCEL-Menüband ersetzt.

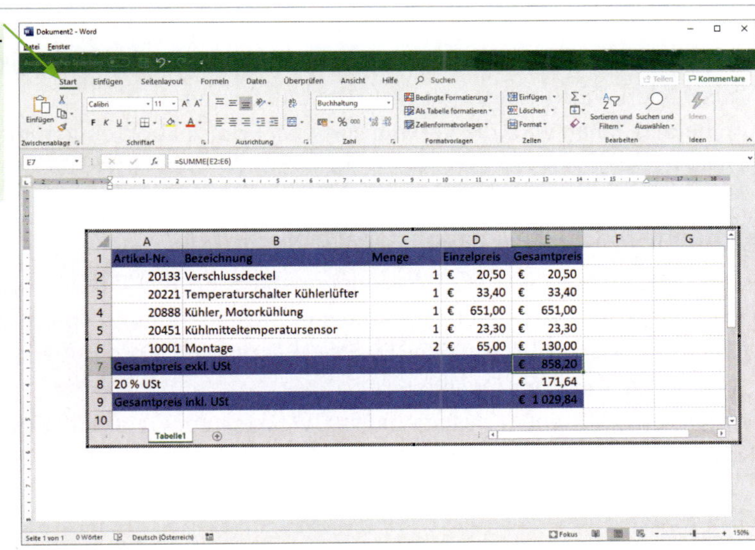

⚠ Achten Sie beim eingebetteten EXCEL-Objekt auf mit den WORD-Inhalten übereinstimmende Formatierungen (Design, Schriftart, Schriftgrad, etc.) und markieren Sie nur jene Bereiche der EXCEL-Tabelle, die Sie einbetten/verknüpfen wollen. Die Größe des eingebetteten EXCEL-Objektes muss vor dem Wechsel nach WORD festgelegt werden.

Bestehendes EXCEL-Objekt einbetten/verknüpfen und bearbeiten

- Eine EXCEL-Datei erstellen oder öffnen – Daten im Arbeitsblatt markieren und kopieren
- Zu WORD oder POWERPOINT wechseln – START – EINFÜGEN – INHALTE EINFÜGEN... – EINFÜGEN – ALS: MICROSOFT EXCEL-Arbeitsmappe-Objekt
- Oder EINFÜGEN – OBJEKT – AUS DATEI ERSTELLEN – Über DURCHSUCHEN... Datei auswählen – EINFÜGEN – OK
- Die Tabelle erscheint in beiden Fällen im EXCEL-Format, das Menüband steht in WORD zur Verfügung wenn Sie das Objekt mit Doppelklick öffnen
- Tabellendaten eingeben und formatieren
- Mit Klick außerhalb des EXCEL-Arbeitsblattes kehren Sie zu WORD zurück
- Oder START – EINFÜGEN – EINFÜGEOPTIONEN – passendes Symbol auswählen
- Die Tabelle erscheint im WORD-Format

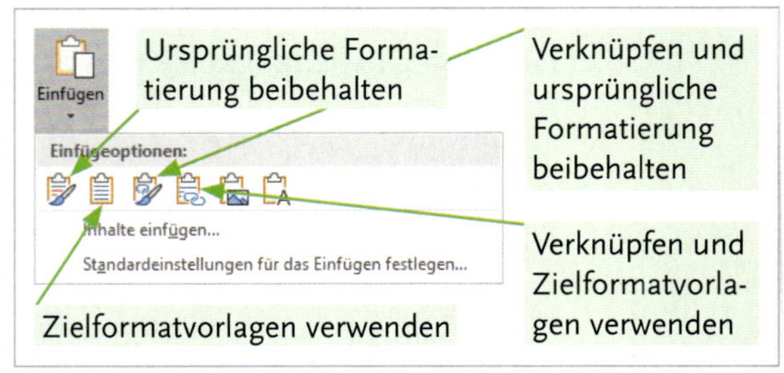

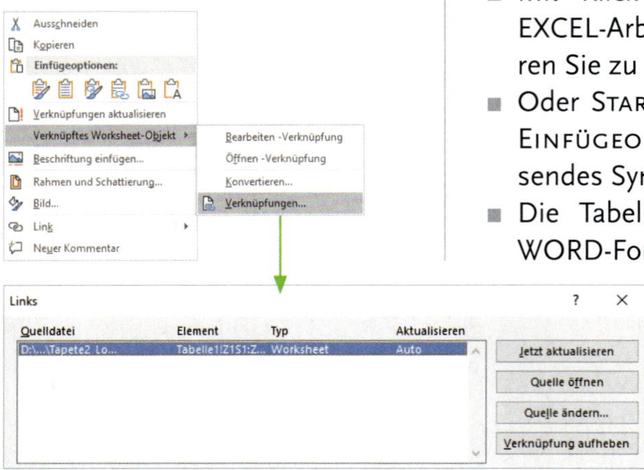

- Wurde ein Verknüpfungssymbol gewählt, können die EXCEL-Daten bearbeitet werden über Kontextmenü – VERKNÜPFTES WORKSHEET-OBJEKT – BEARBEITEN – VERKNÜPFUNG oder ÖFFNEN – VERKNÜPFUNG – EXCEL wird geöffnet
- Oder VERKNÜPFUNGEN... um die QUELLE ZU ÖFFNEN, ZU ÄNDERN... oder die VERKNÜPFUNG AUFZUHEBEN
- Oder START – INHALTE EINFÜGEN – VERKNÜPFUNG EINFÜGEN: – ALS: MICROSOFT EXCEL-Arbeitsmappe-Objekt

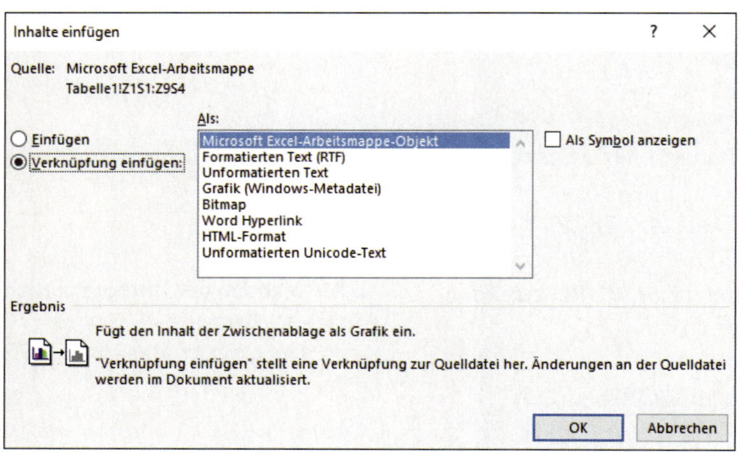

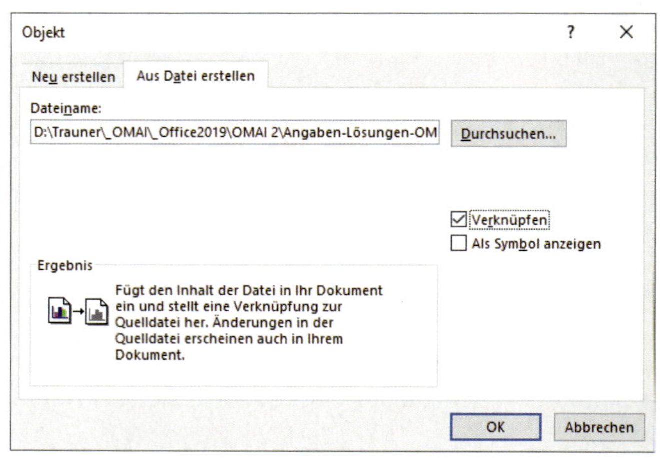

- Oder EINFÜGEN – OBJEKT – AUS DATEI ERSTELLEN – Über DURCHSUCHEN... Datei auswählen – EINFÜGEN – VERKNÜPFEN aktivieren – OK
- In beiden Fällen wird die Verknüpfung als Feldfunktion eingefügt

Verknüpfte EXCEL-Kalkulationstabelle bearbeiten

- Doppelklick auf die EXCEL-Kalkulationstabelle im WORD-Dokument – EXCEL wird gestartet – Arbeitsblatt bearbeiten, formatieren und speichern
- Wechseln Sie zurück zu WORD – WORD aktualisiert die Ansicht und zeigt die Änderungen aus der Quelldatei
- Oder Kontextmenü – VERKNÜPFTES WORKSHEET-OBJEKT – BEARBEITEN – VERKNÜPFUNG

Übung

Bestehende EXCEL-Kalkulationstabelle verknüpfen und bearbeiten

a) Erstellen Sie die abgebildete Rechnung in WORD oder öffnen Sie die Datei **Kuehler_u.docx.**

- Fügen Sie das Tabellenblatt Rechnung ....-203276-K aus der EXCEL-Datei **Kuehler1.xlsx** zwischen dem Betreff und der Grußformel als Verknüpfung ein. Ergänzen Sie fehlende Formeln und Formatierungen in der EXCEL-Datei.
- Weisen Sie das gleiche Design zu, das Sie bereits im WORD-Dokument verwendet haben.
- Speichern Sie die WORD-Datei unter **Kuehler2.docx.**

KÜHLERFIT

Wasserkühler • Heizungskühler • Ölkühler • Kraftstofftanks

Fachkundig • International • Teamstark

Kühlerfit Kühlerservice GmbH
Wachtelstraße 21 a
4053 ANSFELDEN, ÖSTERREICH/AUSTRIA
Tel.: 0043 7229 78 88 88-0
Fax: 0043 7229 78 88 88-20
E-Mail: office@kuehlerfit.at
Web: www.kuehlerfit.at

Frau
Hatice KÖCKSAL
Ansfeldner Straße 22
4053 Haid

Rechnungsdatum: ....-10-29
Lieferdatum: ....-10-29
Zeichen: may-zil
Bearbeiter: Herr Anton Mayr
Telefon: 0043 7229 78 88 88-20
E-Mail: a.mayr@kuehlerfit.at

Rechnung Nr. ....-203276-K
Mazda 5 CR

Artikel-Nr.	Bezeichnung	Menge	Einzelpreis	Gesamtpreis
10184	Klimakompressor	1	€ 620,00	€ 620,00
10660	Wasserpumpe	1	€ 63,50	€ 63,50
10714	Schlauchbinder	2	€ 2,40	€ 4,80
10001	Montage	0,5	€ 65,00	€ 32,50
Gesamtpreis exkl. USt				€ 720,80
20 % USt				€ 144,16
Gesamtpreis inkl. USt				€ 864,96

Freundliche Grüße

KÜHLERFIT
Kühlerservice GmbH

Beilage
1 Zahlungsanweisung

Zahlbar innerhalb von 8 Tagen ohne Abzug. Die Ware bleibt bis zur vollständigen Bezahlung unser Eigentum.
Zahlbar und klagbar in Linz. Firmenbuch HRB 5828, Landesgericht Linz.
Bei Zahlungsverzug werden bankmäßige Zinsen verrechnet.
Bankverbindung: Sparkasse Ansfelden, IBAN AT22 2032 0456 1326 9600, BIC ASPKAT2LXXX; UID ATU 234 56 708.

Der Lösungsvorschlag wurde im Design Savon erstellt.

b) Korrigieren Sie in der EXCEL-Kalkulationstabelle **Kuehler1.xlsx** die Anzahl in den Zeilen Schlauchbinder und Montage jeweils auf »1«.

- Speichern Sie die EXCEL-Arbeitsmappe **Kuehler1.xlsx.** Kontrollieren Sie in der WORD-Datei **Kuehler2.docx,** ob die Änderungen an der Tabelle übernommen wurden und speichern Sie die Datei.

c) Öffnen Sie die WORD-Datei **Kuehler2.docx,** entfernen Sie die EXCEL-Tabelle und speichern Sie die Datei unter **Kuehler3.docx.**

- Ändern Sie die Empfängerin auf folgenden Empfänger: »Herr Mag. Wolfgang Stiebler, MSc, Winklergasse 22, 4050 Traun«. Ändern Sie im Bezugszeichenblock das Rechnungs- und Lieferdatum auf das aktuelle Datum. Als Bearbeiter geben Sie Ihren Namen und Ihre Zeichen mit einer passenden E-Mail-Adresse ein. Ihre Durchwahl ist 25. Die neue Rechnungs-Nr. lautet: ....-123456-A, die Automarke unter dem Betreff ändern Sie auf Audi A4.
- Öffnen Sie EXCEL und erstellen Sie folgende neue Tabelle. Formatieren Sie die Tabelle, wie in der Lösung dargestellt und speichern Sie die Datei unter dem Dateinamen **Kuehler4.xlsx.**

	A	B	C	D	E
1	Artikel-Nr.	Bezeichnung	Menge	Einzelpreis	Gesamtpreis
2	20133	Verschlussdeckel	1	€ 20,50	
3	20221	Temperaturschalter Kühlerlüfter	1	€ 33,40	
4	20888	Kühler, Motorkühlung	1	€ 651,00	
5	20451	Kühlmitteltemperatursensor	1	€ 23,30	
6	10001	Montage	2	€ 65,00	
7	Gesamtpreis exkl. USt				
8	20 % USt				
9	Gesamtpreis inkl. USt				
10					

Rechnung ....-123456-A

Ausblenden der Gitternetzlinien über Ansicht – Anzeigen – Gitternetzlinien Deaktivieren

Die EXCEL-Tabelle wird in der gleichen Größe in das WORD-Dokument eingefügt, wie sie im EXCEL-Fenster dargestellt wird. Sie müssen die Fenstergröße des EXCEL-Fensters daher genau auf die beschrifteten Zellen eingrenzen, sonst zeigt die EXCEL-Tabelle in der WORD-Ansicht auch die leeren Bereiche an.

- Ändern Sie die Registerbezeichnung wie abgebildet, blenden Sie die Gitternetzlinien aus, formatieren Sie die Artikelnummern als Text und löschen Sie nicht benötigte Blätter. Berechnen Sie die Werte in der Spalte Gesamtpreis, die Umsatzsteuer sowie die Gesamtsummen inklusive und exklusive der Umsatzsteuer mit Formeln.
- Betten Sie zwischen dem Betreff und der Grußformel in der Datei **Kuehler3.docx** die EXCEL-Kalkulationstabelle **Kuehler4.xlsx** ein (keine Verknüpfung).

3.7 POWERPOINT-Objekte einbetten und verknüpfen

POWERPOINT übernimmt die Gliederungsebenen nur, wenn die Überschriften in WORD – wie üblich – mit Formatvorlagen formatiert wurden. Wird die eingebettete WORD-Datei in eine Präsentation umgewandelt, müssen die einzelnen Folien nachbearbeitet werden.

Folie aus POWERPOINT einbetten/verknüpfen, bearbeiten und aktualisieren

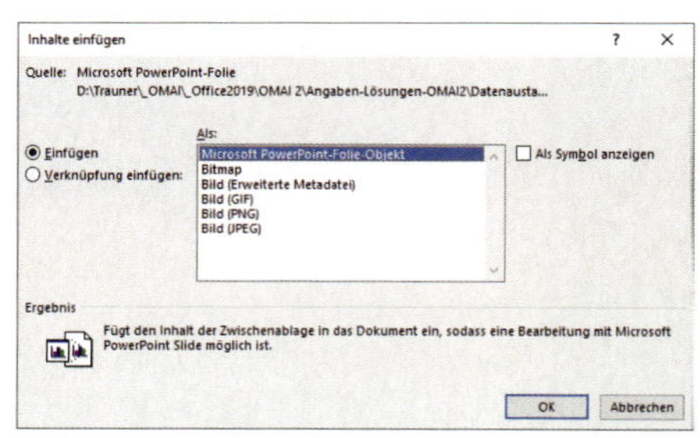

- POWERPOINT-Präsentation öffnen – Folien – Folie markieren und kopieren
- Zu WORD wechseln – Start – Inhalte einfügen – Einfügen – Als: Microsoft POWERPOINT-Folie-Objekt
- Oder – Start – Inhalte einfügen – Verknüpfung einfügen – Als: Microsoft POWERPOINT-Folie-Objekt
- Doppelklick auf das eingefügte Objekt öffnet POWERPOINT
- Änderung an der Folie vornehmen und Datei speichern
- Oder zu WORD wechseln – Verknüpfte Folie markieren – Kontextmenü – Slide-Objekt – Bearbeiten – Verknüpfung oder Öffnen – Verknüpfung – Änderungen vornehmen

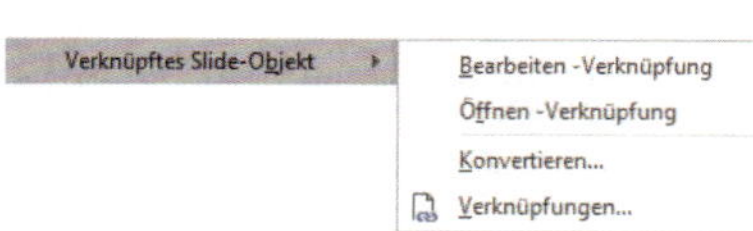

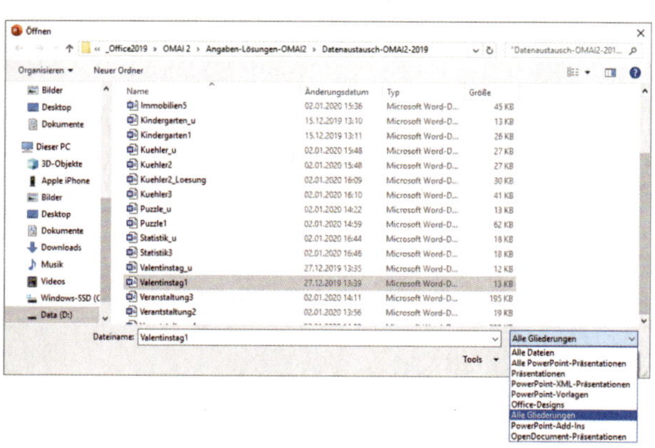

WORD-Datei in POWERPOINT einbetten

- In POWERPOINT – Datei – Öffnen – Durchsuchen – Alle Gliederungen – WORD-Datei auswählen
- Oder in POWERPOINT – Start – Symbol Neue Folie – Folien aus Gliederung... – WORD-Datei auswählen – die WORD-Datei wird in eine Präsentation umgewandelt
- Die POWERPOINT-Präsentation muss nach dem Einbetten der Überschriften aus WORD nachbearbeitet werden.

Übung

- **WORD-Datei in POWERPOINT einbetten**
  a) Erstellen Sie eine leere POWERPOINT-Präsentation. Wählen Sie noch kein Design. Schreiben Sie in die Titelfolie in das Textfeld Titel »Angebote zum Valentinstag« und in das Textfeld Untertitel »Musterfirma GmbH«.
  b) Speichern Sie die Datei unter **Valentinstag2.pptx.**
  c) Fügen Sie eine Fußzeile mit dem aktuellen Datum, der Foliennummer und Ihrem Namen ein. Die Fußzeile soll auf der Titelseite nicht angezeigt werden.
  d) Öffnen Sie in WORD die Datei **Valentinstag_u.docx** und formatieren Sie die drei Geschenkideen jeweils mit der Formatvorlage Überschrift 1.
  e) Speichern Sie die WORD-Datei unter **Valentinstag1.docx,** schließen Sie die Datei.
  f) Wechseln Sie zur POWERPOINT-Präsentation und betten Sie die WORD-Datei ein.
  g) Fügen Sie den fehlenden Text in den Folien aus der WORD-Datei **Valentinstag1.docx** über die Zwischenablage ein und verwenden Sie für die Formatierung das Zieldesign. Entfernen Sie die Aufzählungszeichen.
  h) Wählen Sie ein passendes Design für die Präsentation. Ändern Sie die Hintergrundformate passend. Ergänzen Sie die Folien mit den Bildern **Valentinstag3.gif, Valentinstag4.gif, Valentinstag5.gif** und speichern Sie die Präsentation.

3.8 Diagramm einfügen

- EINFÜGEN – ILLUSTRATIONEN – DIAGRAMM – DIAGRAMMTYP auswählen – EXCEL wird geöffnet
- Werte in die Tabelle eingeben oder EXCEL-Datei öffnen, Werte markieren, kopieren und in die Tabelle einfügen – EXCEL schließen
- Diagramm wird eingefügt – DIAGRAMMTOOLS – ENTWURF

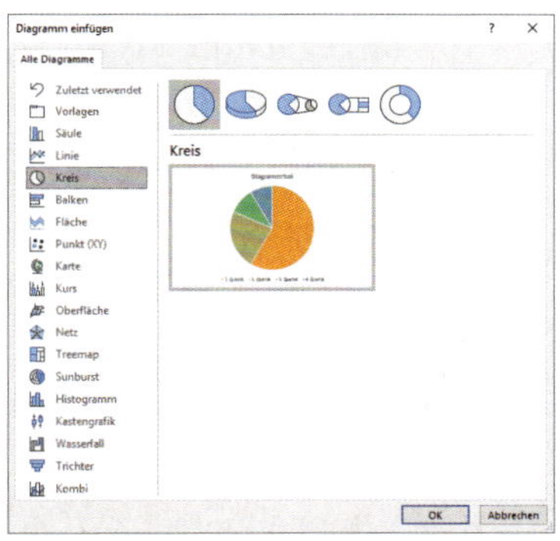

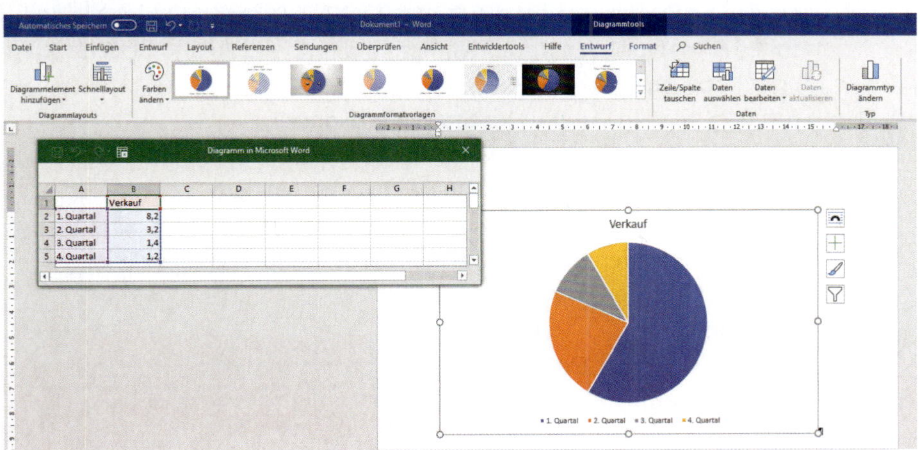

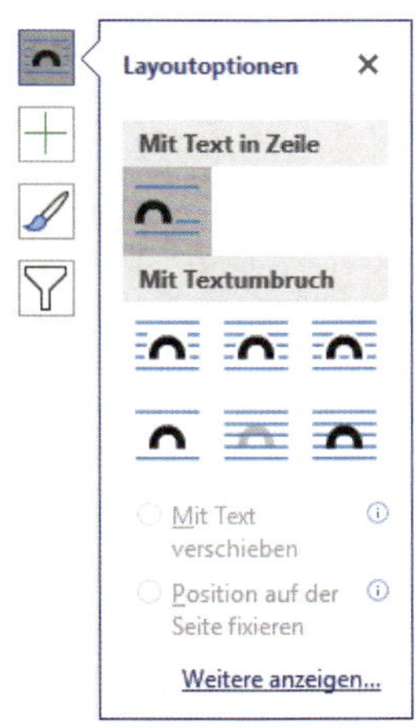

- DIAGRAMMTYP, SCHNELLLAYOUT sowie DIAGRAMMFORMATVORLAGEN auswählen, bei Bedarf Daten auswählen oder bearbeiten und Farben ändern
- DIAGRAMMTOOLS – LAYOUT

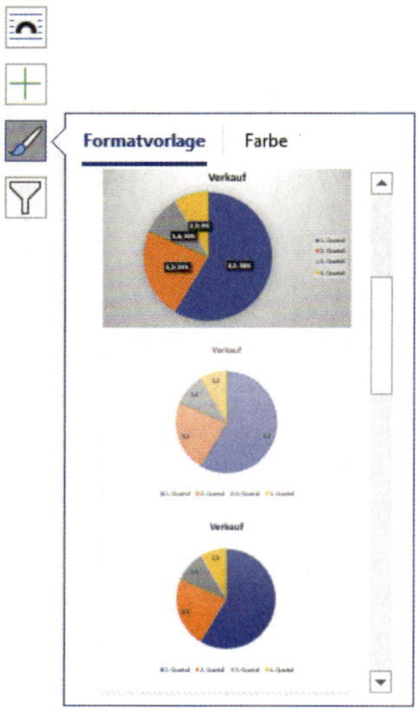

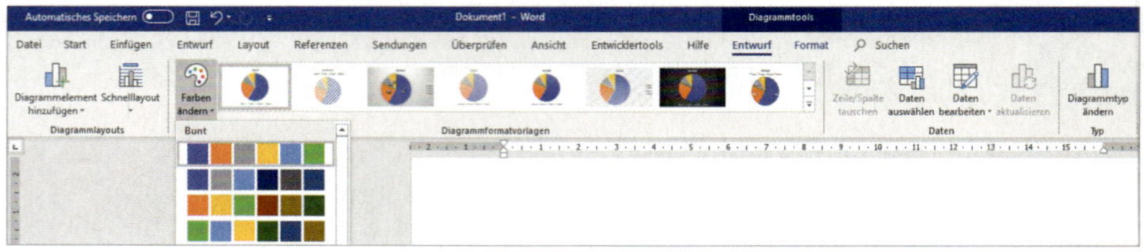

- Diagrammelement hinzufügen – DIAGRAMMTITEL, DATENBESCHRIFTUNGEN, LEGENDE etc. bearbeiten (Auswahlmöglichkeiten abhängig vom Diagrammtyp)
- Symbole für LAYOUTOPTIONEN, DIAGRAMMELEMENTE, FORMATVORLAGEN bei Bedarf auswählen
- DIAGRAMMTOOLS – FORMAT

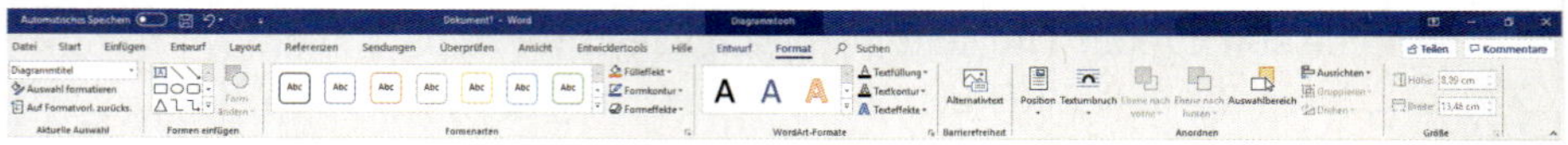

- Elemente markieren – FORMENARTEN, WORDART-FORMATE, ANORDNEN etc. bearbeiten (die Auswahlmöglichkeiten sind vom DIAGRAMMTYP abhängig)

Der Lösungsvorschlag wurde im Design Kondensstreifen erstellt.

Daten für Studierende an Universitäten:

	A	B	C	D	E	F	G
1	Studienjahr	1976	1990	2001	2005	2011	2030
2	Student/innen	47661	200000	155524	165899	277000	319000

Daten für Studierende an Fachhochschulen:

	A	B	C	D	E
1	1995	2000	2005	2010	2030
2	695	9977	23480	36914	

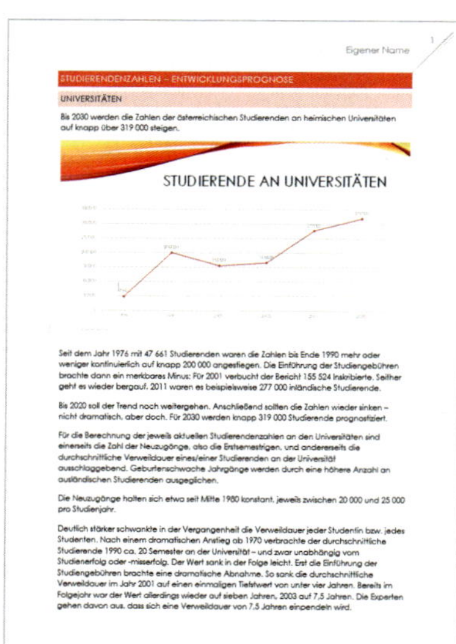

Übungen

1. Folien aus POWERPOINT mit WORD verknüpfen

- Erstellen Sie folgende POWERPOINT-Präsentation und formatieren Sie die Folien wie abgebildet. Fügen Sie eine passende Fußzeile ein. Achten Sie besonders auf das Ausblenden der Legenden und Diagrammtitel.
- Speichern Sie die Präsentation unter dem Dateinamen **Studenten1.pptx.**
- Für die Diagramme verwenden Sie die Daten wie in den Abbildungen angegeben.

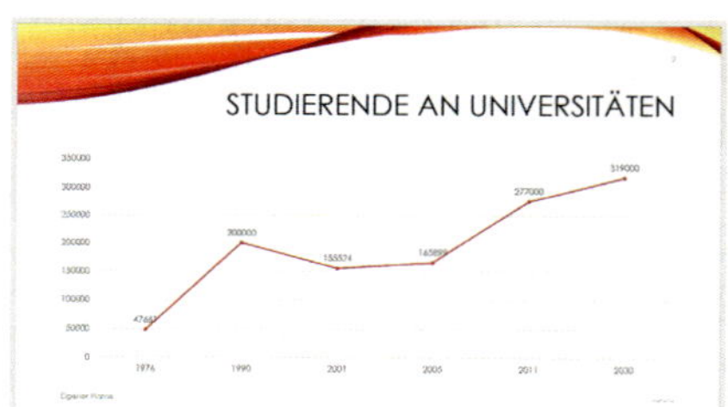

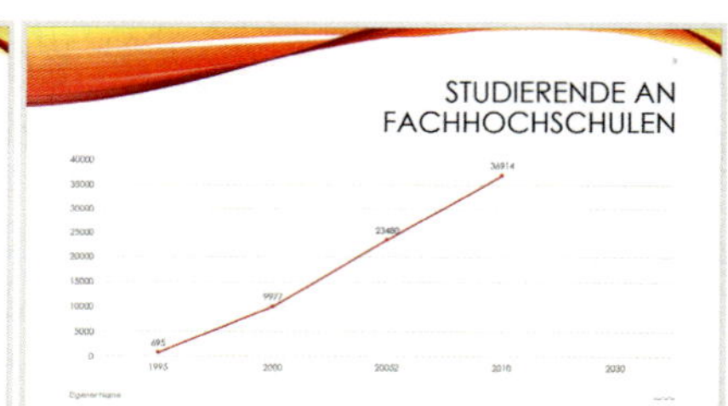

- Wechseln Sie zu WORD und öffnen Sie **Studenten_u.docx.** Weisen Sie das gleiche Design wie für die POWERPOINT-Präsentation sowie passende Formatvorlagen, Ihren Namen in die Kopfzeile und Seitenzahlen in der Kopf- oder Fußzeile zu.
- Speichern Sie die Datei unter **Studenten2.docx.**
- Fügen Sie eine Verknüpfung zur Folie „Studenten an Universitäten" an einer passenden Stelle im Kapitel „Universitäten" ein.
- Fügen Sie eine Verknüpfung zur Folie „Studenten an Fachhochschulen" an einer passenden Stelle in das Kapitel „Fachhochschulen" ein.
- Zentrieren Sie die verknüpften Folien.
- Ergänzen Sie in der Datei **Studenten1.pptx** den Wert für das Jahr 2030 in Höhe von 45 000.
- Speichern und schließen Sie die Datei. Aktualisieren Sie in der Datei **Studenten2.docx** die Verknüpfungen.

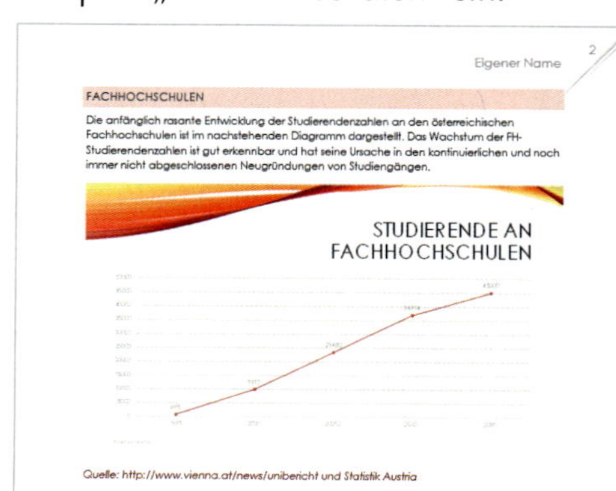

Textdesign

2. Liniendiagramm mit Datenpunkten

- Öffnen Sie die Datei **Statistik_u.docx** und weisen Sie dem Text zwei Spalten mit Zwischenlinien zu. Der Lösungsvorschlag ist im Design Berlin, Dokumentformatierung Schattiert erstellt.
- Speichern Sie das Dokument unter **Statistik3.docx.**
- Ergänzen Sie fehlende Überschriften und weisen Sie passende Formatvorlagen (Überschrift 1 und 2, Schwache Hervorhebung) zu.
- In der linken Spalte unter dem dazupassenden Text fügen Sie ein Liniendiagramm mit Datenpunkten ein, wechseln Sie bei Bedarf die Zeile/Spalte.
- Formatieren Sie das Diagramm in der linken Spalte wie dargestellt mit passenden Farben.
- Fügen Sie in der linken Spalte unter dem dazupassenden Text ein Säulendiagramm Gestapelte Säulen 100 % ein. Wechseln Sie bei Bedarf die Zeile/Spalte. Ändern Sie die Farben passend.
- Fügen Sie in der rechten Spalte unter dem dazupassenden Text ein Kreisdiagramm des Typs Kreis ein. Verändern Sie die von EXCEL vorgegebenen Daten nicht. Weisen Sie eine passende Diagrammformatvorlage zu und beachten Sie die dargestellten Diagrammelemente.
- Fügen Sie in der rechten Spalte unter dem dazupassenden Text das Bild **Statistik1.gif** ein. Verkleinern Sie bei Bedarf das Bild und fügen Sie einen passenden Spaltenumbruch ein. Schreiben Sie unter das Bild jeweils »Quelle: Statistik Austria«.
- Fügen Sie unter der Überschrift Kartogramm das Bild **Statistik2.gif** ein.
- Speichern Sie die Änderungen.

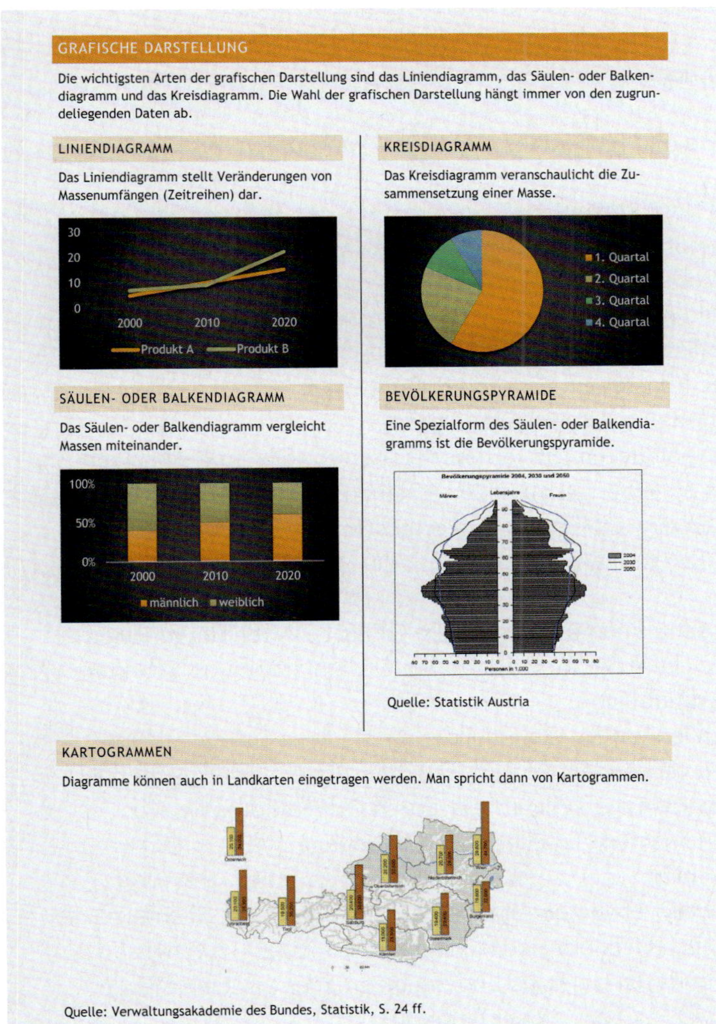

GRAFISCHE DARSTELLUNG

Die wichtigsten Arten der grafischen Darstellung sind das Liniendiagramm, das Säulen- oder Balkendiagramm und das Kreisdiagramm. Die Wahl der grafischen Darstellung hängt immer von den zugrundeliegenden Daten ab.

LINIENDIAGRAMM

Das Liniendiagramm stellt Veränderungen von Massenumfängen (Zeitreihen) dar.

KREISDIAGRAMM

Das Kreisdiagramm veranschaulicht die Zusammensetzung einer Masse.

SÄULEN- ODER BALKENDIAGRAMM

Das Säulen- oder Balkendiagramm vergleicht Massen miteinander.

BEVÖLKERUNGSPYRAMIDE

Eine Spezialform des Säulen- oder Balkendiagramms ist die Bevölkerungspyramide.

Quelle: Statistik Austria

KARTOGRAMMEN

Diagramme können auch in Landkarten eingetragen werden. Man spricht dann von Kartogrammen.

Quelle: Verwaltungsakademie des Bundes, Statistik, S. 24 ff.

Werte für das Liniendiagramm:

	A	B	C	D
1		2000	2010	2020
2	Produkt A	5	10	15
3	Produkt B	7	9	22

Werte für das Säulendiagramm Gestapelte Säulen 100 %:

	A	B	C	D
1		2000	2010	2020
2	männlich	4	5	6
3	weiblich	6	5	4

Ziele erreicht? – „Datenaustausch“

KOMPETENZ-ERWERB

1. Dateityp – Symbole

Ordnen Sie die Dateitypen xltx, swf, tif(f), html, wmv, accdb, ppsx, ppx, psd den Symbolen zu:

2. Neues Objekt und Hyperlinks in Datei einfügen

- Formatieren Sie die Datei **Puzzle_u.docx** in drei Spalten in Blocksatz. Weisen Sie passende Formatvorlagen zu und aktivieren Sie die Silbentrennung.

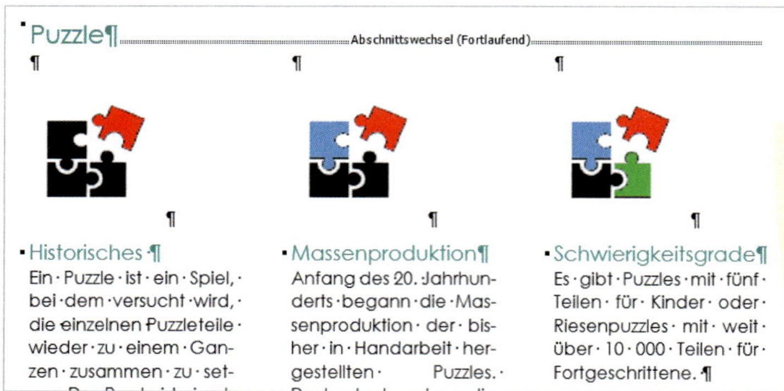

Der Lösungsvorschlag wurde im Design Zitierfähig erstellt.

- Kopieren Sie ein passendes Piktogramm und bearbeiten Sie es als Bitmap-Bild-Objekt in PAINT. Positionieren Sie die fertigen Objekte über den Spaltenüberschriften.
- Setzen Sie von den Puzzleteilen Hyperlinks zu Websites verschiedener Puzzlehersteller (Ravensburger, Piatnik, Schmidt-Spiele etc.).
- Speichern Sie das Dokument unter **Puzzle1.docx.**

3. Programmübergreifendes Design – Diagramme und Hyperlinks einfügen – Verknüpfen mit EXCEL-Tabellen

a) Sie müssen einen Prototyp einer POWERPOINT-Präsentation erstellen: Für den Messeauftritt der Firma LIV Livinginvest GmbH auf einer Immobilienmesse. Beachten Sie das Corporate Design des Unternehmens: Erstellen Sie im Folienmaster ein eigenes Design mit eigenen Designfarben und Schriftarten. Verwenden Sie als Logo das Bild **Immobilien_u.gif.** Ersetzen Sie im Folienmaster die Aufzählungszeichen durch das Bild **Immobilien1.gif.** Als Hintergrundbild verwenden Sie vorläufig für die Titel- und Aufzählungsfolien im Folienmaster ein passendes Onlinebild.

b) Speichern Sie die POWERPOINT-Präsentation unter **Immobilien3.pptx.**

c) Da die Fragen der Kunden während der Präsentation nicht vorhersehbar sind, sollen die einzelnen Folien so miteinander verlinkt werden, dass Sie jederzeit auf jede einzelne Folie zugreifen können. Lösen Sie diese Aufgabe mit passenden Hyperlinks **(Hinweis für Fortgeschrittene:** Verwenden Sie interaktive Schaltflächen). Das Logo soll außerdem auf jeder Folie mit der Website des Unternehmens www.livinginvest.at verlinkt werden.

d) Damit das Design Ihrer POWERPOINT-Präsentation auch für andere OFFICE-Anwendungen wie WORD und EXCEL zur Verfügung steht, speichern Sie Ihr Design, Ihre Designfarben und Schriftarten benutzerdefiniert unter dem Namen **»Immobilien«.**

e) Gestalten Sie die Inhalte wie abgebildet. Verwenden Sie Onlinebilder für die Folie Galerie, achten Sie darauf nur Creative-Common-Dateien zu verwenden. Sobald Ihr Vorgesetzter das Okay für die Gestaltung der Präsentation gegeben hat, werden die Onlinebilder durch Originalfotos ersetzt.

f) Für das Diagramm verwenden Sie die Daten aus dem Tabellenblatt „Wohnungen NEU in OÖ“ aus der EXCEL-Tabelle **Immobilien2.xlsx.** Wählen Sie einen passenden Diagrammtitel. (Hinweis für Fortgeschrittene: Recherchieren Sie auf der Website der Statistik Austria unter dem Stichwort »2005 bis 2015 fertiggestellte Wohnungen nach Gebäudeeigenschaften und Art der Bautätigkeit«. Finden Sie die statistischen Daten für Ihr Bundesland heraus und ergänzen oder ersetzen Sie die EXCEL-Tabelle für das Diagramm in der POWERPOINT-Präsentation.)

g) Öffnen Sie das umfangreiche Dokument **Immobilien4.docx** in WORD.

IMMOBILIEN
DIE
PERFEKTEN
VIER
WÄNDE
LIVING
INVEST
IMMOBILIEN GMBH

NEUBAUPROJEKTE
NEUBAUPROJEKTE
IMMOBILIEN
REFERENZEN
GALERIE
STATISTIK
ÜBER UNS
• Gallneukirchen
• Eigentumswohnungen
• Ausstattung:
• 63 – 80 m²
• Terrasse, Loggia, Eigengarten
• Kellerabteil und Parkplatz
• Garage bzw. Carport
LIVING
INVEST
IMMOBILIEN GMBH
Februar ....
LIV - LIVING INVEST IMMOBILIEN GMBH | 4502 St. Marien | Sankt Marien 9 | Tel. 07227 201 54 | Fax 07227 201 54-30 | office@livinginvest.at | www.livinginvest.at
2

IMMOBILIEN
NEUBAUPROJEKTE
IMMOBILIEN
REFERENZEN
GALERIE
STATISTIK
ÜBER UNS
• Das Grundstück
• Nachhaltigkeit durch optimale Infrastruktur, zentrale Lage und Erholungswert
• Die Planung
• bedürfnisorientiert
• namhafte Architekten
• Das Projektmanagement
• termingerechte Umsetzung
• Fixpreis
• Das Facility-Management
• optimale Bewirtschaftungskosten
• Objektverwaltung mitgeplant
LIVING
INVEST
IMMOBILIEN GMBH
Februar ....
LIV - LIVING INVEST IMMOBILIEN GMBH | 4502 St. Marien | Sankt Marien 9 | Tel. 07227 201 54 | Fax 07227 201 54-30 | office@livinginvest.at | www.livinginvest.at
3

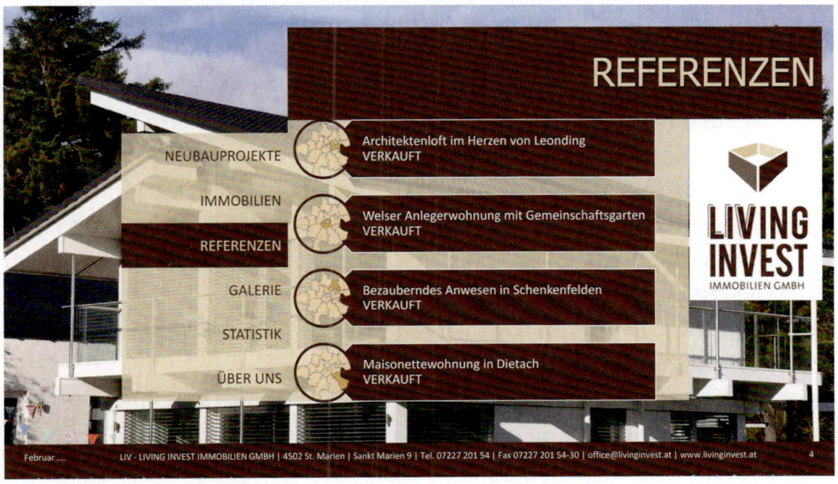
REFERENZEN
NEUBAUPROJEKTE
IMMOBILIEN
REFERENZEN
GALERIE
STATISTIK
ÜBER UNS
Architektenloft im Herzen von Leonding
VERKAUFT
Welser Anlegerwohnung mit Gemeinschaftsgarten
VERKAUFT
Bezauberndes Anwesen in Schenkenfelden
VERKAUFT
Maisonettewohnung in Dietach
VERKAUFT
LIVING
INVEST
IMMOBILIEN GMBH
Februar ....
LIV - LIVING INVEST IMMOBILIEN GMBH | 4502 St. Marien | Sankt Marien 9 | Tel. 07227 201 54 | Fax 07227 201 54-30 | office@livinginvest.at | www.livinginvest.at
4

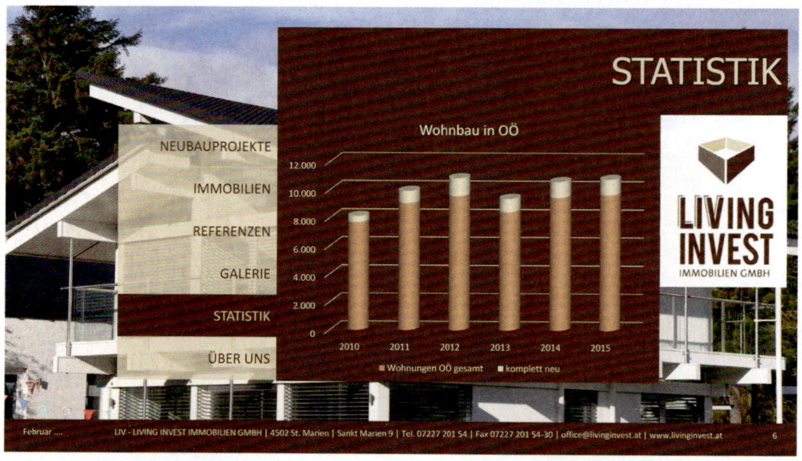

Lösungsvorschlag

h) Speichern Sie das WORD-Dokument unter **Immobilien5.docx.**
i) Fügen Sie in die Kopfzeile das Logo **Immobilien_u.gif** ein, verkleinern Sie es passend und verlinken Sie es mit der Website www.livinginvest.at. In die Fußzeile schreiben Sie Ihren Namen und die Seitenzahl.
j) Formatieren Sie den Text mit den Formatvorlagen wie im Dokument in Klammern angegeben.
k) Weisen Sie dem WORD-Dokument das von Ihnen erstellte benutzerdefinierte Design »Immobilien« zu und wählen Sie die Dokumentformatierung Schattiert.
l) Formatieren Sie die Daten auf dem Tabellenblatt „Wohnbau in OÖ" in der Datei **Immobilien2.xlsx** mit dem Design »Immobilien«. Weisen Sie passende Designfarben als Füll- bzw. Schriftfarben zu.
m) Verknüpfen Sie die Tabellendaten aus **Immobilien2.xlsx** mit der WORD-Datei. Löschen Sie alle Arbeitsanweisungen in Klammern aus der WORD-Datei.
n) Ändern Sie den Seitenumbruch passend, falls Überschriften am Seitenende und dazugehörender Text auf der nächsten Seite am Seitenbeginn stehen.

Einen interaktiven **Safety-Check** finden Sie in der TRAUNER-DigiBox.

II Bildbearbeitung

Dieses Kapitel bietet Ihnen im ersten Abschnitt grundlegende Informationen zur Bildbearbeitung. Sie lernen Grafik- und Dateiformate zu unterscheiden und richtig anzuwenden. Sie machen sich mit verschiedenen Farbmischungen und -modellen vertraut und erfahren, worauf Sie bei der Bildauflösung für den Druck und das Internet achten müssen. Im zweiten Teil des Kapitels befassen Sie sich mit den Funktionen von PHOTOSHOP CS6. Sie erlernen unter anderem wie Sie Objekte, Grafiken und Formen mit unterschiedlichen Filtern und Werkzeugen selbst erstellen und eine Diashow, eigene Bildcollagen oder ein Panoramafoto zusammenstellen können.

1 Bildbearbeitung

Zählen Sie die Dateiformate auf, die Sie bereits kennen.

Sarah ist Mitglied in einem Verein und zuständig für die Öffentlichkeitsarbeit. Sie erstellt Broschüren, Einladungen und hält die Website auf dem letzten Stand. Dabei stößt sie auf unvorhergesehene Fragen. Welches Dateiformat soll sie verwenden? Welche Auflösung sollen die Bilder haben? Welches Farbmodell passt? Des Weiteren möchte sie für den Jahresbericht einige Bilder bearbeiten und beschäftigt sich daher mit dem Bildbearbeitungsprogramm PHOTOSHOP CS6.

KOMPETENZ-ERWERB

Meine Ziele

Nach Bearbeitung dieses Kapitels kann ich

- Farbmischungen und -modelle sowie Grafik- und Dateiformate unterscheiden, wiedergeben, erklären und passend anwenden;
- zwischen der Bildauflösung für den Druck und für das Internet unterscheiden;
- Bilder in PHOTOSHOP für die Weiterverwendung bearbeiten;
- mit mehreren Ebenen arbeiten sowie Ebenenstile und -effekte anwenden;
- Farben mit verschiedenen Werkzeugen auswählen und das Füll- und Verlaufswerkzeug anwenden;
- mit Filtern und Werkzeugen Objekte, Grafiken sowie Formen erstellen und bearbeiten;
- eine Diashow als PDF-Datei speichern;
- Texte in 3-D gestalten und ein Panoramafoto erstellen;
- eigene Bildcollagen erzeugen.

1.1 Grundlagen der Bildbearbeitung

Bevor Sie mit dem praktischen Teil der Bildbearbeitung, mit dem professionellen Bildbearbeitungsprogramm Adobe-PHOTOSHOP CS6, vertraut werden, finden Sie am Beginn des Kapitels eine theoretische Übersicht über Farbmischungen, Farbmodelle, Grafikarten, Dateiformate und die Bildauflösung.

Eine interaktive Übung dazu finden Sie in der TRAUNER-DigiBox.

Grundlagen der Bildbearbeitung

Dateiformate	Farbmischungen	Farbmodelle	Grafikarten	Bildauflösung
■ TIFF ■ PSD ■ PostScript ■ EPS ■ JPG ■ GIF ■ PNG ■ PDF	■ Additive Farbmischung ■ Subtraktive Farbmischung	■ RGB ■ CMYK ■ LAB ■ HSB	■ Pixelgrafiken ■ Vektorgrafiken	■ Internet ■ Druck

1.1.1 Farbmischungen

Farbmischungen	
Additive Farbmischung 	■ Wird für die Darstellung auf dem Bildschirm verwendet. ■ Rotes, grünes und blaues Licht wird gemischt (RGB-Modell). ■ Die Farbe Weiß wird erzeugt, wenn die Farben **Rot, Grün** und **Blau** mit höchster Intensität kombiniert werden.
Subtraktive Farbmischung 	■ Wird beim Vierfarbendruck verwendet. ■ Die Farben Cyan, Magenta und Yellow (CMYK-Modell) werden gemischt und entstehen durch die Absorption und Reflexion von Licht mit Farbsubstanzen, die gedruckt werden. **Cyan:** Reflexion von Grün und Blau. **Magenta:** Reflexion von Rot und Blau. **Yellow:** Reflexion von Rot und Grün. ■ Die vierte Farbe **Schwarz** (Kontrast) wird benötigt, um alle Farben darstellen zu können. ■ Beispiel: Professioneller Druck, Farbfotografie ...

Während des Mischens der drei Grundfarben nimmt die Leuchtkraft der Farben ab. Werden alle drei Farben bei voller Intensität gemischt, entsteht Schwarz und es wird kein Licht mehr reflektiert.

1.1.2 Farbmodelle

Jedes Farbmodell umfasst einen bestimmten Farbraum, d. h., es kann eine bestimmte Anzahl von Farben darstellen. Je nach Einsatzbereich, z. B. für die Bildschirmdarstellung oder für den Druck, entscheiden Sie sich für ein passendes Farbmodell.

Für welches Farbmodell Sie sich entscheiden, hängt davon ab, wofür Sie das Bild benötigen.

Farbmodelle	
RGB	■ Farben werden mit Licht dargestellt (Bildschirm, Scanner, Digitalkamera ...). ■ Additive Grundfarben **Rot, Grün** und **Blau** haben jeweils einen Wert zwischen 0 und 255. ■ Es können 16,7 Mio. Farben dargestellt werden. ■ **Schwarz:** Alle drei Kanäle haben den Wert 0 = kein Licht. ■ **Weiß:** Alle drei Kanäle haben den Wert 255 = volles Licht. ■ **Graustufen:** Alle drei Kanäle haben den gleichen Wert (256 Graustufen). ■ Farbwerte können im Webdesign auch hexadezimal angegeben werden. Beispiel: RGB (255, 255, 255); oder #FFFFFF.
CMYK	■ Wird im Vierfarbendruck verwendet. ■ Diese Farben senden kein Licht aus, sie reflektieren es. ■ Der Wert der Grundfarben **Cyan, Magenta, Yellow** und **Black** kann jeweils bis zu 100 % betragen. ■ **Weiß:** Alle Kanäle haben den Wert 0 %. ■ **Schwarz:** Alle Kanäle haben den Wert 100 %. ■ Im Verlauf des Druckprozesses werden die Farben einzeln in unterschiedlichen Winkeln übereinandergedruckt. ■ **Cyan:** grünliches Blau; **Magenta:** ein zum Violett tendierendes Rot; **Yellow:** gelb; **Schwarz bzw. Kontrast/Key:** Schwarz zur Erhöhung des Kontrasts.
LAB	■ Umfasst alle sichtbaren Farben. ■ Enthält den RGB- und den CMYK-Farbraum.

Hexadezimal = Es handelt sich um ein Zahlensystem, in dem die Ziffern 0 bis 9 und die Buchstaben A bis F benutzt werden. Üblich ist eine Darstellung in sechsstelliger Form. Der Vorteil ist, dass der Code und damit die Farbe eindeutig erkennbar sind.

	■ Dient den meisten Bildbearbeitungsprogrammen zur internen Farbverarbeitung und zur Umrechnung von verschiedenen Farbräumen. ■ **L:** Luminanz (Helligkeit): 0 = Schwarz, 100 = Weiß. ■ **Kanal A:** Farbton und Sättigung zwischen Rot und Grün. ■ **Kanal B:** Farbton und Sättigung zwischen Blau und Gelb.
HSB	■ Definiert werden die Farben zwischen 0 und 360. ■ Dieses Modell setzt die additive Farbmischung ein, um Volltonfarben darzustellen. ■ Manche Bildbearbeitungsprogramme arbeiten mit diesem Modell bei der Farbkorrektur (z. B. Rote-Augen-Korrektur). ■ Farbdefinition über drei Parameter: **Hue:** Farbton **Saturation:** Sättigung **Brightness:** Helligkeit

1.1.3 Grafikarten

Eine interaktive Abbildung dazu finden Sie in der TRAUNER-DigiBox.

Grafikarten

Pixelgrafiken	Vektorgrafiken
■ Pixel = Bildpunkte ■ Beim Skalieren werden die Bildpunkte vergrößert oder verkleinert ■ Pixel werden einzeln gespeichert – bei einer Vergrößerung erhöht sich die Dateigröße, ein Treppeneffekt (= Artefakte) entsteht und die einzelnen Pixel werden deutlich sichtbar ■ Bildqualität verschlechtert sich ■ Einsatzgebiete: gescannte Bilder, Digitalfotos, Internet, Computerspiele	■ Die Eigenschaften eines Bildes (Farbe, Größe usw.) werden als mathematische Funktion gespeichert ■ Beim Skalieren ändern sich die Werte für den Radius und den Mittelpunkt ■ Verlustfreie Skalierung bei gleichbleibender Dateigröße ist möglich ■ Einsatzgebiete: Logos, technische Zeichnungen, 3D-Grafiken, Flash-Animationen

Der wohl bedeutendste Vorteil einer Vektorgrafik ist, dass Bilder ohne Qualitätsverlust skaliert werden können – die Auflösung der Grafiken verändert sich dadurch nicht.

Treppeneffekte = Artefakte entstehen bei der Kompression von JPEG-Dateien und durch eine zu geringe Bildauflösung.

1.1.4 Bildauflösung

Von einer Digitalkamera bzw. einem Scanner werden Bilder mit einer bestimmten Anzahl von (Mega-)Pixel geliefert. Bei der Bildbearbeitung muss man im Vorhinein wissen, für welches Ausgabegerät das Bild vorgesehen ist. Für die gewünschte Bildauflösung muss man die Pixelanzahl festlegen.

Je höher die Auflösung, desto größer die Datei. Normalerweise wird die Auflösung in Dots per Inch = dpi angegeben. 1 Zoll (Inch) = 2,54 cm

Faustregeln für die Bildauflösung

Internet/Bildschirm	Druck
72 bis 96 dpi	200 bis 300 dpi

Beachten Sie bzgl. der Druckauflösung immer die Vorgaben der Druckerei. Vermeiden Sie künstliches Hochskalieren der Bilder – dies sorgt für Qualitätsverschlechterung. Sorgen Sie am besten bereits beim Fotografieren bzw. Erwerben von Bildern für eine hohe Auflösung!

Vor dem Einfügen in einen Webeditor (DREAMWEAVER), ein CMS-Programm (JOOMLA, TYPO3, WORDPRESS ...) und/oder ein OFFICE-Programm ist es empfehlenswert, die Auflösung der Bilder und Grafiken auf 72 dpi zu verringern.

1.1.5 Dateiformate

Dateiformate	
JPEG	**Joint Photographic Experts Group** ■ 16,7 Mio. Farben ■ Hohe Kompression von Farb- und Graustufenbildern mit Qualitätsverlust möglich – sinkende Bildqualität bei hoher Kompression ■ Keine Transparenz und keine Animation möglich ■ Nicht geeignet für: ► Zwischenspeicherungen ► Schwarz-Weiß-Bilder ► Zeichnungen ► Bilder mit indizierten Farben ► Logos ► Bilder mit großen einheitlichen Farbflächen und scharf abgegrenzten Farbübergängen
TIFF	**Tagged Image File Format** ■ Ältestes programm- und plattformunabhängiges Dateiformat für Pixelbilder ■ Kompression verlustfrei möglich ■ Grafiken benötigen einen hohen Speicherbedarf ■ Ebenen bleiben beim Speichern erhalten ■ Transparenter Bereich ist möglich ■ TIFF-Bilder können in OFFICE-Programme importiert werden
GIF	**Graphics Interchange Format** ■ 256 Farben aus einer Farbtabelle, wobei jedem Bildpunkt eine dieser Farben zugewiesen wird – indizierte Farben ■ Transparenter Bereich ist möglich ■ **Animation:** Mehrere Bilder werden wie in einem Film hintereinander angezeigt ■ Kompression verlustfrei möglich ■ **Dithering:** Farben, die nicht in der Farbtabelle vorkommen, werden mit mehreren Punkten der vorhandenen Farbe kombiniert ■ **Interlacing:** Bei langsamer Internetverbindung wird das Bild in vier Durchgängen aufgebaut ■ Nicht geeignet für Farbfotos
PSD	**PHOTOSHOP-Datei** ■ Programmabhängiges Dateiformat von PHOTOSHOP ■ Ebenen, Kanäle usw. bleiben beim Speichern erhalten – hoher Speicherbedarf ■ Während der Bildbearbeitung zum Zwischenspeichern unbedingt dieses Dateiformat verwenden ■ Nicht geeignet für Importe in OFFICE-Programme
PostScript	■ Ist eine Seitenbeschreibungssprache, in der Objekte mathematisch definiert werden ■ Lässt sich nur mit Programmen wie INDESIGN oder PHOTOSHOP erzeugen
EPS	**Encapsulated PostScript File Format** ■ Importiert PostScript-Informationen in ein anderes Dokument (z. B. ein einzelnes EPS-Bild in WORD) ■ Nicht geeignet für: ► Bildschirmdarstellung ► Ausdrucke auf üblichen Tintenstrahldruckern

Geeignet für Bilder im Internet.

Geeignet für Bilder im professionellen Druck.

Geeignet für Bilder mit wenigen, scharf abgegrenzten Farben, z. B. Logos und Strichzeichnungen.

Zum Zwischenspeichern bei unfertigen Bildbearbeitungsprojekten.

Objekte und Texte lassen sich nur auf professionellen Geräten, die PostScript verstehen, darstellen (Gravierroboter).

Benötigt professionelle Ausgabegeräte.

Im professionellen Bereich für die beste Qualität eines Ausgangsbildes.

Für den Einsatz im Internet gedacht, wird aber von den aktuellen Browsern nicht mehr vollkommen unterstützt.

Zur Weitergabe digitaler Dokumente – nicht nur für Bilder.

RAW	**Rohdatenformat** ■ Bildinformationen werden von der Kamera nicht verändert – digitales Negativ ■ Hoher Speicherbedarf ■ Für die Weiterverarbeitung muss das Bild erst in ein anderes Dateiformat umgewandelt werden (z. B. TIFF; JPG)
PNG	**Portable Network Graphic** ■ 16,7 Mio. Farben ■ Transparenter Bereich und Interlacing möglich ■ Kompression verlustfrei möglich ■ Keine Animation möglich
PDF	**Portable Document Format** ■ PDF-Writer wird für die Erzeugung benötigt (z. B. ACROBAT in OFFICE oder PHOTOSHOP) ■ ADOBE READER wird zum Lesen benötigt (Gratissoftware – Installation startet automatisch beim Öffnen einer PDF-Datei)

1.2 Grundlagen von PHOTOSHOP CS6

Bevor Sie mit der Bearbeitung eines Bildes beginnen, müssen Sie sich folgende Fragen stellen:

- Für welchen Verwendungszweck benötigen Sie das Bild (Druck oder Internet)?
- Welche Auflösung muss das Bild haben?
- Welchen Farbmodus verwenden Sie?
- Welche Hintergrundfarbe soll das fertige Bild haben?
- Wie groß wird das Bild (in Millimetern oder Pixeln)?

1.2.1 Arbeitsfläche

1.2.2 Voreinstellungen anpassen

Verschiedene Programmgrundeinstellungen können über die Voreinstellungen von PHOTOSHOP festgelegt werden.

- BEARBEITEN – VOREINSTELLUNGEN – ALLGEMEIN

Strg + K

Unter anderem können Sie in den Voreinstellungen die
- Benutzeroberfläche,
- Sprache,
- Mauszeigerdarstellung,
- Dateihandhabung und
- Maßeinheiten

anpassen.

Fenster und Paletten anpassen

Paletten können wieder in den Standardzustand zurückgestellt werden:

- FENSTER – ARBEITSBEREICH – GRUNDELEMENTE ZURÜCKSETZEN

Palettenstandardzustand wiederherstellen

Paletten können beliebig verschoben, verkleinert, vergrößert oder geschlossen werden. Durch Ziehen einer einzelnen Palette können Sie ein bestimmtes Fenster herausziehen. Die Reihenfolge der Paletten innerhalb eines Fensters kann geändert werden.

- FENSTER – Fenster aktivieren, um sie einzublenden
- Oder Fenster deaktivieren, um sie auszublenden

Hilfslinien, Lineale und Raster

Über ANSICHT können Lineale, Hilfslinien und Raster eingefügt und angepasst werden.

1.2.3 Bild öffnen, neu erstellen und speichern

Bild öffnen

- DATEI – ÖFFNEN
- Bild auswählen

Neues Bild bzw. Bild aus der Zwischenablage erstellen

- DATEI – NEU

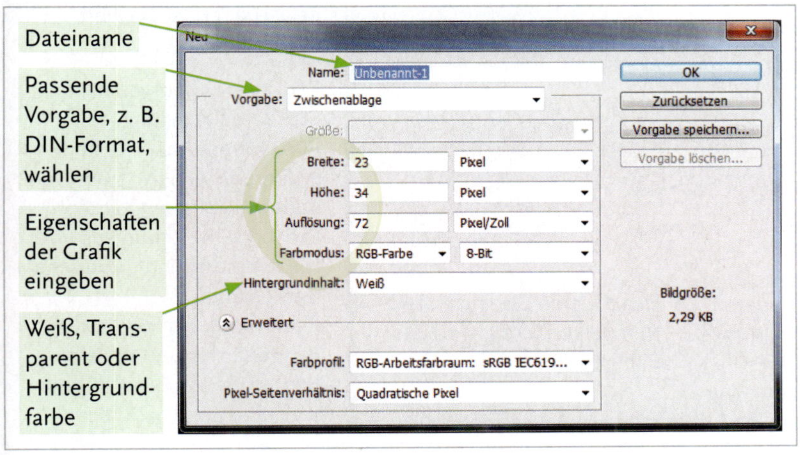

Wird eine Grafik in die Zwischenablage kopiert, schlägt PHOTOSHOP automatisch die Zwischenvorlage als Vorgabe vor.

Auflösung: 72 oder 96 Pixel/Zoll für Internetbilder, 300 Pixel/Zoll für Druckgrafiken. Farbmodus: RGB oder CMYK wählen.

Bei der Hintergrundfarbe wird immer die zuletzt ausgewählte Hintergrundfarbe verwendet.

Bild speichern

- DATEI – SPEICHERN UNTER...
- Dateinamen vergeben
- Dateityp wählen

Bild für Web speichern

- DATEI – FÜR WEB SPEICHERN...
- Dateityp, Bildgröße und -qualität ... auswählen

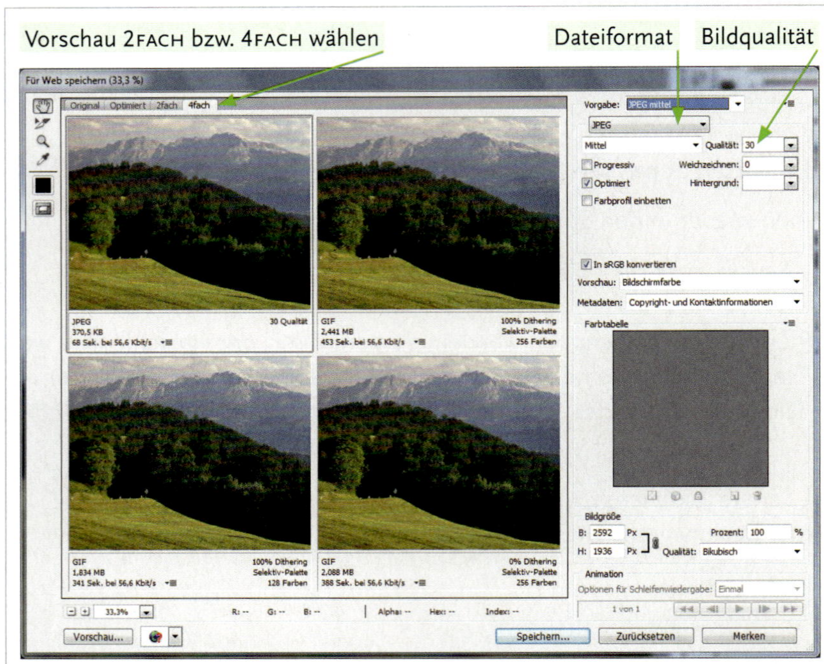

1.2.4 Bildgröße und Arbeitsfläche ändern

Bildgröße ändern

Werden die Pixel eines Bildes durch eine Veränderung größer, spricht man von Interpolation.

Alt + Strg + I

Wird das Bild über die Originalgröße verändert, werden die Pixel des Bildes größer und deutlicher sichtbar. Mit einem Qualitätsverlust ist zu rechnen, daher sollten Sie es vermeiden, ein Bild um mehr als ca. 20 % zu vergrößern oder zu verkleinern.

- BILD – BILDGRÖSSE...
- Breite und Höhe in Pixeln oder Zentimetern eingeben
- Passende Auflösung für das Bild wählen

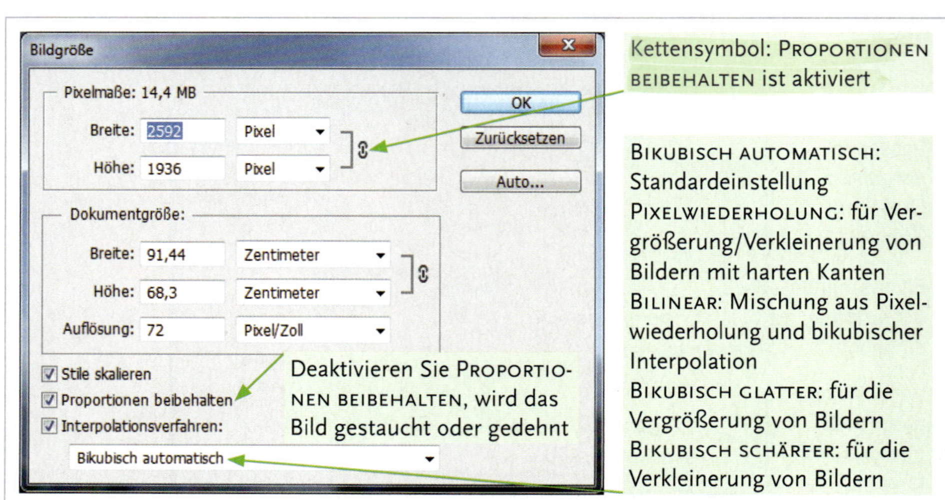

Arbeitsfläche vergrößern oder verkleinern

Die Arbeitsfläche ist der Bereich eines Bildes, der vollständig bearbeitet werden kann.

- BILD – ARBEITSFLÄCHE
- Breite, Höhe, Anker und Farbe für erweiterte Arbeitsfläche auswählen

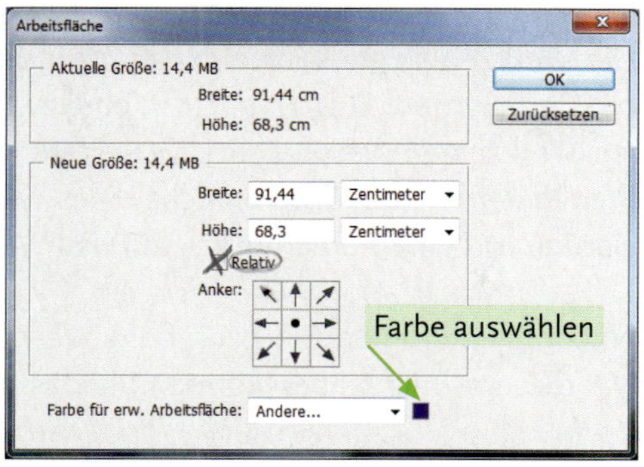

Alt + Strg + C

Wird die Arbeitsfläche des Bildes verkleinert, erscheint folgende Fehlermeldung:

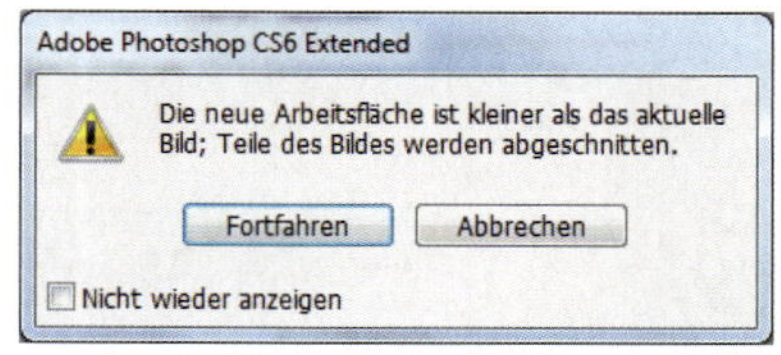

Arbeitsfläche drehen oder spiegeln

- BILD – BILDDREHUNG
- Drehung auswählen
- Bei der Auswahl PER EINGABE... können Sie den Winkel in Ziffern eingeben
- Oder die ARBEITSFLÄCHE HORIZONTAL oder VERTIKAL spiegeln

Übungen

1. Arbeitsfläche, Bildgröße, Speichern

a) Öffnen Sie das Bild **Leuchtturm1.jpg.**
b) Das Bild wurde Ihnen nicht mit der richtigen Ausrichtung zur Verfügung gestellt: Drehen Sie es um 90°.
c) Für eine POWERPOINT-Präsentation benötigen Sie das Bild mit einer Höhe von 13 cm, behalten Sie die Proportionen bei.
d) Speichern Sie das Bild passend für die PowerPoint-Präsentation unter **Leuchtturm2.jpg.**
e) Um das Bild besser Hervorzuheben, erweitern Sie die Arbeitsfläche um je ca. 2 cm. Füllen Sie den erweiterten Arbeitsbereich mit einem passenden Farbton.
f) Speichern nicht vergessen!

2. Arbeitsfläche, Bildgröße, Speichern

a) Öffnen Sie das Bild **Mountainbiker1.jpg.**
b) Speichern Sie das Bild passend für den professionellen Druck unter **Mountainbiker2.tif.**
c) Sie benötigen für einen Artikel in einer Zeitschrift den Mountainbiker horizontal gespiegelt.
d) Die Redakteurin/Der Redakteur gibt Ihnen in der Breite für das Bild 8 cm Platz. Behalten Sie die Proportionen bei.
e) Speichern nicht vergessen!

3. Avatar erstellen

a) Sie wollen ein neues Profilbild für ein soziales Netzwerk erstellen. Öffnen Sie dazu ein eigenes Bild.
b) Speichern Sie das Bild passend für das Web unter **Avatar1.jpg.**
c) Ändern Sie die Bildgröße auf 100 x 100 Pixel, Auflösung 72 Pixel/Zoll, Proportionen werden beibehalten.

Ein Avatar ist ein kleines Symbolfoto, das in Internetforen benötigt wird, um das Forenmitglied zu symbolisieren.

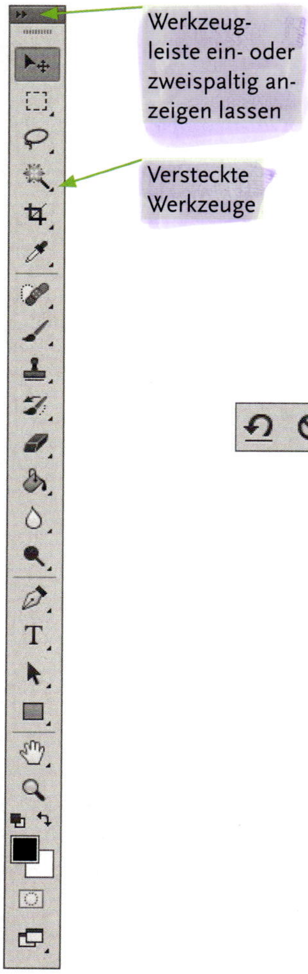

1.3 Mit Werkzeugen arbeiten – Grundlagen

Die Werkzeugleiste wird einspaltig am linken Bildschirmrand angezeigt. Sie wird mit dem Symbol DOPPELPFEIL in eine zweispaltige Leiste umgewandelt. Hinter vielen Werkzeugen verbergen sich weitere Werkzeuge. Mit einem kleinen schwarzen Pfeil in der rechten unteren Ecke eines Werkzeugsymbols werden sie angezeigt und werden mit einem Rechtsklick auf das Werkzeugsymbol geöffnet.

Nachfolgend sehen Sie bei jedem Werkzeug einen Großbuchstaben in Klammer. Mit diesem Buchstaben können Sie das gewünschte Werkzeug direkt auswählen.

Jede Anwendung eines Werkzeugs an einem Bild muss mit diesen Symbolen rückgängig gemacht, abgebrochen oder bestätigt werden.

Zoom-Werkzeug (Z)

- ZOOM-WERKZEUG auswählen
- In der Optionenleiste Symbole EINZOOMEN oder AUSZOOMEN wählen
- Oder EINZOOMEN Strg + +, AUSZOOMEN Strg + –, GANZES BILD Strg + 0
- Oder AUSZOOMEN Alt + Linke Maustaste, EINZOOMEN Linke Maustaste

Zoomen Sie ein Bild größer oder kleiner, hat dies keinerlei Auswirkung auf die tatsächliche Bildgröße oder auf die Speichergröße.

Das Fenster Navigator (FENSTER – NAVIGATOR) ist hilfreich, wenn Sie ein Bild stark vergrößern. Mit dem roten Rahmen sehen Sie genau den Bildausschnitt, in dem Sie sich gerade befinden. Mit dem HAND-WERKZEUG können Sie den Bildausschnitt verschieben.

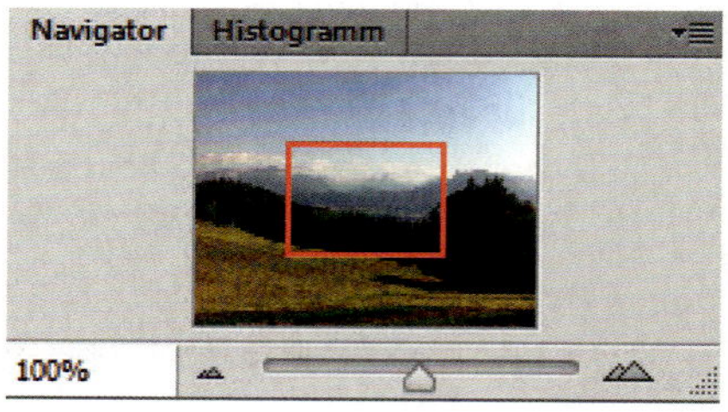

Die Anordnung der Werkzeuge kann nicht verändert werden.

Verschieben-Werkzeug (V)

Mit dem Verschieben-Werkzeug können Sie die Auswahlen mit der Maus oder den Pfeiltasten verschieben. Aktivieren Sie in der Optionenleiste die Transformationssteuerungen, damit können Sie die Auswahlen proportional an den Eckpunkten verkleinern bzw. vergrößern.

Je nach Werkzeug verändert sich die Optionenleiste und passt sich den Funktionen des Werkzeugs an.

Freistellungswerzkeug (C)

- FREISTELLUNGSWERKZEUG auswählen
- Bereich, der frei gestellt werden soll, aufziehen
- Oder an den Eckpunkten verschieben
- Der farblich abgeschwächte Teil des Bildes wird abgeschnitten

Bilder im indizierten Farbmodus können nicht in RGB-Bilder verschoben werden. BILD – MODUS – RGB-FARBE

Anzeigeoptionen für das Freistellungswerkzeug einstellen

- FREISTELLUNGSWERKZEUG auswählen
- Optionenleiste – Drop-down-Element ANZEIGEOPTIONEN EINSTELLEN öffnen
- Auswahl treffen (z. B. Drittel-Regel, Goldener Schnitt, Raster)

Optionsleiste für das Freistellungswerkzeug

OPTIONSLEISTE – FREISTELLUNGSWERKZEUG

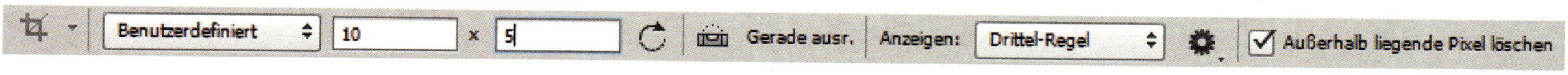

Übungen

1. Bild freistellen

a) Für eine POWERPOINT-Präsentation haben Sie bereits das Bild **Leuchtturm2.jpg** erstellt. Um eine weitere Variante zu probieren öffnen Sie die Datei **Leuchtturm1.jpg** erneut.
b) Speichern Sie das Bild passend für die POWERPOINT-Präsentation unter **Leuchtturm3.jpg.**
c) Stellen Sie einen Teil des Bildes frei. Der Fokus liegt dabei auf dem Leuchtturm. Probieren Sie dafür verschiedene Varianten der Freistellung aus.
d) Ändern Sie die Höhe des Bildes auf 13 cm, Proportionen beibehalten.
e) Besprechen Sie mit Ihrer Lehrerin/Ihrem Lehrer welcher Bildausschnitt bei einer POWERPOINT-Präsentation besser wirken wird.

2. Bild freistellen und Arbeitsfläche erweitern

a) Öffnen Sie das Bild **Mountainbiker1.jpg.**
b) Speichern Sie das Bild für die Zeitschrift unter **Mountainbiker3.tif.**
c) Stellen Sie den Mountainbiker mit einer fixen Bildgröße von 10 x 15 cm frei.
d) Erweitern Sie den Arbeitsbereich um je 1 cm. Füllen Sie die erweiterte Arbeitsfläche mit einem Farbton aus dem Bild.

Rückgängig/Schritt zurück – Fenster Protokoll

Je tiefer Sie in die Bildbearbeitung kommen, desto eher brauchen Sie den Schritt zurück bzw. das Fenster Protokoll, um Bearbeitungen rückgängig zu machen.

Rückgängig – Schritt zurück

- Bearbeiten – Rückgängig
- Oder Bearbeiten – Schritt zurück bzw. Schritt vorwärts

Strg + Z

Fenster Protokoll

- Fenster – Protokoll
- Sie kehren zu dem Zustand des Bildes zurück, auf den Sie im Fenster Protokoll klicken; dabei werden keine einzelnen Schritte gelöscht
- Einzelne Schritte können mit dem Symbol Löschen gelöscht werden

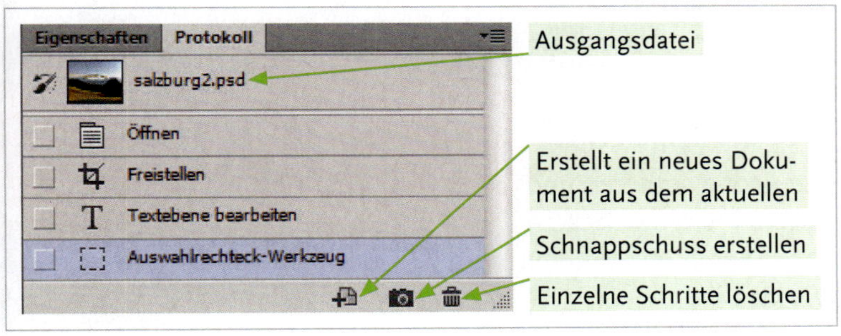

Die letzten 20 Schritte werden protokolliert. Ab dem 21. Schritt wird der älteste gelöscht und kann nicht wiederhergestellt werden.

Einen **Schnappschuss** erstellen Sie, wenn Sie einen Zustand Ihrer Bildbearbeitung erreicht haben, zu dem Sie unbedingt wieder zurückkehren wollen.

Rote-Augen-Werkzeug (J)

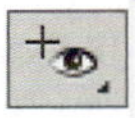

- Bild vergrößern
- ROTE-AUGEN-WERKZEUG auswählen
- PUPILLENGRÖSSE und VERDUNKLUNGSBETRAG wählen
- Ziehen Sie ein Feld über das gesamte Auge auf, nicht nur über die Pupille

Übung

Rote Augen korrigieren

a) Öffnen Sie die Grafik **Augen1.jpg.**
b) Speichern Sie das Bild unter **Augen2.jpg.**
c) Verändern Sie die Zoomeinstellung.
d) Ändern Sie die Optionen des Rote-Augen-Werkzeugs auf 50 %.
e) Korrigieren Sie die roten Augen.

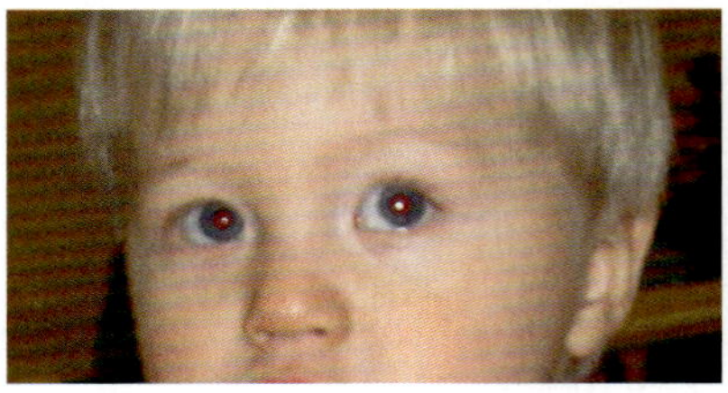

Vorher

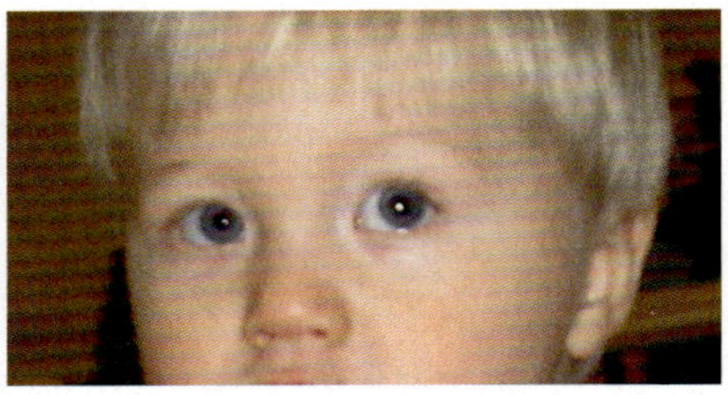

Nachher

Ausbessern-Werkzeug (J)

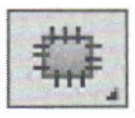

Zum Entfernen unerwünschter Bildelemente wählen Sie das Ausbessern-Werkzeug.

- AUSBESSERN-WERKZEUG auswählen
- Unerwünschtes Bildelement durch ziehen mit der linken Maustaste auswählen
- Ausgewählter Bereich wird durch eine bewegte strichlierte Linie dargestellt
- Mit gedrückter linker Maustaste ausgewählten Bereich verschieben

Übungen

1. Ausbessern-Werkzeug anwenden

a) Öffnen Sie das Bild **Ticket1.jpg.**
b) Speichern Sie das Bild unter **Ticket2.jpg.**
c) Entfernen Sie mit dem Ausbessern-Werkzeug die vorderen und hinteren zwei Ziffern der Ticketnummer am oberen und unteren Rand des Bildes.

2. Ausbessern-Werkzeug anwenden

a) Öffnen Sie das Bild **Schildkroete1.jpg.**
b) Speichern Sie das Bild unter **Schildkroete2.jpg.**
c) Entfernen Sie die Schildkröte aus dem Meer.

Stempelwerkzeug (S)

Kopierstempel

Bei der Verwendung des Kopierstempels werden Bildpunkte aufgenommen und an einer beliebigen Stelle im Bild wieder eingefügt.

- In der Optionenleiste die Pinselgröße auswählen
- Mit Gedrückte Alt-Taste einen Referenzpunkt (Bereich welcher übertragen werden soll) festlegen.
- Alt-Taste loslassen und an der beliebigen Stelle ins Bild klicken
- Sie „stempeln" den aufgenommenen Bildpunkt (es erscheint ein kleines Kreuz) genau an diese Stelle (Kreuz wandert dabei mit)

Musterstempel

Dieses Werkzeug arbeitet nach dem gleichen Prinzip wie der Kopierstempel, anstatt eines Bildbereiches, wird ein Muster „gestempelt".

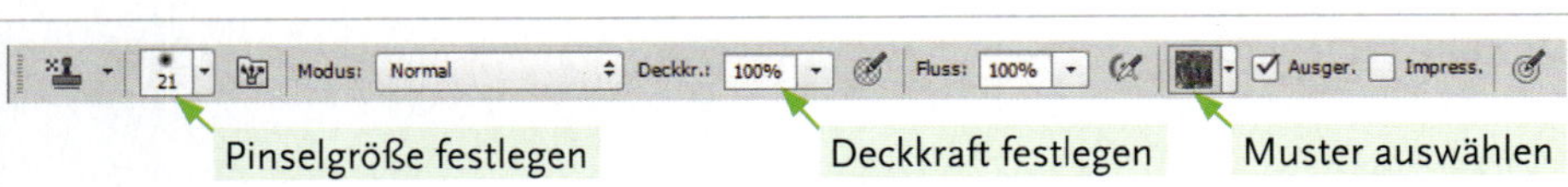

Übungen

1. Kopierstempel anwenden

a) Öffnen Sie das Bild **Ballon1.jpg.**
b) Speichern Sie das Bild unter **Ballon2.jpg.**
c) Kopieren Sie die Ballons von der rechten Seite, auf die linke Seite des Bildes.
d) Achten Sie dabei auf eine passende Pinselgröße und verwenden Sie für diesen Vorgang einen weichen Pinsel.

Mit diesem Werkzeug lassen sich unter anderem störende Objekte, Hautunreinheiten, Kratzer, Staub ... entfernen.

Dieses Werkzeug funktioniert dateiübergreifend. Das bedeutet, Sie können Bildbereiche von einem in ein anderes Bild „stempeln".

Für eine genauere Bearbeitung wählen Sie den zu klonenden Bereich immer wieder neu aus.

2. Musterstempel anwenden

a) Öffnen Sie das Bild **Kaffeetasse1.jpg.**

b) Speichern Sie das Bild unter **Kaffeetasse2.jpg.**

c) Erst nach dem Fotoshooting für die neue Werbekampagne bemerken Sie, dass die Kaffeebohnen neben der Tasse kaum zur Geltung kommen. Kopieren Sie die Kaffeebohnen und fügen Sie noch mehr Kaffeebohnen am Bild ein.

d) Probieren Sie selbstständig verschiedene Musterstempel aus. Überstempeln Sie z. B. den Rand des Bildes.

Ebenen: Dateien in PHOTOSHOP können aus mehreren Ebenen bestehen. Die Reihenfolge/Anordnung dieser Ebenen kann jederzeit verändert werden.

Mehr dazu erfahren Sie im Abschnitt 1.5 Ebenen.

Ausgewählte Bereiche werden durch eine **bewegte strichlierte Linie** dargestellt.

Quadratische Auswahl: ⇧ + ⬚
Kreisförmige Auswahl: ⇧ + ◯
Auswahl aus der Mitte: Alt + ⬚
⇧ + Strg + I

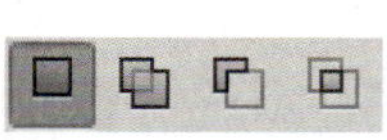

Auswahl-Werkzeug (M)

Teilbereiche von Bildern können mit dem AUSWAHL-WERKZEUG markiert werden. Die ausgewählten Bereiche eines Bildes können vor weiterer Bearbeitung geschützt, kopiert, in andere Ebenen oder in andere Bilder eingefügt werden. Für diese Funktion stehen verschiedene AUSWAHL-WERKZEUGE zur Verfügung.

Auswahl-Werkzeug anwenden

- AUSWAHLRECHTECK-WERKZEUG oder AUSWAHLELLIPSE-WERKZEUG auswählen
- Durch Ziehen mit der linken gedrückten Maustaste Bereich des Bildes auswählen
- Eine neue Auswahl können Sie vornehmen, wenn das Symbol NEUE AUSWAHL aktiviert ist
- Weitere Bereiche können mit der ⇧-Taste oder dem Symbol DER AUSWAHL HINZUFÜGEN in der Optionenleiste hinzugefügt werden
- Präzisere Auswahl mit der Alt-Taste oder dem Symbol VON AUSWAHL SUBTRAHIEREN vornehmen; dabei wird vom markierten Bereich ein Teil entfernt
- Eine Überlappung von ausgewählten Bereichen erreichen Sie, wenn Sie das Symbol SCHNITTMENGE MIT AUSWAHL BILDEN aktivieren

Auswahl aufheben

- AUSWAHL – AUSWAHL AUFHEBEN
- Oder Strg + D

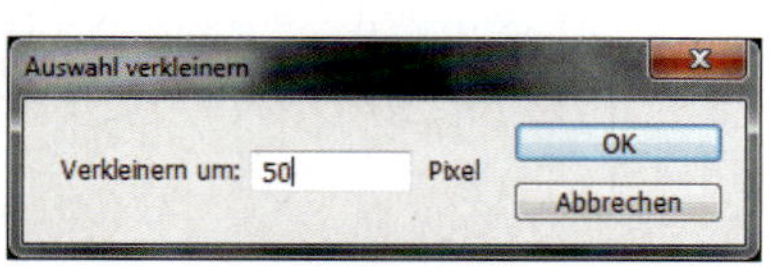

Auswahl verkleinern bzw. erweitern

- AUSWAHL – AUSWAHL VERÄNDERN – VERKLEINERN oder ERWEITERN
- In Pixeln angeben, um wie viel die Auswahl verkleinert bzw. erweitert wird

Auswahl vergrößern

- AUSWAHL – AUSWAHL VERGRÖSSERN
- Auswahl vergrößert sich automatisch um einen ähnlichen Farbbereich innerhalb der ausgewählten Toleranz

Auswahl umkehren

- Ist es einfacher, einen gleichfarbigen Hintergrund auszuwählen, können Sie die Auswahl umkehren

- Auswahl-Werkzeug anwenden
- AUSWAHL – AUSWAHL UMKEHREN

Auswahl kopieren

- Bereich eines Bildes auswählen
- Auswahl in eine neue Ebene einfügen: Auswahl kopieren (Strg + C) und einfügen (Strg + V)
- Auswahl auf derselben Ebene einfügen: Mit der Alt-Taste + VERSCHIEBE-WERKZEUG Bildausschnitt verschieben
- Auswahl in ein anderes Bild kopieren: Nachdem Sie die Auswahl kopiert haben, können Sie die Auswahl mit Strg + V als neue Ebene in ein anderes Bild einfügen

Weiche Kante

Strg + F6

Mit dieser Einstellung in der Optionenleiste schaffen Sie einen unscharfen Übergang von der Auswahl zum Hintergrund.

- Auswahl-Werkzeug auswählen
- Weiche Kante in der Optionenleiste in Pixeln eingeben
- Auswahl-Werkzeug anwenden
- Oder nachträglich über AUSWAHL – AUSWAHL VERÄNDERN – WEICHE KANTE

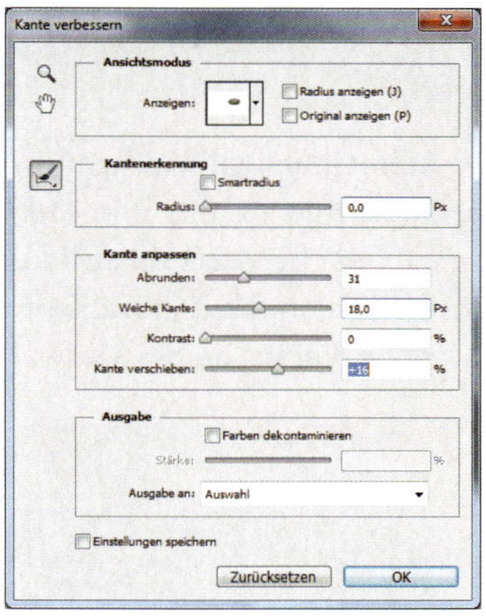

Kante verbessern

- Auswahl-Werkzeug auswählen und anwenden
- AUSWAHL – KANTE VERBESSERN
- Einstellungen vornehmen
- Sie sehen bereits im Hintergrund Ihre vorgenommenen Einstellungen
- Ansichtsmodus (Hintergründe) können Sie beliebig verändern

Übungen

1. Auswahlen-Werkzeug, Weiche Kante anwenden

a) Öffnen Sie das Bild **Elefant1.jpg.**
b) Speichern Sie das Bild unter **Elefant2.jpg.**
c) Ziehen Sie mit dem Auswahlellipsen-Werkzeug eine Auswahl rund um den Elefanten auf.
d) Verändern Sie im Nachhinein die weiche Kante auf 130 Pixel.
e) Kopieren Sie die Auswahl und fügen Sie sie in ein neues Bild mit weißem Hintergrund ein.

2. Auswahlen-Werkzeug anwenden

a) Öffnen Sie das Bild **Wassertaxi1.jpg.**
b) Speichern Sie das Bild unter **Wassertaxi3.psd.**
c) Wählen Sie das Wassertaxi mit einem Rechteckauswahl-Werkzeug und einer weichen Kante von 60 Pixeln aus. Kopieren Sie die Auswahl.
d) Öffnen Sie das Bild **Wassertaxi2.jpg.**
e) Fügen Sie die Auswahl in dieses Bild ein. Verkleinern Sie das Wassertaxi und verschieben Sie es an eine passende Stelle im Bild.

3. Auswahlen-Werkzeug anwenden

a) Öffnen Sie das Bild **Obstschalen1.jpg.**
b) Speichern Sie Ihr Ergebnis unter **Obstschalen2.psd.**
c) Probieren Sie verschiedene Auswahlen selbstständig aus, fügen Sie Ihrer Auswahl eine weiche Kante hinzu, kopieren Sie die Auswahl in eine neue oder bereits vorhandene Datei, verschieben Sie die Auswahl …

⚠ Das **Schnellauswahlwerkzeug** funktioniert **nicht mit indizierten Farben** (z. B. bei GIF-Bildern). Ändern Sie den Farbmodus auf RGB.

Schnellauswahlwerkzeug (W)

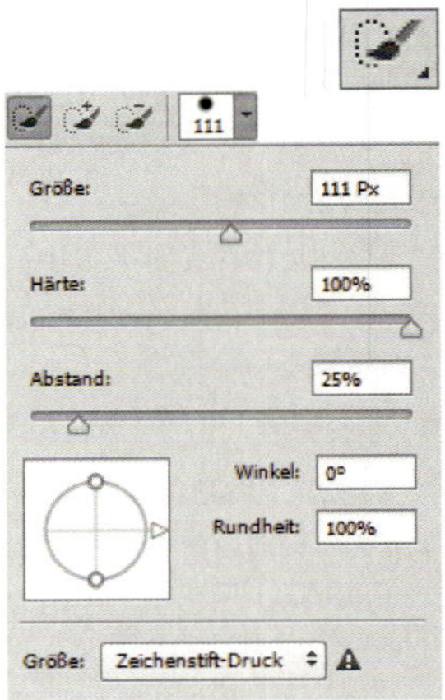

- Schnellauswahlwerkzeug auswählen
- Einstellungen des Pinsels festlegen (z. B. Durchmesser und Härte)
- Mit gedrückter linker Maustaste über die auszuwählende Fläche ziehen
- Um eine neue Auswahl vorzunehmen, Symbol Neue Auswahl aktivieren
- Wurde zu viel markiert, Symbol Von Auswahl subtrahieren in der Optionenleiste auswählen
- Weitere Bereiche hinzufügen: Symbol Der Auswahl hinzufügen auswählen

Übungen

1. Schnellauswahlwerkzeug anwenden

a) Öffnen Sie das Bild **MonumentValley1.jpg.**
b) Speichern Sie das Bild unter **MonumentValley2.psd.**
c) Wählen Sie das Monument mit dem Schnellauswahlenwerkzeug aus.
d) Kopieren Sie die Auswahl und fügen Sie sie in eine neue Datei mit transparentem Hintergrund ein.

2. Schnellauswahlwerkzeug und Weiche Kante anwenden

a) Von einer Mitarbeiterin bzw. einem Mitarbeiter bekommen Sie die Bilder **Kuh1.jpg** und **Kuh2.jpg,** öffnen Sie zuerst das Bild **Kuh1.jpg.** Sie haben für die Aufgabe 10 min Zeit.
b) Speichern Sie das Bild unter **Kuh3.psd.**
c) Wählen Sie die Kuh mit dem Schnellauswahlwerkzeug aus. Ändern Sie die Größe des Pinsels auf ca. 80 und die Härte auf 80 %.
d) Wählen Sie die Kuh sorgfältig aus.
e) Im Anschluss fügen Sie der Auswahl eine weiche Kante von 10 Pixel hinzu.
f) Für eine Werbebroschüre soll die Auswahl in einem bereits bestehenden Bild eingefügt werden. Kopieren Sie dazu die Auswahl und öffnen Sie das Bild **Kuh2.jpg.** Fügen Sie die Auswahl auf diesem Bild ein.
g) Verkleinern Sie die Auswahl und platzieren Sie die Kuh laut Lösung.

1.4 Bildkorrekturen

Tonwertkorrektur

Bei der Tonwertkorrektur können Sie die unterschiedlichen Helligkeitsstufen eines Bildes verändern.

Strg + L

- BILD – KORREKTUREN
- TONWERTKORREKTUR...
- Dialogfeld mit dem Histogramm wird angezeigt

- **Bild aufhellen:** Im Dialogfeld das Werkzeug PIPETTE WEISSPUNKT DURCH AUFNEHMEN IM BILD SETZEN auswählen – auf den hellsten Punkt im Bild klicken
- **Bild abdunkeln:** Im Dialogfeld das Werkzeug PIPETTE SCHWARZPUNKT DURCH AUFNEHMEN IM BILD SETZEN auswählen – auf einen dunklen Punkt im Bild klicken
- **Oder** durch das Verschieben der Schieberegler in der Anzeige TONWERTSPREIZUNG oder TONWERTUMFANG

PHOTOSHOP führt eine automatische Tonwertkorrektur durch

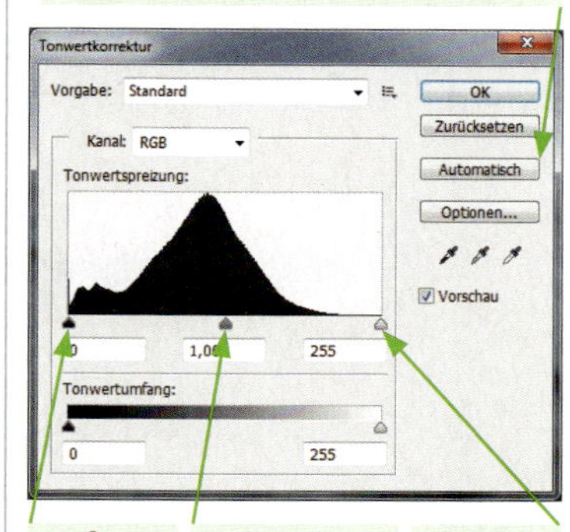

Tiefen – Kontrast

Mitteltöne – Helligkeit

Lichter – Kontrast

Helligkeit und Kontrast

- BILD – KORREKTUREN
- HELLIGKEIT/KONTRAST...
- Verschieben Sie die Schieberegler der Werte für Helligkeit und Kontrast

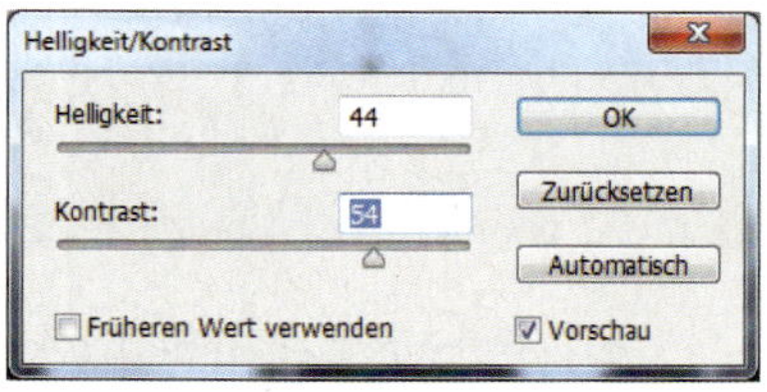

Farbton und Sättigung

Strg + U

- BILD – KORREKTUREN
- FARBTON/SÄTTIGUNG...

Bild oder Auswahl wird eine andere Farbe zugewiesen

Grauanteil im Bild Wert von –100: reine Graustufen Erhöhung des Wertes: höhere Farbintensität

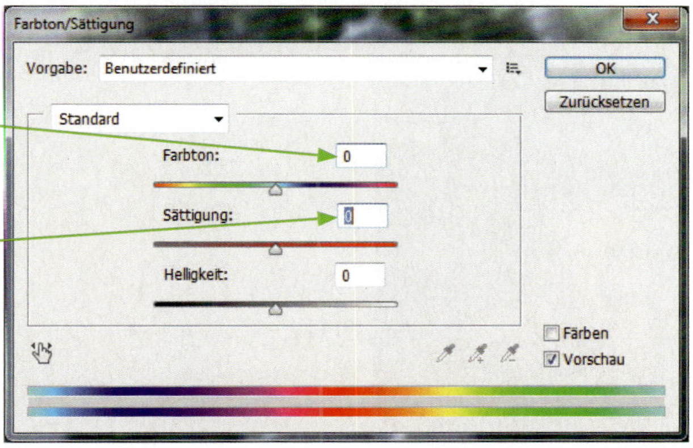

Übungen

1. Manuelle Tonwertkorrektur

a) Öffnen Sie das Bild **Steinbock1.jpg.**

b) Speichern Sie das Bild unter **Steinbock2.jpg.**

c) Verändern Sie mit der manuellen Tonwertkorrektur die Belichtung des Bildes.

2. Auswahlen-Werkzeug und Farbton/Sättigung

a) Öffnen Sie das Bild **Delfin1.jpg.**

b) Speichern Sie das Bild unter **Delfin2.psd.**

c) Wählen Sie mit dem Auswahlenellipsen-Werkzeug und einer weichen Kante von 10 Pixeln den Delfin aus.

d) Kehren Sie die Auswahl um.

e) Verringern Sie die Sättigung auf –100 %.

f) Schneiden Sie das Bild passend zu.

4. Farbton/Sättigung und Helligkeit/Kontrast

a) Sie bekommen für die nächste Werbekampagne das Foto **Frau1.jpg** von Ihrer Fotografin zur Verfügung gestellt. Sie wollen den Farbton noch etwas ändern.
b) Speichern Sie Ihr Ergebnis für eine weitere Bearbeitung unter **Frau2.psd.**
c) Wählen Sie verschieden Bereiche des Bildes aus und ändern Sie den Farbton und/oder die Sättigung des Bildes. Probieren Sie selbstständig verschieden Varianten aus. Machen Sie von Ihren Favoriten Schnappschüsse. Sie bekommen von Ihrer bzw. Ihrem Vorgesetzten 15 min Zeit.
d) Präsentieren Sie Ihrer Mitschülerin/Ihrem Mitschüler Ihre Ergebnisse.

e) Mit Hilfe der Bildkorrektur Helligkeit/Kontrast können Sie Bilder zusätzlich verändern. Versuchen Sie selbstständig eine weitere, ansprechende Variante für eine Werbekampagne zu finden.
f) Besprechen Sie die Lösung gemeinsam mit Ihrer Mitschülerin/Ihrem Mitschüler.
g) Speichern Sie Ihr Ergebnis unter **Frau3.psd.**

1.5 Ebenen

In PHOTOSHOP können Bilder aus mehreren Ebenen bestehen. Diese Ebenen werden übereinander angeordnet. Die Anordnung und die Eigenschaften der einzelnen Ebenen lassen sich jederzeit ändern. In der Ebenenpalette werden alle Ebenen des zu bearbeitenden Bildes angezeigt.

Ebenenpalette einblenden

- FENSTER – EBENEN
- Oder F7-Taste

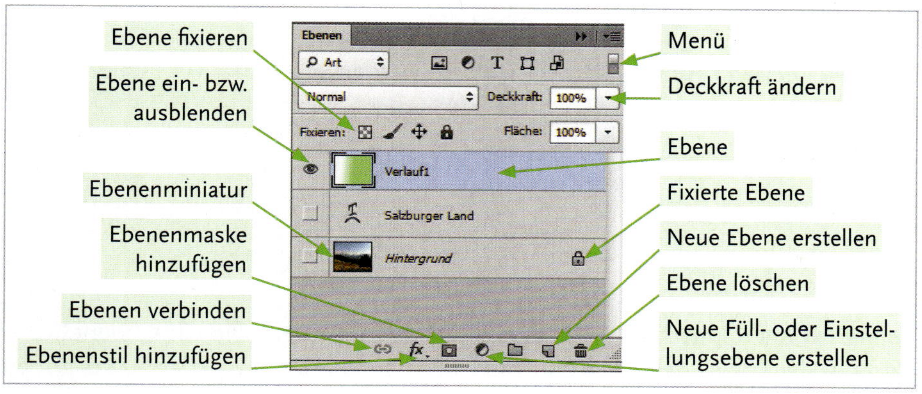

Hintergrundebene

Die Hintergrundebene ist eine fixierte Ebene. Solange die Ebene fixiert ist, lassen sich viele Bearbeitungen nicht durchführen. Die Fixierung lässt sich nur durch die Umwandlung in eine nicht fixierte Ebene aufheben.

- Doppelklick auf die Hintergrundebene
- Die Ebene wird in eine Ebene mit der Bezeichnung Ebene 0 umgewandelt

Jedes unbearbeitete Bild enthält mindestens eine Ebene, die Hintergrundebene.

Ebenennamen ändern

Die Ebenen werden von PHOTOSHOP automatisch nummeriert. Für eine leichtere und übersichtlichere Bearbeitung sollten für die Ebenen aussagekräftige kurze Bezeichnungen gewählt werden.

- Ebene markieren
- Kontextmenü EBENENEIGENSCHAFTEN
- Namen vergeben

Ebenen ein- und ausblenden

Für eine gezielte Bearbeitung eines Bildes ist es oft notwendig, einzelne Ebenen ein- oder auszublenden.

- Ebene markieren
- SICHTBAR vor der Ebene klicken
- Ebene wird ausgeblendet
- Mit einem erneuten Klick auf das Symbol kann die Ebene jederzeit wieder eingeblendet werden

Beim Speichern als .PDF oder .TIFF bleiben die Ebenen erhalten.

👁 = Sichtbar

Ebenenreihenfolge

- Ebene markieren
- Mit gedrückter linker Maustaste die Ebene in der Liste an die gewünschte Position ziehen

Die Ebenen liegen in der Reihenfolge übereinander, in der sie erstellt wurden.

Ebenendeckkraft

Der Inhalt einer Ebene kann durch die Veränderung der Deckkraft transparent gestaltet werden.

- Ebene markieren
- Die Deckkraft in Prozent oder mit dem Schieberegler verändern

Standardmäßig wird die Ebene mit voller Deckkraft (100 %) angezeigt.

Ebenen löschen

Einzelne Ebenen können jederzeit gelöscht werden.

- Ebene markieren
- LÖSCHEN oder Entf-Taste drücken
- Oder Kontextmenü – EBENE LÖSCHEN

Ebenen duplizieren

Erst durch eine Verschiebung oder Änderung der Ebene wird auch im Bild erkennbar, dass eine neue Ebene vorhanden ist.

Ebenen können innerhalb eines Bildes dupliziert werden. Die neue Ebene wird exakt über der kopierten Ebene eingefügt. Als Ebenenname wird der Name der alten Ebene mit dem Zusatz Kopie vorgeschlagen.

- Ebene markieren
- Kontextmenü EBENE DUPLIZIEREN...
- Ebene umbenennen

Neue leere Ebene einfügen

Für eine professionellere Bildbearbeitung kann für jedes Objekt eine neue leere Ebene eingefügt werden. Dies ermöglicht eine leichtere Bearbeitung und einzelne Ebenen können jederzeit gelöscht oder ein- bzw. ausgeblendet werden. Eine neue leere Ebene wird über der aktuell markierten Ebene eingefügt.

- Ebene markieren
- NEUE EBENE ERSTELLEN

Neue Füll- oder Einstellungsebene

Dabei wird nicht das eigentliche Bild geändert, die Einstellungen können jederzeit ein- oder ausgeblendet werden.

Eine Ebene kann mit einer Farbe, einem Verlauf und/oder einem Muster gefüllt werden. Bei den Einstellungsebenen werden Bildeinstellungen wie Helligkeit/Kontrast, Schwarzweiß ... für das gesamte Bild gespeichert.

- Ebene markieren
- NEUE FÜLL- ODER EINSTELLUNGSEBENE ERSTELLEN
- Ebenenart Farbfläche, Helligkeit/Kontrast ... auswählen
- Im Dialogfenster die Einstellungen für die Ebene definieren

Ebenen verbinden

- Mehrere Ebenen markieren (nicht direkt untereinanderliegende Ebenen mit gedrückter Strg-Taste)
- EBENEN VERBINDEN oder Kontextmenü – EBENE VERBINDEN
- Verbindung von Ebenen können durch erneuten Klick auf das Symbol EBENEN VERBINDEN gelöscht werden

Übungen

1. Ebenen umbenennen

a) Öffnen Sie das Bild **Pfau1.jpg.**
- Blenden Sie das Ebenenfenster ein;
- wandeln Sie die Hintergrundebene in eine normale Ebene um;
- nennen Sie die Ebene »Pfau1«.

b) Öffnen Sie das Bild **Pfau2.jpg.**
- Kopieren Sie das gesamte Bild und fügen Sie es in das Bild **Pfau1.jpg** ein;
- nennen Sie diese Ebene »Pfau2«.

c) Speichern Sie das Bild unter **Pfau3.psd.**

2. Auswahlen, Ebenen umbenennen und Ebenenreihenfolge

a) Öffnen Sie das Bild **Katze1.jpg.**
- Wählen Sie die Katze mit einem beliebigen Auswahlwerkzeug aus;
- wenden Sie bei der Auswahl eine weiche Kante an;
- kopieren Sie die Auswahl.

b) Öffnen Sie das Bild **Katze2.jpg.**
- Fügen Sie die Auswahl der Katze ein;
- nennen Sie die Ebene »Katze«;
- verändern Sie die Größe der Katze passend und verschieben Sie die Katze in die linke untere Ecke;
- wandeln Sie die Hintergrundebene in eine normale Ebene um und nennen Sie diese »Katze1«;

c) Öffnen Sie das Bild **Katze3.jpg.**
- Kopieren Sie das gesamte Bild und fügen Sie es in das Bild **Katze1.jpg** ein;
- nennen Sie die Ebene »Katze2«.

d) Blenden Sie die Ebene Katze1 aus und betrachten Sie die Katze vor verschiedenen Hintergründen. Wenn notwendig, verschieben Sie die Ebenen passend.

e) Speichern Sie das Bild unter **Katze4.psd.**

3. Einstellungsebenen

a) Öffnen Sie die Datei **Katze4.psd.**
- Wenden Sie die Einstellungsebene Schwarzweiß an;
- wenden Sie die Einstellungsebene Helligkeit/Kontrast an;
- blenden Sie die Einstellungsebenen ein/aus – Sie haben nun verschiedene Varianten Ihres Bildes.

b) Speichern Sie das Bild unter **Katze5.psd.**

4. Ebenenreihenfolge und Deckkraft

a) Öffnen Sie die Datei **Meer1.psd.**

b) Ändern Sie die Reihenfolge der Ebenen in Rahmen – Sonnenuntergang – Meer.

c) Reduzieren Sie die Deckkraft der Ebene Sonnenuntergang auf 40 %.

d) Speichern Sie das Bild unter **Meer2.psd.**

5. Ebenen duplizieren

a) Öffnen Sie die Datei **Herzluftballon1.jpg.**
- Wandeln Sie die Hintergrundebene in eine normale Ebene um und nennen Sie sie »Luftballon«;
- duplizieren Sie die Ebene und nennen Sie sie »Luftballon1«;
- wählen Sie den roten Luftballon mit einem Auswahlwerkzeug aus und entfernen Sie den Hintergrund;
- duplizieren Sie die Ebene Luftballon1 dreimal und nennen Sie sie »Luftballon2«, »Luftballon3« und »Luftballon4«;
- verändern Sie die Größe der Luftballone und positionieren Sie sie im gesamten Bild.

b) Wenden Sie verschiedene Einstellungsebenen an:
- Farbfläche, Farbton/Sättigung, Muster …;
- blenden Sie die Einstellungsebenen ein/aus – Sie haben nun unterschiedliche Varianten Ihres Bildes.

c) Verändern Sie die Deckkraft der Ebenen Luftballon 2 bis 4.

d) Speichern Sie das Bild unter **Herzluftballon2.psd.**

Sie können Vorgabestile anwenden oder eigene Stile erstellen.

Ebenenstile und -effekte

Verschiedene Ebenenstile können auf eine Ebene oder eine Ebenengruppe angewendet werden. Ein Ebenenstil umfasst einen oder mehrere Effekte. Mit Effekten können Sie das Aussehen einer Ebene schnell verändern (Schatten, Kanten, Relief ...). Ebenenstile und -effekte können für alle Arten von Ebenen (Texte, gezeichnete Objekte, Bilder, Grafiken ...) angewendet werden.

Ebenenstile und -effekte anwenden

- Doppelklick auf die Ebene im Ebenenbedienfeld
- Oder Ebene markieren – Symbol *fx* im Ebenenbedienfeld
- Oder Ebene – Ebenenstil – Füllmethoden
- Stile anklicken – Optionen einstellen – OK

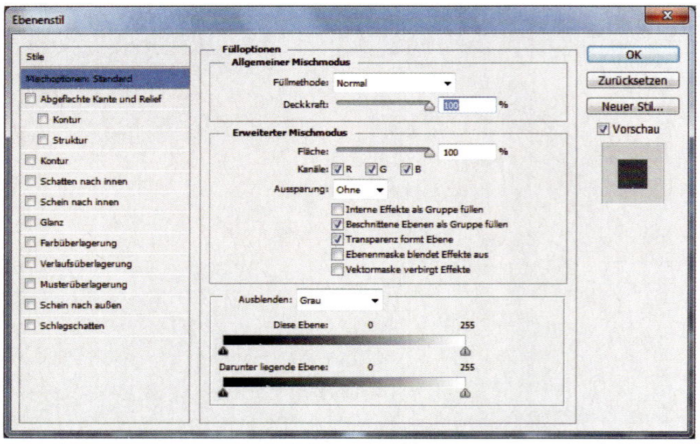

Sobald Sie einen Ebenenstil angewendet haben, erscheint im Ebenenbedienfeld ein Ebeneneffektsymbol. Sie können den Stil hier bearbeiten bzw. anzeigen lassen.

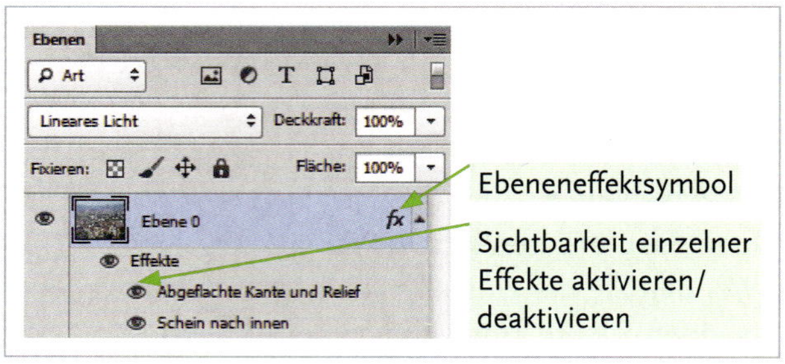

Sie können Effekte kopieren und einfügen, um gleiche Effekte auf mehreren Ebenen anzuwenden.

Ebenenstile und -effekte löschen

Sie können jeden einzelnen Effekt bzw. den gesamten Effekt von einer Ebene entfernen.

- Effekt auswählen – in den Papierkorb ziehen
- Oder Ebeneneffekt auswählen – EBENE – EBENENSTIL – EBENENSTIL LÖSCHEN

Übungen

1. Ebenenstile anwenden

a) Öffnen Sie das Bild **Fruehling1.psd.**

b) Speichern Sie das Bild unter **Fruehling2.psd.**

c) Verändern Sie den Text und das Objekt (Herz) mithilfe von Ebenenstilen Ihrer Wahl.

d) Wandeln Sie den Hintergrund in eine normale Ebene um. Sie können nun auch hier einen Ebenenstil verwenden.

2. Mit Ebenen arbeiten

a) Sie bekommen die Bilder **Karriere1.jpg, Karriere2.jpg, Karriere3.jpg** und **Karriere4.jpg.** Bei diesen vier Bildern handelt es sich um junge Mitarbeiterinnen und Mitarbeiter Ihrer Firma. Für den nächsten Karrieretag wollen Sie ein neues Bild für Ihre Website kreieren.

b) Öffnen Sie die Datei **Karriere5.psd** und speichern Sie sie unter **Karriere6.psd.** Ändern Sie die Bildgröße auf 20 x 10 cm, 72 Pixel/Zoll. In der Datei finden Sie den Text »Karrierechancen«. Probieren Sie verschiedene Ebenenstile aus und entscheiden Sie sich für eine Variante.

c) Wählen Sie die vier jungen Menschen mit einer weichen Kante von 5 Pixel aus und fügen Sie die Auswahlen in die Datei **Karriere 5.psd** ein.
d) Benennen Sie die Ebenen entsprechend um und platzieren Sie die Mitarbeiterinnen und Mitarbeiter passend.
e) Speichern nicht vergessen!

1.6 Mit Werkzeugen arbeiten – Vertiefung

Zauberstab-Werkzeug (W)

Mit diesem Werkzeug können Sie gleiche oder ähnliche Farbtöne innerhalb eines Toleranzwertes auswählen.

- Zauberstab-Werkzeug auswählen
- Toleranz festlegen
- Im Bild ein Klick auf die auszuwählende Fläche
- Sie können in den Optionen mit den Symbolen eine Neue Auswahl festlegen, Der Auswahl hinzufügen bzw. Von Auswahl subtrahieren oder eine Schnittmenge mit der Auswahl bilden

Eignet sich besonders gut für schnelle Auswahlen gleichfarbiger Flächen.

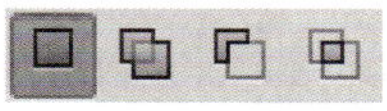

Übung

Zauberstab-Werkzeug anwenden

a) Öffnen Sie das Bild **Berg1.jpg.** Ändern Sie die Bildgröße auf eine Höhe von 37,5 cm und eine Breite von 50 cm.
b) Wählen Sie mit dem Zauberstab-Werkzeug den Himmel aus. Drehen Sie die Auswahl um.
c) Kopieren Sie die Auswahl.
d) Öffnen Sie die Bilder **Berg2.jpg, Berg3.jpg** und **Berg4.jpg.**
e) Fügen Sie die Auswahl in die Verlaufsbilder ein.
f) Speichern Sie Ihren Favoriten dieser Bilder unter **Berg5.psd.**

Transformieren

Transformationen können auf eine Auswahl, eine ganze Ebene, mehreren Ebenen oder einer Ebenenmaske angewendet werden. Dabei kann das Bild gedreht, verzerrt, geneigt, skaliert, gedehnt oder verkrümmt werden.

Wählen Sie den Befehl FREI TRANSFORMIEREN können Sie mehrere Transformationen in einem Vorgang anwenden.

- Objekt auswählen
- BEARBEITEN – TRANSFORMIEREN
- Transformation (Skalieren, Drehen, Neigen, Verzerren ...) auswählen
- Bearbeitung des Objektes an den Eckpunkten vornehmen
- Transformation bestätigen

Übung

1. Zauberstab-Werkzeug und Transformieren

a) Öffnen Sie das Bild **Sehenswuerdigkeit1.jpg.**
b) Wählen Sie mit dem Zauberstab-Werkzeug, mit einer Toleranz von 0, den weißen Hintergrund aus. Fügen Sie der Auswahl eine weiche Kante mit 5 Pixel zu.
c) Kehren Sie die Auswahl um, damit sind alle Sehenswürdigkeiten ausgewählt.
d) Kopieren Sie die Auswahl.
e) Öffnen Sie das Bild **Sehenswuerdigkeit2.jpg** und fügen sie die Auswahl ein.
f) Verändern und transformieren Sie die Auswahl so, dass der Herr die Welt in seinen Armen hält.
g) Speichern Sie das Bild unter **Sehenswuerdigkeit3.psd.**

2. Transformieren

a) Öffnen Sie das Bild **Chilli1.jpg.**
b) Wählen Sie die rote Chilli aus und fügen Sie die Auswahl in einer neuen leeren Datei, mit transparentem Hintergrund ein.
c) Probieren Sie selbstständig verschiedene Transformationen aus. Für diese Aufgabe haben Sie 10 min Zeit.
d) Speichern Sie Ihr Ergebnis unter **Chilli2.psd.**

Lasso-Werkzeug (L)

Wenden Sie dieses Werkzeug bei Bildern mit unregelmäßigen Kanten an.

- Lasso-Werkzeug auswählen
  - Lasso-Werkzeug: Sie können mit der freien Hand eine Auswahl aufziehen. Es arbeitet wie ein Stift, mit dem Sie Konturen nachziehen können.
  - Polygon-Lasso-Werkzeug: Durch einen Klick in das Bild wird ein erster Punkt gesetzt. Durch einen weiteren Klick wird eine gerade Linie aufgezogen, es entsteht ein Auswahlrahmen.
  - Magnetisches Lasso-Werkzeug: Mit einem Klick in das Bild startet das magnetische Lasso. Es setzt sich automatisch Ankerpunkte an den Konturen eines Bereiches aufgrund des unterschiedlichen Farbkontrastes der Farbpixel.
- Auswahl abbrechen: Doppelklick im Bild
- Auswahl beenden: Klicken Sie auf den Anfangspunkt Ihrer Auswahl

Übungen

1. Lasso-Werkzeug anwenden

a) Öffnen Sie das Bild **Saeule1.jpg.**
b) Wählen Sie mit dem magnetischen Lasso die Säule aus.
c) Kopieren Sie die Auswahl.
d) Öffnen Sie das Bild **Saeule2.jpg.**
e) Fügen Sie die Auswahl in dieses Bild ein. Verändern Sie die Größe der Auswahl passend.
f) Speichern Sie das Bild unter **Saeule3.psd.**

2. Lasso-Werkzeug anwenden

a) Öffnen Sie das Bild **Seestern1.jpg.**
b) Wählen Sie mit einem Lasso-Werkzeug mit einer weichen Kante von 10 Pixeln den Seestern aus.
c) Verschieben Sie die Auswahl mit gedrückter Alt-Taste mehrmals im Bild.
d) Speichern Sie das Bild unter **Seestern2.psd.**

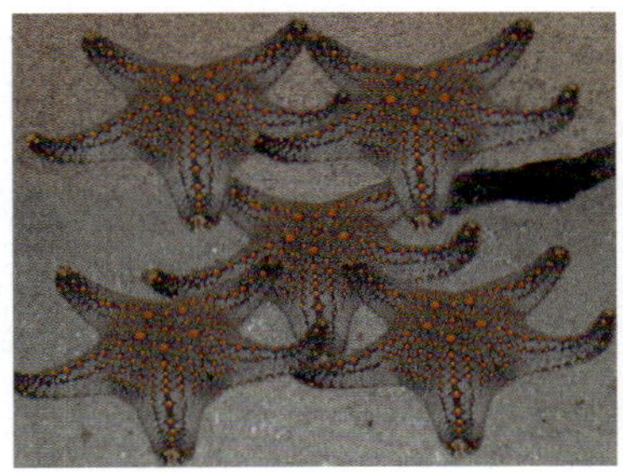

Radiergummi-Werkzeug (E)

Verwenden Sie das Radiergummi-Werkzeug, haben Sie drei Auswahlmöglichkeiten:

- Radiergummi-Werkzeug
- Hintergrund-Radiergummi-Werkzeug
- Magischer-Radiergummi-Werkzeug

Mit dem Radiergummi-Werkzeug werden Pixel auf die Hintergrundfarbe oder auf transparent gesetzt. Das Hintergrund-Radiergummi-Werkzeug macht die Farbe des Bildbereiches transparent. Die Ebene dahinter scheint durch.

Das Magischer-Radiergummi-Werkzeug funktioniert ähnlich wie das Zauberstab-Werkzeug. In den Optionen wird keine Pinselspitze, sondern die Farbtoleranz definiert. Der Radiergummi wählt Bereiche gleicher Farbe aus und wandelt die Farbpixel in transparente Pixel um.

Übungen

1. Radiergummi-Werkzeug anwenden

a) Öffnen Sie das Bild **Gefahrenstelle1.jpg.**
b) Probieren Sie selbstständig die verschiedenen Radiergummi-Werkzeuge aus.
c) Besprechen Sie mit Ihrer Lehrerin/Ihrem Lehrer wann Sie welchen Radiergummi sinnvoll einsetzen können.

2. Radiergummi-Werkzeug anwenden

a) Öffnen Sie die Bilder **Valentinsgruesse1.jpg** und **Valentinsgruesse2.jpg.**
b) Ziehen Sie das Bild **Valentinsgruesse1.jpg** in das Bild **Valentinsgruesse2.jpg**. Entsperren Sie die Hintergrund-Ebenen, ändern Sie den Namen der Ebenen passend und verschieben Sie die Ebenen so, dass die Ebene mit den Valentinsgrüßen sichtbar bleibt.

c) Wählen Sie für das Hintergrund-Radiergummi-Werkzeug die Pinseleinstellung rund, weich und 260 Pixel.
d) Radierern Sie rund um die Tafel, die darunterliegende Ebene wird dadurch sichtbar.
e) Speichern Sie das Bild unter **Valentinsgruesse3.psd.**

Text-Werkzeug (T)

- Horizontales oder Vertikales Textwerkzeug auswählen
- Eigenschaften (Zeichen- und Absatzformatierungen) in der Optionenleiste einstellen
- Text in das Bild schreiben
- Für den Text wird automatisch eine eigene Ebene erstellt
- Der Text kann mit dem Verschieben-Werkzeug verschoben werden

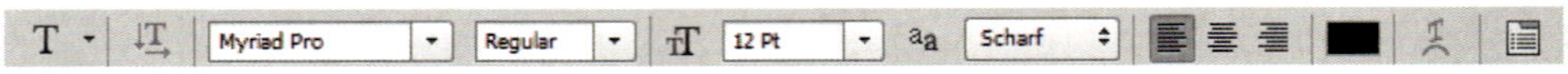

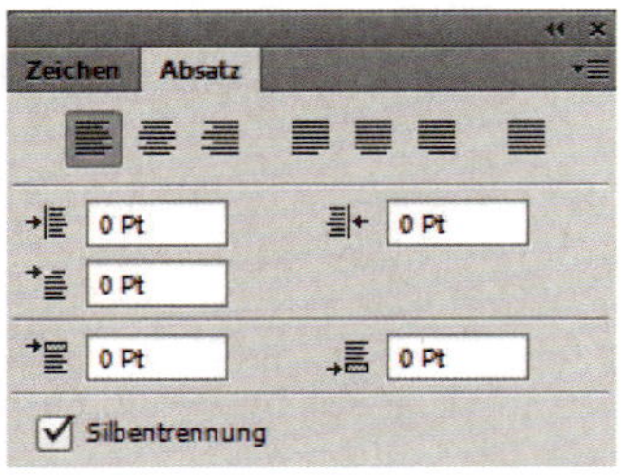

Text formatieren

- Text-Werkzeug auswählen
- Text schreiben
- Fenster – Zeichen bzw. Absatz
- Weitere Einstellungen vornehmen

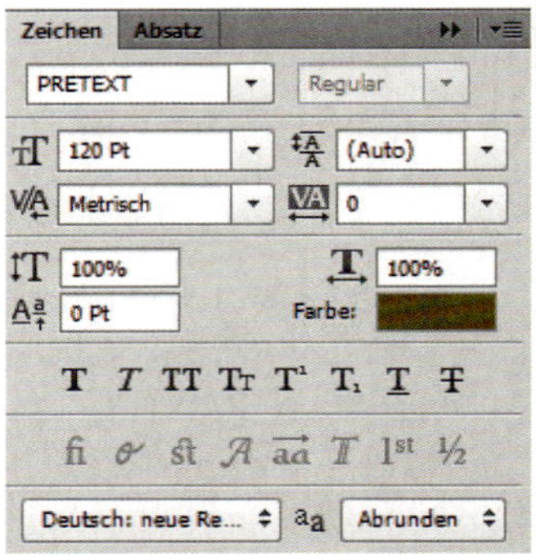

Textfarbe auswählen

- Text-Werkzeug auswählen
- Text schreiben
- In der Optionenleiste in das Farbfeld klicken

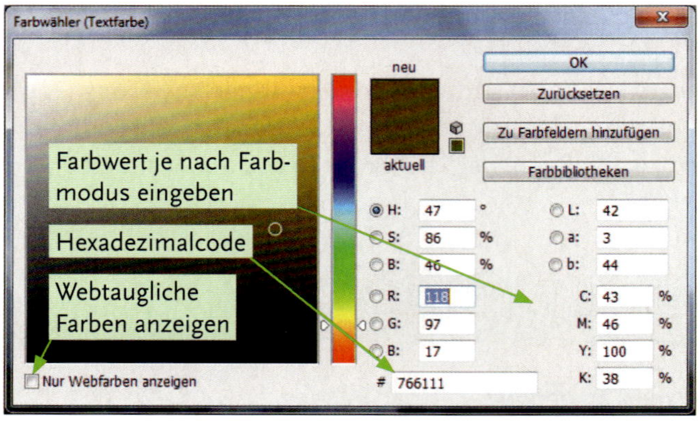

Bewegen Sie den Mauszeiger auf Ihr Bild, erscheint er in Form einer Pipette und Sie können mit einem Klick eine Farbe aus dem Bild aufnehmen.

Text verformen

- Text-Werkzeug auswählen
- Eigenschaften festlegen
- Text schreiben
- Symbol Verformten Text erstellen in der Optionenleiste auswählen
- Art der Verformung im Dialogfeld Text verformen festlegen – Biegung, Horizontale und Vertikale Verzerrung verändern – OK

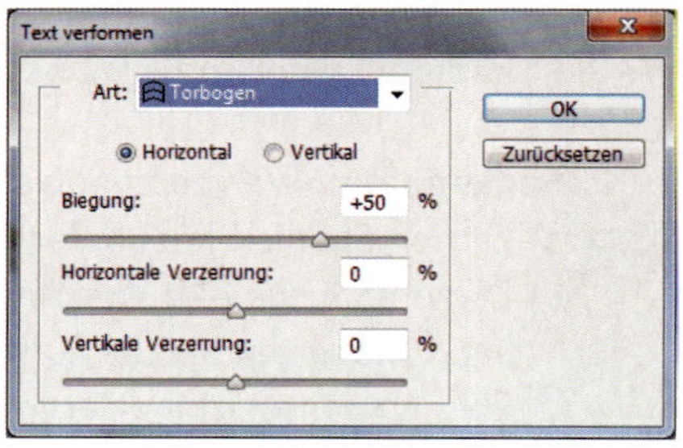

Textmaskierungswerkzeug

- Horizontales oder Vertikales Textmaskierungswerkzeug auswählen
- Zeichen- und Absatzformate festlegen
- Durch Klicken in das Bild wird eine rote Maske über das Bild gelegt
- Schreiben Sie den Text – Aktuelle Bearbeitungen bestätigen oder Abbrechen
- Es entsteht eine Auswahl mit allen bereits bekannten Auswahleigenschaften

Bei einem Textmaskierungswerkzeug entsteht keine eigene Ebene, sondern eine Auswahl.

Übungen

1. Text-Werkzeug anwenden

a) Öffnen Sie eine neue, leere, weiße Datei mit der Größe 13 x 18 cm.
b) Schreiben Sie Ihr Lieblingszitat in einer beliebigen Schriftart und -größe.
c) Arbeiten Sie selbstständig mit allen Funktionen des Textwerkzeuges und probieren Sie Verschiedenes aus.
d) Speichern Sie Ihr fertiges Zitat unter **Zitat1.jpg.**

2. Text-Werkzeug anwenden

a) Von Ihrem Fotografen bekommen Sie ein aktuelles Bild für ein Plakat zur Verfügung gestellt. Öffnen Sie das Bild **Ziel1.jpg.**
b) Speichern Sie das Bild passend für eine Plakatgestaltung unter **Ziel2.tiff.**
c) Wählen Sie das Text-Werkzeug aus und schreiben Sie den Text »Der Weg ist das Ziel. Konfuzius« in der Schriftart Freehand521BT, 48 Punkt bzw. 14 Punkt. Als Schriftfarbe verwenden Sie für den Spruch einen weißen Farbton aus dem Leuchtturm und für »Konfuzius« einen dunkleren Farbton aus der Wiese.
d) Verschieben Sie den Text passend laut Lösung.
e) Speichern nicht vergessen!

3. Text-Werkzeug anwenden – 15 min

a) Für eine Veranstaltung wollen Sie Give-aways gestalten. Im Internet konnten Sie ein passendes, lizenzfreies Bild dafür finden.
b) Öffnen Sie das Bild **Glueck1.jpg.**
c) Wählen Sie das Text-Werkzeug aus und schreiben Sie den Text »Viel Glück, Gesundheit und Zufriedenheit«.
d) Probieren Sie selbstständig verschiedene Schriftarten, -größen und -farben aus.
e) Verformen Sie den Text mit einer Textverformungsart Ihrer Wahl.
f) Speichern Sie die Datei zur weiteren Bearbeitung unter **Glueck2.psd.**
g) Besprechen Sie mit Ihrer Sitznachbarin/Ihrem Sitznachbar warum Sie sich für Ihr Ergebnis entschieden haben.

4. Textmaskierungswerkzeug anwenden

a) Öffnen Sie das Bild **Gewuerze1.jpg.**
b) Speichern Sie die Datei für die Gestaltung eines Plakates unter **Gewuerze2.tiff.**
c) Wählen Sie das Horizontale Textmaskierungswerkzeug aus. Schreiben Sie den Text »Gewürzmarkt« in der Schriftart Cracked Johnnie, 36 Punkt, stark, linksbündig, mitten in die Gewürze. Bestätigen Sie die Auswahl. Der Text erscheint danach als Auswahl (wie z. B. eine Ellipsenauswahl).
d) Kopieren Sie die Auswahl und fügen Sie sie in einer neuen leeren Datei (Hintergrundfarbe weiß) ein.
e) Speichern nicht vergessen!

1.7 Vordergrund- und Hintergrundfarbe auswählen

Standardfarben sind Schwarz und Weiß.

Für die Schriftfarbe bzw. die Farbe des Zeichenwerkzeugs muss die Vordergrundfarbe eingestellt werden. Für den Hintergrund und die Verlaufsfüllungen benötigen Sie die Hintergrundfarbe.

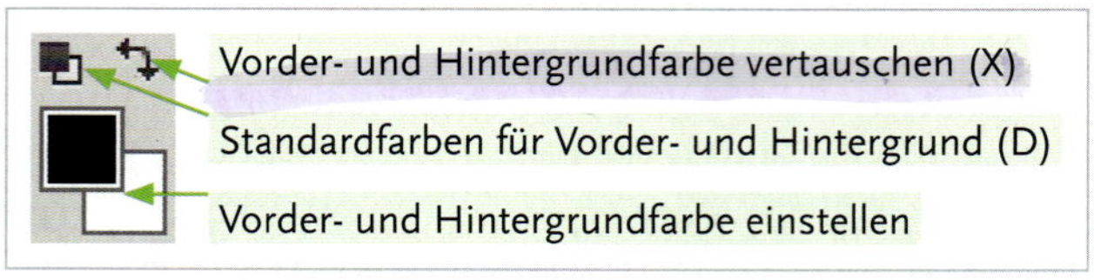

1.7.1 Farbwahl über die Werkzeugpalette

Ist eine neu ausgewählte Farbe in einem bestimmten Modus nicht darstellbar, erscheint ein Warnsymbol neben der gewählten Farbe.

Mit einem Doppelklick auf die Farbfelder für Vorder- und Hintergrundfarbe wird in der Werkzeugleiste der Farbwähler geöffnet.

Die Farben können mit

- RGB-, CMYK-, HSB-, LAB- und Hexadezimalwerten eingegeben
- oder mit einem Klick in die Farbfläche ausgewählt werden.

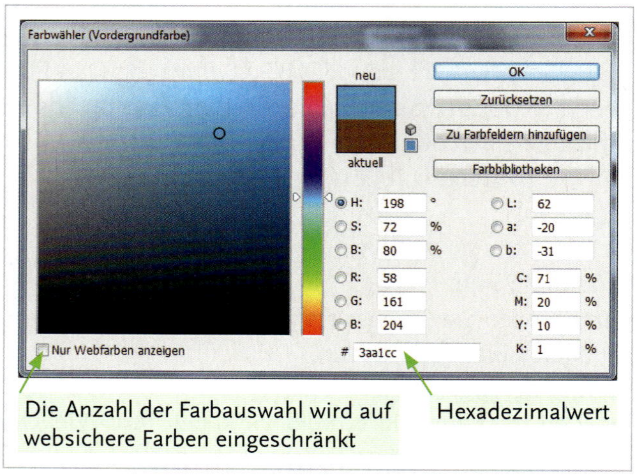

1.7.2 Farbwahl über die Paletten

Mit einem Klick wählen Sie die Vordergrundfarbe, mit Strg + Klick die Hintergrundfarbe aus.

Eine Farbauswahl kann auch über die Palette Farbe getroffen werden.

- Fenster – Farbe oder F6-Taste
- Symbol Vorder- oder Hintergrundfarbe markieren und Farbe wählen
- Oder Fenster – Farbfelder

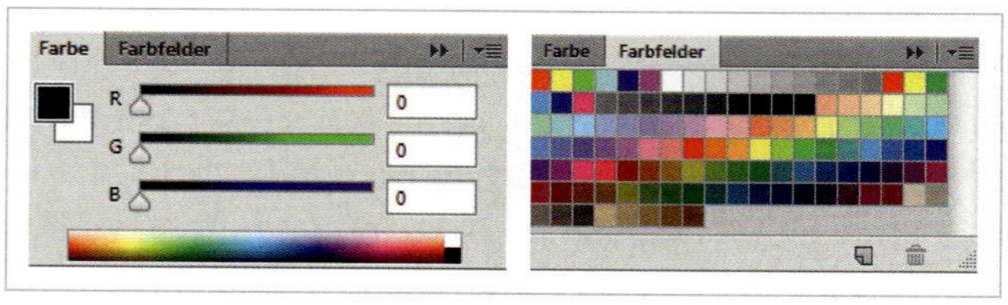

1.7.3 Pipette-Werkzeug (I)

Um eine Vorschau der ausgewählten Farbe zu erhalten, wählen Sie in der Optionenleiste Auswahlring anzeigen.

Um eine Farbe aus einem Bild der Vorder- bzw. Hintergrundfarbe zuzuweisen, wählen Sie das Pipette-Werkzeug.

- Pipette-Werkzeug wählen
- In der Optionenleiste Aufn.-Bereich festlegen
  - 1 Pixel

- ▶ 3 x 3 Pixel Durchschnitt
- ▶ 5 x 5 Pixel Durchschnitt ...
- Für die Vordergrundfarbe auf die gewünschte Farbe im Bild klicken
- Oder für die Hintergrundfarbe Alt + Klick auf die gewünschte Farbe

In der Palette FARBE erhalten Sie zudem den RGB-Code der ausgewählten Farbe.

Das Pipette-Werkzeug sucht sich den Durchschnittswert der angegebenen Pixel des ausgewählten Bereiches aus.

1.8 Füllungen und Farbverläufe

1.8.1 Füllwerkzeug (G)

Bestimmte Bereiche mit einem ähnlichen Farbwert können mit dem Füllwerkzeug in einer anderen Farbe gefüllt werden.

- Vordergrundfarbe auswählen
- Eine nicht fixierte Ebene markieren oder eine Auswahl festlegen
- FÜLLWERKZEUG auswählen
- In der Optionenleiste VORDERGRUND oder MUSTER wählen
- MODUS, DECKKRAFT und TOLERANZ festlegen

- Füllung mit Klick in das Bild oder in die Auswahl zuweisen

Bei Bildern im Bitmapmodus kann das Füllwerkzeug nicht verwendet werden.

Neues Muster erstellen

Sie können aus einem Bild ein eigenes Muster erstellen.

- Bild, das das gewünschte Muster enthält, öffnen
- BEARBEITEN – MUSTER FESTLEGEN...
- Namen für das Muster vergeben
- Das gespeicherte Muster befindet sich bei den voreingestellten Mustervarianten

Musterfüllungen müssen im gleichen Farbmodus festgelegt werden, in dem das fertige Bild erstellt wird.

1.8.2 Verlaufswerkzeug (G)

Es kann ein schrittweiser Übergang von einer Farbe zur anderen erzeugt werden. Sie können dafür bereits voreingestellte Farbverläufe verwenden oder eigene erstellen.

- Ebene markieren oder Auswahl festlegen
- VERLAUFSWERKZEUG auswählen
- In der Optionenleiste VERLAUF und MODUS festlegen
- Durch Ziehen über das Bild wird das Verlaufswerkzeug angewendet

Bei Bildern im Bitmapmodus oder bei indizierten Farben kann das Verlaufswerkzeug nicht verwendet werden.

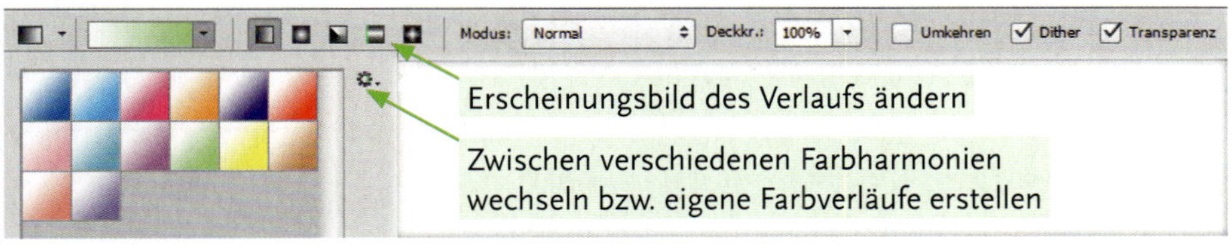

1.8.3 Füllen einer Auswahl oder Ebene mit Farbe

- Vorder- oder Hintergrundfarbe auswählen
- Auswahl mit einem Auswahlwerkzeug festlegen
- BEARBEITEN – FLÄCHE FÜLLEN...
- Im Dialogfeld FLÄCHE FÜLLEN Optionen festlegen – OK
- Auswahl wird mit gewünschter Option automatisch gefüllt

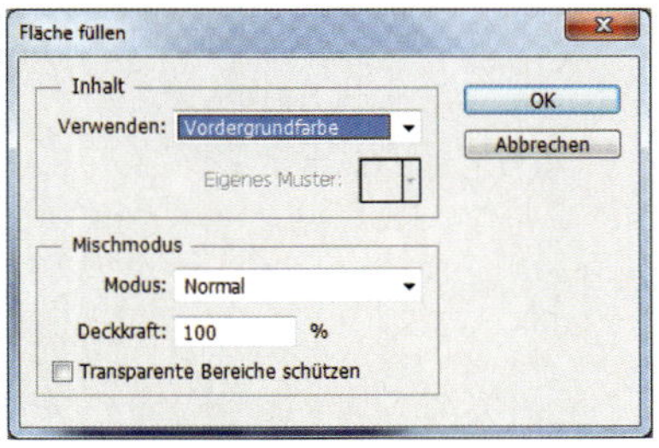

Übungen

1. Hintergrund mit Füllwerkzeug, Verlaufswerkzeug und Muster füllen

a) Öffnen Sie das Bild **Pusteblume1.jpg.**
- Wandeln Sie die Hintergrundebene in eine normale Ebene um und duplizieren Sie sie;
- wählen Sie im Duplikat den Himmel aus und entfernen Sie ihn;
- fügen Sie eine neue leere Ebene ein und blenden Sie die anderen Ebenen aus:
  - wählen Sie das Verlaufswerkzeug aus;
  - wählen Sie in der Optionenleiste einen Verlauf Ihrer Wahl aus und nehmen Sie die gewünschten Einstellungen vor;
  - ziehen Sie mit gedrückter linker Maustaste einen Farbverlauf über das gesamte Bild auf;
  - blenden Sie den Löwenzahn wieder ein; wenn notwendig verschieben Sie die Ebenen, damit der Löwenzahn sichtbar wird.

b) Wiederholen Sie diese Vorgänge mit einem einfarbigen Hintergrund und einem Muster. Für Musterfüllungen und einfarbige Füllungen muss die gesamte Ebene ausgewählt sein.

c) Speichern Sie das Bild unter **Pusteblume2.psd.**

2. Farbauswahl mit Pipette

a) Öffnen Sie das Bild **Einladung1.jpg.**
- Duplizieren Sie die Hintergrundebene;
- wählen Sie das Textwerkzeug aus; schreiben Sie den vertikalen Text »Einladung«; Schriftart und -größe nach Wahl; Schriftfarbe aus den Luftballons aufnehmen;
- schreiben Sie die Texte »14. Mai ....«, »16:00 Uhr« und »Mitzubringen: Gute Laune!«; wählen Sie für diese Texte Farben aus den Luftballons.

b) Platzieren Sie die Textebenen nach Ihrer Wahl.

c) Speichern Sie das Bild unter **Einladung2.psd.**

1.9 Formen, Pinsel und Zeichenstift

In PHOTOSHOP können Sie mit Zeichenwerkzeugen und Formen eigene Objekte zeichnen und bearbeiten.

1.9.1 Formen (U)

- Bild öffnen oder Neues Bild erstellen
- Symbol und gewünschtes Werkzeug auswählen
- In den Optionen die Eigenschaften für das Objekt festlegen
- Durch Ziehen mit der Maus gewünschtes Objekt zeichnen

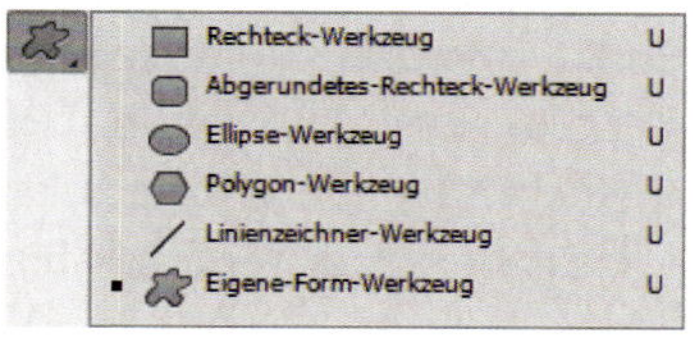

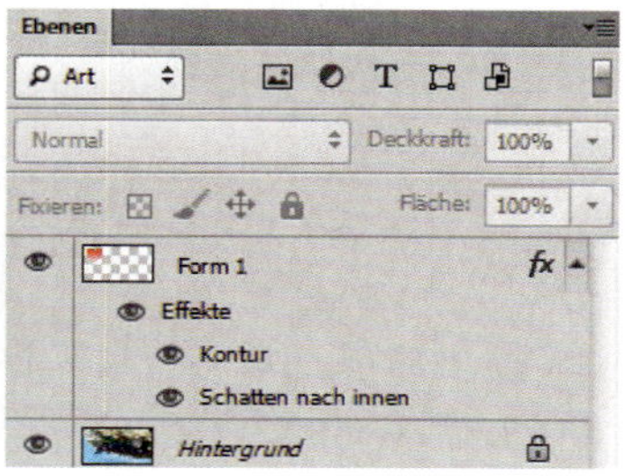

Bei gezeichneten Objekten können Sie zusätzlich Ebenenstile und -effekte anwenden.

Fügen Sie für jede einzelne Form eine neue leere Ebene hinzu.

1.9.2 Pinsel und Buntstift (B)

- Bild öffnen oder Neues Bild erstellen
- Wählen Sie eine passende Vordergrundfarbe aus – mit dieser wird gemalt
- Symbol und gewünschtes Werkzeug auswählen
- In den Optionen die Eigenschaften für den Pinsel bzw. den Buntstift festlegen
- Durch Klicken und Ziehen der Maus können Sie zeichnen

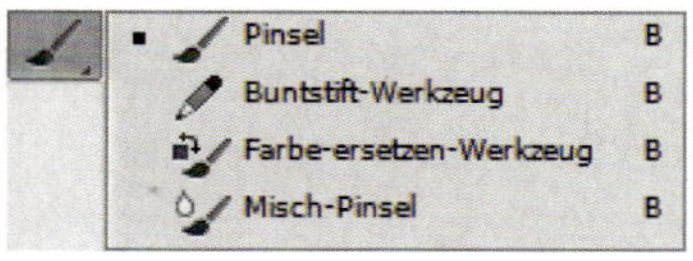

Die Auswahl der zur Verfügung stehenden Pinselspitzen ist vielfältig.

Für gezeichnete Objekte entsteht nicht automatisch eine neue Ebene.

1.9.3 Zeichenstift (P)

- Bild öffnen oder Neues Bild erstellen
- Symbol und gewünschtes Werkzeug auswählen
- In den Optionen die Eigenschaften für den Zeichenstift festlegen
- Durch Klicks oder Ziehen der Maus gewünschte Form zeichnen

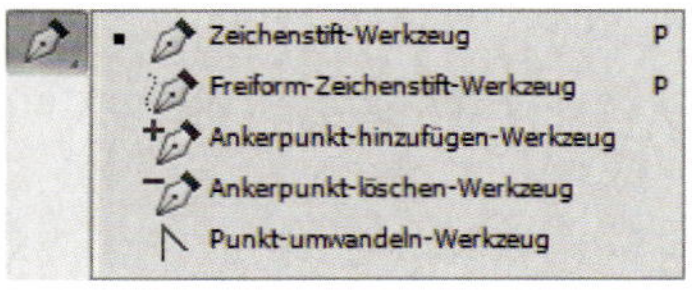

Ankerpunkte nennt man die Anfangs- und Endpunkte eines Pfad-Segments. Es gibt Kurven- und Eckpunkte.

Mit dem Punkt-umwandeln-Werkzeug können Sie Kurven- in Eckpunkte umwandeln und umgekehrt.

Ankerpunkt-Werkzeug

- Formebene markieren – Ankerpunkt-hinzufügen- oder Ankerpunkt-löschen-Werkzeug auswählen
- Klick auf die Linie der Form fügt Ankerpunkte hinzu, Klick auf zu löschende Ankerpunkte entfernt Ankerpunkte
- Die hinzugefügten Ankerpunkte erhalten Hebel
- Durch Ziehen an den Hebeln wird die Form verändert

Punkt-umwandeln-Werkzeug

- Formebene markieren – Punkt-umwandeln-Werkzeug auswählen
- Klick auf einen Ankerpunkt fügt dem bestehenden Ankerpunkt Hebel zum Verändern der Linie der Form hinzu

Übungen

1. Bild mit Musterfüllung, Formen und Text erstellen

a) Öffnen Sie ein neues leeres Bild und speichern Sie es unter **Schmetterlingswald1.psd.**
- 15 x 10 cm, transparenter Hintergrund, 72 dpi;
- füllen Sie das leere Bild mit einem natürlichen Muster, z. B. Blätter, Gras.

b) Fügen Sie mit dem Eigene-Form-Werkzeug einen Schmetterling mit einem gelb-orangen Farbverlauf hinzu. Erzeugen Sie weitere kleinere Schmetterlinge in verschiedenen Farben an verschiedenen Positionen.

c) Fügen Sie mit dem Abgerundeten-Rechteck-Werkzeug ein Rechteck in der Größe von ca. 11 x 4 cm hinzu. Für dieses Rechteck wählen Sie einen passenden Farbverlauf mit einer geringen Deckkraft aus.

d) Schreiben Sie den Text »Rundgang durch den Schmetterlingswald« in einer für Sie passenden Schriftart, -größe und -farbe. Verschieben Sie den Text in das Rechteck und verbinden Sie die beiden Ebenen.

e) Positionieren Sie den Text und die Schmetterlinge passend. Wenn notwendig, verschieben Sie die Ebenen. Für die einzelnen Ebenen können Sie auch zusätzlich Ebenenstile hinzufügen. Speichern Sie das Bild!

2. Bild mit Formen und Pinsel erstellen

a) Erstellen Sie ein neues leeres Bild mit einer Auflösung von 72 Pixel/Zoll, Breite 300 Pixel, Höhe 500 Pixel und weißer Hintergrundfarbe. Speichern Sie das Bild unter **Gemuese4.psd.**

b) Öffnen Sie die Bilder **Gemuese1.jpg, Gemuese2.jpg** und **Gemuese3.jpg.**
- Wählen Sie im Bild **Gemuese1.jpg** die Paprika einzeln aus und kopieren Sie die Auswahl in Ihr neues leeres Bild;
- wählen Sie in den anderen beiden Bildern die Zucchini und den Paradeiser aus;
- verändern Sie die Größe der verschiedenen Gemüsesorten und positionieren Sie das Gemüse in den unteren zwei Dritteln des Bildes;
- duplizieren Sie die Ebene Paradeiser.

b) Erstellen Sie mit dem Pinselwerkzeug einen kreativen Hintergrund.
- Erstellen Sie eine neue leere Ebene;
- verwenden Sie die Farben des Gemüses;
- wenden Sie die Pinselspitze Spritzer in verschiedenen Pinselstärken an.

c) Erstellen Sie mit dem Ellipse-Werkzeug im oberen Drittel des Bildes eine Ellipse.
- Füllen Sie die Ellipse mit einem Farbverlauf und geringer Deckkraft;
- schreiben Sie den zweizeiligen Text »Gemüsemarkt« und positionieren Sie den Text innerhalb der Ellipse.

Um einzelne Pinselstriche leichter rückgängig zu machen, erstellen Sie für jede Farbe eine eigene Ebene.

3. Form umwandeln

a) Erstellen Sie ein neues leeres Bild von 500 x 500 Pixel, 72 dpi und mit weißem Hintergrund.

b) Zeichnen Sie mit dem Eigene-Form-Werkzeug einen Pfeil wie in der Lösung abgebildet. Wenden Sie beim Pfeil Ebenenstile an.

c) Verändern Sie mit dem Punkt-umwandeln-Werkzeug den geraden zu einem gebogenen Pfeil.

d) Speichern Sie den gebogenen Pfeil unter **Pfeil1.psd.**

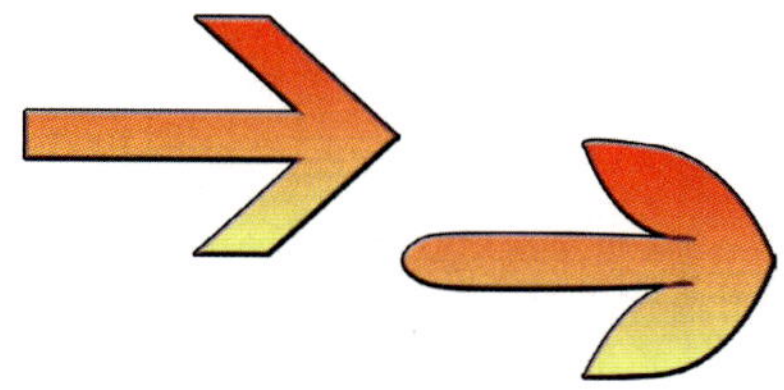

1.10 Filter

In PHOTOSHOP können Sie viele unterschiedliche Filter und Effekte anwenden. Sobald Sie einen Filter ausgewählt haben, können Sie im dazupassenden Dialogfenster Einstellungen vornehmen.

Sie können einen Filter auf eine bestimmte Auswahl oder auf einzelne Ebenen anwenden.

1.10.1 Filtergalerie

Im Menü FILTER finden Sie verschiedene Arten von Filtern, z. B. Verflüssigen, Renderfilter, Verzerrungsfilter. In der FILTERGALERIE können Sie unterschiedliche Filter an Ihrem Bild oder in Ihrer Auswahl ausprobieren.

- Bild öffnen
- FILTER – FILTERGALERIE...
- Im Dialogfenster einen Filter auswählen – Originalbild ändert sich zum Vorschaubild – Optionen für den Filter einstellen

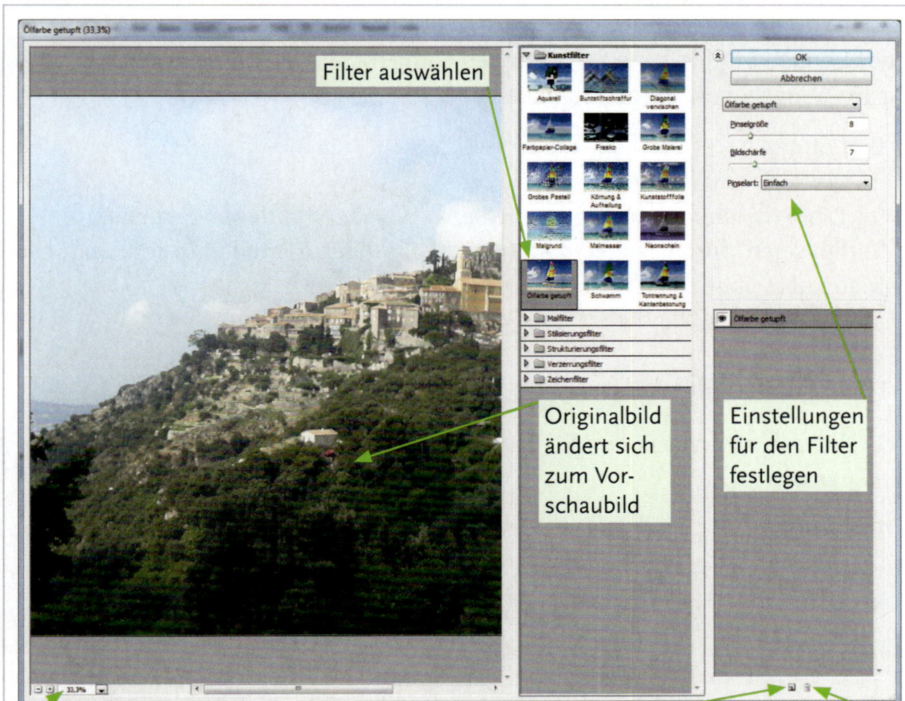

1.10.2 Renderfilter Beleuchtungseffekte

- Bild öffnen
- Filter – Renderfilter – Beleuchtungseffekte...
- In der Optionenleiste befinden sich die Vorgaben, z. B. 2-Uhr-Spot, Blitzlicht, Flutlicht und die Lichtquellen
- Zusätzlich können verschiedene Eigenschaften festgelegt werden

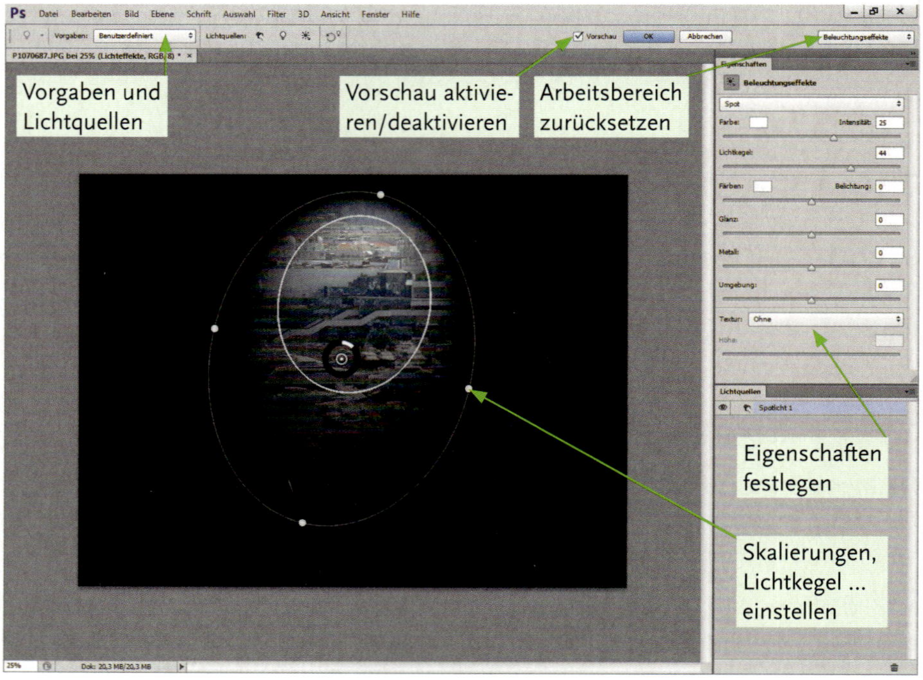

Verflüssigenfilter

1.10.3 Verflüssigenfilter

Jeder Bereich im Bild kann mit dem Verflüssigenfilter verschoben, gedreht, gezerrt, zusammengezogen, aufgeblasen usw. werden.

- Bild öffnen
- Filter – Verflüssigen...
- Im Dialogfenster Werkzeug auswählen – Werkzeugoptionen festlegen
- Verflüssigen durch länger dauernde Klicks oder Ziehen mit gedrückter linker Maustaste über das Bild

Ölfarbefilter

1.10.4 Ölfarbefilter

Der Ölfarbefilter erweckt den Eindruck, als wäre das Bild tatsächlich mit Pinselstrichen gemalt.

- Bild öffnen
- Filter – Ölfarbe...
- Im Dialogfenster Optionen festlegen

Verzerrungsfilter

1.10.5 Verzerrungsfilter und Vergröberungsfilter

Mit dem Verzerrungsfilter bzw. dem Vergröberungsfilter können Bilder in verschiedenen Varianten verzerrt und verändert werden.

- Bild öffnen
- Filter – Verzerrungsfilter oder Vergröberungsfilter
- Verzerrungsfilter bzw. Vergröberungsfilter auswählen – Eigenschaften festlegen und anwenden

Übungen

1. Filtergalerie – Kunstfilter

a) Öffnen Sie das Bild **Flamingo1.jpg.**
- Wenden Sie für dieses Bild den Filter Leuchtende Konturen an;
- wählen Sie die Optionen: Kantenbreite 5, Kontrasthelligkeit 9 und Glättung 10.

b) Speichern Sie das Bild unter **Flamingo2.psd.**

2. Filtergalerie auf einer Ebene anwenden

a) Öffnen Sie das Bild **Blume1.psd.**
- Wenden Sie auf der Ebene Pusteblume den Filter Konturen mit Tinte nachzeichnen an;
- wählen Sie die Optionen: Strichlänge 10, Tiefen-Intensität 30, Lichtintensität 4.

b) Speichern Sie das Bild unter **Blume2.psd.**

3. Renderfilter Beleuchtungseffekte anwenden

a) Öffnen Sie das Bild **Burg1.jpg.**
- Wenden Sie für das Bild den Renderfilter Beleuchtungseffekte an;
- wählen Sie die Optionen:
- Beleuchtungseffekt: Punkt – auf Turmspitze verschieben;
- Farbe: R 255, G 166, B 101;
- Glanz 10, Umgebung –10;
- Textur: Blau, Höhe –5.

b) Speichern Sie das Bild unter **Burg2.psd.**

4. Verflüssigen-Filter anwenden

a) Öffnen Sie das Bild **Verfluessigen1.jpg.**

b) Wenden Sie für das Bild verschiedene Werkzeuge des Verflüssigen-Filters an.

c) Speichern Sie das veränderte Bild unter **Verfluessigen2.psd.**

1.11 Masken

1.11.1 Maskierungsmodus (Q)

Um eine genauere Auswahl eines Bildelementes zu treffen, muss im Maskierungsmodus gearbeitet werden. Im Maskierungsmodus werden die Bereiche maskiert, die nicht ausgewählt werden dürfen. Sie wählen die Bereiche mit einem Buntstift oder einer Pinselspitze aus.

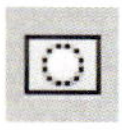

- Bild öffnen
- Symbol Im Maskierungsmodus bearbeiten auswählen – die Oberfläche von PHOTOSHOP wird dabei nicht geändert
- Pinsel oder Buntstift auswählen – Vordergrundfarbe Schwarz
- Im Bild wird der Bereich angemalt, der nicht ausgewählt werden soll – der Bereich wird in der Farbe Rot abgedeckt

PHOTOSHOP kann im Maskierungsmodus geschützte und ungeschützte Bereiche unterscheiden. Sie können erst in PHOTOSHOP eine grobe Auswahl treffen oder sofort im Maskierungsmodus arbeiten.

Die Bereiche, die nicht ausgewählt werden, werden mit der Farbe Schwarz übermalt.

Zwischen dem Maskierungsmodus und dem Standardmodus können Sie zur Kontrolle hin und her wechseln.

Um genauere Auswahlen treffen zu können, verändern Sie die Pinsel- bzw. Bleistiftgröße.

- Mit Klick auf das Symbol Im Standardmodus bearbeiten wird der Maskierungsmodus beendet – Auswahl wird ersichtlich
- Im Maskierungsmodus können Sie mit der Vordergrundfarbe Weiß Auswahlen wieder ausradieren oder entfernen; mit der Vordergrundfarbe Schwarz können Sie Auswahlen hinzufügen

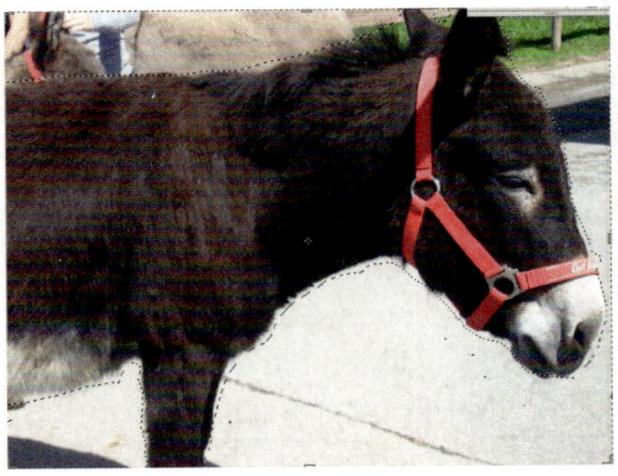

1.11.2 Ebenenmaske

Teile einer Ebene können mit Masken ausgeblendet werden. Dabei werden die darunterliegenden Ebenen sichtbar.

- Bild öffnen
- Hintergrundebene kopieren – Original ausblenden
- Bereich (Hintergrund) auswählen
- Symbol Ebenenmaske hinzufügen (Ebenenpalette) – der nicht ausgewählte Bereich wird durch eine Maske verdeckt
- Weiteres Bild öffnen – es soll den aktuellen Hintergrund ersetzen
- Gesamtes Bild auswählen – kopieren – unterhalb der Ebenenmaske einfügen

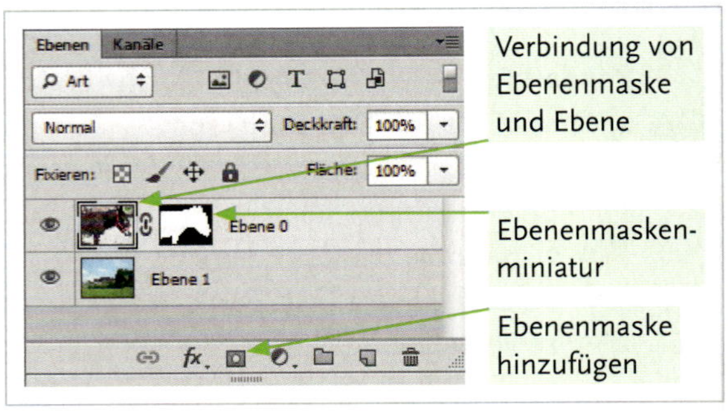

Mit einem Doppelklick auf die Ebenenmaskenminiatur öffnen Sie die Eigenschaften. Hier können Sie z. B. die Kantenerkennung, welche Kante, Kontrast ... einstellen.

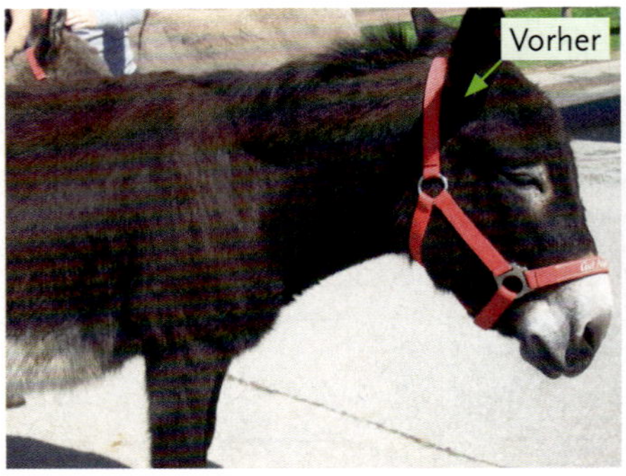

Übungen

1. Mit Ebenenmasken arbeiten

a) Öffnen Sie das Bild **Zebra1.jpg** und wählen Sie das vordere, kleine Zebra mithilfe der Ebenenmaske genau aus.

b) Öffnen Sie das Bild **Zebra2.jpg.**
- Kopieren Sie die Auswahl aus dem Bild **Zebra1.jpg;**
- fügen Sie die Auswahl im Bild **Zebra2.jpg** zweimal ein;
- verändern Sie die Größe und platzieren Sie das Zebra passend im Bild.

c) Speichern Sie das Bild unter **Zebra3.psd.**

2. Mit Ebenenmasken arbeiten

a) Öffnen Sie das Bild **Loewe1.jpg.** Wählen Sie den Löwen mithilfe des Maskierungsmodus aus.

b) Ändern Sie in den Eigenschaften der Ebenenminiatur die Kantenerkennung, damit die Haare des Löwen genau ausgewählt werden. Wählen Sie Ausgabe an: Auswahl aus.

c) Sie können nun die Auswahl je nach Wunsch verändern und/oder den Löwen in eine andere beliebige Datei einfügen.

d) Speichern Sie Ihre Änderungen unter **Loewe2.psd.**

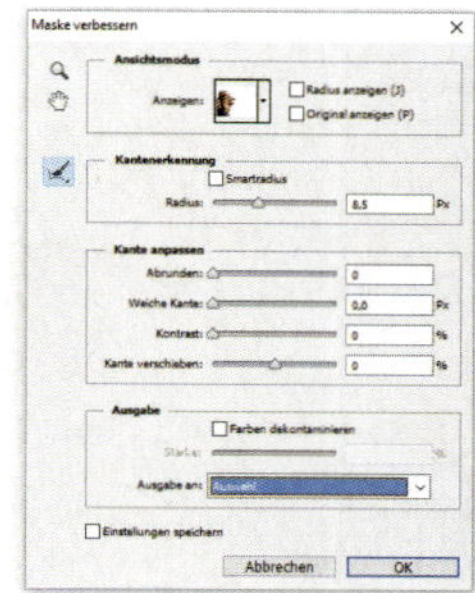

1.12 PDF-Präsentation

In PHOTOSHOP können eigene Bilder in einer PDF-Präsentation gespeichert werden. Die PDF-Präsentationen können gleich mit Übergangseffekten, -dauer usw. als Diashow gespeichert werden.

- Datei – Automatisieren
- PDF-Präsentation...
- Bilder auswählen – Ausgabeoptionen und Präsentationsoptionen für die Diashow festlegen
- Einstellungen für das PDF vornehmen
- PDF Speichern

Die Übergangseffekte sind nur in der Vollbildansicht sichtbar.

Bearbeiten Sie die Bilder im Vorhinein und legen Sie die Reihenfolge der Diashow fest.

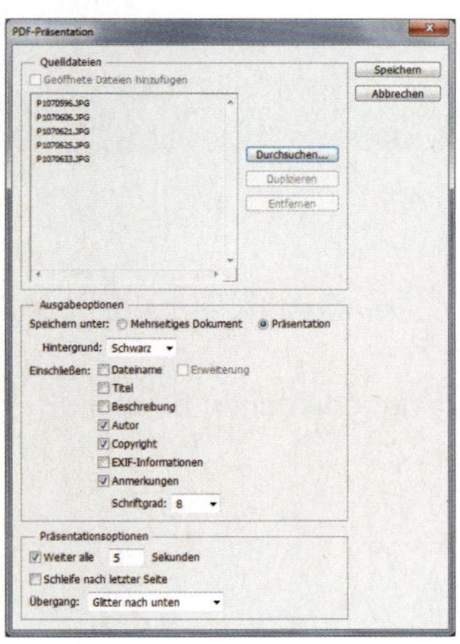

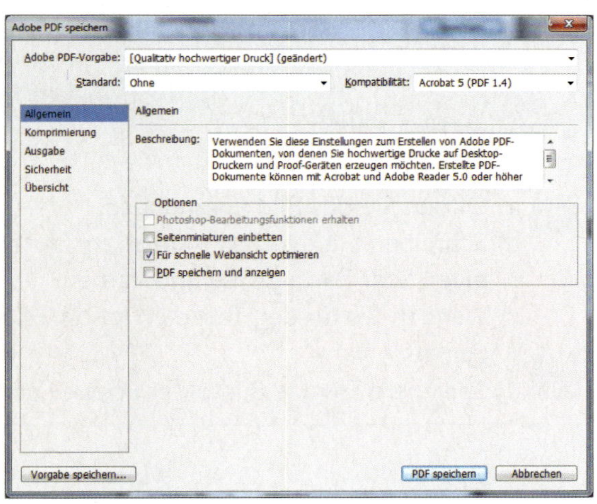

Übung

PDF-Präsentation erstellen

a) Erstellen Sie in PHOTOSHOP eine PDF-Präsentation mit den Bildern **Hamburg1.jpg** bis **Hamburg7.jpg.**

b) Wählen Sie für die Präsentation folgende Einstellungen:
- Ausgabeoptionen: Speichern unter Präsentation, Hintergrund schwarz;
- Präsentationsoptionen: weiter alle fünf Sekunden, Übergang Schieben nach links;
- Dateiname: **Hamburg8.pdf.**

c) Speichern Sie die Optionen.

d) Öffnen Sie die PDF-Datei und sehen Sie sich die Präsentation an.

1.13 Text in 3-D

In PHOTOSHOP können einfache Texte schnell in 3-D dargestellt werden.

- Textwerkzeug auswählen
- Text schreiben und formatieren
- Text-Optionenleiste – 3-D-Symbol auswählen
- 3-D-Modus auswählen und im Bild mit linker gedrückter Maustaste den Text verändern

Auch in der Ebenenminiatur erkennt man ein 3-D-Objekt.

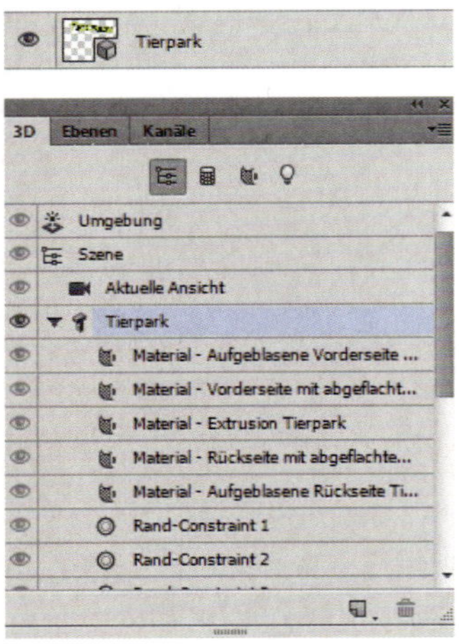

- FENSTER – 3-D – 3-D-Übersicht zum Ein- und Ausblenden
- Zum Aussteigen aus dem 3-D-Menü in der Ebenenminiatur in eine andere Ebene klicken

Übung

- **Text in 3-D erstellen**

a) Öffnen Sie das Bild **Loewe2.psd.**
b) Schreiben Sie den Text »Kunst am 3. April .... im Rathaus« in einer beliebigen Schriftart, -größe und -farbe.
c) Wenden Sie für den Text die Option 3-D mit verschiedenen Einstellungen an.
d) Speichern Sie das Bild unter **Loewe3.psd.**

1.14 Panoramafoto erstellen

Mit der Photomerge-Funktion können Sie aus mehreren Einzelbildern ein Panoramabild erstellen.

- DATEI – AUTOMATISIEREN – PHOTOMERGE...
- DURCHSUCHEN... – Bilder auswählen – EINFÜGEN
- LAYOUT wählen
  - **Auto:** PHOTOSHOP analysiert die Bilder und wählt automatisch ein passendes Layout aus
  - **Perspektivisch:** Bilder werden je nach Bedarf gedehnt, neu positioniert, geneigt ... und so an ein Referenzbild, meist das mittlere Bild, angepasst

Bilder zusammen überblenden: Die Farben der einzelnen Bilder werden angepasst – die Bildübergänge sind nicht mehr erkennbar. Diese Funktion ist automatisch aktiviert.

Korrektur der geometrischen Verzerrung: Aktivieren Sie diese Option, wenn Bilder verzerrt sind, z. B. durch Fischaugen- oder Weitwinkelobjektive.

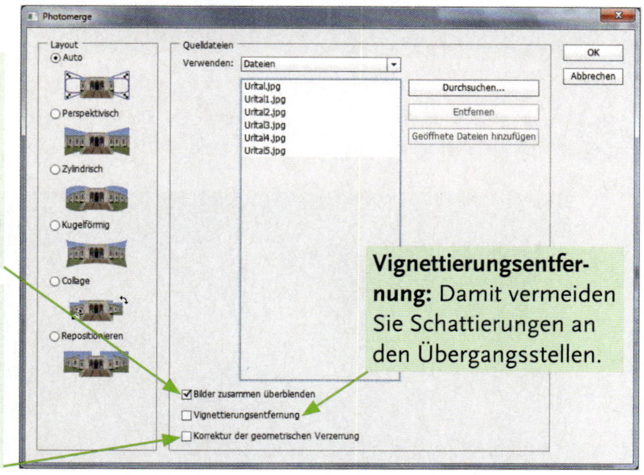

Vignettierungsentfernung: Damit vermeiden Sie Schattierungen an den Übergangsstellen.

- **Zylindrisch:** Einzelbilder werden wie ein Zylinder angeordnet und überlappend an das Referenzbild angelegt – so wird vermieden, dass Bilder gestaucht oder gedehnt werden
- **Kugelförmig:** Bilder werden wie das Innere einer Kugel angeordnet
- **Collage:** Bilder werden überlappend angeordnet; die Ebenen der Bilder werden dafür gegebenenfalls transformiert (gedreht, geneigt, neu positioniert ...)
- **Repositionieren:** Bilder werden zu einem Panoramabild zusammengefügt und dabei nicht transformiert

- Einstellungen mit OK bestätigen

In der Fotografie wird mit dem Begriff Vignettierung die Abschattung an den Bildrändern bezeichnet.

Die Layout-Option Kugelförmig benötigen Sie, um ein 360°-Panorama zu erstellen.

Mithilfe des Freistellungswerkzeuges können Sie das Panoramabild zuschneiden.

Für dieses Beispiel wurde das Layout Repositionieren gewählt.

Was Sie bereits beim Fotografieren beachten sollten

- Die Motive sollen sich zu etwa einem Viertel überlappen.
- Nehmen Sie alle Einzelbilder von der gleichen Position aus auf. Verwenden Sie, wenn möglich, ein Stativ.
- Nehmen Sie alle Einzelbilder mit den gleichen Einstellungen und zur selben Zeit auf.

Übung

Photomerge-Funktion anwenden

a) Erstellen Sie mit der Photomerge-Funktion aus den Bildern **Steinbach1.jpg** bis **Steinbach5.jpg** ein Panoramabild.

b) Probieren Sie für die Zusammenstellung verschiedene Layouts aus.

c) Schneiden Sie eine Lösung mit dem Freistellungswerkzeug zu.

d) Speichern Sie die Datei unter **Steinbach6.psd.**

e) Besprechen Sie mit Ihrer Lehrkraft und Ihren Mitschülern/Mitschülerinnen die Ergebnisse.

Bildbearbeitung

Ziele erreicht? – „Bildbearbeitung“

KOMPETENZ-ERWERB

1. Verschiedene Werkzeuge anwenden

a) Öffnen Sie die Bilder **Badaussee1.jpg** und **Badaussee2.jpg.**
b) Verändern Sie die Bildgröße auf eine Breite von 40 cm und eine Höhe von 30 cm.
c) Wählen Sie mit dem Zauberstab und einer weichen Kante von 10 Pixeln den Himmel aus. Kehren Sie die Auswahl um.
d) Kopieren Sie die Auswahl und fügen Sie die Kopie in das Bild Baudaussee1.jpg ein.
e) Erweitern Sie die Arbeitsfläche um 5 cm und färben Sie die erweiterte Arbeitsfläche mit einem Grünton aus dem Bild.
f) Speichern Sie das Bild unter **Badaussee3.psd.**

2. Bild bearbeiten

a) Öffnen Sie das Bild **Haus1.jpg.**
b) Drehen und schneiden Sie das Bild zu.
c) Verändern Sie den Farbton des Bildes.
d) Speichern Sie das Bild unter **Haus2.psd.**

3. Bild bearbeiten

a) Öffnen Sie das Bild **Strand1.jpg.**
b) Bearbeiten Sie das Bild nach der Lösung.
c) Speichern Sie das Bild unter **Strand2.psd.**

4. Bilder teilkolorieren – 10 min

a) Öffnen Sie das Bild **Taxi1.jpg.**
b) Versuchen Sie dieses Bild teilzukolorieren und ein typischen schwarz/weiß-Bild mit den gelben Taxis zu erstellen.
c) Speichern Sie das Bild unter **Taxi2.jpg.**

5. Textwerkzeug und Ebenenstile anwenden – 15 min

a) In Ihrer Firma werden neue Mitarbeiterinnen und Mitarbeiter gesucht. Um die Aufmerksamkeit der Bewerberinnen und Bewerber zu gewinnen, erstellen Sie neue Plakate. Ein Foto wurde bereits von einem professionellen Fotografen gemacht.

b) Öffnen Sie das Bild **Bewerbung1.jpg** und speichern Sie es unter **Bewerbung2.tif.**

c) Nehmen Sie auf dem Bild die notwendigen Tonwertkorrekturen vor.

d) Schreiben Sie auf die Tafel den Text »Wir freuen uns auf Ihre Bewerbung«. Wählen Sie für Ihren Text eine passende Schriftart, -größe und -farbe. Die Textebene können Sie mit Ebenenstilen zusätzlich hervorheben.

e) Speichern Sie das Bild!

6. Bildbearbeitung – Farbverlauf, Text und Ebenenstil

a) Öffnen Sie das Bild **Krokus1.jpg** und speichern Sie es unter **Krokus2.psd.**

b) Wählen Sie die Blüte mit einem Auswahlwerkzeug aus. Erstellen Sie eine Kopie der Blüte auf einer eigenen Ebene. Nennen Sie die Ebene »Blüte«.

c) Gestalten Sie den Hintergrund schwarz-weiß – die Blüte bleibt in Farbe.

d) Erstellen Sie für einen Farbverlauf eine neue Ebene (Ebenenname »Verlauf«). Wählen Sie den Verlauf Vordergrundfarbe zu Transparenz mit einem Gelbton als Vordergrundfarbe aus. Ziehen Sie den linearen Verlauf von oben nach unten über zwei Drittel des Bildes.

e) Schreiben Sie den Text »Frühling« in beliebiger Schriftart, passender Schriftgröße und gelbem Farbton. Transformieren Sie den Text und weisen Sie ihm einen Ebenenstil zu.

f) Ändern Sie die Deckkraft der Ebene Blüte auf 50 %.

g) Speichern Sie das Bild!

7. Bildbearbeitung – Filtergalerie, Einstellungsebene

a) Öffnen Sie das Bild **Abendstimmung1.jpg.**

b) Ziehen Sie ein Auswahlrechteck um je ca. 1 cm verkleinert zum Bild auf. Kehren Sie die Auswahl um.

c) Wählen Sie die Einstellungsebene Farbfläche… – Weiß aus.

d) Aktivieren Sie in der Ebenenminiatur die Farbfüllung und öffnen Sie die Filtergalerie.

e) Wenden Sie den Malfilter Verwackelte Striche (Strichlänge: 0 und Sprühradius 17, vertikale Richtung) an.

f) Speichern Sie das Bild unter **Abendstimmung2.psd.**

8. Panoramabild erzeugen – 20 min

a) Erstellen Sie mit den Bildern **Neustift1.jpg** bis **Neustift3.jpg** ein Panoramabild. Probieren Sie verschiedene Layouts und wählen Sie eines davon aus.
b) Schneiden Sie das erstellte Panoramabild zu und speichern Sie es unter **Neustift4.psd.**
c) Erstellen Sie den Text »Maria Neustift« und formatieren Sie ihn nach Belieben.
d) Fügen Sie für den Text einen 3-D-Effekt hinzu.
e) Speichern Sie das Panoramabild!

9. Einladung erstellen – 15 min

a) Für den nächsten Kochabend zum Thema Gewürze erstellen Sie eine passende Einladung. Von Ihrem Freund bekommen Sie bereits einen Entwurf.
b) Öffnen Sie das Bild **Kochen1.jpg** und erstellen Sie die Einladung wie in der Lösung abgebildet.
c) Speichern Sie das Bild unter **Kochen2.psd.**

10. Eigene PDF-Präsentation erstellen

a) Suchen und bearbeiten Sie eigene Bilder Ihres letzten Urlaubs, einer Familienfeier ... Speichern Sie die Bilder in einem eigenen Ordner in der richtigen Reihenfolge.
b) Erstellen Sie in PHOTOSHOP eine Präsentation mit Ihren persönlichen Einstellungen.
c) Speichern Sie die Datei unter **Diashow.pdf.**
d) Öffnen Sie die PDF-Datei und genießen Sie Ihre Präsentation.

11. Bildcollage erstellen – 30 min

a) Erstellen Sie eine Einladung zu einer Geburtstagsfeier, Hochzeit, Taufe ... Öffnen Sie dazu eine neue Datei mit 21 x 8 cm. Die Karte soll professionell gedruckt werden. Achten Sie auf die richtige Auflösung und das passende Dateiformat.
b) Erstellen Sie für die Einladung verschiedene Hintergrundvarianten wie Muster, Farbverläufe ...
c) Verwenden Sie verschiedene Formen, Pinseln und/oder Zeichenwerkzeuge. Fügen Sie Bilder, Grafiken und/oder Illustrationen ein. Versuchen Sie damit die Einladung sehr persönlich zu gestalten.
d) Schreiben Sie einen passenden Text oder ein Gedicht auf die Karte.
e) Platzieren Sie alle Elemente und speichern Sie die Einladungskarte unter **Collage.psd.**

Einen interaktiven **Safety-Check** finden Sie in der TRAUNER-DigiBox.

Business-Case 4. Semester – „Marktforschungsinstitut Müller GmbH"

AUSGANGSSITUATION

Sie sind beim **Marktforschungsinstitut Müller GmbH,** Schillerstraße 15, 4050 Traun, in der PR-Abteilung beschäftigt. Ihr Vorgesetzter möchte eine neue Art von Presseaussendung einführen. Dazu ist es erforderlich, dass Sie eine Datenquelle erzeugen, in der alle führenden regionalen und überregionalen Tageszeitungen Österreichs mit Ansprechpartner und E-Mail-Adresse enthalten sind. Die erste Presseaussendung soll einen Auszug aus dem Ergebnisbericht der aktuellsten Umfrage über das Freizeitverhalten der Österreicher enthalten. Im Serienmail müssen wichtige Ergebnisse des Berichts sowie optisch ansprechend aufbereitete Diagramme und EXCEL-Diagramme mit den Basiserhebungsdaten verknüpft werden.

Freizeitverhalten der Österreicher

Umfrage: Jänner ....
Befragte Personen: 2.511
Die Ergebnisse sind repräsentativ für die österreichische Bevölkerung zwischen 14 und 70 Jahren.

Was verbinden die Österreicherinnen und Österreicher mit dem Begriff „Freizeit", welchen Stellenwert hat der Beruf und würden sie eher mehr Freizeit oder mehr Geld wollen?

Freizeit bedeutet Ausspannen und Zeit mit seinen Lieben

Drei von vier Österreicher/innen verbinden den Begriff Freizeit mit Ausspannen und Erholen, knapp ebenso viele mit Familie und Partner. Generell sind die Österreicher/innen in ihrer freien Zeit eher entspannt und gesellig. Genießen, Wohlfühlen und Freunde folgen auf den Plätzen drei bis fünf. Action und Spannung werden in deutlich geringerem Maße mit dem Begriff Freizeit assoziiert. Neues Entdecken, Spontanität und Kreativität sind Freizeitbeschäftigungen, die die Österreicher/innen eher zurückhaltend ausüben.

Deutliche Unterschiede zeigen sich nach Altersgruppen

14- bis 19-Jährige verbinden Freizeit in deutlich stärkerem Maße mit Begriffen wie Freunde, Unterhaltung, Spontanität, Experimentieren, Spannung und Tempo als Ältere. Für 30- bis 49-Jährige sind Familie bzw. Partner klar das Hauptthema ihrer Freizeit. Für Berufstätige hat Ausspannen und Erholen einen höheren Stellenwert als für Personen, die keiner beruflichen Beschäftigung nachgehen.

Was ist wichtiger: Arbeit oder Freizeit?

Für zwei Drittel der Österreicher/innen stellt Arbeit einen wichtigen Bestandteil des Lebens dar – ebenso wie die Freizeit. Etwa 3 von 10 betrachten Arbeit allerdings als notwendiges Übel. Nur eine Minderheit zieht die Arbeit generell der Freizeit vor.

Spannende Unterschiede ergeben sich nach Altersgruppen. Unter-40-Jährige sehen Arbeit in deutlich stärkerem Maße als notwendiges Übel, während die Ab-40-Jährigen Arbeit und Freizeit überdurchschnittlich häufig als selbstverständliche Teile des Lebens betrachten.

Mehr Geld oder mehr Freizeit?

Vor die Wahl gestellt, ob man sich eher für eine Gehaltserhöhung oder mehr Freizeit entscheiden würde, schlägt das Pendel in Richtung zusätzliche freie Zeit aus: Zwei Drittel der Österreicher/innen würden sich sicher oder eventuell für zusätzliche Urlaubstage oder eine geringere Wochenarbeitszeit entscheiden. Die Unter-30-Jährigen neigen in einem deutlich stärkeren Ausmaß für mehr Freizeit, während die Älteren überdurchschnittlich häufig zusätzliche Freizeit ablehnen. Hier zeigt sich erneut, wie sehr sich die Einstellung der Unter-30-Jährigen zu Arbeit und Freizeit von der älteren Generation unterscheidet.

Welche Begriffe verbinden Sie am stärksten mit Freizeit (maximal 5 Begriffe durften ausgewählt werden)	
Ausspannen, Erholen	77%
Familie, Partner	73%
Genießen	60%
Wohlfühlen	56%
Freunde	52%
Freiheit	44%
Unterhaltung	36%
Neues entdecken	20%
Spontanität	17%
Kreativität	14%
Engagement	7%
Experimentieren	6%
Spannung, Aufregung	5%
Speed, Tempo	5%
Intensität	2%

Was ist wichtiger - Arbeit oder Freizeit?	
Arbeit geht bei mir ganz klar vor Freizeit	4%
Arbeit muss sein, aber mir ist Freizeit wichtiger	26%
Beides sind wichtige Bestandteile des Lebens	67%

Business-Case 4. Semester – „Präsentation ÖBB“

AUSGANGSSITUATION
Sie sind Mitarbeiter in der Marketingabteilung der Österreichischen Bundesbahnen. Ihr Chef hat eine dringende Aufgabe für Sie.

Bitte erstellen Sie für den Messeauftritt eine Präsentation der Hamburg-Fotos. Die Fotos sind unbearbeitet, das müssten Sie noch machen.

OK. Ich nehme an, die Präsentation läuft automatisch ab und die Bilder sollen als Werbung für das Reiseziel dienen?

Genau so habe ich es mir vorgestellt. Es eilt, in einer Stunde liegt die Präsentation auf dem Server! Lassen Sie alles andere liegen und beginnen Sie zu arbeiten!

Die Fotos für die Präsentation finden Sie in der Datei **Hamburg.zip** in der TRAUNER-DigiBox.

UNTERNEHMENSINFORMATION
ÖBB – Werbung GmbH
Am Hauptbahnhof 2
1100 Wien
Tel.: +43 1 930 00 44 50
E-Mail: werbung@oebb.at
Web: konzern.oebb.at

Stichwortverzeichnis

Übungsverzeichnis

Bildnachweis

Urheber unbekannt

S. 21: Logo Gioia
S. 23: Logo Posthof
S. 31: Logo Sturmberger
S. 31: Logo Knox
S. 33: Logo Hausmann
S. 38: Logo Zotter
S. 42: Logo INNsHOLZ
S. 43: Logo Feriendorf Wallenburg in Tirol
S. 84: Logo Sharepoint
S. 84: Logo Teams
S. 85: Logo OneNote
S. 111: Logo Prezi
S. 111: Logo Zoho
S. 111: Logo Google Präsentationen
S. 209: Logo Abenteuer Management
S. 243: Logo Douglas
S. 306: Logo ÖBB

Alle weiteren Bilder und Grafiken sind Eigentum der TRAUNER Verlag + Buchservice GmbH bzw. wurden von Bildagenturen zugekauft (www.stock.adobe.com).